Hanni Münzer
Honigtot

D0537664

PIPER

HONIGTOT

Einst ein Volk rührig schmatzend,
nimmersatt Blüten schatzend.
Im Bund mit der Natur,
süß und bernsteingolden, Beute pur.

Dem Himmelsgott die Freude lacht,
über allem die stolze Königin wacht.
Deborah, der Majestäten Name war,
schön und klug und unnahbar,
ungerührt von der Sonne Glanz,
verfolgt sie der Scharen munteren Tanz.

Plötzlich, dort: ein fremder Duft,
welch zwielicht' Geschöpf kündet die Gruft?
Mensch, Henker der Natur, der alles entleibt,
– der goldene Schwarm auf immer schweigt.

Allein die Königin der Metzelei entkam,
sinnenwirr auf Rache sann.
Feindes Werk sie vollendet ohne Not
und wählt' für sich den bitt'ren Tod.

Bis heute dunkle Schatten ragen,
die verlorenen Himmel von einst beklagen.
Einst hoffnungsfrohes Volk – entseelt und starr,
wem Vergeltung mehr gilt als das Leben – der ist ein Narr.

Raffael Valeriani

Anfangs ist der böse Trieb wie ein Vorübergehender, dann wie ein Gast und zuletzt wie ein Hausherr.

Talmud Bavli Sukka 52

Prolog

Es heißt, dass die Last der Wahrheit mehr wiegt, als Gott selbst je zu tragen vermag.

Dabei folgt die Wahrheit stets ihrer eigenen Physik. Wenn man es am allerwenigsten erwartet, steigt sie wie eine Wasserblase an die Oberfläche und klagt uns an.

Meiner Familie widerfuhr dies, als meine Großmutter starb und meine Mutter am selben Tag spurlos verschwand.

Ausgelöst wurden die Geschehnisse durch den vergilbten Inhalt einer vergessenen Schachtel.

Die Vergangenheit hatte uns eingeholt.

TEIL 1

Felicity

Gegenwart

Kapitel 1

Seattle, Washington, USA, Mai 2012

»Und du bist dir wirklich sicher, dass du das Richtige tust?«, fragte Olivia ihre Freundin. Es war das gefühlt hundertste Mal innerhalb der letzten Stunde. Inzwischen hatte sich der Ton ihrer Entrüstung etwas abgenutzt. Ebenso wie das Interesse ihrer Freundin Felicity, darauf zu reagieren.

Felicity konzentrierte sich stattdessen, einen Koffer von biblischen Ausmaßen – ein Geschenk ihrer so weltfremden wie unpraktischen Mutter – mit ihren Habseligkeiten zu füllen.

Olivia lag bäuchlings auf dem Bett und knabberte an einem Apfel, während sie das Tun ihrer Freundin mit finsterer Miene verfolgte.

Felicity ahnte, dass Olivia nicht lockerlassen würde. Und richtig: »Ich kann es einfach nicht fassen, dass du mir das antust. Und das Ganze auch noch heimlich hinter meinem Rücken einzufädeln! Was hast du dir bloß dabei gedacht?«

Das also war der eigentliche Knackpunkt. Felicity unterdrückte ein Lächeln. Nicht *was* sie tat, ärgerte Olivia, sondern dass sie es geschafft hatte, es vor ihr, ihrer besten Freundin und nebenbei dem neugierigsten Menschen auf diesem Planeten, geheim zu halten.

Felicity ignorierte den Einwand wie alle anderen zuvor und rief: »Fertig!« Schwungvoll schloss sie den Koffer. Das Geräusch des zufallenden Deckels hatte etwas Endgültiges. Ende der Diskussion.

Nicht für Olivia. »Hast du eigentlich auch nur eine Minute lang an Richard gedacht?«, holte sie nun ihren Trumpf hervor.

Felicity fuhr herum. Damit hatte Olivia tatsächlich an ihren wunden Punkt gerührt. *Richard.* Verlässlich, begabt, mit glänzenden Aussichten und auch noch gut aussehend. Olivias Bruder war zehn Jahre älter als sie und bereits ein anerkannter Chirurg, während die Tinte auf dem Diplom der beiden frischgebackenen Ärztinnen noch kaum getrocknet war.

Die gesamte weibliche Belegschaft des Seattle Children's Hospital lag ihm zu Füßen. Und sie, Felicity, war gerade dabei, ihn zu verlassen und einen ganzen Kontinent zwischen ihn und sich zu bringen.

»Er liebt dich wirklich, weißt du?« Olivia klang jetzt ganz sanft.

»Ich weiß.« Er hatte es ihr gesagt. Gestern, als sie sich von ihm verabschiedet hatte. Richard wollte nicht, dass sie ging. Er hatte alles versucht, sie zum Bleiben zu bewegen, hatte ihr sogar einen Antrag gemacht. Sie konnte und wollte jetzt nicht an sein trauriges Gesicht denken, an die Enttäuschung in seinen Augen, als sie abgelehnt hatte. Die Trennung von ihm zerriss ihr beinahe das Herz. Es fühlte sich an, als schlüge seit gestern ein unförmiger Klumpen in ihrer Brust. Sie verstand sich selbst nicht, und doch konnte sie nicht anders.

So war es schon immer gewesen. Eine innere Rastlosigkeit trieb sie stetig weiter. Mittlerweile zweifelte sie daran, dass sich das je ändern würde. Sie hatte gehofft, diesem inneren Zwang zu entkommen, wenn sie ihr großes Ziel, Ärztin zu werden, erst einmal erreicht hatte. Doch je näher das Ende des Studiums und die Prüfungen gerückt waren, umso stärker war der Drang geworden, wieder eine neue Richtung einzuschlagen, auszubrechen aus ihrem geregelten Leben.

Dabei wünschte sie sich nichts sehnlicher, als irgendwo anzukommen und sich einen festen Platz im Leben zu erobern. Und doch agierte sie stets entgegengesetzt, einer zwanghaften Unruhe unterworfen, die direkt aus ihrer Seele zu kommen schien. Es war, als wünsche sie sich zwar das eine Leben, müsse aber ein anderes führen, gefangen in der ewigen Zwiesprache mit sich selbst. Sie hatte versucht, es Richard zu erklären. Aber wie konnte man etwas erklären, das man selbst nicht richtig verstand? Sie war kläglich gescheitert und Richard schließlich gegangen.

Ohne ergründen zu können, woher der melancholische Satz kam, dachte sie: *Ich werde das Land der Liebe niemals betreten.* Er hinterließ in ihr ein Gefühl der Verlorenheit und den schalen Geschmack von Angst.

»Was hast du gerade gesagt?« Olivia sah ihre Freundin verblüfft an.

Felicity war nicht klar gewesen, dass sie die Worte offenbar laut ausgesprochen hatte. Plötzlich wusste sie, was, oder besser, *wer* sie ihr eingegeben hatte. Ihre Großmutter hatte sie vor vielen Jahren zu ihr gesagt, kurz bevor sie an Alzheimer erkrankt war. Eigenartig, dass der Satz ihr gerade jetzt in den Sinn gekommen war. Andererseits auch wieder nicht: Ihre Großmutter war vor sechs Tagen im Alter von siebenundachtzig Jahren gestorben. Ihr Tod war nicht nur für die Erkrankte, sondern auch für die ganze Familie eine Erlösung gewesen.

Wegen der Beerdigung hatte Felicity ihren Flug nach Kabul verschoben, wo sie für die Hilfsorganisation »Doctors for the World« arbeiten würde.

Felicitys Handy klingelte. Das musste ihre Mutter Martha sein. Eigentlich hätte sie schon längst hier sein sollen. Ihre Mutter hatte darauf bestanden, ihre Tochter persönlich zum Flughafen zu fahren.

Felicity seufzte. Ihr graute bereits vor der knapp einstündigen Fahrt, die ihre Mutter garantiert für einen neuerlichen Versuch nutzen würde, ihr das Vorhaben auszureden. »*Lieber Gott, ausgerechnet Afghanistan! Du musst verrückt sein, Felicity, wirklich. Hast du so lange studiert, nur um anschließend am Ende der Welt mit einem Schleier herumzulaufen? Wie kannst du nur! Ganz zu schweigen davon, dass sich die Taliban da ständig in die Luft sprengen. Furchtbar!*«

Am Telefon war nicht ihre Mutter, sondern ihr Vater. Seit einem Schlaganfall vor einem Jahr saß er im Rollstuhl. Doch er hatte sich inzwischen gut erholt und würde bald nicht mehr darauf angewiesen sein. »Hallo, Kleines«, begrüßte er sie. »Sag, ist Mom bei dir?«

»Hi, Dad. Nein, eigentlich wollte ich gerade bei euch anrufen und fragen, wo Mom so lange bleibt. Wann ist sie denn losgefahren?«

»Das ist ja das Merkwürdige. Sie scheint heute Nacht gar nicht nach Hause gekommen zu sein. Das hat sie noch nie gemacht. Ich hatte eigentlich gehofft, dass sie bei dir wäre.«

»Wie bitte? Mom ist nicht nach Hause gekommen?« Felicity konnte es nicht glauben. Ihre Mutter mochte ihre Schwächen haben, aber sie war die Zuverlässigkeit in Person und würde ihren Vater ganz sicher nicht über Nacht allein lassen, erst recht nicht seit seinem Schlaganfall.

»Könnte sie dich angerufen haben, und du hast es vielleicht nicht gehört?«

»Nein, ich habe den Anrufbeantworter abgehört. Kein Anruf, keine Nachricht. Und ihr Mobiltelefon hat sie auch ausgeschaltet. Wo kann sie nur sein?«

»Wo wollte sie denn gestern hin? Vielleicht zu einer Komitee-Sitzung? Dort kann man doch sicher anrufen?« Ihre Mutter war in mehreren Wohltätigkeitsvereinen aktiv, es war ihr Lebensinhalt, sich um andere zu kümmern. Nur nicht um ihre eigene Familie, schoss es Felicity durch den Kopf. *Halt, sei nicht ungerecht*, schalt sie sich sofort. In den letzten Jahren war es sehr viel besser mit ihr geworden.

»Nein, sie war auf keiner Sitzung. Deine Mutter hat gestern Mittag einen Anruf aus dem Pflegeheim erhalten. Sie haben sie gebeten zu kommen, um das Zimmer deiner Großmutter zu räumen. Es würde dringend für den nächsten Patienten gebraucht werden, hieß es.«

»Hast du dort schon angerufen?«

»Natürlich. Sie sagten mir, sie wäre höchstens eine halbe Stunde am Nachmittag da gewesen und dann wieder gegangen. Ein Pfleger will sie dabei beobachtet haben, wie sie mit einer Schachtel unter dem Arm davongestürmt ist.«

»Davongestürmt? Mom? Ehrlich, das klingt nicht nach ihr.«

»Nein, und es sieht ihr auch gar nicht ähnlich, dass sie sich nicht meldet. Meinst du, es ist ihr etwas passiert? Ein Autounfall vielleicht?«

Felicity hörte die Ängstlichkeit in der Stimme ihres Vaters.

»Dann hätten wir ganz sicher schon davon erfahren. Weißt du was, Dad? Ich komme zu dir rüber. Dann rufen wir erst mal die Mitglieder der verschiedenen Komitees an. Sicher gibt es eine harmlose Erklärung. Vielleicht ist sie wieder einmal in einem ihrer Buß- und Betmarathons versunken und hat dabei alles um sich herum vergessen.« *Oder das ist Moms neuester Trick, um mich vom Abflug nach Kabul abzuhalten …*

»Aber was ist mit deinem Flug?«, fragte ihr Vater prompt.

»Kein Problem, den kann ich noch mal verschieben. Mein Dienst beginnt erst in einer Woche. In einer halben Stunde bin ich da. Du kannst inzwischen ja weiter versuchen, Mom mobil zu erreichen. Bis gleich, Dad.«

»Habe ich das gerade richtig verstanden? Deine Mutter ist verschwunden?«, fragte Olivia ungläubig.

»Ja, anscheinend schon seit gestern Nachmittag. Jedenfalls hat sie sich seitdem nicht mehr bei Vater gemeldet. Die beiden schlafen seit seinem Schlaganfall in getrennten Zimmern. Mein Vater geht oft sehr früh ins Bett. Die vielen Medikamente, die er nehmen muss, machen ihn müde. Darum hat er ihre Abwesenheit wohl erst heute Morgen bemerkt.«

Olivia sprang vom Bett auf und entsorgte den angebissenen Apfel. »Komm, ich fahre dich rüber. Jetzt bin ich auch neugierig geworden, was mit deiner Mutter los ist.«

Unterwegs sagte Olivia nachdenklich: »Du hast vorhin Marthas Buß-Marathons erwähnt. Fürchtest du, es geht wieder los?« Die beiden Freundinnen kannten sich seit dem Kindergarten, daher wusste Olivia schon seit vielen Jahren, was es mit den eigenartigen Frömmigkeitsanfällen von Felicitys Mutter auf sich hatte. »Sag, wann genau war denn das letzte Mal? Das ist doch schon länger her, oder?«, erkundigte sich Olivia weiter.

Felicity überlegte, dass es ungefähr acht Jahre her sein musste, dass sich die ehemalige Ordensschwester Martha Benedict zuletzt tagelang eingesperrt hatte, um Gott um Vergebung anzuflehen, weil sie ihn enttäuscht hatte. Zuvor war dies in regelmäßigen Abständen ungefähr alle sechs Monate geschehen. Zum ersten Mal kam ihr so richtig zu Bewusstsein, dass die früher geradezu fanatische Frömmigkeit ihrer Mutter von Jahr zu Jahr abgenommen hatte. Felicity runzelte die Stirn. Tatsächlich hatte die positive Entwicklung ihrer Mutter eingesetzt, als ihre Großmutter Maria wegen der fortschreitenden Alzheimer-Erkrankung ins Pflegeheim gemusst hatte. Das sagte sie Olivia jetzt und ergänzte: »Es wäre möglich, dass Großmutters Tod einen Rückfall bei ihr ausgelöst hat. Ich hoffe aber inständig, dass es nichts damit zu tun hat. Für Vater wäre das schlimm und würde nur wieder alte Wunden aufreißen. Er kommt sich dann immer vor, als hätte er Mom um ihr Leben betrogen.«

»Na ja, eigentlich hat eure Mutter doch euch um euer Leben betrogen. Mal ehrlich, ich habe dich und deinen Dad immer dafür bewundert, wie ihr ihre Marotten ausgehalten habt. Mir summt jetzt noch ihr *mea culpa, mea maxima culpa* im Ohr. Martha ist doch mindestens doppelt so fromm wie mein Bruder Fred. Und der ist immerhin Jesuit.« Olivia hatte noch nie ein Blatt vor den Mund genommen.

Felicity verzog das Gesicht. Es war nicht das erste Mal, dass ihre Freundin dieses Thema anschnitt. Es stimmte, ihr Vater sah ihrer Mutter alles nach, weil er sie abgöttisch liebte. Er war fünfzehn Jahre älter als sie, und die beiden hatten spät geheiratet. Felicity war ihr einziges Kind geblieben. Ihre Mutter hatte die vierzig bereits überschritten, als sich ein Baby angekündigt hatte. Mutter und Kind wären bei der Geburt beinahe gestorben, und Felicity hatte monatelang im Krankenhaus aufgepäppelt werden müssen. Auch das hatte Martha Benedict als Strafe Gottes dafür angesehen, dass sie damals aus dem Franziskanerinnen-Orden ausgetreten war, um ihren Vater Arthur zu heiraten. Felicity hoffte so sehr, dass es einen anderen Grund für das Verschwinden ihrer Mutter gab als einen Rückfall in alte Reuemuster.

Olivias betagter Peugeot bog nun in den Richmond Beach Drive ein und hielt vor dem Backsteinhaus von Felicitys Eltern. Felicity entdeckte ihren Vater in der offenen Haustür stehend. Schwer auf zwei Krücken gestützt, lehnte er am Türrahmen. Er trug keine Jacke, obwohl ein kühler Wind von der Küste her wehte und ihm durch das weiße Haar fuhr. Das Haus lag direkt am Puget Sound, den nur ein schmaler Streifen Land vom Pazifik trennte. Felicity sparte sich die Ermahnung, dass er sich so nur erkälten würde, als sie in sein sorgenvolles Gesicht sah.

Sie führte ihn ins Haus zurück, und ihr Vater brachte die beiden jungen Frauen auf den neuesten Stand, der keiner war. Felicitys Mutter hatte sich immer noch nicht gemeldet, ihr Mobiltelefon war weiter abgeschaltet, und auch die Anrufe bei den verschiedenen Komitee-Mitgliedern, die ihr Vater zwischenzeitlich unternommen hatte, hatten nichts ergeben. Felicity checkte den Anrufbeantworter ein weiteres Mal, auch er hatte nichts aufgezeichnet. Ihr Vater besaß kein Mobiltelefon.

Sie erkundigte sich selbst noch einmal im Pflegeheim Woodhill und erhielt dieselbe Auskunft wie ihr Vater: Ihre Mutter sei höchstens eine halbe Stunde da gewesen und dann gegangen, ohne sich zu verabschieden. »Dieser Pfleger, der meine Mutter gesehen hat … Könnte ich vielleicht kurz mit ihm sprechen? Vielleicht hat sie ja doch etwas zu ihm gesagt?«

»Nein«, antwortete die stellvertretende Leiterin des Heims kurz angebunden. »Mr Gonzalez ist unabkömmlich. Aber ich weiß, dass er Ihre Mutter nur deshalb bemerkt hat, weil sie ihn fast umrannte und er dabei sein Tablett fallen ließ. Was ist jetzt bitte mit dem Zimmer Ihrer Großmutter? Wenn Sie es nicht bis morgen Mittag geräumt haben, müssen wir Ihnen einen weiteren Monat berechnen.« Felicity verdrehte die Augen und bemühte sich um einen ruhigen Ton: »Es ist gut, ich kümmere mich darum.« Nachdenklich legte sie auf.

»Und jetzt? Irgendwo muss deine Mutter doch sein. Und wenn ihr doch etwas passiert ist?«, fragte ihr Vater, dessen Sorgenfalten sich immer tiefer in sein Gesicht gruben. Felicity nahm seine Hand und drückte sie.

»Ich kontaktiere jetzt die Notaufnahmen der Krankenhäuser im Umkreis. Dann haben wir Gewissheit, okay, Dad?«

»Das kann ich doch machen, Felicity. Ruf du lieber bei der Telefongesellschaft an. Die können dir sicher sagen, wo das Mobiltelefon deiner Mutter zuletzt geortet wurde«, schlug Olivia vor und machte sich sofort an die Arbeit. Olivias Nachforschungen in den diversen Krankenhäusern ergaben zum Glück, dass keine Martha Benedict eingeliefert worden war.

Felicitys Anruf bei der Telefongesellschaft war ebenfalls aufschlussreich. Nachdem sie sich mit einigem Hin und Her ausreichend legitimiert hatte, teilte man ihr zu ihrer großen Überraschung mit, dass das Handy ihrer Mutter zuletzt am Vortag am Seattle/Tacoma-Flughafen eingeloggt gewesen war. »Was macht Mom am Flughafen?«, wunderte sich Felicity und sah von Olivia zu ihrem Vater.

»Vielleicht hat sie etwas verwechselt und dachte, du wärst schon gestern geflogen?«, meinte ihr Vater. Dabei schüttelte er den Kopf, als wollte er selbst nicht daran glauben.

»Das kann ich mir kaum vorstellen. Außerdem ergibt das keinen Sinn. Sie wollte mich ja abholen und hinbringen.«

»Vielleicht hat sie sich zu einer spontanen Reise entschlossen?« Das kam von Olivia.

»Aber sie hat doch nur ihre Handtasche mitgenommen. Wer verreist denn ohne Gepäck?«, warf Felicitys Vater ein.

»Du würdest dich wundern, Onkel Arthur«, erwiderte Olivia, die ihn seit jeher Onkel nannte. »Aber ich habe eine Idee: Wie wäre es mit der Kreditkartenabrechnung? *Follow the money!*«

»Wie bitte? Was heißt das?« Er sah sie verwirrt an.

»Das heißt, dass Olivia zu viele Krimis im Fernsehen gesehen hat«, sagte Felicity. »Aber sie hat recht. Einen Versuch ist es wert. Ich rufe die Kreditkartengesellschaft an. Vielleicht hat Mutter ihre Karte kürzlich benutzt.« Es folgte neuerliches Legitimierungs-Hickhack, aber da Felicitys Vater die Antwort auf die Sicherheitsfrage wusste, erhielt Felicity schließlich die gewünschte Information. Ihre Mutter hatte doch tatsächlich gestern am späten Nachmittag einen Flug nach Rom-Fiumicino gebucht.

»Na also. Wen kennt deine Mutter in Italien?«, fragte Olivia.

»Niemanden«, antworteten Felicity und ihr Vater wie aus einem Mund. Sie sahen sich erstaunt an.

»Dann doch ein Rückfall?«

»Wie kommst du darauf?«

»Rom, Papst, Oberhaupt der katholischen Kirche. Na, klingelt es bei dir? *Mea culpa*? Hatte das deine Mutter nicht schon mal vor, direkt vor der höchsten irdischen Instanz um Vergebung zu bitten?«

»Oh mein Gott«, entfuhr es Felicity und ihrem Vater wieder gleichzeitig.

»Amen«, ergänzte Olivia trocken.

Am nächsten Mittag stand Felicity in der Abflughalle des Flughafens Seattle/Tacoma. Statt eines Tickets nach Kabul hielt sie nun eins nach Rom in der Hand.

Inzwischen wusste sie, dass ihre Mutter keinen Reue-Rückfall gehabt hatte. Nein, Martha Benedict hatte eine Reise in die Vergangenheit ihrer verstorbenen Mutter angetreten.

Felicity war nach dem Besuch bei ihrem Vater mit Olivia nach Woodhill gefahren. Irgendetwas hatte sie dorthin gezogen und ihr gesagt, dass sie dort Antworten finden würde.

Olivia und sie hatten das Zimmer ihrer Großmutter nochmals gründlich durchsucht und nichts gefunden. Mehr und mehr kreisten Felicitys Gedanken um die geheimnisvolle Schachtel, mit der ihre Mutter das Pflegeheim angeblich so überstürzt verlassen hatte. Hatte der Inhalt der Schachtel etwas mit dem rätselhaften Verschwinden ihrer Mutter zu tun? Später hatte sie auch noch kurz mit dem Pfleger sprechen können, einem älteren Mexikaner.

Seine Schilderung hatte nicht zu ihrer Beruhigung beigetragen. Ihre Mutter habe ausgesehen, als sei der Leibhaftige persönlich hinter ihr her gewesen, erzählte der Pfleger und zog ein zerknülltes Stück Papier aus seinem Kittel. »Hier, das hat Ihre Großmutter in der Hand gehalten, als sie starb. Ich wollte es gestern schon Ihrer Mutter geben, aber es war ja keine Gelegenheit mehr dazu.«

Felicity strich das Papier glatt, das sich als Zeitungsausschnitt entpuppte. Es zeigte eine Szene in einem Gerichtssaal, offenbar den Angeklagten. Leider war das Foto ohne die Bildunterschrift ausgeschnitten worden. Dabei war es weniger der Mann, der Felicity interessierte, als vielmehr die Frau im Hintergrund des Fotos. Sie hatte in ihr ihre Großmutter erkannt. Sie saß in der ersten Zuschauerreihe und hielt den Blick starr auf den Angeklagten gerichtet. Felicity hatte noch nie so viel tödlichen Hass in einem Gesicht gesehen. Der Kleidung des Mannes und dem Alter ihrer Großmutter nach zu urteilen, musste der Ausschnitt aus den 60er-Jahren stammen. Wer war der Mann? Warum hatte sich ihre Großmutter für ihn interessiert? Aus der Rückseite der Abbildung wurde sie auch nicht schlau. Der Zeitungsausschnitt schien Teil einer Todesanzeige zu sein. Allerdings verfasst in einer Sprache aus Zeichen, die sie nicht kannte. Sie vermutete, dass es Hebräisch war. Wenn das stimmte, wie war ihre Großmutter dann auf ein Bild in einer israelischen Zeitung geraten?

Felicity wusste, dass es wenig Sinn hatte, sich an die Polizei zu wenden. Ihre Mutter war eine erwachsene Frau und konnte reisen, wohin sie wollte und wann sie wollte. Ohne lange zu zögern, hatte sie daher beschlossen, ihr zu folgen und sie selbst zu suchen. Natürlich sorgte sie sich um ihre Mutter, aber ebenso grollte sie ihr, weil sie ihren Vater einfach im Stich gelassen hatte und ohne ein Wort verschwunden war. Ihr Vater würde keine ruhige Minute mehr haben, bis er nicht von ihr oder ihrer Mutter gehört hatte. Olivia hatte Felicity versprochen, sich während ihrer Abwesenheit um ihn zu kümmern. Die Reise nach Kabul um einige Tage zu verschieben war kein Problem gewesen.

»Warte, Felicity!«, hörte sie jetzt jemanden nach ihr rufen. Sie drehte sich um und sah, wie Richard, ihr Beinahe-Verlobter, mit schnellen Schritten auf sie zukam.

»Wie schön, dass ich dich noch erwische, Felicity.« Er umarmte und küsste sie ausgiebig zur Begrüßung, als hätten sie sich gestern nicht getrennt. Dann ließ er sie los und bedachte sie mit dem Lächeln, das sie so sehr an ihm liebte. »Entschuldige, alte Gewohnheit.« Richard schien wegen des Kusses nicht im Geringsten verlegen, im Gegensatz zu Felicity. Sie hatte ihn spontan erwidert. Dabei hatte sie sich doch fest vorgenommen, ihm keine weiteren Hoffnungen zu machen! Richard sollte frei sein für eine neue Liebe. Wie es schien, war ihr Herz weit weniger konsequent als ihr Verstand. Warum war er hier? Sie fühlte sich nicht stark genug für eine Wiederholung der Szene vom Abend zuvor.

Richards Anwesenheit erklärte sich mit dem nächsten Satz: »Olivia hat mir gestern noch alles erzählt. Sie meinte, deine Mutter hätte eine Art Midlife-Crisis und wäre tatsächlich ohne ein Wort nach Rom verschwunden? Einfach so? Merkwürdig,

Spontaneität ist nichts, was ich mit Martha Benedict je in Verbindung gebracht hätte. Und du hast beschlossen, ihr hinterherzureisen?«

Gott sei Dank, dachte Felicity erleichtert. Richard war hier wegen ihrer Mutter, nicht, um sie zurückzuhalten, weil er dachte, sie flöge nach Kabul. »Ja, ich mache mir Sorgen um sie. Du weißt ja, wie sie sein kann. Sie war noch nie in Europa, spricht kein Italienisch, höchstens ein wenig Latein, und soviel ich weiß, kennt sie dort auch keine Menschenseele.«

»Und was hast du jetzt vor? Wie willst du sie finden? Rom ist groß.«

»Ehrlich gesagt habe ich keinen blassen Schimmer. Obwohl es wahrscheinlich wenig nutzen wird, werde ich mich zuerst einmal an die italienische Polizei wenden. Mehr Hoffnungen setze ich aber auf die Bank und die Kreditkartengesellschaft meiner Mutter. Die haben sich nämlich bisher als sehr entgegenkommend erwiesen. Daher weiß ich, dass Mutter noch am Flughafen in Rom Geld abgehoben hat. Das ist wenigstens eine Spur. Es bedeutet ja vor allem, dass sie sicher dort angekommen ist. Sobald sie das nächste Mal ihre Kreditkarte benutzt, werde ich informiert.«

»Hier, ich habe etwas für dich, einen Namen und eine Telefonnummer in Rom!« Richard drückte ihr einen Zettel in die Hand. »Ich habe heute früh mit meinem jüngeren Bruder Fred gesprochen, und er hat mir einen Pater namens Lukas von Stetten genannt. Fred hat vier Semester mit dem Mann in München studiert. Pater Lukas ist Jesuit und lebt seit einigen Monaten in Rom. Ich habe gestern Abend mit ihm telefoniert.«

»Gestern Abend? Dann hast du den armen Mann mitten in der Nacht aus dem Bett geholt?« Wie um sich zu vergewissern, sah Felicity auf ihre Uhr.

Richard lächelte wieder sein unwiderstehliches Lächeln. »Bruder Fred sagte, das sei schon in Ordnung. Priester seien vierundzwanzig Stunden im Gottes-Einsatz. Und Pater von Stetten hat tatsächlich zugesagt, dich in Rom vom Flughafen abzuholen. Er wird dich bei deiner Suche unterstützen.«

»Danke, ich weiß gar nicht, was ich dazu sagen soll. Du beschämst mich. Du bist so ein Schatz, und ich …« Sie führte den Satz nicht zu Ende. Im Grunde war alles gesagt, und es gab nichts, was sie noch hätte hinzufügen können, was es einfacher für sie beide machen würde. Stattdessen hob sie sich auf die Zehenspitzen und küsste ihn auf die Wange. »Grüß Fred von mir.«

Richard hielt sie einen Moment fest und drückte sie an sich. Dann ließ er sie abrupt los. »Viel Glück, und melde dich, ja?«

»Natürlich.« Sie ging. Dann drehte sie sich noch einmal um. »Wie erkenne ich Pater von Stetten?«

»Ganz einfach«, Richard grinste. »Halte einfach nach dem attraktivsten Mann weit und breit Ausschau.«

Kapitel 2

Rom, Italien

Dreizehn Stunden später landete das Flugzeug in Fiumicino.

Es war später Vormittag, und Italien zeigte sich von seiner besten Seite: Die Sonne strahlte, der Himmel leuchtete postkartenblau.

Da Felicity nur mit Handgepäck reiste, verließ sie die Gepäckhalle als eine der Ersten. Der Airbus war ausgebucht gewesen, und eine große Menschenmenge erwartete die Passagiere hinter der Absperrung im Ankunftsterminal. Felicity suchte die Gesichter der männlichen Wartenden ab. Die einzig gut Aussehenden waren zu jung, und eine Soutane trug auch niemand. Ihr fiel ein, dass sie Richards Bruder Fred selten in seiner Soutane gesehen hatten. Trugen Jesuiten in Rom Soutane? Sie wusste es nicht. Warum hatte sie nicht gefragt?

Dann sah sie doch noch einen sehr gut aussehenden jungen Mann, der sich durch die Menge nach vorn drängte. Doch dann entdeckte sie, dass er rechts und links jeweils ein kleines Kind an der Hand hielt. Ihm auf dem Fuße folgte ein dicker Mann in schreiend bunter Kleidung. Felicity musste beim Anblick seiner grünen Shorts und des rosa Hemds spontan an Richards letztes Halloween-Kostüm denken. Er hatte sich als Wassermelone verkleidet. *Hör endlich auf, ständig an Richard zu denken!*, ermahnte sie sich selbst.

Sie angelte nach dem Zettel mit der Telefonnummer, den er ihr gegeben hatte. Sie würde noch ein wenig warten und Pater von Stetten dann anrufen. Sicher war er aufgehalten worden. Plötzlich bemerkte sie, dass der Wassermelonen-Mann versuchte, ihre Aufmerksamkeit zu erregen. Er winkte mit einem Taschentuch, mit dem er sich eben noch über die Stirn gewischt hatte. Felicity sah sich um, ob er auch wirklich sie meinte. Er winkte wieder. Ohne Zweifel, er meinte sie. Sie ging auf ihn zu.

»Sind Sie Signora Felicity Benedict?«, fragte er in etwas unsicherem Englisch.

»Äh, ja? Sind Sie Pater von Stetten?« Sie starrte in sein rotes Gesicht. *Da hatte sich Richard aber einen netten Scherz mit ihr erlaubt.*

»Leider nein. Pater von Stetten wurde heute Morgen in einer dringenden Angelegenheit vom Bischof nach Bamberg beordert. Er hat mich stattdessen geschickt. Ich bin Pater Simone Olivieri. Willkommen in Rom, Signora Benedict.« Er streckte ihr die Hand entgegen.

Felicity ergriff verwirrt seine verschwitzte Rechte. »Vielen Dank. Aber woher wussten Sie, dass ich es bin?«

»Pater Lukas meinte, Ihr Verlobter habe Sie ihm sehr eindeutig beschrieben: Ich solle nach der schönsten Frau am Flughafen Ausschau halten. Sie sehen, kein Hexenwerk.« Pater Simone lächelte sie verschmitzt an.

Felicity lächelte zurück. Ihr gefiel der dicke Pater. »Das ist wirklich nett von Ihnen, dass Sie mich abholen.«

»Aber gerne. Ist das alles an Gepäck, was Sie haben?« Er sah erstaunt auf ihren kleinen Rollkoffer. Offenbar hatte er noch nie eine reisende Frau mit so wenig Gepäck gesehen. Felicity konnte nicht ahnen, dass der Pater mit fünf Schwestern gesegnet war, deren Gepäckumfang bei ihren Besuchen in Rom dem eines mittleren Umzugs gleichkam.

»Ja, ich hoffe darauf, meine Mutter bald zu finden. Wenn ich mehr Zeit benötigen sollte, kann ich immer noch etwas besorgen.«

»Gut, dann fahren wir zunächst zu Ihrem Hotel und checken Sie ein. Haben Sie sich schon überlegt, was Sie als Erstes unternehmen möchten?«, fragte er, während sie das Terminal verließen und in die warme Maisonne hinaustraten.

»Ja, ich dachte, ich könnte bei der Polizei vorsprechen. Vielleicht gibt es eine Möglichkeit, eine Anfrage in den römischen Hotels zu starten. Irgendwo muss meine Mutter ja heute Nacht geschlafen haben. Sie ist gestern Mittag hier angekommen.«

»Gut, wie heißt Ihr Hotel?«

»Hotel Visconti.« Felicity wollte ihre Hotelbuchung hervorziehen, aber Pater Simone meinte: »Lassen Sie ruhig, ich kenne es. Es befindet sich im Centro Storico, in der Nähe der Piazza del Popolo.«

Nachdem Felicity eingecheckt hatte, fuhr Pater Simone sie zur nächsten Polizeistation auf der Piazza Trinità dei Pellegrini.

Der Polizist war sehr verständnisvoll und freundlich, sah sich aber außerstande, eine Anfrage an alle römischen Hotels zu stellen. »Tut mir leid, Signora«, übersetzte ihr Pater Simone, »aber Ihre Mutter gilt nicht als vermisst. Eine Anzeige liegt auch nicht vor, und Sie sagten ja selbst, dass Sie keinen Grund hätten, von einem Verbrechen auszugehen. Warten Sie doch einfach, bis Ihre Mutter sich von selbst bei Ihnen meldet, Signora. Ansonsten würde ich Ihnen raten, sich an die amerikanische Botschaft in der Via Veneto zu wenden. Arrivederci.«

»So habe ich mir das gedacht«, kommentierte Pater Simone und fuhr sich erneut mit dem Taschentuch über die Stirn. »Römische Beamte. Bloß keine Verantwortung übernehmen und die Arbeit möglichst delegieren. So wird das nichts mit *Forza Italia*.«

»Und was machen wir jetzt?« Felicity verharrte unschlüssig auf der Treppe der Polizeistation.

»Jetzt gehen wir erst einmal etwas essen, und dann besprechen wir unser weiteres Vorgehen. Ich habe da eine Idee. Aber kommen Sie, wir gehen in die Trattoria da Gino. Es ist zu Fuß nicht weit.«

Felicity verspürte wenig Appetit, aber der Pater hatte das Essen derart enthusiastisch angekündigt, dass sie nicht das Herz hatte, es ihm abzuschlagen. Der Wirt, Gino, hatte Pater Simone wie einen alten Freund begrüßt und sich vor Freude fast überschlagen, dass Pater Simone eine *bella signorina* mitgebracht hatte. Gefühlt alle fünf Minuten tänzelte er um ihren Tisch herum und fragte Felicity, ob es ihr schmecke.

Felicity bemühte sich, von allem wenigstens die Hälfte zu essen, während Pater Simone mit gutem Appetit zugriff und auch der Flasche Rotwein reichlich zusprach. Felicity nippte nur an ihrem Glas. Sie spürte, dass sich eine Migräne ankündigte, Rotwein am Mittag würde es sicher verschlimmern. Bereits bei der *Pasta e fagioli*, die als *Primo* serviert wurde, konnte Felicity ihre Ungeduld nicht mehr zügeln und fragte Pater Simone nach seiner Idee. Der stopfte sich eben umständlich die Serviette in den Hemdausschnitt. Nun sah er sie an. »Pater von Stetten hat mich darüber informiert, dass Ihre Mutter sehr fromm ist und viel Zeit im Gebet verbringt. Falls sie dazu eine Kirche aufsucht, habe ich mir Folgendes ausgedacht: Wenn Sie ein Foto Ihrer Mutter hätten, könnte ich es vervielfältigen lassen und an meine Brüder in den Kirchen verteilen, damit sie nach Ihrer Mutter Ausschau halten.«

»Das ist eine hervorragende Idee. Natürlich habe ich ein Foto.«

Pater Simone griff nach seinem Löffel. »Und jetzt probieren Sie. Gino macht die beste *Pasta e fagioli* von Rom. Und machen Sie sich keine Sorgen, Signorina Benedict. Wir finden Ihre Mutter.«

Kapitel 3

Das Foto zu vervielfältigen war dann gar nicht mehr nötig.

Noch während Gino die Espressi servierte, meldete sich die Kreditkartengesellschaft bei Felicity und gab ihr den Namen des Hotels durch, in dem ihre Mutter abgestiegen war. Pater Simone und Felicity machten sich sofort auf den Weg zur genannten Adresse in die Via della Conciliazione.

Am Empfang wies sich Felicity als Tochter von Martha Benedict aus. Laut Rezeptionistin befand sich ihre Mutter auf ihrem Zimmer, denn die Schlüsselkarte, die für die elektrische Versorgung benötigt wurde, war aktiviert. Allerdings reagierte Martha nicht auf den Anruf. »Es könnte sein, dass Signora Benedict gerade duscht oder sich die Haare föhnt und das Klingeln nicht hört«, meinte die Hotelangestellte dazu.

Felicity zügelte ihre Ungeduld. »Gut, dann warten wir zehn Minuten und versuchen es noch einmal. Wenn sich meine Mutter dann immer noch nicht meldet, könnten wir dann vielleicht nachsehen? Nur um sicherzugehen, dass alles in Ordnung ist?«

»Natürlich.«

In diesem Moment öffnete sich die Aufzugstür, und eine ältere Asiatin im Reinigungskittel schob ihren Servicewagen zur Rezeption. Sie sprach mit der jungen Frau, und es entspann sich eine kurze Diskussion, aus der Felicity nur den Namen ihrer Mutter heraushörte. Fragend sah sie Pater Simone an.

»Wie es scheint, hängt das Schild ›Bitte nicht stören‹ schon seit gestern Abend an der Zimmertür Ihrer Mutter.« Er wandte sich an die Dame am Empfang und sagte bestimmt: »Ich denke doch, dass wir gleich nachsehen sollten. Vielleicht ist die Dame krank und benötigt einen Arzt?«

Die Hotelangestellte nickte, rief eine Kollegin aus dem Büro, damit sie für sie übernähme, und führte sie zum Fahrstuhl.

Kurz darauf standen sie vor der Tür mit der Nummer 212 und klopften. Keine Reaktion. Felicity rief nach ihr. Nichts. »Bitte, machen Sie uns die Tür auf?« Felicity wurde ungeduldig.

Die Angestellte zögerte nun nicht mehr, sondern öffnete mit der Generalschlüsselkarte die Tür. Felicity betrat das Zimmer als Erste und starrte auf das unerwartete Chaos, das sich ihren Augen bot. Jede erdenkliche Fläche des Zimmers war mit Zeitungsartikeln und Papierschnipseln übersät. Das meiste war zerrissen und einiges auch wieder zusammengeklebt worden. Es sah aus wie ein riesiges Puzzle. Ihre Mutter kniete auf dem Bett, das ebenfalls mit Papierschnipseln bedeckt war, und blätterte in einem kleinen Notizbuch. Die Haare hingen ihr wirr ins Gesicht, sie wirkte völlig abwesend. Sie hatte nicht einmal bemerkt, dass jemand ihr Zimmer betreten hatte, und reagierte erst, als ihre Tochter sie am Arm berührte. Sie stieß einen erschrockenen Schrei aus.

»Mom! Ich bin es, Felicity!«

Martha starrte ihre Tochter an, als wäre sie eine Fremde. Dann seufzte sie und fuhr sich mit beiden Händen müde durchs Gesicht. Schließlich sagte sie leise: »Was machst du hier, Felicity?«

»Dich suchen. Dad und ich haben uns furchtbare Sorgen um dich gemacht. Du bist einfach so verschwunden. Was hast du dir nur dabei gedacht? Warum hast du Vater nicht wenigstens angerufen? Und was machst du hier überhaupt? Was sind das für Papiere?« Obwohl Felicity erleichtert war, ihre Mutter so schnell gefunden zu haben, schlich sich bereits ein Vorwurf in ihre Stimme.

Ihre Mutter sah sich um, als würde sie das Chaos um sich

herum erst jetzt wahrnehmen. Statt Felicitys Frage zu beantworten, strich sie sich durch ihr unordentliches Haar: »Ich muss furchtbar aussehen.«

»Das ist doch jetzt nicht wichtig. Hauptsache, es geht dir gut. Es geht dir doch gut?«

»Natürlich.« Felicitys Mutter schwang sich schwerfällig vom Bett. Sie machte ein, zwei unsichere Schritte, schwankte und wäre beinahe gestürzt. Pater Simone fing sie auf und half ihr, sich wieder auf das Bett zu setzen. Felicity griff nach dem Handgelenk ihrer Mutter, fühlte und sagte: »Dein Puls ist viel zu niedrig. Wann hast du das letzte Mal etwas gegessen, Mom?«

»Ich weiß nicht«, kam die unsichere Antwort. »Gestern Morgen vielleicht?«

Pater Simone hatte bereits fürsorglich ein Glas mit Wasser gefüllt und reichte es Felicitys Mutter.

Die Rezeptionistin stand unschlüssig im Raum.

»Wäre es möglich, meiner Mutter eine leichte Mahlzeit aufs Zimmer zu bringen? Eine Suppe oder ein Omelett?«, wandte sich Felicity nun an sie. Die Hotelangestellte nickte und ging eilig hinaus.

Pater Simone überflog inzwischen die im Raum verteilten Zeitungsausschnitte. Auf die Schnelle konnte er nicht viel erkennen, aber sie schienen ihm zum Teil sehr alt zu sein. Der Kleidung auf einem der zusammengeklebten Bilder nach zu urteilen, stammte es eventuell aus den Zwanzigerjahren. Auf einem Sessel entdeckte er noch eine grüne Papiermappe mit einem Aktenzeichen darauf. Prozessakten? Dann fiel sein Blick auf das Notizbuch, in dem die Signora geblättert hatte, als sie den Raum betreten hatten. Es war auf den Boden gerutscht, als sie vorhin versucht hatte aufzustehen. Es lag nun auf der letzten Seite aufgeschlagen auf dem Teppich. Er hob es auf und erkannte die Schrift. *Hebräisch?*, wunderte er sich. Am Ende stand nur ein Wort. *MET*. Das hebräische Wort für *tot*. Was hatte das zu bedeuten?

»Können Sie das lesen?« Felicitys Mutter fixierte ihn. Plötzlich war wieder Leben in ihren Augen.

»Äh, ja. Es ist Hebräisch.«

»Können Sie Hebräisch?«

»Ja, ich habe es studiert.«

»Können Sie es für mich übersetzen, bitte?«

»Es ist ein wenig viel auf einmal.« Pater Simone blätterte das Buch rasch durch.

»Bitte, es ist sehr wichtig. Ich muss wissen, was da drinsteht.«

»Wer hat das geschrieben?«, wollte Felicity wissen, die dem Wortwechsel gefolgt war.

»Ich vermute, dass es von deiner Großmutter stammt.«

»Großmutter konnte Hebräisch?«

»Offensichtlich.«

»Hast du das gewusst?«

»Nein, sie hat es nie erwähnt. Außerdem war sie keine Italienerin, sondern Deutsche, und ist erst nach dem Krieg nach Rom gekommen. Darum bin ich hier. Sie hat mich und Vater ihr Leben lang belogen und betrogen. Sie hat ihn damit in den Tod getrieben. Ich weiß es.«

»Was?« Entsetzt sah Felicity ihre Mutter an. »Bist du verrückt geworden? Was erzählst du denn da?«

»Weil es wahr ist. Mutter ist schuld am Tod deines Großvaters.«

»Aber es hieß doch immer, Großvater hätte 1960 einen Autounfall gehabt!«

»Ja, aber nur, weil sie sich kurz vorher mit ihm gestritten und ihn dann aus dem Haus geworfen hat. Er ist in sein Auto gestiegen und gegen einen Baum gefahren. Ich glaube, er hat es mit Absicht getan.«

»Wie kannst du nur so etwas sagen, Mutter! Und woher willst du das wissen? Du warst doch damals noch ein Kind!«

»Ich war vierzehn, alt genug! Ich habe mich erst wieder richtig an die Geschehnisse am Todestag deines Großvaters erinnert, als ich die Schachtel mit dem Gedicht in Großmutters Zimmer fand. Vermutlich hatte ich das alles verdrängt. Aber in dem Moment, als ich sein Gedicht für sie gelesen habe, war plötzlich alles wieder da. Hier«, ihre Mutter kramte ein klein gefaltetes Stück Papier aus ihrer Handtasche, »lies das. Es ist auf der Rückseite datiert. Dein Großvater hat es zwei Tage vor seinem Tod geschrieben.«

»*Honigtot*«, murmelte Felicity, nachdem sie das Gedicht zu Ende gelesen hatte. »Es klingt melancholisch und sehr traurig.«

»Das ist es auch. Dieser Streit damals war nicht ihr erster, das ging schon seit mehreren Tagen so. Dabei hat dein Großvater nie geschrien. Er war ein sanfter Mann, und bis dahin hatte ich nie erlebt, dass er seine Stimme gegen Mutter erhoben hätte. Er hat sie angebetet und wie eine Königin behandelt, so nannte er sie auch, ›meine Bienenkönigin‹. Es ging damals immer wieder um dieselbe Sache. Sie schrie ihn an, er habe sie belogen und der Mann sei damals gar nicht gestorben und er habe sie um ihre Rache betrogen. Sie war völlig hysterisch deshalb. Vater wehrte sich, sagte immer wieder, er habe damals zuerst an das Kind denken müssen. Vor allem wollte er partout nicht, dass Mutter nach Israel flog. Ich erinnere mich noch, dass es um einen Prozess ging, bei dem sie unbedingt dabei sein und aussagen wollte. Vater hingegen hat behauptet, dass es ihr nicht um eine Aussage ginge, sondern nur darum, den Mann zu töten.«

»Welchen Mann?«

»Ich weiß es nicht. Aber ich bin hier, um es herauszufinden.«

Erschüttert sank Felicity neben ihrer Mutter aufs Bett. *Ihre Großmutter hatte vorgehabt, jemanden zu töten, und ihr Großvater hatte sie daran hindern wollen?* Das alles ergab für sie keinen Sinn. »Und was macht dich so sicher, dass du gerade hier in Italien Antworten auf deine Fragen bekommst?«

»Weil in Rom alles angefangen hat. Hier haben sich dein Großvater und deine Großmutter kurz nach dem Krieg kennengelernt. Nicht in Seattle, wie sie immer behauptet haben. Eine weitere Lüge.«

Felicity sah ihre Mutter ungläubig an. »Woher weißt du das? Und warum hätten sie uns deshalb anlügen sollen?«

»In der Schachtel lag auch meine italienische Geburtsurkunde! So viel Latein kann ich, dass ich verstehe, was ein *Certificato di nascita* ist. Entgegen Mutters Behauptung wurde ich nicht in den Staaten geboren, sondern in Rom, in einem Gefängnis! Sie muss sich den amerikanischen Taufschein in den Nachkriegswirren erschlichen haben.«

»Großmutter soll dich in einem italienischen Gefängnis geboren haben?« Es wurde immer verrückter. Hilfesuchend blickte Felicity zu Pater Simone. Der hatte die Augenbrauen hochgezogen und sah genauso ratlos aus wie sie.

»Allerdings«, beteuerte Felicitys Mutter. »Ich bin gleich gestern zu der Adresse gefahren, die auf der Urkunde vermerkt ist, aber da steht jetzt ein Wohnblock. Das Gefängnis wurde längst abgerissen. Mutter muss Großvater dort begegnet sein, er hat da gearbeitet, jedenfalls taucht sein Name auf einer Angestelltenliste im Stadtarchiv von 1944 auf. Und er war offenbar nicht nur Arzt, sondern auch Priester.« Martha Benedict klang erschüttert, als könne sie vor allem Letzteres noch immer nicht fassen.

»Woher in Gottes Namen willst du dies denn alles so genau wissen, Mom?«

»Von einer eifrigen Studentin, die sehr gut Englisch spricht und im Stadtarchiv ein Praktikum macht. Leider konnte sie mir nicht sagen, warum Mutter im Gefängnis war, nur, dass sie ein Verbrechen innerhalb der Vatikanischen Mauern verübt haben soll. Darum hatte sie auch keine Akten hierzu, weil die sich im Vatikanischen Archiv befinden. Man muss einen Antrag stellen, um sie einzusehen. Das habe ich gleich morgen vor. Die junge Frau hat aber herausfinden können, dass der richtige Name deines Großvaters Raffael Valeriani lautete und nicht Ralph Valerian. Auf meiner italienischen Geburtsurkunde steht ›Vater unbekannt‹. Das bedeutet, dass der Mann, den ich bisher als meinen Vater angesehen habe, gar nicht mein Vater gewesen ist. Sie haben mich beide belogen. Ich muss herausfinden, wer mein richtiger Vater ist. Er ist der Grund, warum meine Mutter mich nie geliebt hat, ich weiß es. Mir ist natürlich klar, dass ich nicht so überstürzt hätte abreisen dürfen. Aber ich war völlig durcheinander und konnte nicht mehr klar denken.«

Felicity sah ihre Mutter fassungslos an. Plötzlich fiel ihr der Zeitungsausschnitt ein, den ihr der Pfleger gegeben hatte und den sie in ihrer Handtasche verwahrte. Handelte es sich bei dem Angeklagten auf dem Bild um den Mann, den ihre Großmutter 1960 laut ihrem Großvater hatte töten wollen? Hatte sie es womöglich sogar vorher schon einmal versucht? Ein furchtbarer Verdacht ergriff Besitz von ihr, und Felicity überlegte, ob sie den Ausschnitt hervorholen und ihrer Mutter zeigen sollte.

Diese aber hatte sich bereits wieder von ihr abgewandt und sah nun Pater Simone durchdringend an. »Und, können Sie diesen Text für mich übersetzen?« Es lag kein Flehen in ihrem Blick, vielmehr eine Aufforderung. Als sei es seine Pflicht, es zu tun. Sie brachte ihn damit in die Bredouille. Pater Simone überlegte, wie viele eigene Pflichten seiner die nächsten Tage harrten. Er hatte Prüfungen abzunehmen und eine wissenschaftliche Arbeit einzureichen, und das Jesuiten-Theater, dessen Leitung er innehatte, plante in Kürze eine Aufführung von Shakespeares *Sommernachtstraum*. Die Kulissen waren noch längst nicht fertig, in der Inszenierung gab es Unstimmigkeiten, sein Hauptdarsteller hatte sich eine böse Sommergrippe eingefangen, und er hatte bisher noch keinen Ersatz für ihn gefunden. Er konnte keine freie Minute für die Übersetzung erübrigen. Schon die wenigen Stunden, die er sich heute abgerungen hatte, drohten seinen gesamten Zeitplan zu sprengen. Nein, ausgeschlossen, er konnte wirklich keine Zeit für eine weitere gute Tat erübrigen. Er hörte sich antworten: »Sehr gerne, Signora Benedict.

Aber ich werde ein paar Tage dazu brauchen. Inzwischen könnten Sie und Ihre Tochter sich ein wenig Rom ansehen? Ich werde mich bei Ihnen melden, sobald ich fertig bin. *Va bene?*« Innerlich verfluchte er sich selbst. Neugier war wirklich sein größtes Laster. Die achte Todsünde. Aber da war noch etwas, was ihn hatte zustimmen lassen. Etwas, das über pure Neugierde hinausging.

Er war Seelsorger und hatte längst erfasst, dass das Verhältnis zwischen Mutter und Tochter brüchig war. Es stand sehr viel Ungesagtes zwischen ihnen, als befänden sie sich auf den gegenüberliegenden Seiten eines Abgrunds. Falls das Rätsel ihres Konflikts in der Vergangenheit der Großmutter begründet lag, so würde er versuchen, ihnen eine Brücke zu bauen, indem er ihnen half, es zu lösen.

Kapitel 4

Fünf Tage später meldete sich ein völlig übernächtigter Pater Simone telefonisch bei Felicity. Er hatte für die Übersetzung alles andere stehen und liegen lassen und fast ununterbrochen daran gearbeitet. »Ist Ihre Mutter in der Nähe?« Er flüsterte beinahe.

»Nein, sie ist kurz nach unten gegangen. Sie wollte ein paar Besorgungen machen.« Felicity wunderte sich über seine Frage.

»Sehr gut. Ich bin mit der Übersetzung fertig. Und ich muss gestehen, die Zeilen haben mich tief erschüttert. Auf etwas Derartiges war ich nicht gefasst gewesen, Signorina Felicity. Aber ich kann und will der Geschichte nicht vorgreifen. Sie müssen das unbedingt selbst lesen, dann werden Sie verstehen, was ich meine. Die Aufzeichnungen stammen tatsächlich von Ihrer Großmutter, wie Ihre Mutter vermutet hatte. Haben Sie einen Laptop dabei?«

»Ja.«

»Gut, dann geben Sie mir bitte Ihre Mail-Adresse. Ich schicke Ihnen die Übersetzung als Dokument zu. Wenn ich Ihnen etwas raten darf: Lesen Sie sie noch vor Ihrer Mutter und geben Sie mir Bescheid, sobald Sie damit fertig sind. Dann komme ich mit der Übersetzung vorbei, und wir übergeben sie Ihrer Mutter gemeinsam. *Va bene?*«

Felicity stimmte allem zu, ohne weitere Fragen zu stellen, obwohl sie sich ein wenig über Pater Simones kryptisches Benehmen wunderte. Auch fürchtete sie sich jetzt eher vor der

Geschichte ihrer Großmutter. Was mochte sie enthalten, das den Pater so verstört hatte?

In den letzten Tagen waren sie und ihre Mutter mit den Unterlagen aus der Schachtel so gut wie keinen Schritt weitergekommen. Sie hatten abgesehen von ein paar kurzen Spaziergängen, zu denen Felicity ihre Mutter mehr oder weniger hatte zwingen müssen, nicht einmal Zeit gefunden, Rom zu erkunden, sondern stattdessen fast ununterbrochen über den Zeitungsschnipseln gebrütet.

»Eines verstehe ich nicht, Mom«, hatte Felicity ihre Mutter gleich zu Anfang gefragt. »Warum hat Großmutter alles zerrissen, nur um es dann doch in einer Schachtel aufzubewahren? Warum hat sie die Sachen nicht gleich weggeworfen?«

Ihre Mutter hatte verlegen eingeräumt, dass sie es gewesen war, die im ersten Schock den Inhalt der Schachtel zerrissen hatte. Seufzend war Felicity zunächst darangegangen, die zahllosen Schnipsel zu sortieren. Es waren ausschließlich Zeitungsausschnitte, keine Briefe oder anderen Dokumente. Alle waren auf Deutsch oder auf Italienisch verfasst, einige wenige in Hebräisch – Sprachen, die weder Mutter noch Tochter beherrschten.

Felicitys Versuch, einzelne Texte mithilfe einer Übersetzungssoftware im Internet zu übersetzen, hatte nur wirren Wortsalat hervorgebracht, was daran liegen mochte, dass die Texte zum Teil älter als siebzig Jahre waren. Weitere Stunden kostete es sie, einzelne Worte mit einem Wörterbuch zu übersetzen. Das Ergebnis war ebenso dürftig. Am Ende waren sie nicht schlauer als zuvor.

Das positive Ergebnis der gemeinsam verbrachten Tage war, dass sich Mutter und Tochter tatsächlich ein wenig nähergekommen waren. Weniger durch Worte, sondern vielmehr durch eine subtile atmosphärische Veränderung. Noch immer war für Felicity die Wandlung in ihrem Verhältnis nicht richtig greifbar. Es war eine schüchterne und vorsichtige Annäherung, als wären ihre Gefühle füreinander zerbrechlich wie feinstes Porzellan.

Mehrmals in diesen Tagen war Felicity versucht gewesen, das Schweigen, das ihre Kindheit überschattet hatte, zu brechen. Doch was hätte sie zu ihrer Mutter sagen sollen? Sie fragen, warum sie das Gefühl hatte, dass es zwischen ihnen beiden eine Distanz gab, die sie sich nicht erklären konnte? Eine Distanz, wie es sie zwischen Mutter und Tochter nicht geben sollte? Als Kind hatte sie es hingenommen, weil sie es nicht anders kannte; sie nahm ihre Mutter als Mutter wahr, nicht als Mensch.

Als sie aber erwachsen wurde, hatte sie allmählich begriffen, dass ihr immer etwas gefehlt hatte. Gleichzeitig regte sich auch ein stiller Vorwurf gegen sich selbst in ihr. Warum hatte sie nicht längst versucht, diese unsichtbare Mauer von sich aus zu überwinden? Sie dachte daran, wie Richard ihr beim Abschied vorgehalten hatte, dass sie Angst vor zu tiefen Gefühlen habe und regelrecht davor floh. Sie hatte den Vorwurf für einen Gemeinplatz gehalten, er war ihr zu pauschal erschienen. Jetzt fragte sie sich, ob Richard damit nicht doch recht hatte.

War sie feige? Machte sie es sich zu einfach und verletzte lieber ihn, statt sich ihren eigenen Unzulänglichkeiten zu stellen? Aber wenn ihr rücksichtsloses Verhalten ein Symptom war, was war dann die Ursache? Und wenn der Schlüssel dazu ihre verstorbene Großmutter war? Erstmalig war Felicity der Gedanke gekommen, dass sie drei, Großmutter, Mutter und Enkelin, die gleiche zwanghafte Unrast teilten, Getriebene im Meer des Lebens.

Felicity konnte spüren, dass es ihrer Mutter erging wie ihr, trotzdem zögerten sie beide, den letzten Schritt zu tun. Und so blieben sie die gemeinsam verbrachten Tage in einer seltsamen Stimmung gefangen, steckten irgendwo auf halbem Weg fest, zwischen Abwarten und Erwartung.

Immerhin hatte ihre Mutter eines ihrer Ziele erreicht. Felicity war nicht nach Kabul geflogen. Heute hätte sie dort ihren Dienst antreten müssen. Stattdessen fuhr sie ihren Laptop hoch. Pater Simones Mail war bereits im Posteingang.

Felicity öffnete das Dokument der Anlage und begann zu lesen.

Brief der Mutter Maria an ihre Tochter Martha

Liebe Martha, meine Tochter,

heute erfuhr ich von meinem Arzt, dass ich Alzheimer in einem frühen Stadium habe. Eine scheußliche Ironie des Schicksals, wie ich finde, denn mein ganzes Leben habe ich alles darangesetzt, meine Vergangenheit zu vergessen.
Das werde ich jetzt, Stück für Stück.

Bevor dies geschieht, will ich nachholen, was ich schon längst hätte tun sollen: Dir die Geschichte unserer Familie zu erzählen. Wer wir sind und woher Du stammst.

Wir Menschen sind alle Teil einer gemeinsamen Kette, wir sind miteinander verbunden, weil wir ein Stück des Lebens und der Gedanken von jenen in uns tragen, die vor uns waren. Wenn die Liebe das Herz ist, dann ist die Erinnerung die Seele. Beide sind unsterblich. Doch manchmal geschehen Dinge, schlimme Erlebnisse, die ein Glied aus dieser Kette reißen und Herz und Seele verdunkeln. Mein Glied riss vor langer Zeit.

Ich weiß, als Deine Mutter habe ich versagt, Martha. Zeitlebens blieb ich für Dich eine Fremde, schloss Dich bewusst aus meinem Leben aus und verwehrte Dir, ein Glied in der Kette Deiner Vorfahren zu sein. Ich bitte Dich deshalb nicht um Verzeihung. Das kann man nicht verzeihen.

Aber vielleicht kannst Du mich ein wenig besser verstehen, wenn Du meine, unsere, Geschichte erfahren hast. Vieles habe ich schon früher aufgeschrieben, auf Hebräisch, der Sprache, die mich mein Vater gelehrt hat. Dies zu tun war die Idee Deines Stiefvaters Raffael. Er hoffte, dass ich meine Erlebnisse auf diese Weise besser verarbeiten könnte.

Dein Stiefvater war ein wunderbarer Mann, Martha. Er hat Dir das gegeben, was ich Dir nicht geben konnte. Als ich Raffael in Rom begegnete, war er ein junger Priester, ein Beseelter, dessen Inbrunst im Gebet nur übertroffen wurde durch den Wunsch, Barmherzigkeit und Nächstenliebe in die Welt zu tragen. Er glaubte felsenfest daran, dass Gott mich zu ihm gesandt hätte, um mich zu retten. So wurde ich zum Verhängnis seines Lebens. Raffael gab alles für mich auf – seine Berufung und seine Heimat Italien. Ich habe seine Liebe weder verdient, noch habe ich sie ihm gedankt. Viele Jahre später, kurz vor seinem Tod, sagte er mir, dass er endlich begriffen habe, dass Liebe nicht nur ein Auftrag sei, sondern auch eine Tat.

Seither lässt mich dieser Satz nicht mehr los. Zuerst verstand ich nicht, was er damit gemeint hat. Irgendwann aber wurde mir klar, dass er seine Liebe zu mir als Tat gegen sich selbst empfand. Die Liebe zu mir hat ihn zerstört. Ich habe ihn zerstört. Du denkst, dass ich Dich niemals geliebt habe, nicht wahr? Die Wahrheit ist, dass ich Dich nie lieben wollte. Ich wollte kein Kind. Erst hasste ich meinen Körper, weil er mir das antat, dann hasste ich mich selbst, weil ich es nicht verhindern konnte.

Als Du geboren wurdest und ich Dich zum ersten Mal in meinen Armen hielt, da gab es diesen einen überwältigenden Moment, in dem ich glaubte, dass alles gut werden könnte. Dieses unfassbare Gefühl der Liebe. Und plötzlich übernahm doch wieder Hass die Regie – nicht gegen Dich, Martha, sondern gegen mich selbst. Weil ich Dich liebte! Es verstörte mich, ich wollte diese Liebe nicht fühlen, ich wollte nie wieder irgendetwas fühlen. Liebe war Vergangenheit, sie sollte nie wieder Teil meines Lebens sein, und deshalb tötete ich die guten Gefühle in mir ab. Der Hass ist der Teufel, und er hielt mich fest in seiner Hand.

Dabei wünsche ich Dir sehnlichst ein glückliches Leben voller Liebe, Martha. Du hast mit Felicity eine wundervolle Tochter. Gib ihr all die Liebe, die ich Dir immer verwehrt habe, und findet gemeinsam Euren Platz im Glied der Kette Eurer Vorfahren.

Mit meiner Geschichte, die auch die Deine und Felicitys ist, lege ich Zeugnis ab wider das Vergessen.

Und nun schreibe ich es doch: Verzeih mir, Martha ...
Leb wohl ...

Deine Mutter

TEIL 2

Gustav und Elisabeth

Vergangenheit

Kapitel 5

Der weiße Rabe

München, 9. November 1923

Elisabeth hatte ein schlechtes Gewissen. Sie war viel zu spät dran. Ihr Gatte würde sich längst Sorgen machen. Zu ihrem Ärgernis hatte sie bei ihrer Rückkehr aus Dießen zusätzlich feststellen müssen, dass die Straßen Münchens zwischenzeitlich fast vollständig gesperrt worden waren.

Das Dienstmädchen hatte die Tür kaum geöffnet, da eilte ihr Mann ihr bereits im Flur ihrer weitläufigen Wohnung am Prinzregentenplatz mit langen Schritten entgegen, dicht gefolgt von Dackel Felix.

»Servus, Gustav!«, begrüßte sie ihn betont lebhaft. »Verzeih, ich bin spät dran, aber auf den Straßen ist vielleicht etwas los, die Männer spielen wieder Militär. Und was glaubst du, wem ich heute begegnet bin! Diesem Mann, um den alle so ein Spektakel machen. Wie hieß er noch gleich? Hudler?«

Sie kam gerade noch dazu, Ottilie, dem Mädchen, Schirm und Handschuhe zu überlassen, als ihr Mann sie bereits an den Schultern packte und heftig in seine Arme riss. Erschüttert verharrte Elisabeth in seiner Umklammerung. Ihr Mann war ja völlig außer Fassung! So hatte sie ihn noch nie erlebt.

Der angesehene Arzt und die junge, aufstrebende Opernsängerin, gebürtig aus Wien, waren freilich auch erst seit wenigen Monaten verheiratet. Zwischen ihrer ersten Begegnung und der Hochzeit hatte kein Monat gelegen. In den Salons der feinen Gesellschaft hatte es deshalb einiges Gerede gegeben – eine so kurze Verlobungszeit bot reichlich Stoff für

Spekulationen. Doch Elisabeth und Gustav war das einerlei gewesen. Nicht einen Tag länger hatten sie aufeinander warten wollen.

Elisabeth war eine temperamentvolle Person, doch haftete ihr auch jene Form der Impulsivität an, die an nervöse Unruhe grenzt. Von einem Hunger angetrieben, von dem sie selbst nicht wusste, wie sie ihn je stillen sollte, war sie mit atemberaubender Geschwindigkeit durchs Leben gejagt und hatte dabei die Substanz des Lebens kaum gestreift – bis zu jenem denkwürdigen Tag, an dem sie Gustav begegnet war und im selben Moment der Faszination seiner ruhigen Persönlichkeit erlag. Behutsam hatte Gustav Elisabeths Lebensstrudel nach und nach das Tempo genommen.

Trotzdem war Elisabeth immer noch Elisabeth. Es gab Eskapaden und Unpünktlichkeiten, doch Gustav begegnete ihnen stets mit jener Nachsicht, die einhergeht mit jungem Eheglück, gepaart mit dem Gleichmut des zwanzig Jahre Älteren.

Aus diesem Wissen um Gustavs Unerschütterlichkeit resultierte Elisabeths Schrecken. Etwas Schlimmes musste geschehen sein! Seine Aufregung konnte nicht allein ihrer verspäteten Heimkehr geschuldet sein. Rasch rekapitulierte sie in Gedanken den Ablauf ihres Ausflugs.

Wie regelmäßig alle zwei Wochen hatte sie sich bei Auto-Sixt in der Seitzstraße einen Mercedes-Benz mit Chauffeur bestellt, um ihrer Mutter, der Witwe Frau Maria Kasegger, einen zweitägigen Besuch abzustatten. Sie bewohnte ein kleines Haus in Dießen am Ammersee. Elisabeth hatte das Haus, das knapp zwei Stunden Autofahrt von München lag, von ihren ersten Gagen für sie erworben. Bis auf ein wenig Rheuma erfreute sich Frau Kasegger bester Gesundheit.

Nach dem Frühstück heute Morgen hatten sie und ihre Mutter einen langen Spaziergang am Ufer des Ammersees unternommen. Nach dem gemeinsamen Mittagessen mit anschließendem Kaffee war Elisabeth dann zur vereinbarten Zeit von ihrem Chauffeur abgeholt worden.

Elisabeth stammte aus einfachen Verhältnissen. Über ihren Vater gab es nicht viel zu berichten, außer dass er ein Pechvogel bei all seinen Unternehmungen gewesen war.

Es war im Jahre 1910, Elisabeth war gerade zehn Jahre alt, als er seine vom Vater geerbte Schuhmacherwerkstatt samt Wohnhaus in der Theresienstraße an einen windigen Spekulanten verloren hatte. Die Familie war gezwungen gewesen, in ein enges und feuchtes Quartier außerhalb der Stadtmauern Wiens zu ziehen.

Meister Kasegger für seinen Teil gehörte freilich zu jenen Zeitgenossen, die über eine gehörige Portion des ganz besonderen Wiener Charmes verfügten. Man konnte ihm einfach nicht zürnen, und die beiden Damen seines Haushalts liebten ihn über alle Maßen. Meister Kasegger selbst war es nicht mehr beschieden, die Erfolge seiner Tochter mitzuerleben: 1914 war er einer der Ersten gewesen, die sich begeistert den kaiserlichen Truppen angeschlossen hatten, um den feigen Mord am österreichischen Thronfolger Franz Ferdinand zu rächen. Und er gehörte dann auch zu den Ersten, die ihr Leben für das Vaterland ließen. Wie gesagt, er war ein Pechvogel.

Auf der Rückfahrt von Dießen nach München hatte Elisabeth ein menschliches Bedürfnis überkommen, welches wohl dem wässrigen Kaffee der Mutter geschuldet war. Und so hatte sie überlegt, nochmals umzukehren respektive Ausschau zu halten nach einem anständigen Gasthaus, als ihr eingefallen war, dass ihre Freundin, Helga Putzinger, ein kleines Bauernhaus in Utting besaß. Es lag fast auf dem Weg. Ihres Wissens war Helga in letzter Zeit sehr oft dort. Elisabeth hatte beschlossen, es einfach zu versuchen.

Die beiden jungen Frauen kannten sich erst seit einem halben Jahr, waren sie doch zur gleichen Zeit Schülerinnen der Gesangspädagogin Lilli Lehmann in München gewesen. Helga und Elisabeth, beinahe im gleichen Alter, hatten sich auf der Stelle miteinander angefreundet, gleichwohl sie äußerlich wie auch vom Temperament her kaum unterschiedlicher hätten sein können: Helga war groß und blond, ihr Wesen überlegt und ausgeglichen; Elisabeth hingegen war klein und zart wie ein Sperling, mit schwarz glänzendem Haar und von quirliger Lebendigkeit.

Natürlich lernte Elisabeth bald auch Helgas Ehegatten Bubi kennen. In Bubis Taufschein stand der Name Egon, doch den Bubennamen wurde er sein Lebtag nicht mehr los – obwohl Elisabeth tatsächlich niemals jemanden getroffen hatte, auf den diese Verniedlichung weniger gepasst hätte. Alles an Bubi schien zu groß geraten: Hände, Füße, Nase, Kopf. Dazu war er massig wie ein Stier und recht laut, mit der Tendenz zur Rüpelhaftigkeit. Allerdings spielte er wunderschön und mit Leidenschaft Klavier. Elisabeth, selbst eine vortreffliche Pianistin, fand auf der musikalischen Ebene schnell eine verwandte Seele in Bubi.

Elisabeth und Gustav waren einmal an einem Sonntag beim Ehepaar Putzinger in Utting eingeladen gewesen. Zwar hatte Gustav nicht denselben Zugang zu Bubi gefunden wie seine Frau, doch er musste eingestehen, dass Helgas Mann äußerst belesen und gebildet war. Er entstammte einer alteingesessenen Münchner Familie, die unter anderem einen Kunstverlag ihr Eigen nannte. Das hatte Bubi Putzinger ermöglicht, im Ausland, an der Universität von Harvard, ein Studium zu absolvieren. Nach dem Studium hatte er einige Jahre in New York gelebt und die dortige Kunsthandlung geführt, welche sich im Familienbesitz befand.

Die beiden Herren hatten an jenem Nachmittag bei einer Zigarre am Kamin ein angeregtes Gespräch geführt und dabei auch über den unglücklichen Nichtschwimmer König Ludwig II. konferiert, da Bubi sich mit der Absicht trug, ein Buch über ihn zu schreiben.

Als Elisabeth nun in ihrer Not bei ihrer Freundin in Utting anlangte, war das Glück auf ihrer Seite: Helga war am Tag zuvor mit ihrem kleinen Sohn, Egon junior, und dem Hausmädchen aus München angereist. Voller Freude über das unerwartete Zusammentreffen hatte sie ihre Freundin auf einen echten Bohnenkaffee eingeladen.

Die beiden Damen schickten den Chauffeur in ein nahe gelegenes Gasthaus und verbrachten einen gemütlichen Nachmittag zusammen, der alsbald in den Abend überging.

Bekanntlich wird es im November früh dunkel, doch als die Standuhr im Esszimmer plötzlich sieben Uhr schlug, erschrak Elisabeth. Helgas Hausmädchen wurde eiligst zum Gasthof geschickt, um Elisabeths Fahrer zu benachrichtigen.

Helga war just dabei gewesen, ihre Freundin davon zu überzeugen, dass es klüger sei, wenn Elisabeth über Nacht bei ihr in Utting bliebe, da klopfte es energisch an der Tür.

In der Annahme, es sei Elisabeths Fahrer, öffnete die Dame des Hauses selbst und sah sich unvermittelt einer Gruppe schmutziger Männer gegenüber. Sie schienen erschöpft und blickten nervös um sich.

Wenn Helga sich über den Männerbesuch wunderte, so zeigte sie es nicht, sondern wahrte Contenance.

Später würde Helga Elisabeth erzählen, dass sie sofort gewusst hatte, dass etwas Schreckliches geschehen war, sonst hätte ihr Mann sie tags zuvor nicht ohne Erklärung mit dem kleinen Egon aus München fortgeschickt.

Elisabeth hingegen, die sich nur für wenig interessierte, das sich außerhalb ihrer musikalischen Welt abspielte – schon gar nicht für rauchgeschwängerte Männerangelegenheiten wie Republik, Politik und so weiter (all dies empfand sie als uninspirierend) –, war bar jeglicher Ahnung. Wenn es den Ausdruck *weltfremd* nicht schon gegeben hätte, für Elisabeth hätte er erfunden werden müssen.

Der Anführer der kleinen nervösen Schar war blass, unrasiert und trug einen schmuddeligen Trenchcoat. Trotz alldem bat ihn Helga ausgesucht höflich herein. Ein weiterer Mann stellte sich selbst als Dr. Schultz vor. Der Rest der Truppe sagte nichts und verteilte sich wachsam vor der Tür.

Da Elisabeth in Eile war und ihr Chauffeur überdies zur gleichen Zeit mit dem Wagen vorgefahren kam, blieb es bei einer flüchtigen Vorstellung. Elisabeth war freilich aufgefallen, dass der Mann im Trenchcoat an der Schulter verletzt zu sein schien.

Bei seinem Anblick hatte Elisabeth plötzlich ein merkwürdiges Gefühl von Flucht überkommen. Sie hatte sich daher in geradezu unziemlicher Hast von Helga verabschiedet, deren Aufmerksamkeit zu diesem Zeitpunkt jedoch in Gänze den merkwürdigen Besuchern galt.

Ihr Mann Gustav schob sie nun auf Armeslänge von sich und unterbrach Elisabeths Gedankengang. Verständnislos fragte er nach: »Was hast du gerade gesagt, Elisabeth? Wen hast du heute getroffen?« Dabei führte er sie in den Salon und schloss die Türen.

Da erzählte ihm Elisabeth alles: Dass sie nach ihrem Besuch bei ihrer Mutter noch in Utting bei Helga gewesen war und dort jenen blassen Österreicher getroffen habe, dessen Name ihr entfallen war.

»Mein Gott!«, rief Gustav und wurde noch blasser, fast schüttelte er seine Frau, die er immer noch an den Armen gepackt hielt. »Das war der Hitler! Du hast Adolf Hitler getroffen. Ganz München sucht den Mann! Dieser Verbrecher hat gestern versucht, gegen die Regierung zu putschen. Und jetzt versteckt er sich bei den Putzingers?«

»Ach, darum überall die Straßensperren. Das war ein grässlicher Hindernislauf hierher, Gustav. Darum bin ich auch so spät, wir mussten …«

»Das ist doch jetzt nicht wichtig, Elisabeth«, unterbrach Gustav seine Frau, was er sonst niemals tat. »Wichtig ist, dass du jetzt da bist und dir nichts passiert ist. Es hat viele Tote gegeben. Ich bin vor Sorge um dich beinahe verrückt geworden. Jetzt brauche ich erst einmal einen Cognac. Dann erzähle ich dir alles.«

Nachdem er sich eingeschenkt und einen Schluck genommen hatte, sagte Gustav eindringlich: »Hör mir zu, Elisabeth. Du darfst niemandem erzählen, dass du den Mann heute gesehen hast, und vor allem nicht, wo. Es ist schlimm genug, dass er Helga und Bubi da mit hineingezogen hat. Ich will mit diesem Mann nichts zu tun haben. Er ist gefährlich.«

Danach berichtete ihr Gustav von den weitreichenden Ereignissen, wie sie sich am Abend zuvor, nämlich am 08. November 1923, in München zugetragen hatten.

Anführer einer aufstrebenden Partei in Bayern hatten vom Münchner Bürgerbräukeller aus einen Putschversuch unternommen. Am nächsten Mittag waren die Putschisten durch die Stadt marschiert und an der Feldherrnhalle am Odeonsplatz durch regierungstreue Truppen gestoppt worden. Dabei hatte es fast zwei Dutzend Tote gegeben.

Die Revolution war gescheitert, der Anführer und seine Mitstreiter befanden sich auf der Flucht.

Noch immer stand Gustav im Bann der ungeheuerlichen Ereignisse. Ein Putsch, um die bayerische Regierung zu stürzen! Kein Wunder, dass München zur Stunde einem brodelnden Kessel kurz vor dem Überkochen glich; überall in der Stadt wurde fieberhaft nach den flüchtigen Revolutionären gefahndet.

Den an dem vereitelten Putsch ebenfalls beteiligten General Ludendorff, einen verdienstvollen Helden des Ersten Weltkriegs, hatte man bereits im vollen Ornat seiner kaiserlichen Uniform in Gewahrsam genommen.

Um des Rädelsführers habhaft zu werden, setzte der bayerische Ministerpräsident und seit Kurzem Generalstaatskommissar, Ritter von Kahr, die volle Wucht der ihm zur Verfügung stehenden Staatsmacht ein. Von Kahr hatte es mehr als nur per-

sönlich genommen, dass Hitler ihn stundenlang im Bürgerbräukeller festgehalten, gedemütigt und schließlich mit vorge-
haltener Pistole dazu gezwungen hatte, sein schriftliches Ein-
verständnis zur Bildung einer neuen Regierung zu geben, die
Deutschland aus Not und Schmach erretten sollte.

Dabei war der Mann noch nicht einmal Deutscher, sondern
Österreicher! *Soll er doch Österreich retten und die Finger von den
Deutschen lassen,* hatte Gustav erbost ergänzt.

Kaum dass Gustav seine Elisabeth über die schockierenden
nächtlichen Ereignisse unterrichtet hatte, schlug die Haustür-
glocke an.

Ottilie, das Hausmädchen, öffnete und verkündete sodann,
dass der Herr Doktor zu einer dringenden Geburt gerufen werde. Sie
ergänzte noch wichtig: »Steißlage.« Ottilie pflegte einen guten
Kontakt zur Hebamme des Bezirks. Sie nahm überhaupt an allem und jedem Anteil, gefragt oder ungefragt, und man konnte
sie daher getrost als eine Art inoffizielle Kolumnistin des Viertels bezeichnen.

Nun schlüpfte der Doktor in seinen Mantel, den die be-
flissene Ottilie neben dem Arztkoffer schon für ihn bereithielt.
Zuletzt setzte er sich den Hut auf und eilte – nach einem flüchtigen Kuss für die Gattin – davon, um einer werdenden Mutter
beizustehen.

Anfangs hatte die Absicht des Doktors, zu heiraten, Ottilie
schlaflose Nächte beschert. Immerhin herrschte sie seit fast
sechs Jahren – seit die Eltern des Doktors kurz hintereinander
verschieden waren – allein über ihn. Doch weil alles, was der
Doktor tat, in Ottilies Augen gut und richtig war, hatte sich ihr
innerer Aufruhr bald gelegt.

Zudem war die gnädige Frau von einer solchen Berühmtheit, dass sich dies auf Ottilies Ansehen und Stellung innerhalb
des Dienstbotenzirkels am Prinzregentenplatz niedergeschla-

gen hatte. Außerdem pfuschte die Frau Doktor ihr in keine haushaltlichen Belange hinein. Was wollte man mehr?

Ottilie war das Ebenbild stabiler Robustheit, mit gesunder Hautfarbe und einem noch gesünderen Appetit. Sie hatte nur einen Makel: Unerklärlicherweise litt Ottilie an einer entsetzlichen Angst vor Gewittern. Sobald es blitzte und donnerte, flüchtete sie sich unverzüglich in den Gewölbekeller und ward nicht mehr gesehen.

Der Doktor hatte einmal scherzhaft angemerkt, dass sie wahrscheinlich zusammen mit Hans – der Hausdiener folgte Ottilie treu wie ein Schatten – an der nächsten Arche Noah werkte. Dieser Ausspruch wurde bald zum geflügelten Wort unter allen Mitgliedern des Haushalts. Wer immer nach der gerade nicht auffindbaren Ottilie fahndete, erhielt die prompte Antwort: »Sie baut an der Arche.«

Wenn sich später jemand aus der Familie an die glücklichen Tage in München zurückbesann – jener Zeit, bevor die Nationalsozialisten an die Macht gelangten –, dann gedachten sie ihrer stets als der »Arche-Noah-Zeit«.

Ordnung und Reinlichkeit bestimmten Ottilies Leben. Da die Wohnung dies stets widerspiegelte, sah man ihr die Schrulle gerne nach. Außerdem hatte sie ein großes bayerisches Herz, das seit Langem für den Hausdiener Hans schlug. Ottilies Hans war von schlichtem Gemüt und gutem Willen.

Als Elisabeth ihn das erste Mal erblickte, hatte sie spontan ausgerufen: »Ach du meine Güte, ein fescher Bursche! Er sieht ja aus, als hätten die Götter selbst ihn im Olymp gezeugt!« Sie hatte recht. Mit seiner riesenhaften Gestalt von beinahe zwei Metern wäre Hans ein idealer Kandidat für die Leibgarde des Alten Fritz und dessen Vater, des Soldatenkönigs selig, gewesen. Im Volksmund erinnerte man sich noch gerne an die Garde der »Langen Kerls«. Denn seit dem Ende der Monarchie, dem verlorenen Krieg und dem darauffolgenden politischen Gerangel der neuen Weimarer Republik gab es nicht we-

nige Alte, die den glanzvollen Zeiten der legendären Preußen-
könige nachtrauerten.

Hans, nicht ahnend, dass er dem Idealbild der von den aufstrebenden Nationalsozialisten propagierten Herrenrasse entsprach, hatte einen älteren Bruder mit Namen Franz. Dieser
Franz war eine weit gröbere Ausgabe von Hans. Bereits seit
1921 sang, brüllte und marschierte er – meistens alles gleichzeitig – in der paramilitärischen Sturmabteilung. Kein Wunder
also, dass bei derart vielen und gleichzeitig ablaufenden Aktivitäten kein Raum mehr zum Denken blieb. Diese Ansicht
vertrat jedenfalls Ottilie, die Hans' Bruder Franz zutiefst ver-
abscheute.

Hans selbst verfügte über keinerlei eigene Meinung. Er richtete sich voll und ganz nach den Befindlichkeiten seiner Ottilie.

Die Umtriebe von Bruder Franz und dessen blassem Revolu-
tionsanführer verlangten Ottilie nicht mehr als ein verächtliches
Schnauben ab. »Geh, hör ma doch auf mit dem Gschaftlhuber
und seinem windigen Schnäuzer unter da Nosn!«, fuhr sie ihren
Hans an, als er mal wieder die Lobreden seines Bruders Franz
wiederholte. Wenn ein Mann nicht einmal einen anständigen
Bart hinbekam, war das für Ottilie hinlänglich Beweis für seine
Unfähigkeit.

Dieser für Ottilies Maßstäbe kaum nennenswerte Temperamentsausbruch ereignete sich, als Hans Ottilie gefragt hatte,
wie sie dazu stünde, wenn er, dem Wunsch seines älteren Bruders Franz entsprechend, sich ebenfalls der Sturmabteilung an-
schlösse. Wie immer fügte sich Hans Ottilies Wünschen. Damit
schien die Angelegenheit für sie beide erledigt. Das dachten sie
zumindest.

Die Ehegatten bewohnten zehn Zimmer im letzten und vierten
Stockwerk des 1901 erbauten Jugendstilpalais am Rande des
Prinzregentenplatzes, das Gustav von seinen Eltern geerbt hatte.

Er besaß noch einen Bruder, einen mäßig erfolgreichen Maler, der mit seiner Frau in Nürnberg lebte.

Die Praxisräume des Hausherrn lagen im Parterre. Die drei Bediensteten – neben Ottilie waren das die Köchin Bertha und der Hausdiener Hans – hatten ihre eigenen Kammern auf dem Spitzboden unter dem Dach.

Das erste Stockwerk war an immens reiche Amerikaner vermietet, an die sich niemand im Haus mehr richtig erinnern konnte, weil sie schon ewig nicht mehr da gewesen waren, zuletzt zwei Jahre vor dem Großen Krieg, wie Ottilie beteuerte. Die Miete und die anteiligen Auslagen wurden jedoch weiterhin regelmäßig auf Gustavs Bankkonto entrichtet.

Der zweite Stock stand ebenfalls seit vielen Monaten leer, und das würde aufgrund der gegenwärtigen Wirtschaftskrise sicherlich noch länger so bleiben. Im dritten residierte ein pensionierter General, der so alt war, dass man ihn bereits 1914 nicht mehr hatte haben wollen. Eine Ungeheuerlichkeit, wie er selbst lautstark vertrat, wenn man das Pech hatte, ihm im Treppenhaus in die Arme zu laufen. Dann konnte man beinahe den Eindruck gewinnen, dass er den Krieg im Alleingang für Kaiser Wilhelms Deutschland entschieden hätte. Tatsächlich war er eine lebende Requisite aus dem 19. Jahrhundert. Zu seinen Erkennungszeichen gehörten – außer dass er marschierte, als würde er noch immer hinter Trommel und Querpfeife herziehen – ein Monokel, ein Gehstock, ein Gehrock, ein Zylinder und eine ganze Phalanx an Orden, die stolz an seiner eingefallenen Brust prangten.

Böse Zungen, zu denen die von Ottilie zweifellos zählte, behaupteten, dass er sie des Nachts auch an seinen Schlafrock heftete. Das Beste aber an dem General war, dass er so gut wie taub war; solcherart Nachbarn waren bei Musikern gern gesehen – ebenso wie abwesende Amerikaner.

Kapitel 6

Es war der Pfarrer, welcher auch gleichzeitig der Chorleiter der bescheidenen Kirche St. Leopold im 2. Wiener Außenbezirk war, der einst die ersten Schicksalsweichen für das zehnjährige Schusterkind Elisabeth gestellt hatte.

Von der ersten Sekunde an war er von ihrer reinen Stimme gefangen genommen gewesen, die seinen kleinen Chor adelte. Nicht lange, und es sprach sich im Viertel herum, dass in der Kirche ein Engel Gottes sang; niemals zuvor hatte St. Leopold mehr Zulauf bekommen. Bald standen die Menschen bis nach draußen an und warteten geduldig, um dem Kind zu lauschen.

So geschah es, dass ein Mitglied der Kirchengemeinde einen Freund auf das Mädchen aufmerksam machte. Dieser Freund war in der Welt der Musik bekannt und von großem Einfluss. Bald lauschte er höchstpersönlich der einmaligen Stimme und prophezeite Elisabeth eine große Karriere. Er arrangierte für sie ein Vorsingen am Mozarteum in Salzburg. Elisabeth fuhr mit ihren Eltern hin und erhielt noch im selben Jahr ein Stipendium.

Der Abschied von ihren Eltern war herzzerreißend, aber die Entscheidung richtig. Bereits Anfang 1920, mit gerade einmal zwanzig Jahren, debütierte Elisabeth in Salzburg unter dem Mädchennamen ihrer Mutter, Malpran – der Name Kasegger erschien für die künstlerische Karriere eher ungeeignet –, als Marguerite in Gounods *Faust*.

Erste Berühmtheit erlangte sie in ihrer Rolle als Desdemona in Verdis *Otello* nur ein knappes Jahr später, anlässlich ihres Debüts an der Berliner Staatsoper Unter den Linden. Von dort aus begann sie ihre internationale Karriere, die sie nach Mailand, Paris, Brüssel und Rom führen sollte. Ein neuer Stern am Opernhimmel war aufgegangen.

Kapitel 7

Der Doktor kehrte erst am frühen Morgen zurück, bleich, müde und mit dunklen Bartstoppeln. Es war tatsächlich eine Steißgeburt gewesen, eine Mühsal für jeden Arzt, allerdings nie so sehr wie für die werdende Mutter.

Darum kam das Thema der fehlgeschlagenen Revolution erst am nächsten Tag wieder zur Sprache; der Doktor hatte nach kaum zwei Stunden Schlaf in die Praxis gemusst, während die Dame des Hauses noch ruhte. Nun traf man sich zum gemeinsamen Mittagsmahl im Speisesalon.

Zum Missfallen seiner Gattin rührte Gustav dieses kaum an, sondern verschwand sogleich hinter seiner Pflichtlektüre, den *Münchner Neuesten Nachrichten*. Gustavs Freund Fritz Gerlich fungierte seit 1920 als deren Chefredakteur.

Selbstverständlich waren der Putschversuch und die Suche nach dem Flüchtigen der Aufmacher des Tages. Gleich neben dem Leitartikel prangte das blasse Konterfei des Revolutionärs. Das entdeckte Elisabeth aber erst, als ihr Gatte die erste Seite umschlug und somit vollständig hinter der Zeitung abtauchte.

Sie schmollte ein wenig, weil er der Lektüre mehr Aufmerksamkeit als dem Essen widmete, ganz zu schweigen von ihrer entzückenden Präsenz. Sie hatte sich heute besonders für ihn zurechtgemacht und sah geradezu bezaubernd aus, wie Ottilie ihr beigepflichtet hatte, in ihrem maßgeschneiderten blauen Tageskleid, das ihre zarten Konturen perfekt zur Geltung brachte.

Nun, da sie das Bild erkannt hatte, wusste sie, wie sie die ungeteilte Aufmerksamkeit ihres Gatten auf sich lenken konnte.

Mit ihrer melodischen Stimme rief sie über die Zeitung hinweg: »Sieh an, da ist er ja, Gusterl, dort auf dem Titel. Der Mann, den ich gestern Abend bei Helga getroffen habe. Wirklich, ich verstehe einfach nicht, was alle für ein Spektakel um diesen Mann veranstalten. Ich fand ihn absolut fad. Und stell dir vor, nicht einmal rasiert war der! Ein kleiner Mann. Ottilie hält auch nichts von ihm. Wirklich, man sollte doch mehr auf die Stimme des Volkes hören. Die haben ein Gespür für so etwas.«

Die erzielte Wirkung war sensationell. Gustav zuckte zusammen, als hätte man ihn angeschossen. Die Zeitung entglitt seinen Fingern. Bei dem Versuch, sie mit einer schwungvollen Handbewegung doch noch zu fassen zu bekommen, stieß er seine fast volle Kaffeetasse vom Tisch.

Felix, der Dackel, der wie immer unter dem Tisch gelauert hatte, sprang jaulend von dannen und roch noch zwei Tage später nach Kaffee. Gustav indes ignorierte sowohl das Malheur als auch den Dackel.

Er starrte Elisabeth über den Tisch hinweg an. »Um Himmels willen, Elisabeth! Du hast doch hoffentlich nicht Ottilie verraten, dass du den Mann gestern gesehen hast?« Mit Entsetzen dachte Gustav an Ottilies Zunge, die sich an jeder Nachricht wetzte. Wenn bekannt würde, dass seine Frau den Hitler in persona getroffen hatte – nicht auszudenken, welche Folgen dies hätte in diesen unruhigen Zeiten! Fieberhaft überlegte er, wie viele Leute wussten, dass seine Frau eng mit Helga Putzinger befreundet war. Im Geiste sah Gustav bereits ein Dutzend von Kahrs Gendarmen sein Haus stürmen.

Die besondere Verbindung von Bubi Putzinger zu Adolf Hitler war hinreichend bekannt. Bubi hatte Hitler sogar zum Paten des kleinen Egon gemacht! Gustav wusste, dass Putzinger an die politische Zukunft jenes Mannes glaubte und den österreichischen Exgefreiten mit großem Einsatz förderte. So war es ihm in kurzer Zeit gelungen, Hitler in die Münchner bürgerliche Prominenz einzuführen, die die Politik des ehemaligen Wiener Obdachlosen mit großzügigen Parteispenden und egoistischen Hintergedanken finanzierte. Mehr und mehr füllte Bubi dabei die Rolle des inoffiziellen Pressesprechers Hitlers aus. Er brüstete sich sogar damit, dem Hitler die Idee mit den Fackelmärschen suggeriert zu haben, weil er als Student in Harvard selbst erlebt hatte, wie imposant und effektvoll sie in ihrer Wirkung sein konnten.

Und er hatte das Kunststück zuwege gebracht, vorgestern im Bürgerbräukeller, also inmitten des wütenden Putsches, eine spontane Pressekonferenz für die anwesenden ausländischen Berichterstatter, vornehmlich Amerikaner, abzuhalten. Das hatte Gustav am Morgen ein Patient zugetragen, der eine unangenehme nächtliche Begegnung mit einer flüchtenden SA-Rotte gehabt hatte.

Elisabeth, glücklich, die uneingeschränkte Aufmerksamkeit ihres Gatten errungen zu haben, gab zwitschernd noch einmal ihre kurze Begegnung im Haus der Putzingers zum Besten. Dabei konnte sie der Versuchung nicht widerstehen, das Ganze mit der ihr angeborenen Theatralik auszuschmücken, indem sie das zufällige Zusammentreffen verlängerte, Helgas umsichtiges Handeln betonte und deren besonderen Mut herausstellte: »Also, das eine weißt, Gusterl. Ich hätte mich vor so vielen schmutzigen Männern am Abend garantiert gefürchtet.« Als sie ihren Bericht beendet hatte und ihrem Gatten mit einem Lächeln signalisierte, wie sehr es sie freute, unvermittelt ins Zentrum eines wichtigen Geschehens geraten zu sein, hatte dieser große Mühe, an sich zu halten. Am liebsten hätte er seine Gattin wie einen Pflaumenbaum geschüttelt. Schließlich waren die Revolutionäre bewaffnet, überaus gefährlich und aufs Schärfste verfolgt. Und darum zu allem fähig. Elisabeth, die berühmte Sopranistin, hätte leicht als ihre Geisel enden können. Solcherlei Bedenken wären Elisabeth jedoch selbst niemals gekommen.

Dies war der Augenblick, in dem Gustav das erste Mal die Befürchtung beschlich, ob er sich in seiner Rolle als Professor Higgins aus *Pygmalion* nicht ein wenig überschätzt hatte.

Von Anfang an hatte Gustav um die heiteren Schwächen Elisabeths gewusst, die zwar eine schöne Seele besaß, die aber noch einer bedachten Formung bedurfte – eine Aufgabe, zu der er sich berufen gefühlt hatte. Aber Elisabeth war nicht Eliza, das Blumenmädchen.

Gustav stellte sich nun die späte Frage, ob er ein ewiges Kind von dreiundzwanzig Jahren geheiratet hatte. Äußerlich eine wunderschöne junge Frau, innerlich jedoch rührend unschuldig – ein kleines Mädchen, das geliebt und gelobt werden wollte. Er warf seine gesamte Liebe in die Waagschale, um sich jetzt nicht in Adjektiven wie *blauäugig* oder gar *töricht* im Zusammenhang mit dem wahrlich bezaubernden Geschöpf an seiner Seite zu ergehen.

Und wie gewöhnlich, wenn er auch nur andeutungsweise Gefahr lief, eine negative Eigenschaft an seiner zärtlich geliebten Gattin zu entdecken, relativierte er diese auf dem Fuße, indem er selbst eine Entschuldigung für sie fand: Natürlich, Elisabeth hatte fast ihr gesamtes Dasein in der isolierten Welt der Musik verbracht. Sie lebte fern und entrückt von allem, beinahe wie im Inneren einer Schneekugel. Diesen Platz hatte sie sich selbst erwählt, teilte ihn mit den Partituren und Schöpfungen vergangener Meister, deren verlängerter Atem sie im Hier und Jetzt war. Es war die Kunst der Interpretin Elisabeth, die der Musik Leben einhauchte. Der Glanz ihrer Stimme war es, der den Melodien der Komponisten Unsterblichkeit verlieh.

Während Gustav Elisabeths Verhalten zum Erhalt seines Seelenfriedens in schmeichelndes Licht rückte, erinnerte er sich daran, wie Elisabeth für alles, ob für die Belanglosigkeiten des

Lebens oder die prägenden Ereignisse, stets einen Bezug zur Musik herstellte.

Versuchte seine junge Gattin zum Beispiel im Restaurant ein neues Gericht, und es schmeckte ihr besonders, konnte es passieren, dass sie vor allen anderen Anwesenden in Begeisterung ausbrach und ohne Scheu rief: »Oh, das zergeht so leicht und fein auf der Zunge, das schmeckt wie Vivaldi!« Elisabeths Temperament schäumte wie Champagner.

Unvergesslich waren ihm auch ihre Flitterwochen an der Ostsee. Das Wetter rau, der Wind stürmisch, hatten sich die Wolken am Himmel bedrohlich grau über ihnen getürmt. Alle anderen Spaziergänger machten schleunigst kehrt und zogen sich auf einen heißen Tee mit Rum zurück. Doch Elisabeth wollte unbedingt am Meer verweilen, das sie an diesem Tag zum ersten Mal erblickt hatte. Sie riss sich los von Gustav und stürmte der tosenden See entgegen – ein winziger Kontrastpunkt zum gewaltigen Horizont. Blitzschnell hatte sie ihre Knopfstiefel von sich geschleudert, ihr Kleid gerafft und sich dann beinahe selbst kopfüber ins Meer gestürzt, hätte ihr frisch angetrauter Ehegatte sie nicht im letzten Moment daran gehindert.

Mit einer Inbrunst, deren Klang ihm auch heute noch durch Mark und Bein fuhr, hatte sie die Arme ausgebreitet und, ihr nasses kleines Gesicht dem Meer zugewandt, gerufen:

»Das ist es! Ja, genau so muss es gewesen sein. Spürst du es, kannst du es fühlen, Gustav? Die Ouvertüre der jungen Welt, als Gott sie schuf? Das ist *Tristan und Isolde*, das ist Leidenschaft und Liebe, Sturm und Kraft. Das ist das Ungewisse der Gewalten!«

Ihre Knopfstiefeletten segelten derweil neuen Ufern entgegen.

Ganz so ahnungslos und weltfremd, wie es den Eindruck machte, war Elisabeth dann aber doch nicht: Sie hatte eine feinsinnige Künstlerseele, die sich wohl nach der Musik verzehrte und sich fast allem zu entziehen suchte, das nicht ihren inneren Ton traf, aber sie verfügte auch über ein feines Gespür für Menschen.

So hatte Elisabeth für eine Weile eine Konzertpause eingelegt, um alle Annehmlichkeiten und Freiheiten einer verheirateten Frau zu genießen. Jedoch übte sie nach wie vor und mit der strengen Disziplin der studierten Sängerin täglich ihre Stimme und begleitete sich dabei selbst am Klavier.

Gustav, der selbst für seine Arbeit als Mediziner brannte, zeigte von jeher großes Verständnis für all jene, die ihrem Beruf mit Liebe und Inbrunst nachgingen. Daher hatte er auch nicht einen Augenblick gezögert zuzustimmen, als seine Gattin für den Februar 1924 einen Ruf an die Mailänder Scala erhielt, um dort in Verdis *Traviata* die Violetta zu singen. Ihren Alfredo würde der berühmte italienische Startenor Beniamino Gigli geben. Mitte Januar würden die Proben beginnen, und Elisabeth freute sich schon sehr darauf. Die Rolle der Violetta war ihr eine der liebsten.

Dabei verdankte sie ihren für eine Sopranistin sehr frühen Erfolg nicht allein ihrer herausragenden Stimme und ihrer bildschönen, exotischen Erscheinung, sondern vor allem auch ihrer Darstellung. Trotz ihrer Jugend war Elisabeth bereits eine Tragödin von Format, der die Kritiker bezwingende Expressivität bescheinigten.

Aber noch weilte die Künstlerin in München und übte sich in der Partitur der frisch angetrauten Ehegattin, der einzig und allein das Wohlbefinden ihres Mannes am Herzen zu liegen hatte. Nach drei Monaten Ehe hatte sie bereits ein wenig gelernt, in der Miene ihres Gatten zu lesen.

Elisabeth widmete sich dieser für sie neuen Aufgabe in ihrem Leben mit dem gleichen Eifer, mit dem sie sonst eine neue Gesangsrolle studierte. Und so erging sie sich in Überlegungen, ob sie schon nach dem Nachmittagskaffee läuten solle oder ob ihr Gatte lieber noch ein wenig seine medizinischen Schriften konsultierte. War er in der Stimmung für einen Spaziergang oder gar aufgeräumt genug für einen abendlichen Besuch in dem neuen Lichtspielhaus, welches Elisabeths besondere Leidenschaft war? Gerade war *Der böse Geist Lumpaci Vagabundus* mit Hans Albers angelaufen, den sie unbedingt sehen wollte.

Natürlich waren dies keine weltbewegenden Themen, dienten sie doch einem beschaulichen Leben, das sich vornehmlich auf männliche Befindlichkeiten beschränkte. Aber mit ihren Bemühungen bewies Elisabeth, dass sie durchaus verstanden hatte, dass ihr Leben keine immerwährende Aufführung darstellte, in der am Schluss der Vorhang fiel und man Ovationen und Blumensträuße erntete.

So war es Elisabeths fester Wille, die ersten zaghaften Schritte aus dem Schatten zu wagen, den die Musik auf sie warf, und ihrem Gustav in ihrer Gedankenwelt einen ebenbürtigen Stellenwert einzuräumen.

Bevor Elisabeth ihrem Gustav begegnet war – eine Kollegin hatte ihn ihr wegen einer nicht abklingen wollenden Erkältung empfohlen –, hatte sie mit Männern wenig im Sinn gehabt und auch keinerlei Bedürfnisse in dieser Richtung verspürt. All ihr Denken und ihre Zeit widmete sie der Musik; Begabung war zwar eine Voraussetzung, aber Können musste man sich hart erarbeiten.

Und es gab einen weiteren Grund für ihre Zurückhaltung: Sie hatte von ihrer Mutter gelernt, dass man einen Menschen über alle Maßen lieben und trotzdem die meiste Zeit über sehr traurig und unglücklich sein konnte.

Elisabeth aber wollte sich nicht sorgen, sie wünschte sich ein glückliches und umjubeltes Leben. Sie wollte sich lebendig fühlen, singen, tanzen, spielen und in ferne Länder reisen. Sie war jung.

Und dann kam Gustav. Dieser wunderbare, große dunkle Mann, der unentwegt beeindruckende Dinge tat oder sagte und der schönere und sensiblere Hände besaß als alle Pianisten dieser Welt. Gustav hatte in ihr jene unbekannte, berauschende Melodie entzündet, die von nun an jeden Tag in ihrer Seele erklang.

Gustav hatte indessen sowohl die Zeitung als auch die verlorene Sprache zurückerobert – nur leider nicht seine gewohnte Gemütsruhe. Er hielt Elisabeth nun einen ernsthaften Vortrag, dessen Quintessenz nur allzu rasch im Kopf seiner Gattin verblasste. Da er aber sehr viele Worte wie *gefährlich*, *sich vorsehen*, *nicht mehr allein ausfahren* et cetera beinhaltete, verstand Elisabeth dessen praktische Auswirkung sehr wohl. Es bedeutete, dass Gustav im Begriff stand, ihre persönliche Freiheit einzuschränken!

Das gefiel Elisabeth gar nicht, hatte sie doch ihren neuen Habitus als verheiratete Frau und die damit einhergehenden Eigenständigkeiten schätzen gelernt.

Als junge, unmündige Stipendiatin war sie im Mozarteum stets an der kurzen Leine gehalten worden. Bei ihren ersten Karriereschritten hatte ihr das Kollegium einen Beobachter zur Seite gestellt, den der Stiftungsrat dazu auserkoren hatte, all ihre Bewegungen zu überwachen. Der Mann war ihr tatsächlich auf Schritt und Tritt gefolgt. Dies war ihr sehr lästig gewesen, zudem er in seinem schäbigen Anzug einen recht unangenehmen Geruch verbreitete und Elisabeth deshalb ständig einen großen Vorrat an Parfüm mit sich herumgetragen hatte. Immerhin hatte man nach ihren ersten Erfolgen weitere Finanzmittel aufgebracht, die es erlaubten, dass ihre Mutter Maria, die lediglich eine kleine Kriegerwitwenrente bezog, sie fortan als Anstandsdame begleiten durfte.

Für ihre gottesfürchtige Mutter war die aufregende und hektische Welt der Oper, in die sie durch ihre Tochter geraten war, kaum je fassbar geworden. In langem Rock und mit wollenem Schultertuch wartete sie wie das Versatzstück einer vergessenen Aufführung hinter den Kulissen. Ungläubig betrachtete sie die vielen Menschen, die grell geschminkt und oft nur leicht bekleidet zwischen den einzelnen Akten achtlos an ihr vorüberhasteten. Aber sie äußerte nie ein Wort des Tadels, bewunderte ihre Tochter und genoss das stille Glück, mit ihr vereint zu sein.

Wenn es also um ihre persönlichen Freiheiten ging, so reagierte Elisabeth durchaus empfindlich. Es fehlte wahrlich nicht viel, und der erste Streit hätte das junge Eheglück getrübt.

Aber wie die Musik war auch Spontaneität eine Gottesgabe. Elisabeth war eine Meisterin in dieser Disziplin. Einem jähen Impuls folgend, sprang sie auf, lief um den Tisch herum zu ihrem Gatten und legte ihm beide Arme um den Hals. Ihren schmalen Kopf fest an seine Wange gedrückt, gurrte sie: »Ach, mein Liebster, lass uns nicht länger über diese schrecklichen Dinge sprechen. *Wiederholungen machen die Dinge nur beim Üben besser*, sagt mein Impresario immer. Ich kann schließlich nichts dafür, dass dieser Hudler zu der Helga wollte. Schau, ich versprech dir ganz fest, dass ich nie mehr ohne das lange Hanserl als Begleitung ausgehen werde. Alles gut?« Gustav atmete den süßen Duft ihrer Haut, notierte im Geiste zerstreut, dass sie den richtigen Namen des Mannes schon wieder vergessen hatte, und streckte die Waffen.

Ein anschließender Kuss auf die Wange ihres Gatten glättete die Wogen gänzlich, trotzdem sah sich Gustav bemüßigt nachzusetzen: »Es ist gut, Elisabeth. Aber vergiss nicht, dass du mir versprochen hast, niemandem ein Wort darüber zu verraten, dass du gestern in dem Haus in Utting gewesen bist. Und schon gar kein Wort zu Ottilie. Ich spreche mit Helga. Sie wird verstehen, dass ich solcherlei in diesen unruhigen Zeiten für gefährlich halte. Vor allem solange dieser Hitler auf der Flucht ist. Gut, dass dich Helga unter meinem Namen vorgestellt hat.«

Dann fiel ihm noch etwas ein: »Dieser Chauffeur, hat er etwas bemerkt?«

Wo andere in eine Denkerpose verfielen, zog Elisabeth nur ihre entzückende Nase kraus. »Ich denke nicht. Ich bin mir ziemlich sicher, dass der Wagen erst in den Hof gefahren kam, als die Herren schon im Flur standen. Da hat er, wenn überhaupt, bestenfalls den Hinterkopf gesehen. Um ihn brauchst du dir keine Gedanken zu machen, mein Gusterl. Soll ich dir jetzt etwas auf dem Pianoforte vorspielen?«

Nur einen Tag später, am 11. November, stürmte Ottilie in die Küche. Bertha stand am Herd, Hans saß am Tisch und reparierte den lockeren Griff einer Pfanne.

»Jessas!«, verkündete Ottilie ihre triumphalen Neuigkeiten, die sie vom Wochenmarkt mitgebracht hatte. »Jetzt hams'n g'schnappt, den feinen Herrn Hitler. Bei den Putzingers hat er sich versteckt, in Utting draußen. Im Schlafanzug und Frotteemantel vom Hausherrn ham'sen ab'gführt. Des hätt ich gern g'sehn, wo der Herr Putzinger doch mindestens einen halben Meter höher und breiter is als des halbe G'stell. Ein Wachtmeister aus Utting war's, zamm mit dreißig Polizisten aus München. Ich weiß gar net, wozu es für den Heini so viele Polizisten brauchen dat.« Ottilie verpasste ihrem Hans eine liebevolle Kopfnuss und ergänzte: »Jetzt ko sich dein Bruder Franz aber warm anziehen. Hoffentlich sperrn's die beiden Depp'n in dieselbe Zelln, dann können's zamm marschieren und singen.«

Die Politik im Allgemeinen und der Hitler im Besonderen rückten dann sehr schnell in den Hintergrund. Wenige Tage später stellte sich heraus, dass Elisabeth ein Kind erwartete, und das, obwohl der Doktor eigentlich wusste, wie man aufpasst.

Die Eheleute hatten bei ihrer Hochzeit das Thema Kinder mit einer für jene Zeit ungewöhnlichen Offenheit besprochen – denn der Doktor wusste um die Ängste und Nöte einer Gebärenden und kannte die Komplikationen einer Geburt.

Man konnte die Ansichten des Doktors daher getrost als modern bezeichnen, wenn er die Meinung vertrat, dass eine Mutter die Anzahl ihrer Kinder selbst bestimmen sollte und ebenso den Zeitpunkt, wann sie sich selbst für diese Verantwortung bereit fühlte.

Das Paar hatte daher den durchaus vorhandenen Kinderwunsch bewusst auf einen späteren Zeitpunkt gelegt. Aber manchmal entwickeln sich die Dinge ja bekanntlich anders als geplant.

Damit hatten sich Mailand, *La Traviata* und die Violetta vorerst erledigt.

TEIL 3

Deborah

setzende katastrophale Entwicklung, die sein Heimatland endgültig an den Rand des Abgrunds rückte: Die Novemberrevolution und der Sturz des Wilhelminischen Kaiserreichs, besiegelt mit dem Versailler Friedensvertrag von 1919. Der Diktatfrieden verlangte horrende Reparationszahlungen an die Siegermächte und ging mit schweren sozialen Unruhen einher, die einen Bürgerkrieg ausgelöst hatten und schließlich in die Weimarer Republik gemündet waren – einer Republik mit über dreißig verschiedenen Parteien, die sich gegenseitig auf den Füßen herumtraten, sich behinderten, miteinander stritten.

Neben dem anhaltenden Terror der Kommunisten-Horden, dem sogenannten *Schwarzen Block*, war es jedoch der zunehmende Antisemitismus, der Gustav besonders erschütterte. Die Feindschaft und Gewalt gegenüber Juden hatten sich seit dem Ende des Kaiserreichs radikalisiert; judenfeindliche Aktionen wurden geradezu zu einem Charakteristikum der neuen Weimarer Republik, die als *verjudet* galt. Jüngstes und prominentestes Opfer war der erste jüdische Reichsaußenminister, Walther Rathenau. Dem viel gesungenen Vers »Knallt ab den Walther Rathenau, die gottverdammte Judensau« waren im Sommer 1922 Taten gefolgt. Er wurde ermordet. Auch Gustavs Freund, Maximilian Harden, Sozialist und Herausgeber der politischen Wochenzeitschrift *Die Zukunft*, war bei einem Attentat schwer verletzt worden und noch nicht wieder vollständig genesen. Antisemitismus zog sich durch alle Bevölkerungsschichten, besonders jedoch rekrutierten sich dessen Anhänger aus dem Mittelstand und dem Bildungsbürgertum. Einmal mehr waren die Juden Blitzableiter und Sündenbock für alles, auch die Schuld am verlorenen Krieg schob man auf sie, stempelte sie entweder als Feiglinge ab, die sich vor der Front gedrückt hatten, oder stellte sie in Karikaturen, Plakaten und Flugblättern, die das Land immer mehr überschwemmten, als durchtriebene Kriegsgewinnler dar.

Auch der Sieger von Tannenberg, Generalfeldmarschall von Hindenburg, hatte zur negativen Meinungsbildung beigetragen, indem er 1919 mit seiner Aussage vor der Weimarer Nationalversammlung die Dolchstoßlegende mitbegründet hatte. Er behauptete, dass das deutsche Heer »im Felde unbesiegt« geblieben und erst von vaterlandslosen Zivilisten und Novemberrevolutionären aus der Heimat »von hinten erdolcht wurde«. Die öffentliche Reaktion darauf war Empörung, und sie war vor allem durchgängig einseitig – denn damit konnte der Generalfeldmarschall nur auf die Juden angespielt haben.

Damit nicht genug, verbreitete sich immer mehr die Legende einer jüdischen Weltverschwörung durch die unsäglichen »Protokolle der Weisen von Zion«, eine Schmähschrift, die reißenden Absatz fand. Gustav hatte sie gelesen und nur den Kopf schütteln können. Er seufzte. Wann würden die Menschen endlich klüger werden? Warum fielen sie immer wieder auf dieselben Hasstiraden herein? Und warum war es so einfach, den Leuten etwas Schlechtes einzureden? Warum ließen sie sich so leicht instrumentalisieren? Das alles fragte er sich nicht zum ersten Mal. Er war Jude, nicht besser oder schlechter als jeder andere, ein ganz normaler Mensch.

Derweil torkelte das Land im politischen Trubel dahin, verlor sich in endlosen, fruchtlosen Zwistigkeiten, während das deutsche Volk dabei ausblutete. Der Krieg und eine verfehlte Politik hatten unweigerlich in die Hyperinflation geführt.

Im Oktober 1923 kostete der Laib Brot achtundfünfzig Millionen Reichsmark; die Menschen gingen mit Schubkarren voller wertloser Geldscheine zum Einkaufen und kamen mit fast nichts darin zurück.

Die Menschen fanden keine Arbeit, litten Hunger und verloren die Hoffnung auf bessere Zeiten. Nicht die Politik regierte, sondern das Elend. Es war ein gefährlicher Nährboden für böse Ränke und extreme Gestalten.

Zur Freude der Eltern erfüllte sich das günstige Horoskop Deborahs bereits in der Wiege: Deborah wurde mitten in den

Beginn der Goldenen Zwanziger hineingeboren, gerade als das Land begann, sich wieder in leiser Hoffnung zu erheben.

Denn ab November 1923 stabilisierte sich die Lage in Deutschland durch die Währungsreform und den Dawes-Plan, beides Maßnahmen, die der strauchelnden Weimarer Republik wirtschaftlich wieder ein wenig auf die Beine halfen.

Der zarte Neuankömmling reagierte schon sehr früh auf jegliche Form von Tönen und Klängen. Kaum dass Elisabeth ein Wiegenlied für das Kleine angestimmt hatte, verfiel es in strampelnde Verzückung, holte mit Ärmchen und Beinchen aus und schlug einen ihm noch unbewussten Takt.

Zu ihrem Leidwesen musste die junge Mutter sehr bald erkennen, dass das Kind dem eigentlichen Zweck des Gesangs, nämlich in den Schlaf zu sinken, nicht folgte. Im Gegenteil, es schien nicht gewillt, sich mit unmusikalischer Stille zu begnügen: Sobald Elisabeths Lied verstummte, lief das kleine Gesicht rot an und forderte mit Löwengebrüll eine Zugabe ein.

Selbst ein bühnenerprobter Sopran wie der Elisabeth Malprans stieß nach einigen Stunden ununterbrochenen Gesangs an seine physischen Grenzen. Es strapazierte auch das Nervenkostüm des Vaters, die Nächte schlaflos im Ehebett zu verbringen, bis Frau und Kind, allein der Erschöpfung geschuldet, irgendwann in den Schlaf fielen.

Das war natürlich auf Dauer kein Zustand. Der Vater, nicht nur Mediziner, sondern auch ein tiefsinniger Denker, lebte nach der Überzeugung, dass es für jedes Problem auch eine Lösung geben musste. Eines Abends kehrte er mit einem nagelneuen Victrola-Koffergrammophon zurück, das er im Kinderzimmer aufstellte.

Mit wissenschaftlichem Eifer widmete sich der frisch gebackene Vater fortan der Aufgabe, den Säugling allerlei phonetischer Experimente zu unterziehen. Zunächst galt es herauszufinden, wie das Kind auf andere weibliche Stimmen als die der Mutter reagieren würde, zum Beispiel die der berühmten Sopranistinnen Kirsten Flagstad oder Mary Garden. Das Ergebnis lautete, dass die kleine Deborah weiblichen Gesang jeglicher Art mochte. Ausschlaggebend schien hier einzig und allein die Dauerbeschallung zu sein.

Dann spielte Gustav die erste Aufnahme eines männlichen Interpreten ab. Er besaß einige der wenigen kostbaren Aufnahmen von Enrico Caruso, den er beinahe wie einen Gott verehrte. Deborah mochte auch diese Jahrhundertstimme, als besonders erfolgreich erwies sich bei ihr die Arie *La donna è mobile* aus Verdis *Rigoletto*.

Die Methode hatte allerdings einen fatalen Nachteil: 1924 musste jede 25er-Schellackplatte sorgfältig aufgelegt, die empfindliche Nadel ständig von möglichem Staub frei gepustet werden, und die maximale Spieldauer von sechs Minuten reichte nicht aus, damit das Kind in den von den Eltern herbeigesehnten Schlaf fiel. So taumelten denn Gustav und Elisabeth manche Nacht abwechselnd und traumverloren im Sechs-Minuten-Takt durch die Flure, um die Platte erneut abzuspielen. Der Einschlaftrick funktionierte bei Weitem nicht immer und nutzte sich mit der Zeit auch etwas ab.

Gustav beschloss, den nächtlichen Exkursionen ein Ende zu setzen, und berief ein neues Haushaltsmitglied: Magda, die fünfzehnjährige Nichte der Köchin Bertha. Ohne es zu ahnen, begründete er damit einen neuen Berufsstand, der jedoch erst Jahrzehnte später als solcher anerkannt werden würde: den der »Plattenwechslerin«.

Magda selbst war ein unscheinbares Mädchen mit glänzendem Mittelscheitel und dünnen Zöpfen, ein scheues Etwas, das kaum je den Kopf hob. Ihr gesamter Wortschatz schien aus einem geknicksten »Ja, gnädige Frau«, »Ja, gnädiger Herr« und »Danke« zu bestehen. Zudem hatte sie eine Heidenangst vor ihrer Tante Bertha, die ihren Kochlöffel nicht nur in den Töpfen schwang.

Immerhin, unter dem unscheinbaren Häubchen verbarg sich

ein flinker Geist mit einer raschen Auffassungsgabe. Vom ersten Tag an ging Magda ihrer Aufgabe mit Feuereifer nach. Sehr schnell wuchs sie förmlich mit dem Koffergrammophon zusammen, reinigte und pflegte es, tauschte abgenutzte Nadeln und konnte sogar bald kleine Defekte selbst beheben. Die Schellackplatten selbst behandelte sie wie kleine Kostbarkeiten. Elisabeth schenkte ihr für die Reinigung extra zwei Paar ihrer Fingerhandschuhe. Man traf Magda nie mehr ohne sie an.

Mit Magdas Ankunft wurden die Nächte endlich wieder friedlich; Eltern und Kind gediehen die nächsten Jahre prächtig, und alle waren zufrieden. Der Doktor arbeitete viel, und Elisabeth erfreute sich an Deborah.

Zweimal wöchentlich nahm Elisabeth Gesangsstunden bei Frau Lehmann, übte selbst täglich am Pianoforte und hielt Stimme und Finger mit Tonleitern geschmeidig – die kleine Deborah in ihrer Wiege immer an ihrer Seite. Trotzdem vermisste die Sängerin bald die Oper: die Proben mit gleichgesinnten Kollegen, die fiebrig angespannte Erwartung vor einem Auftritt, die Soli und die Duette und endlich die Erlösung durch den Beifall des Publikums.

Sie sprach daher mit Gustav, und bald darauf wuchs der Haushalt um ein weiteres Mitglied an. Die ältliche Kinderfrau Klara Schnapphahn – leicht schielend, aber mit besten Referenzen – hielt Einzug am Prinzregentenplatz 10.

So konnte Elisabeth endlich dem Ruf an die Mailänder Scala folgen, der sie zwei Jahre zuvor eine Absage hatte erteilen müssen.

Das Publikum hatte Elisabeth Malpran nicht vergessen. Niemals hatte es unter dem Maestro Arturo Toscanini eine hinreißendere Violetta gegeben, so der Tenor der überwältigten Presse am Morgen nach ihrer ersten Vorstellung nach der Kinderpause. Ein Kritiker ließ sich in seinem Überschwang sogar zu der Behauptung hinreißen, die Künstlerin habe selbst dann überzeugt, wenn sie überhaupt nicht gesungen hatte – so sehr habe auch ihre Darstellung das Publikum zu fesseln vermocht.

Elisabeth lief am Ende beinahe Gefahr, unter den vielen Blumen, die die Bühne erreichten, begraben zu werden, und die ihr geltenden Vorhänge und Bravorufe konnten nicht mehr gezählt werden.

Bei all dem Erfolg liebte Elisabeth ihr Kind Deborah zärtlich und ließ es niemals länger allein. Sie lehnte daher alle Einladungen an die New Yorker Met und die Opern von Chicago und San Francisco ab, weil diese Engagements sie zu lange von ihrem Kind getrennt hätten. Für Deborah verzichtete Elisabeth auf die sichere Weltkarriere.

Kapitel 9

Mitte 1929 rückte der Nationalsozialismus näher, und zwar wortwörtlich: Ottilie hatte nach einem Spaziergang mit Hans den neuesten Tratsch mit in die Küche gebracht und verkündete, dass es am Prinzregentenplatz 16 im zweiten Stock einen neuen Mieter gäbe, den Hitler, über den sich der Herr Doktor doch immer so aufregen würde. »Und die Miete zahl'n tut er a net selber! Aushalten lasst der sich wie ein g'schlamperts Luder. Wirklich, ein feiner Herr, der Adolf Nazi«, entrüstete sich Ottilie.

Für 1931 lud man Frau Elisabeth Malpran das dritte Mal nach Bayreuth zu den Festspielen ein – 1927 und 1929 hatte sie zweimal zugunsten bereits fest verhandelter Auslandsengagements absagen müssen. Man trug der Sängerin die Partie der Isolde und die der gleichnamigen Elisabeth im *Tannhäuser* an. Sie würde dabei mit ihrem bevorzugten Maestro, Arturo Toscanini, zusammenarbeiten können.

Dieses Mal konnte Elisabeth das Engagement gut in ihren Terminplan aufnehmen. Trotzdem zögerte sie mit ihrer Zusage. Zuerst wollte sie die Meinung ihres Gatten dazu hören. Denn die Wagners von Bayreuth, die die Festspiele 1924 wiederbelebt hatten, bekannten sich seit vielen Jahren offen zum Nationalsozialismus, während Gustav und sein Freund Fritz Gerlich, der kürzlich seine eigene Zeitschrift *Der gerade Weg – Deutsche Zeitung für Wahrheit und Recht* gegründet hatte, engagierte Gegner der Nationalsozialisten waren.

Seit dem fehlgeschlagenen Putschversuch im Jahre 1923 hatte

sich der Journalist Gerlich zu einem der schärfsten Kritiker der aufkommenden nationalsozialistischen Bewegung entwickelt. Wann immer Elisabeth ihn zusammen mit ihrem Mann zu Hause antraf, kannten die beiden nur ein Thema und teilten eine gemeinsame Sorge: Adolf Hitler musste aufgehalten werden!

Gerlich schrieb über den Nationalsozialismus sehr früh die prophetischen Worte: Er bedeute *Lüge, Hass, Brudermord und grenzenlose Not.*

Aber das interessierte damals kaum jemanden, und noch viel weniger Menschen wollten es hören oder lesen, erklärte Gustav Elisabeth. Denn es grassiere der geistige Analphabetismus, und der braune Virus habe leichtes Spiel; er finde genügend willige Opfer unter den Blinden und den Begeisterten, den Tauben und den Hörigen.

Noch Jahre später erinnerte sich Elisabeth an ein Gespräch der beiden Freunde über Hitler – vor allem auch deshalb, weil es kurz darauf zu einem ersten ernstlichen Ehestreit zwischen Gustav und ihr gekommen war. Anlass war Hitlers Entlassung aus der Festung Landsberg gewesen – nach lediglich neun Monaten Haft, obwohl er zu fünf Jahren verurteilt worden war. Der künftige Führer war am 20. Dezember 1924 wegen guter Führung entlassen und wieder auf das deutsche Volk losgelassen worden. Für Fritz und Gustav insgesamt der krönende Gipfel des Versagens des Strafrechts im Bayerischen Staat.

An jenem Abend des 20. Dezember hatte es also bei ihnen Sturm geklingelt, und Fritz war wie ein Herbstwind hereingefegt. Er konnte seine wütende Erregung kaum unterdrücken: »Es ist ein Skandal, Gustav«, hatte er gewettert. »Der Mann putscht gegen den Staat, vier Polizisten werden getötet, alles brave Familienväter, und dann darf er nach neun Monaten als freier Mann davonspazieren.« Gerlich war dabei wild gestikulierend durch Gustavs Zimmer gelaufen. »Schon die Gerichtsverhandlung war eine Farce. Ich war da. Der Richter hat ihn geschlagene vier Stunden am Stück reden lassen. Das war keine Verhandlung, sondern eine Parteikundgebung!«

Gustav nickte. »Leider trifft der Mann den Ton der Zeit, Fritz, und zu viele fallen in den Chor mit ein. Er ist ein gefährlicher Demagoge. Hitler hat sich einige Feindbilder geschaffen, denen er die Schuld an Deutschlands Misere zuschreibt, allen voran die Juden. Und er ist nicht allein. Er hat intelligente Mitstreiter wie Alfred Rosenberg und Hermann Göring an seiner Seite, die ihm einiges einflüstern und ihn unterstützen, weil sie darauf hoffen, in seinem Fahrwasser nach oben gespült zu werden.«

»Ja, er hat inzwischen zu viele einflussreiche Sympathisanten gewonnen, darum waren seine Haftbedingungen auch so lachhaft. Dieser Verbrecher war nicht im Gefängnis, sondern residierte wie in einem Hotel.«

»Ich habe davon gehört. Ein befreundeter Arzt hatte dort zu tun und hat mir ebenfalls ausführlich berichtet. Hitlers Raum war tatsächlich mit allen Annehmlichkeiten versehen.«

»Ja, Zimmer mit Ausblick und Besuch, ein ständiges Kommen und Gehen von Freunden. Die Wagners aus Bayreuth, Frau Bruckmann, die halbe Münchner Gesellschaft. Hitler hat derart viele Pakete voller Lebensmittel erhalten, dass er einen Feinkostladen hätte eröffnen können. Darum konnte er sie auch mit seinen Mitgefangenen teilen und hat sich so gleich noch neue Verbündete geschaffen. Ich habe gehört, dass sich das Ritual eingebürgert hat, die Leckereien bei jeder Neuankunft mit Heil Hitler! zu begrüßen. Was für Idioten! Als wären wir im alten Rom.«

Gerlich wusste weiter zu berichten, dass Hitler in Landsberg seinem treuen Weggefährten, Rudolf Heß, das demagogische Schmähwerk *Mein Kampf* diktiert hatte, in dem der Nationalsozialist für jeden unzufriedenen rechtsradikalen Topf den entsprechenden Deckel fand.

»Sympathisanten, wohin man sieht. Wer weiß, wohin das

noch führen wird. Die Deutschen wissen nicht, worauf sie sich mit diesem Österreicher noch einlassen«, hatte sich Gerlich weiter ereifert.

Am nächsten Tag folgte dann Elisabeths Streit mit Gustav. So war es dazu gekommen: Ihre Freundin Helga Putzinger hatte Elisabeth am 21. Dezember zu einem Damenkränzchen in ihr neues Domizil in der Pienzenauer Straße im Münchner Stadtteil Bogenhausen eingeladen.

Bei dieser Gelegenheit erwähnte Helga, dass sie und Bubi an Heiligabend eine kleine Gesellschaft geben würden, und lud Elisabeth, Gustav und die kleine Deborah ein, mit ihnen gemeinsam Weihnachten zu verbringen. »Der kleine Egon würde sich so sehr über das Baby freuen, Elisabeth. Herr Hitler, der gerade erst gestern aus Landsberg entlassen worden ist, hat ebenfalls seine Teilnahme zugesagt«, erzählte ihr Helga weiter.

Elisabeth, die sich schon auf das erste gemeinsame Weihnachten mit Deborah und ihrem Gatten gefreut hatte, brachte es dennoch nicht übers Herz, ihrer Freundin stante pede abzusagen. Stattdessen hatte sie ausweichend geantwortet: »Gerne, Helga, aber ich möchte auch Gusterl noch fragen. Schließlich ist es, wie du weißt, unser erstes gemeinsames Weihnachten als Familie.«

Gustavs starke Abneigung gegen Hitler erwähnte sie mit keinem Wort. Politik war zwischen Helga und Elisabeth nie ein Thema gewesen. Helga mied es absichtlich, und Elisabeth interessierte sich bekanntlich nicht dafür.

Zu Hause erzählte sie Gustav eher beiläufig von der Einladung, zu der Helga und Bubi außer ihnen auch diesen Herrn Hitler eingeladen hatten, überzeugt davon, dass ihr Gatte sowieso der gleichen Meinung wie sie wäre und Weihnachten mit der Familie zu Hause feiern wollte. Daher rechnete sie auch mit einem einfachen *lieber nicht* als Antwort.

Stattdessen geriet Gustav wie selten in Rage, kaum dass der

Name Hitler im Raum verklungen war, und fand harsche Worte für Helga und Bubi, weil sie sich weiter mit diesem nutzlosen Schmarotzer abgaben. Elisabeth fiel aus allen Wolken, als er ihr daraufhin den weiteren Umgang mit den Putzingers strikt und endgültig verbot!

Zuerst war sie nur verblüfft. Dann aber wurde auch sie wütend. Nicht auf ihren Mann, sondern auf diesen Burschen Hitler. Nicht wegen seiner Untaten, von denen sie wenig wusste, sondern weil man sich wegen diesem Herrn überhaupt so fürchterlich aufregen musste!

Und sie ärgerte sich über sich selbst: Wenn sie heute weniger Herz und mehr Mut gezeigt hätte, dann hätte sie Helga gleich an Ort und Stelle abgesagt. Und weil sie sich selbst unangenehm war und sich schon zweimal nicht ihren Umgang verbieten lassen wollte, tat sie etwas sehr Dummes. Sie ergriff die andere Partei: »Geh, Gusterl, was du immer mit diesem Hitler spinnst. Dabei habt ihr so viel gemeinsam. Schau, Helga hat mir heute erzählt, wie sehr der Mann die Musik liebt. Jedes Mal bittet er Bubi, ihm etwas auf dem Klavier vorzuspielen. Und er ist ganz narrisch nach Süßspeisen, und ein Vegetarier wie du ist er auch, weil er die Zamperln so mag, sagt Helga. Und mit dem kleinen Egon ist er sowieso ganz verrückt. Das kann doch kein gar so schlechter Mensch sein, oder? Wer weiß, wenn ihr euch kennenlernen und miteinander sprechen würdet, dann …«

Noch während sie sprach, überkam Elisabeth bereits eine ihrer berühmten Stimmungsschwankungen, die von einer Sekunde auf die nächste einsetzen konnten. Sie fand den ganzen Disput lächerlich und überflüssig, vergaß den Grund überhaupt und sehnte sich plötzlich nach Musik und Harmonie. Sie stand auf, ließ Kaffee und den rot angelaufenen Gatten stehen, trat an ihr Pianoforte und blätterte mit Seelenruhe in ihren Notenblättern – bereits auf der Suche nach der passenden Inspiration.

Gustav indessen war erstarrt. War er eben noch hochrot gewesen, war nun alles Blut aus seinem Gesicht gewichen.

Doch es war weder Ärger noch Verwunderung über so viel elisabethanische Wahrheitsverweigerung, die Gustav in diesen Zustand jähen Entsetzens versetzt hatte. Es war ein einziges Wort gewesen, das das Grauen der Kriegsbestie freigesetzt und die Dämonen seines Geistes beschworen hatte. *Vegetarier* … Wie ein Feuerrad raste die Erinnerung durch ihn hindurch, und Gustav fand sich jäh auf die Schauplätze des furchtbarsten Krieges der Menschheitsgeschichte katapultiert: Verdun, Somme und Ypern hießen die Schlachtfelder, wo dem Grauen durch Giftgas neue Dimensionen eröffnet worden waren.

Es war fürwahr eine Schlachterei unter den Menschen gewesen. Die neuen modernen Waffen wie Panzer, Granaten und Maschinengewehre hatten ein entsetzliches Gemetzel auf beiden Seiten angerichtet. Dabei hatte es an allem gefehlt, um die Leiden zu lindern: an Ärzten und Krankenschwestern, an Betten, Decken und Verbandsmaterial, und viel zu schnell waren Medikamente und Schmerzmittel zu Ende gegangen.

Nur an einem hatte es niemals gemangelt: an Toten und Verwundeten, vom Gas erblindet oder an den Gliedmaßen verstümmelt. Und sie alle schrien, fluchten, flehten – hoffnungslos. Ein schauriger Chor, vereint in Schmerzen und Verzweiflung. Dies ist die wahre Stimme des Krieges, hatte Gustav gedacht. Die Stimme, die alle Unverbesserlichen hören sollten, anstatt der begeisterten *Es lebe der Kaiser*-Rufe, zusammen mit dem Säbelgerassel marschierender Reihen von Pickelhauben, jubelnd verabschiedet von einer Menge, die Blumen warf, geblendet von falschem Patriotismus.

Dabei war es nicht die surreale Aneinanderreihung der Bilder, die ihn lähmte, als er gezwungen war, am laufenden Band Arme und Beine ohne jede Betäubung zu amputieren – die Patienten dabei verschnürt wie Pakete, damit sie sich in ihrer Agonie nicht bewegen konnten.

Nein, es war die Erinnerung an den jungen, noch bartlosen Leutnant, der in seinem Blut vor ihm lag und dabei seinen eigenen abgerissenen Unterschenkel an seine Brust drückte, als wäre er sein Kind. Gustav sah das junge kräftige Bein vor sich, das noch immer im Stiefel steckte. Es bedurfte zweier strammer Burschen, um es dem Leutnant unter gellenden Schreien zu entreißen.

Später am Nachmittag hatte er für eine zu kurze Pause das Krankenzelt verlassen. Obwohl er es zu vermeiden suchte, verfing sich sein Blick auf dem täglichen Berg abgetrennter Gliedmaßen; Arme und Beine von Großvätern, Vätern und Söhnen, Brüdern und Ehemännern.

Bis vor Kurzem noch lebendes Fleisch, jetzt nicht mehr als nutzloser Kriegsabfall, bereit, verbrannt zu werden. Er beobachtete einen Sanitäter dabei, wie er sich einen abgetrennten Unterschenkel herausgriff und ihm den guten Stiefel auszog – im Krieg wurde nichts verschwendet außer Menschenleben –, und der Doktor erkannte darin Bein und Stiefel des Leutnants wieder.

Seit jenen Tagen, an denen er mehrmals täglich den Geruch von verbranntem Menschenfleisch hatte ertragen müssen, hatte Gustav nie mehr ein Stück Fleisch angerührt.

Hitler hingegen, so glaubte Gustav, verzichtete aus anderem Grund darauf. Gustav hatte ihn einige Male im Münchner Café Heck gesehen, und dabei waren ihm dessen ungesunde Blässe und die verkniffenen Gesichtszüge aufgefallen. Vermutlich litt der Mann an einem Magenleiden und heftigen Flatulenzen.

Er hatte über Hitler auch sagen hören, dass seine eigenen Kriegskameraden ihn nie gemocht hatten. Sie hielten ihn für obrigkeitshörig und einen Stiefellecker. Darum hatten sie ihm auch einen gehässigen Spitznamen verpasst: *Weißer Rabe*.

Es ist so traurig wie dumm, sinnierte Gustav weiter; die Welt könnte ein Paradies sein – wenn die Menschen nur Frieden halten könnten.

Mit einem gallebitteren Geschmack im Mund trat er die geistige Rückreise aus Frankreich an. Er kehrte in die Gegenwart zurück und fand sich an der Seite seiner wankelmütigen Frau wieder. Elisabeth absolvierte erste stumme Fingerübungen am Klavier.

Der Doktor tat dann selbst so, als wäre nichts gewesen, und am 24. Dezember im Jahre 1924 begingen sie eine wunderschöne erste Weihnacht mit ihrem Töchterchen Deborah.

Kapitel 10

Wenige Tage später kam Elisabeth selbst auf ihr Verhalten in der Bibliothek zurück, und zwar, nachdem sie Zeuge eines weiteren Gesprächs zwischen Gustav und Fritz über Hitlers Aktivitäten geworden war.

Da schämte sie sich für ihr Benehmen. Gustav wiederum, dem es auch ein wenig unangenehm war, so sehr aus der Haut gefahren zu sein und ihr den Umgang mit ihren Freunden verboten zu haben, nahm dies nun wieder zurück und versicherte ihr, dass sie eine freie Person mit freien Entscheidungen sei.

Trotzdem sahen sich Helga und Elisabeth daraufhin nur noch sehr selten, und die beiden Herren Gustav und Bubi trafen nie mehr aufeinander.

Aus diesem Grund zögerte Elisabeth, im Jahr 1931 für Bayreuth zuzusagen, obwohl sie die erneute Arbeit mit Maestro Toscanini lockte. Angeblich hatte sich Adolf Hitler die Festspiele bisher nicht ein einziges Mal entgehen lassen und war auch sonst ein häufiger Gast im Hause Wahnfried.

Erst später sollte Elisabeth begreifen, dass sie hier zum ersten Mal in ihrem Leben eine politische Erwägung in ihre Entscheidungen einbezogen hatte.

Sie wartete einen gemütlichen Abend zu zweit ab, bevor sie das Thema Bayreuth aufs Tapet brachte. Gustav nippte an seinem Cognac, den sie ihm gereicht hatte, und sie setzte sich neben ihn und schmiegte sich an seine Schulter.

Wie zu erwarten gewesen, schien Gustav zunächst keineswegs erbaut von ihren Plänen – hatte aber insgeheim längst damit gerechnet. Irgendwann zog es nun mal jede Diva in das Wagner'sche Bayreuth, und er konnte und wollte es ihr nicht verbieten. Zu sehr rührte ihn die leuchtende Passion in ihren Augen, als sie ihm von den beiden Partien und dem von ihr so sehr geschätzten Maestro Toscanini erzählte. In Gedanken *war* sie bereits die Isolde, ging die Partitur, die Posen und die Szenen durch.

Also fuhr Elisabeth nach Bayreuth und feierte abermals Triumphe. Auf dem Empfang nach der Premiere präsentierte ihr Frau Winifred Wagner dann mit einer Art Besitzerstolz den Herrn Adolf Hitler. Dieser zeigte sich absolut hingerissen von der schönen Künstlerin, die er endlich persönlich kennenlernen durfte. Er warf die gesamte Palette seiner österreichischen Galanterie ins Feld und schmachtete sie mit blauen Augen an.

Und Elisabeth musste zugeben, dass er dabei ein unerwartet charmantes Benehmen an den Tag legte. Dennoch hatte sie in seiner Gegenwart ein unwohles Gefühl. Sie war daher froh, dass es bei dieser einen kurzen Begegnung geblieben war. Gustav erzählte sie lieber gar nicht erst davon, er hätte sich nur allzu sehr aufgeregt. Er fragte aber auch nicht nach.

Sie waren jetzt mehr als acht Jahre verheiratet und kannten ihre Empfindlichkeiten.

1932 setzten die Festspiele in Bayreuth zum Glück aus, sodass Elisabeth gar nicht erst in die Verlegenheit kam, ablehnen zu müssen. Denn wenige Wochen zuvor hatte die Politik ihren ersten bedrohlichen Schatten auf den Prinzregentenplatz 10 geworfen.

Die, die es traf, waren Hans, Ottilie und Gustav, und zwar in dieser Reihenfolge. Elisabeth weilte auf einer Konzertreise in Rom, wo sie die Titelrolle in Puccinis *Tosca* sang, als sich in ihrer Abwesenheit das Folgende ereignete:

Franz, der ältere Bruder des Hausdieners Hans und Sturmabteilungsangehöriger der ersten Stunde, hatte, getrieben von tiefster Überzeugung und noch größerem Eifer, eine steile Karriere absolviert und es bis zum Sturmführer gebracht. Franz hatte nie verwunden, dass sich sein jüngerer Bruder all die Jahre der SA verweigert hatte. Darum tat Franz jetzt das, was er am besten konnte: Er wandte Gewalt und Tücke an.

Er lud den Jüngeren an dessen freiem Abend ein, machte ihn betrunken und verprügelte ihn hernach so lange, bis Hans nicht mehr wusste, wie und wann er das Aufnahmeformular für die Sturmabteilung unterschrieben hatte. Hans war nun offiziell Mitglied der SA geworden und damit Nationalsozialist.

Nach dem Krieg gab es bekanntlich eine große Anzahl Nationalsozialisten, die, wenn man ihnen glauben durfte, nie wirklich solche gewesen waren, sondern auch im Zuge größter Trunkenheit (ob nun vom Alkohol oder vom Rausch der Macht, sei dahingestellt) rekrutiert worden waren, jedoch kann man mit Fug und Recht behaupten, dass zumindest der Hans in seinem Herzen ein zutiefst überzeugter Nicht-Nationalsozialist war.

Nach der höchst unangenehmen Begegnung mit seinem Bruder kam es am Tag danach zu einer für den Hans weitaus unangenehmeren mit seiner Ottilie, die ihm, als Zugabe zu den Prügeln vom Franz, noch weitere schmerzhafte Ohrfeigen verpasste, verbunden mit einer Strafpredigt, die sich gewaschen hatte. Aber es nützte nichts, es stand amtlich fest, und ab sofort hieß es für Hans: Marschieren!

Weil es im Nationalsozialismus nichts umsonst gab außer Verfolgung, Folter und Tod, durfte Hans Hand an sein hart Erspartes legen und die gesamte Uniformausstattung selbst bezahlen. Was allein die Stiefel, Größe 50, kosteten! Ottilie war außer sich.

Sie erbat daher vom Doktor die Erlaubnis für einen freien Nachmittag und eilte zu Franz, um bei ihm persönlich zu intervenieren.

Franz, der Grobe, der sich für die weitaus bessere Partie hielt (»Sturmführer gegen Hausdiener, also bitte!«), fand Gefallen an Ottilies diversen Rundungen und griff zu. Ottilie jedoch fand keinen an ihm und schlug zu – was er sofort als tätlichen Angriff wertete. Franz sperrte die Arme in sein mit Standarten vollgestopftes Büro, rief die gefällige Polizei, und Ottilie ward verhaftet.

Als das Hausmädchen weder am späten Abend noch am nächsten Tag in die Wohnung am Prinzregentenplatz zurückkehrte, hegte der Doktor den Verdacht, dass Ottilie womöglich in Schwierigkeiten geraten war. Er stellte daher unverzüglich Nachforschungen an. Zunächst bei Franz, der seine Hände jedoch in Unschuld wusch und ihn an die örtliche Polizei verwies.

Auf dem Weg dorthin wurde der Doktor unvermittelt von einer Gruppe SA-Männer auf offener Straße angehalten, verprügelt und von der hinzugeeilten Polizei verhaftet.

Die SA-Rotte trollte sich derweil unbehelligt mit Gustavs Brieftasche.

In der Wohnung am Prinzregentenplatz vermisste man jetzt nicht nur Ottilie, sondern auch den Herrn Doktor, und die Frau Doktor weilte in Italien!

Bertha, die Köchin und Rangälteste des Haushalts, verlor sofort Kopf und Mut wie fast alle cholerisch Veranlagten, wenn sie nichts mehr zum Schreien hatten; die Kinderfrau Klara tat das, was sie am besten konnte und wozu sie schließlich eingestellt worden war: Sie kümmerte sich um die siebenjährige Deborah und sonst nichts.

Erschwerend kam hinzu, dass die langjährige Helferin und rechte Hand des Doktors, Renate, im Zuge ihrer Heirat erst kürzlich ins Rheinische gezogen war. Renate hätte vielleicht gewusst, welche Maßnahmen zu ergreifen gewesen wären, ganz im Gegensatz zu ihrer frisch ernannten Nachfolgerin. Diese war wie jeden Morgen um sieben Uhr erschienen, um die Praxis aufzuschließen. Nun klopfte sie bereits zum dritten Mal im Namen des hustenden und unter diversen anderen Unpässlichkeiten leidenden Wartezimmers an, um *bitte schön die Präsenz des Doktors ins Parterre zu erbitten.*

Nun schlug die große Stunde von Magda, der Magd. Sie war es, die die Initiative ergriff. Sie zog ihr bestes Kleid an und war schon dabei, die Wohnung zu verlassen, als Bertha, die urplötzlich ihre tiefen Gefühle für die Nichte entdeckt zu haben schien, sich an sie klammerte: »Um der Barmherzigkeit willen, geh nicht, Magda! Jeder, der diese Wohnung verlässt, verschwindet auf Nimmerwiedersehen. Glaub mir, da draußen ist etwas furchtbar Böses am Werke«, schluchzte sie die seherischen Worte. »Wir müssen beten und auf den Herrgott vertrauen«, rief sie weiter, sank auf die Knie und fiel in gefaltete Inbrunst.

Magda ließ sich nicht von ihr beirren, sondern eilte nach unten in die Praxis. Dabei schlüpfte sie im Treppenhaus ohne Knicks an dem unverwüstlichen General vorbei, der soeben von seinem Flaniergang samt Orden zurückgekehrt war und ihr entrüstet hinterhersah.

Zunächst schickte Magda die Sprechstundenhilfe und alle Patienten mit wenigen, bedauernden Worten nach Hause. Magda, die vormals Scheue, sprach inzwischen sehr gepflegt und imitierte perfekt die Modulation des Wienerischen der gnädigen Frau Elisabeth. Mit ihren nunmehr dreiundzwanzig Jahren war sie eine richtige junge Dame geworden.

Sie betrat das Allerheiligste: das Sprechzimmer des Doktors. Dort verließ Magda kurz der Mut, und sie fühlte eine plötzliche Verzagtheit, als erwarte sie, für ihre folgende Freveltat in Schwefelschwaden zu versinken. Ihr nächster Gedanke war, dass sie dann ebenfalls verschwunden wäre – wie der Doktor und Ottilie. Was würde Bertha dazu sagen?

Die Vorstellung von ihrer Tante Bertha, die sich fortan nicht mehr aus dem Haus wagen würde, beim Beten langsam verhungern und deren Knochen alsdann in der Küche bleichen würden, wäre es Magda beinahe wert gewesen. Schon war der Moment des Zauderns überwunden. Die Situation erforderte Taten und Lösungen!

Systematisch ging Magda Gustavs Schreibtisch durch und fand alsbald das Gesuchte: eine Visitenkarte der Kanzlei Finkelstein & Partner. Der Doktor hatte Herrn Finkelstein bei einem Gespräch mit der gnädigen Frau Elisabeth unlängst als seinen Rechtsbeistand erwähnt.

Magda redete zwar selbst wenig, hörte dafür aber umso aufmerksamer zu. Nicht, um zu lauschen, sondern um zu lernen. Wie ein großer Schwamm sog sie alles in sich auf, Wichtiges und Belangloses, Triviales und Interessantes. Zwar konnte sie die einzelnen Informationen nicht immer richtig einordnen, da ihr oftmals die Zusammenhänge fehlten, aber sie war eine Meisterin der Stimmeninterpretation. Sie konnte allein am Tonfall der gnädigen Herrschaften den Grad der Bedeutsamkeit des Gesprochenen ermitteln und so Informationen von Belang erkennen.

Schon in der Dorfschule, die sie auf Wunsch des Vaters nach nur drei Jahren hatte verlassen müssen, da ihre Arbeitskraft auf dem Hof gebraucht wurde, hatte sie eine Ahnung davon bekommen, dass es – neben der hohen Geburt – die Bildung war, in deren Händen der Schlüssel lag, der Zutritt in die Welt der Privilegierten gewährte. Insofern entpuppte sich die Anstellung bei den gnädigen Herrschaften für sie als Glücksfall, sie wurde zur Schmiede ihrer Wünsche und zur Hoffnung auf eine bessere Zukunft. Sie würde alles für ihre Herrschaft tun, die sie stets dazu ermuntert hatte zu lernen; von Anfang an hatte Magda auch an Deborahs Hausunterricht teilnehmen dürfen, kaum dass sie ihren Wunsch hierzu geäußert hatte.

Sie führte deshalb auch alle ihre Ersparnisse mit sich, falls der Advokat eine Anzahlung forderte. Sie waren mager genug, daher war Magda froh, dass die Kanzlei Finkelstein in der Briennerstraße lag. Wegen der Eile hätte sie sonst eine Droschke nehmen müssen. Sie legte den Weg ohne Pause im Laufschritt zurück.

Die Briennerstraße war dann ein echter Schock für Magda – denn dort herrschte eine rege Betriebsamkeit in Braun und Paramilitärisch. Sie erinnerte sich nun, dass der Doktor dem Kindermädchen Klara gesagt hatte, er wünsche nicht, dass sie den täglichen Spaziergang mit Deborah in diese Richtung ausdehne.

Denn dort, in Nummer 45 im Palais Barlow, residierte die NSDAP in ihrem Hauptquartier. Man sah gleich, dass die Partei, mit viel Industriellengeld bespendet, davon viel in die Stoffindustrie investiert hatte. Magda fühlte sich von dem blutroten Fahnenpomp abgestoßen. Auf dem Bronzeportal des Haupteingangs prangten Hakenkreuze, und beim Näherkommen konnte sie darauf die Parteiparole lesen: »Deutschland erwache«.

Die Empfangsdame der Kanzlei Finkelstein & Partner, nur ein paar Häuser weiter, erschien kaum weniger vornehm als die gesamte Örtlichkeit. Sie musterte Magdas Erscheinung in einer spitzlippigen Art, als sei es unter ihrer Würde, auch nur ein Wort an sie zu verschwenden. Natürlich weigerte sie sich strikt, das Anliegen der Unerwünschten weiterzuleiten.

Magda blieb hartnäckig und trug mit fester Stimme vor, dass der Doktor persönlich sie gesandt habe, um mit dem Herrn Finkelstein eine *dringende Angelegenheit von finanzieller Lukrativität* zu regeln.

Das war ein gepflegter und schwieriger Satz, und »finanziell« und »lukrativ« waren seit jeher Worte, die man in jeder Kanzlei mit Wohlwollen vernahm. Das hochmütige Benehmen der Empfangsdame schrumpfte auf beinahe höfliche Beflissenheit zusammen, und Magda wurde nach erfolgter Rückfrage in das Büro des Samuel Finkelstein vorgelassen.

Samuel Finkelstein sah mit seinen ausgeprägten Gesichtszügen und der schönen kräftigen Nase ausgesprochen gescheit aus, als kenne er das Leben in all seinen Besonderheiten und Erscheinungsformen. Magda gefiel er auf Anhieb, denn er hatte den gleichen ruhigen Blick wie der Doktor, einen Blick, der besagte, dass es nichts gab, angesichts dessen man verzagen musste, und sehr vieles, wofür es sich lohnte, sein Bestes zu geben.

Der Advokat hörte sich Magdas Bericht ernst und aufmerksam zu Ende an und stellte erst dann eine Reihe von Fragen. Danach erhob er sich, rief die Empfangsdame und hieß sie, einen Kaffee zu servieren.

Sie bediente sehr höflich und legte auch ein paar exquisite Petit Fours dazu. Magda, die außer in einem Café noch nie in ihrem Leben bedient worden war, genoss die vertauschten Rollen ungemein. Der Herr Advokat ließ Magda für eine kurze Zeit allein in seinem riesigen, rundherum mit edlem Holz getäfelten Büro zurück.

Gerade als Magda sich fragte, wie viel Wald wohl für eine solche Täfelung vonnöten wäre, kehrte er mit seinem Partner zurück, einem großen, würdevollen Mann von vorbildlicher *arischer* Erscheinung. Herr Finkelstein stellte ihn mit warmer Geste als seinen Partner, den Herrn Baron Gerhard von Meyerlinck, vor.

Samuel Finkelstein war so klein wie klug, so gewieft wie vorausschauend, und deshalb würde er sich bei der Angelegenheit des Doktors im Hintergrund halten. Denn schon 1932 waren in der Hauptstadt der Bewegung, der Stadt mit dem größten SA-Anteil, für jüdische Mitbürger unruhige Zeiten angebrochen und die Glaserei ein aufstrebendes Gewerbe.

Herr von Meyerlinck hatte, wie Samuel Finkelstein Magda versicherte, beste menschliche und fachliche Qualitäten. Die junge Dame solle also ohne Sorge nach Hause gehen und dort die Rückkehr des Doktors erwarten.

Der Baron führte zunächst einige Telefonate, stellte sodann eine Reihe weiterer Nachforschungen an und sandte zu guter Letzt Boten aus, woraufhin – nach einem angemessenen Austausch finanzieller Zuwendungen – der Doktor und Ottilie bereits am nächsten Tag ihren unfreiwilligen Aufenthaltsort verlassen und gegen ihr Zuhause eintauschen durften.

Das war ein Trubel, als alle zusammen, die Herren Finkelstein und von Meyerlinck in Begleitung der beiden Verschollenen, am Prinzregentenplatz eintrafen und Magdas umsichtiges Handeln gebührend gelobt wurde. Sie erhielt eine Erhöhung ihres wöchentlichen Lohns, und Bertha weinte vor Rührung und Stolz und stammelte ständig: »Das ist meine Nichte, das ist meine Nichte.«

Der Doktor musste im Anschluss an das freudige Wiedersehen dann selbst zum Doktor – die Schläger hatten ganze Arbeit geleistet. Er trug von nun an einen Buckel auf der Nase und hatte einen Backenzahn weniger, aber das Auge verheilte sehr gut.

Natürlich war damit das Problem, dass der Hans sich, wenn auch unfreiwillig, der SA verpflichtet hatte, nicht gelöst. Es hatte eines weiteren erklecklichen Sümmchens und des gesamten Einsatzes bestehender politischer Verbindungen bedurft, damit Hans den Fängen der SA entkam – allerdings nur bis zum Februar 1933.

Nur wenige Tage nachdem Adolf Hitler am 30. Januar 1933 vom greisen Reichspräsidenten Paul von Hindenburg zum Reichskanzler ernannt worden war, tauchte das Formular – gemeinsam mit dem bis an den Rand mit Häme angefüllten Sturmführer Franz – aus den Tiefen einer Amtsstube wieder auf.

Die SA war zwar bestechlich, aber Unterschrift war Unterschrift. Sie nahmen Hans gleich mit, und wieder trug er das braune Hemd und marschierte fortan dem Untergang entgegen.

Und Ottilie sagte zu Bertha in der Küche: »Jessas, jetzt wird's brenzlig.«

Und Bertha fragte: »Warum?«

Und Ottilie sagte: »Weil doch der Herr Doktor ein Jud ist, und die mögen die neuen Herren nicht.«

Und Bertha sagte: »Die Juden mögen die neuen Herren nicht?«

Und Ottilie sagte: »Geh, sei doch nicht so blöd. Andersrum.«

Und Klara, die schielende Kinderfrau, die sich sonst kaum in der Küche aufhielt, fragte: »Der Doktor ist ein Jude?«

Felix, der Dackel, der sich pünktlich zur Essensvorbereitung in der Küche eingefunden hatte und vor der Anrichte saß, als hätte man ihn dort mit dem Schraubstock festgeklemmt, ließ sich dazu nicht lumpen und genüsslich einen fahren.

»Geh, Felix, du altes Schwein«, sagte Ottilie schmunzelnd zu ihrem Liebling.

»Das macht er in der letzten Zeit aber oft«, bemerkte Bertha missbilligend, traute sich aber nicht, den Dackel der Herrschaft aus der Küche zu verjagen. Jedenfalls nicht, wenn Ottilie dabei war.

»Ich weiß«, erwiderte Ottilie. »Der Herrschaft ist es auch schon aufgefallen. Der Doktor sagt, es wäre Flatulenz«, und hinuntergebeugt zum Dackel: »Du bist mir ein Stinkerle«, und streichelte den Anschmiegsamen, dem vor lauter Liebe gleich noch ein Wind entwich.

»Aha«, machte Bertha und versuchte ihren Blick so einzustellen, als ob sie verstanden hätte, was damit gemeint war. Keinesfalls wollte sie vor der eingebildeten Kinderfrau als dümmer gelten als ihre alteingesessene Rivalin Ottilie.

Doch Ottilie wusste immer, wann sie gewonnen hatte. Sie stibitzte sich aus dem Obstkorb einen rotbackigen Apfel. Im Hinausgehen sagte sie wie beiläufig zu Bertha: »Am besten, du fragst unser schlaues Mägdelein.« Und das war natürlich eine doppelte Demütigung, dass Ottilie Bertha für dümmer hielt als ihre Nichte, und das im Beisein der Kinderfrau!

Klara, die hochmütig Schielende, verließ die müffelnde Küche ebenfalls, setzte aber vorher die Köchin noch über das lateinische Leiden des Felix ins Benehmen: »Blähungen, er hat Blähungen.«

»Das rieche ich auch«, schnappte die Köchin und köpfte das Suppenhuhn.

Wie sich bald herausstellte, schielte Klara nicht nur mit dem Blick nach einer Seite, es drängte sie zur Gänze in eine bestimmte Richtung. Die kleine Deborah trauerte ihr überhaupt nicht nach, als Klara kurz nach dem Vorfall in der Küche ihre Stellung kündigte und in die braune Ferne entschwand.

Elisabeth kehrte nie wieder nach Bayreuth zurück. In den Folgejahren nahm sie nur noch wenige Engagements an, und das fast ausschließlich im Ausland.

Selbst Richard Strauss, der neu ernannte Präsident der Reichsmusikkammer – es gab kaum noch Worte aus der Reichskanzlei, die nicht mit »Reich« begannen, was der Doktor kopfschüttelnd als »Reichsmanie« bezeichnete –, konnte sie nicht zu einem neuerlichen Engagement an der Berliner Staatsoper überreden.

Man ließ ihr nach ihrer Absage die Information zukommen, dass der Führer ihre Entscheidung »mit Enttäuschung« vernommen habe. Doch Elisabeth war dieser Tage sehr in Sorge um ihren Gustav. Sie hatte beschlossen, bei ihm zu bleiben und sich um ihn zu kümmern. Die neuen nationalsozialistischen Zeiten beunruhigten ihren Gatten zutiefst.

Er schlief noch schlechter als sonst, wenn er überhaupt Schlaf fand. Überdies hatte er etliche zahlungskräftige Patienten verloren, auch wenn einige von ihnen vom Tag-Patienten zum Nacht-Patienten geworden waren und zur Behandlung heimlich zur Hintertür hereinschlüpften.

Es gab eine neue Krankheit, und die hieß: Angst.

Kapitel 11

Der gerade Weg

Der Ratskeller im Souterrain des Münchner Rathauses am Marienplatz war riesig, verwinkelt und strahlte mit seinem rauchgeschwängerten Tonnengewölbe die typische bayerische Gemütlichkeit aus.

Seit vielen Jahren fanden sich Gustav und Fritz Gerlich dort an jedem Donnerstagabend zu einem losen Stammtisch zusammen. Von Zeit zu Zeit gesellten sich mit Gustav befreundete Ärzte und auch Kollegen von Fritz dazu – meist waren sie ein rundes Dutzend Gleichgesinnte.

Seit der Machtübernahme jedoch erschienen von Woche zu Woche weniger Teilnehmer. An diesem Abend zählten sie nur noch ganze fünf Mann: zwei Ärzte, zwei SPDler und ein Redakteur der *Münchener Post*.

Die bestellten Maß Bier kamen, und Gustav versuchte die bedrückte Stimmung ein wenig aufzulockern: »Angst scheint auf den Durst zu drücken! Trotzdem, meine Herren, lassen wir es uns heute schmecken. Prost!«

An diesem Abend geriet die Debatte besonders heftig. Der Wirt kam vorbei, bat verlegen um etwas mehr Rücksicht auf die anderen Gäste und flüchtete wieder hinter seinen Tresen.

Gustavs Gedanken schweiften ab. Knapp sechs Wochen lag die Ernennung Adolf Hitlers zum neuen Reichskanzler zurück. In München hatte man den Regierungswechsel in Berlin mit bayerischer Gelassenheit zur Kenntnis genommen und war dann zur Tagesordnung übergegangen – sprich: dem Fasching. Der Wahl des Faschingsprinzen war beinahe ebenso viel Bedeutsamkeit beigemessen worden wie den Reichstags-Neu-wahlen am 05. März. Man hatte in den letzten Jahren einfach zu viele Kanzler in Berlin kommen und gehen sehen: Brüning, von Papen, Schleicher, Hitler …

Erneut trat der Wirt an ihren Tisch. Er knetete sein Geschirr-tuch und schielte ängstlich zum Eingang am anderen Ende des Saals. Soeben hatten einige SA-Männer diesen betreten. Dann hastete er davon, als wolle er vermeiden, in ihrer unmittelbaren Nähe gesehen zu werden.

Gustav sah dem Mann kopfschüttelnd hinterher. Zehn Jahre Stammtisch in großer Runde, hohe Zechen und gute Gesprä-che, an denen sich der Wirt oft und gerne beteiligt hatte. Und jetzt wollte er sie nicht mehr kennen. Gustav versenkte seinen traurigen Blick im Maßkrug. Es hatte begonnen. Die Menschen passten sich der neuen Politik bereits an.

Er sah zum wiederholten Male auf seine Uhr, die inzwischen kurz nach acht anzeigte. Wo der Fritz nur so lange blieb? Lang-sam begann er, sich Sorgen um seinen Freund zu machen. Fritz hatte ihren Donnerstagsstammtisch bisher nie versäumt. Wohl war er gelegentlich später erschienen, wenn er eine schlagzei-lenträchtige Nachricht erhalten hatte und die erste Seite für den nächsten Tag neu gesetzt werden musste; in diesem Fall hatte er aber stets einen Laufburschen mit einer Nachricht in den Rats-keller geschickt. Einfach fernzubleiben sah Fritz nicht ähnlich. Außerdem hatte ihn sein Freund noch am Morgen angerufen und ihm anvertraut, dass er am Abend etwas sehr Wichtiges mit ihm zu besprechen habe. Gustav hoffte, dass sich Fritz endlich dazu durchgerungen hatte, Deutschland den Rücken zu kehren und nach Österreich überzusiedeln. Fritz' kritische Zeitung *Der gerade Weg – Deutsche Zeitung für Wahrheit und Recht* war den Na-tionalsozialisten von Anfang an ein Dorn im Auge gewesen.

Hitler ließ sich immer wieder Ausgaben kommen und las, wie man hörte, Gerlichs Beiträge mit wachsendem Unmut. Der neue Reichskanzler nahm Gerlich zusätzlich übel, dass er viele der Reden seines Feindes, des Reichskommissars Ritter von Kahr, verfasst hatte – unter anderem auch jene im Münchner Bürgerbräukeller während des missglückten Putsches von 1923.

Gerlich hatte bereits massive Repressalien durch die SA erfahren. So waren ihm kürzlich zu Hause die Fensterscheiben eingeworfen worden. Seine Frau Sophie hatte sich zu Tode erschreckt. Einer der Steine hatte sie nur knapp verfehlt. Fritz erhielt auch immer häufiger schriftliche Morddrohungen. Der mutige Journalist ließ sich auch davon nicht beeindrucken – unerschrocken druckte er die provokanten Texte in seiner Zeitung ab.

Bösartig und konfus, spiegelten die Drohbriefe die geistige Beschränktheit ihrer Verfasser wider. Seine Freunde versuchten deshalb schon seit Längerem, Fritz davon zu überzeugen, München gemeinsam mit seiner Frau Sophie zu verlassen.

Gustav stand auf und bat den Wirt, sein Telefon benutzen zu dürfen. Im Verlagshaus ertönte das Besetztzeichen, und im Heim der Gerlichs antwortete ihm niemand. Er versuchte es innerhalb der nächsten zwanzig Minuten mehrmals. Seine Unruhe wuchs, sein Bier begann ihm schal zu schmecken. Gustav verabschiedete sich dann alsbald von der letzten tapferen Schar seiner Mitstreiter und überließ sie ihren eigenen, bierseligen Sorgen.

Er hatte beschlossen, Fritz in seiner Redaktion aufzusuchen. Vermutlich hatten ihn die Ereignisse des heutigen Tages aufgehalten, suchte er sich selbst weiter zu beruhigen. Seine düsteren Vorahnungen ließen ihn jedoch nicht los, war ihm doch zu Ohren gekommen, dass der gemäßigte, konservative Bürgermeister Karl Scharnagl heute nach zwölf Jahren das Münchner Rathaus hatte räumen müssen. Die neuen Machthaber in Berlin hatten es so angeordnet.

Die Distanz zwischen dem Ratskeller und den Redaktionsräumen der Zeitung betrug kaum vierhundert Meter. Gustav beschleunigte seine Schritte und rannte dann beinahe durch die

Straßen. Er verlor seinen Hut und bemerkte es nicht einmal. Auf halbem Weg musste er einer grölenden SA-Rotte ausweichen und versteckte sich gerade noch rechtzeitig. Beinahe schämte er sich seiner Furcht. Hatten sie am Stammtisch nicht gerade noch große Reden geschwungen und vollmundig verkündet, dass man sich nicht einschüchtern lassen dürfe? Dass man um sein Wort und die freie Meinung kämpfen, sich gegen Willkür und Unrecht stemmen müsse?

Und jetzt mied er schon selbst das Licht und drückte sich mit klopfendem Herzen in einen dunklen Hauseingang. Benahm er sich nicht wie alle anderen? Ängstlich, feige und angepasst, sich selbst am nächsten? *Wie ansteckend Angst doch ist*, dachte er. Angst konnte einen vernichten. *Halt, Gustav!*, meldete sich eine weitere, tiefer gelagerte Stimme in ihm – die Stimme, die um die Leiden seines Volkes wusste. *Du bist Jude, Gustav*, flüsterte sie. *Entstammst einem Volk, das seit dreitausend Jahren heimatlos ist. In beinahe jeder Generation werden Juden verfolgt, verjagt, enteignet, ermordet. Jude zu sein bedeutet, niemals in Sicherheit zu sein. Also halte Frieden mit dir selbst, Gustav. Schütze deine Familie. Du kannst den Lauf der Welt nicht ändern, weil du den Menschen nicht ändern kannst. Du kannst nur das tun, was alle Väter tun sollten: die eigenen Kinder vor dieser Welt des Hasses retten, die die Erwachsenen ihnen bereiten.*

Umso mehr empfand Gustav Hochachtung für seinen katholischen Freund Fritz. Fritz Gerlich war ein mutiger und unerschrockener Mann, wie es nur wenige gab. Furchtlos kämpfte er seit Jahren mit der Feder gegen Diktatur und Tyrannei an, ließ sich selbst durch Morddrohungen und wirtschaftlichen Ruin nicht von seinen Überzeugungen abbringen.

Seine Auflage sank von Woche zu Woche, weil SA-Männer den Verkauf sabotierten, indem sie die Käufer der Zeitung ganz offen einschüchterten.

Die SA-Männer entfernten sich in die andere Richtung. Vorsichtig um sich spähend, setzte Gustav seinen Weg fort. Hier und da begegneten ihm vereinzelte Spaziergänger, Spätheimkehrer oder Liebespaare, die ebenso wie er, obgleich aus anderen Motiven, das Licht der Straßenlaternen scheuten.

Bevor er in die Hofstatt einbog, stieg ihm bereits kalter Rauch in die Nase. Noch einmal beschleunigte Gustav seinen Schritt, hastete um die Ecke und stoppte abrupt.

Vor sich auf dem Boden erkannte er vereinzelte Anhäufungen, die an manchen Stellen in der Dunkelheit aufglommen. Ein kalter Windstoß fegte durch die Straße und gab dem kaum erloschenen Feuer neue Nahrung.

Einige wenige Schaulustige und Spaziergänger standen auf der Straße verteilt, einige gestikulierten, der Rest begann, sich langsam zu zerstreuen. Die Spannung kürzlich stattgefundener Ereignisse hing noch in der Luft. Mit der schlimmsten aller Ahnungen näherte sich Gustav der Adresse Hofstatt 6. Noch zwei Häuser trennten ihn von der letzten Gewissheit. Er sandte ein verzweifeltes Stoßgebet gen Himmel, dass es nicht seinen Freund Fritz getroffen haben möge.

Sogleich schämte er sich – dies bereits zum zweiten Mal binnen weniger Minuten. Selbst wenn es sich bei dem Betroffenen nicht um seinen mutigen Freund handeln sollte, wie konnte er leichten Herzens jemand anderem das Unglück wünschen? Es war das ewige Kreuz der Menschheit. Ein jeder sah nur auf sich selbst und jene, die ihm am nächsten standen. Erleichtert seufzte man auf, wenn einen das Unglück nicht persönlich getroffen hatte. Um des eigenen Friedens willen zimmerte man sich seine Argumente zurecht – denn aus irgendeinem berechtigten Grund werden die Dinge wohl geschehen sein, nicht wahr? Also keinen weiteren Gedanken daran verschwenden, wegsehen, das eigene Leben in Ruhe wieder aufnehmen – schließlich hatte man am eigenen Joch genug zu tragen …

Zögerlich überwand Gustav die letzten Meter, bis er direkt vor der Fassade zu Fritz' Verlags- und Redaktionsräumen stand. Sein Verstand weigerte sich zu begreifen, was sein Herz längst wusste. Langsam hob er den Kopf und musterte die dunkle Fassade des Backsteingebäudes bis hinauf zum zweiten Stock. Seinen Augen bot sich die übliche Spur der Verwüstung staatlich sanktionierter Macht.

Alle Scheiben waren zertrümmert worden, und die noch schwelenden Haufen auf der Straße erklärten sich von selbst: Es waren Möbel, Bücher und Papiere, die man vom Fenster aus auf die Straße geworfen hatte. Erschüttert verharrte Gustav davor. Ein Stuhlbein ragte wie ein mahnender Finger aus dem Aschehaufen vor ihm auf. Daneben lag eine verbeulte Triumph-Schreibmaschine, in der noch ein Stück verkohltes Papier eingespannt war. Fritz' Lebenswerk, zerstört und dahin. Aber wo war Fritz? Was war mit seinem Freund geschehen? Er hatte ihn unter den Herumstehenden nicht entdecken können. Hatte er sich rechtzeitig vor den Schergen in Sicherheit bringen können?

Ein kleiner, ältlicher Mann mit Nickelbrille trat neben ihn und starrte mit demselben erschütterten Ausdruck zu den zerschlagenen Fenstern hinauf. »Grüß Gott. Sind Sie nicht der Freund von Herrn Gerlich? Der Arzt?«, flüsterte er dann. Verstohlen sah er sich um, als fürchte er fremde Augen.

»Wer sind Sie?«, fragte Gustav zurück und musterte den Mann seinerseits misstrauisch. Er glaubte, ihn schon einmal gesehen zu haben.

»Entschuldigen Sie. Mein Name ist Köhler, Friedrich Köhler. Ich bin …« Er stockte kurz, schluckte und nahm einen neuen Anlauf. »Ich muss wohl eher sagen, ich *war* Herrn Gerlichs Nachtredakteur.« Er strahlte so viel hilflose Fassungslosigkeit aus, dass es Gustav wie ein eisiges Messer in die Eingeweide stach. Angsterfüllt packte er ihn am Arm. »Wissen Sie, was mit Herrn Gerlich ist? Wo ist er? So sprechen Sie doch.«

»Wo er ist? Das weiß ich nicht. Es waren Männer der SA. Verdammtes Pack. Sie haben alle Räume demoliert und die Schreibmaschinen und Möbel aus dem Fenster geworfen. Herr Gerlich wollte sie daran hindern, aber sie sind zu mehreren über ihn hergefallen und haben ihn geschlagen. Herr Gerlich hat noch gerufen: *Mich schlagen? Mich, einen Gründer der Vaterlandsbewegung?* Sie haben ihn mitgenommen. Furchtbar, einfach furchtbar. Diese neuen rohen Sitten, wo soll das alles noch hinführen?« Er nahm seine Brille ab und rieb sich die Nasenwurzel. Dabei schüttelte der alte Zeitungsmann den Kopf, noch immer aufgewühlt von den unbegreiflichen Vorkommnissen.

Gustav brachte nicht mehr als ein Nicken zustande. Die Erkenntnis, dass der Krieg gegen die Freiheit endgültig und unaufhaltsam begonnen hatte, fuhr ihm durch alle Glieder.

Er wusste, heute, an diesem Ort, war die Wahrheit gestorben. Das Ungeheuer der Diktatur hatte sein Haupt erhoben. Man schrieb Donnerstag, den 09. März 1933, den Tag der Machtübernahme in Bayern durch den neuen Reichskommissar Franz Ritter von Epp.

Gleichzeitig war es auch der Tag der letzten Ausgabe der Zeitung *Der gerade Weg – Deutsche Zeitung für Wahrheit und Recht*. Das Recht auf Wahrheit gab es nicht mehr. Die Nationalsozialisten hatten in derselben Stunde begonnen, mit brutaler Münze offene Rechnungen zu begleichen.

Fritz Gerlich wurde eines ihrer ersten Opfer.

Nicht einmal mehr Meyerlinck & Co., wie die Kanzlei jetzt firmierte – in weiser Voraussicht hatte Finkelstein es vorgezogen, hinter dem Co. zu verschwinden –, konnte nunmehr etwas für Gerlich ausrichten. Das Einzige, das sie noch über ihn in Erfahrung bringen konnten, war, dass er in das Polizeigefängnis in der Ettstraße und später nach Stadelheim verbracht worden war. Besuche waren keine erlaubt.

Der Doktor sah ihn niemals wieder.

An jenem verhängnisvollen Tag sperrte sich Magda in ihrem Zimmer ein und tauchte erst am nächsten Tag mit rot geweinten Augen wieder auf.

Und Gustav sagte zu Elisabeth: »Sieh einmal einer an. Mut ist also der Schlüssel zu Magdas Herzen. Und Mut, meine liebste Elisabeth, ist die Waffe, die der braune Feind am meisten fürchtet. Es sind die Standhaften und die Aufrechten wie unser Freund Fritz, die sich unerschrocken dem Sturm des Unrechts entgegenstellen.«

Am 06. Mai 1933 fand die erste Bücherverbrennung in München statt, am 10. Mai geschah das Gleiche in der Reichshauptstadt Berlin.

Die Bücher all jener Autoren, die, gebunden in edles Saffianleder, auch in Gustavs Bibliothek zu finden waren, darunter die von Heinrich Mann und seinem Bruder und Literaturnobelpreisträger Thomas Mann, von Heinrich Heine und Kurt Tucholsky, fanden den Flammentod.

Und Gustav sagte zu Elisabeth, indem er Heine zitierte: »Dort, wo man Bücher verbrennt, verbrennt man auch am Ende Menschen«, und er sperrte sich in seiner Bibliothek ein, um seine Tränen vor Elisabeth zu verbergen.

Erst viel später erfuhr Gustav, dass sein Freund Fritz Gerlich fast sechzehn lange Monate Verhören, Willkür und Folter ausgesetzt war, aber sich selbst, seinem Glauben und seinen Überzeugungen bis zum Schluss treu geblieben war.

Am 30. Juni 1934 befahl Hitler die Eliminierung aller politischen Gegner und Kritiker. Bereits zwei Tage später ermordeten SS-Schergen den ehemaligen Reichskanzler Kurt von Schleicher und seine Frau, den früheren bayerischen Generalstaatskommissar Gustav Ritter von Kahr, Hitlers Gegner beim 1923er-Putsch, und den Journalisten Fritz Gerlich. Er wurde im ersten Konzentrationslager Deutschlands, in Dachau bei München, erschossen. Hitlers Racheakt waren über zweihundert Menschen zum Opfer gefallen – eine deutliche Botschaft an alle Andersdenkenden. Er ging als *Nacht der langen Messer* in die Geschichte ein.

Am Abend meinte Gustav zu Elisabeth, nachdem ihm Fritz' Frau Sophie die Todesnachricht überbracht hatte: »Fritz hatte mit allem recht, was er gesagt hat, weißt du? Und zwar vom ersten Tag an. Er hat mit seiner Klugheit und seinem Scharfsinn alles vorhergesehen. Es ist tragisch, dass die Nazis mit dem Mord an ihm genau das bestätigt haben, wovor er immer gewarnt und wogegen er all die Jahre gekämpft hat. Nämlich, dass sie Ungeheuer sind, fanatisch, rechtlos und ohne Moral, und dass sie niemals einen Rechtsstaat bilden, sondern eine tödliche Diktatur etablieren würden. Fritz war Zeuge der Anklage, und gleichzeitig war er der Verurteilte. Er glich dem Insekt, das jeden Artgenossen vor dem Licht warnte. Und weil ihm niemand glauben wollte, flog er selbst hinein und verbrannte vor ihren Augen, um ihnen die Gefährlichkeit des Lichts vor Augen zu führen. Sein Tod war umsonst, Elisabeth, sie wollen nicht sehen und sie wollen nicht hören und sie wollen noch viel weniger verstehen. Der Allmächtige helfe uns.«

Kapitel 12

Gustav erkannte seine Heimat in ihren extremen Auswüchsen nicht wieder. Schon als Fritz Gerlich im März 1933 misshandelt und verhaftet worden war, hatte er erstmalig erwogen, Deutschland mit seiner Familie zu verlassen.

Gustavs Bruder Paul und seine Frau Annabelle, eine französischstämmige Jüdin aus dem Elsass, waren bereits vor Monaten von Nürnberg nach London übergesiedelt. Sie hatten sich dort inzwischen gut eingerichtet.

Doch das Leben, unberechenbar und eigenwillig in seinen Wendungen, hatte andere Pläne mit Gustav und Elisabeth.

Elisabeth erteilte ihrer knapp zehnjährigen Tochter Deborah gerade Klavierunterricht, als es an der Haustür klopfte. Ottilie öffnete, und kurz darauf war vom Flur her deutlich Lärm zu hören.

Elisabeth befahl Deborah, die neugierig die Ohren spitzte, an Ort und Stelle zu verweilen und sich weiter ihren Fingerübungen zu widmen. Dann ging sie, um selbst nach dem Rechten zu sehen.

Im Eingangsbereich fand sie einen ihr unbekannten Mann in arger Bedrängnis vor. Ottilie hingegen schien den Mann zu kennen. Sie war dabei, ihn tüchtig auszuschimpfen, wobei der Beklagenswerte immer tiefer Zuflucht in seinem Kragen suchte. Elisabeth bekam Mitleid mit ihm. Unter dem Arm hielt er einen kleinen Korb geklemmt, aus dem klägliches Wimmern drang. Felix, der Dackel, hatte sich bereits interessiert zu seinen Füßen positioniert.

»Sigst das! Jetzt host a no die Frau Doktor aufg'stört mit deinem Krach«, schimpfte Ottilie. Dabei war sie die alleinige Krawallerin. »Verschwind, du Depp. Aber schnell«, keifte sie weiter und packte den Mann ohne Umschweife am freien Arm, um ihn zur Tür hinauszubugsieren.

»Was gibt es denn?«, erkundigte sich Elisabeth.

Der Mann hätte jetzt gerne seine Mütze für die schöne Dame gelüpft, aber er hatte keinen Arm mehr frei: »Grüß Gott, gnädige Frau. Ich möcht Ihnen, bittschön, das hier bringen.« Damit hielt er Elisabeth den klagenden Korb entgegen.

Unter einem karierten Tuch schien sich etwas sehr sachte zu bewegen. Elisabeth hob das Tuch mit spitzen Fingern an und entdeckte drei Hundewelpen, die noch so winzig waren, dass man unmöglich Rasse oder Herkunft bestimmen konnte.

»Der Sepp, der Damische hier, sagt, die wär'n vom Felix, und sein Herr, noch so einer von dem windigen SA-Haufen, die mir meinen Hans g'stohln ham, hat ihm g'sagt, er soll ihm die Judenbrut vom Hals schaffen. Der spinnt doch«, schnaubte Ottilie.

»Töten sollt ich sie, die drei Kloanen. In die Isar schmeißen. Aber die sind doch reinrassig, von unserer guten Biene! Da hab ich's nicht übers Herz 'bracht. Bittschön, verraten Sie mich nicht, gnädige Frau«, bat der Mann eindringlich, der es schließlich gut gemeint hatte, aber Elisabeth nun in die prekäre Lage brachte, eine Entscheidung fällen zu müssen.

»Guter Mann, woher wollen Sie denn wissen, dass die wirklich von unserem Felix stammen?«, startete sie einen schwachen Versuch, der Verantwortung über das Leben der Winzlinge zu entkommen. Just in diesem Augenblick erklang ein lang gezogener Ton aus dem Körbchen, es roch irgendwie vertraut, und Felix entfuhr ein stolzes Wuff. Elisabeth seufzte, streckte resigniert den Arm aus und sagte: »Es ist gut. Ich nehme sie.«

Deborah geriet über den Familienzuwachs völlig aus dem Häuschen, der Doktor am Abend zeigte sich weniger erfreut.

Die Welpen waren kaum drei Wochen alt und ohne die mütterliche Milch nicht überlebensfähig. Aber der herzerweichende Blick seiner Tochter ließ den Doktor das Unmögliche versuchen. Er mischte daher die zu fette Milch, die jeden Tag frisch ins Haus angeliefert wurde, mit Wasser und gab noch etwas von seinem selbst hergestellten Vitaminpulver hinzu.

Die Freiwilligen, die da hießen Ottilie, Magda und Deborah, übernahmen die schwierige Aufgabe des Aufpäppelns der Winzlinge, denen sie die Namen Biene, Liesl und Felix II. gaben.

Liesl, von Anfang an die Schwächste, starb bereits nach zwei Tagen, Felix II. hielt noch eine weitere Woche durch. Deborah war untröstlich und auf eine Art verzweifelt, wie es nur kleine Mädchen sein können.

Die zwei Dackelwelpen waren die ersten Todesopfer des Nationalsozialismus in der Wohnung am Prinzregentenplatz. Nur weil der Besitzer der Hündin ihren Galan Felix zum jüdischen Dackel deklariert hatte, schickte er die Tiere ins Verderben.

Dabei zeugte Felix' urkundlich belegter Stammbaum von *reinerer Herkunft als die aller Naziregierenden zusammen,* ließ sich Gustav kopfschüttelnd bei Elisabeth darüber aus.

Später am Abend meinte Gustav zu Elisabeth: »Diese selbst ernannte neue Herrenrasse ist in ihrer Primitivität beängstigend, Elisabeth. Im Grunde sind Tiere klüger als der Mensch. Sie kennen weder Dünkel noch Rassenunterschiede, sie leiden nicht an Geltungssucht, noch streben sie nach Macht, und niemals töten sie ihresgleichen aus Hass oder Andersartigkeit. Tiere töten allein, um zu überleben. Der Mensch aber ist sein eigenes Verhängnis.«

Deborah kümmerte sich bis zur Erschöpfung, Tag und Nacht um die zarte Biene, die in einem Körbchen neben ihrem Bett schlief. Und nachdem sie den zweiten Monat überlebt hatte, sagte ihr Vater zu ihr, dass sie ein wahres Wunder an ihr vollbracht hatte.

Von da an gehörte Biene zum Haushalt, und Felix lag ihr bald zu Füßen. Im Übrigen sorgte der Doktor dafür, dass der fidele Junker kastriert wurde, um weiteren Überraschungen vorzubeugen.

Doch nicht nur Felix sorgte für Nachwuchs. Elisabeth ging es einige Tage lang gar nicht gut, sie fühlte sich schwach, litt an Schwindelanfällen und übergab sich ständig. Der Doktor stellte bald fest, dass sie erneut ein Kind erwartete. Von Beginn an war es eine schwierige Schwangerschaft. Und sie kam zur denkbar ungünstigsten Zeit.

Die Pläne der Eheleute, nach Österreich, in Elisabeths Heimat, zu emigrieren, rückten damit in die Zeit nach der Niederkunft. Elisabeth ging es tatsächlich so schlecht, dass sie fast ausschließlich das Bett hüten musste und der Doktor vor Sorgen ergraute.

Auch Elisabeth litt sehr darunter, sich derart kraftlos und ohne Elan zu fühlen. Dabei war sie erst dreiunddreißig Jahre alt. Das erste Mal in ihrem Leben konnte sie die liebliche Musik in ihrem Inneren nur noch gedämpft wahrnehmen, als wäre sie in den traurigen Tiefen ihrer Schwermut untergegangen.

Die Geburt des kleinen Wolfgang Ende 1933 wurde für Elisabeth zu einer neunzehn Stunden andauernden Tortur. Die Wehen hatten einen Monat zu früh eingesetzt, und das Kind lag quer. Um das Leben der immer schwächer werdenden Mutter zu retten, blieb dem Doktor keine Wahl, als das Kind mit einem komplizierten und gefährlichen Kaiserschnitt zu entbinden.

Die geschwächte Mutter erholte sich lange nicht von den erlittenen Strapazen und konnte ihr Kind nicht selbst stillen. Das Kind war kränklich, hatte schwache Lungen und ein leicht verkürztes Bein und musste das ganze erste Lebensjahr ständig ärztlich versorgt werden.

Gustav verschob die Pläne für die Ausreise immer wieder nach hinten.

Kapitel 13

Mehr und mehr geriet die Arche Noah in den gefährlichen Sog der Gezeiten und trieb in den aufgewühlten Tiefen der Sorgen dahin.

Die Gedanken der Bewohner am Prinzregentenplatz 10 wurden immer schwerer und bedrückter. Gustav und Elisabeth sorgten sich um ihre Kinder und deren Zukunft. Magda fürchtete sich davor, bald wieder in ihr stumpfes Dasein auf dem väterlichen Bauernhof zurückkehren zu müssen, wenn die Herrschaft das Land verließ. Und Ottilie bangte um das Seelenheil ihres Hans, den sie kaum noch zu Gesicht bekam.

Nur die Köchin sorgte sich wie ehedem nur um Herd und Küche. Bertha ging jetzt stramm auf die siebzig zu. Ihre vormals prallen Wangen waren schlaff geworden, weil ihr Appetit stetig abgenommen hatte, und ihre immer lockerer sitzenden Zähne führten zu Lücken, die sie beim Sprechen behinderten. Oft brabbelte sie jetzt mit sich selbst und spuckte und verteilte dabei ihren Speichel in alle Himmelsrichtungen, da ja die meisten Zähne zum Aufhalten desselben fehlten. Man mochte nicht gerne daran denken, aber Diverses landete sicherlich auch in Topf und Pfanne.

Weder Gustav noch Elisabeth hatten das Herz, Bertha zu kündigen. Dafür mieden sie es von nun an, sie in ihrem Küchenreich zu besuchen – da es für den Seelenfrieden erträglicher war, ihr beim Kochen und Brabbeln gar nicht erst zuzusehen, weil einem der Appetit dann *ganz und gar vergehen könnte*, wie Elisabeth angemerkt hatte.

Biene, die Rauhaar-Dackeldame, war die Einzige, die Bertha in der neuen Einsamkeit ihrer Küche noch Gesellschaft leistete. Sie unterschied nicht in derlei appetitlichen Feinheiten. Es fehlte ihr daher auch nicht an gebührender Belohnung für so viel Treue und Gesellschaft, und Biene wurde bald ziemlich dick auf kurzen Stumpen.

Einmal, als ein besonders trüber und sämiger Eintopf auf den Tisch kam, eine schmackhafte Mahlzeit, die der Doktor früher stets ohne Aufschub in Angriff genommen hatte, zögerten alle in plötzlichem, stillem Einvernehmen. Dann aber sagte der Doktor mit einem sportlichen Achselzucken: »Was soll's, ihr Lieben. Was ich nicht weiß, macht mich nicht heiß, stimmt's? Der Eintopf schmeckt nicht kalt.« Er griff nach dem Löffel und nahm die erste Probe ohne Verzug. Alle taten es dem Familienoberhaupt nach, und es schmeckte gut – voll und würzig.

Später sagte Gustav zu seiner klugen Tochter Deborah, die er im Sinne von Toleranz und Humanität erzog: »Pass gut auf, Deborah. Im Grunde ist unser Umgang mit Berthas, hm …, nennen wir es *Küchenauswurf*, eine entlarvende Allegorie auf das deutsche Volk. Leider sieht auch das deutsche Volk nicht, was es nicht sehen will, und wird seine Suppe bis zum bitteren Ende auslöffeln müssen.«

Dann hatte er eine ganze Weile nur still dagesessen.

Magda, die des Doktors Worte wie immer in sich aufgesogen hatte, rannte in die Bibliothek und schlug im *Großen Brockhaus* nach. Sie wollte in Erfahrung bringen, was das Wort »Allegorie« genau für eine Bedeutung hatte, und fand als Erklärung: »Gleichnis«. Und darunter das ihr unheilschwanger geltende Beispiel: »Der Tod als Sensenmann«.

In dieser Nacht wälzte sich Magda unruhig in ihrem Bett und träumte vom Tod. Und sein Abbild glich haargenau dem eines bleichen Mannes mit fanatischen Augen und einem kleinen Oberlippenbart.

Es dauerte bis Ende 1936, bis Elisabeth nach vielen Rückschlägen wieder so weit zu Kräften gelangt war, dass sie einen neuen Anlauf unternehmen konnten, Deutschland zu verlassen. Doch im Januar 1937 wurde das Wolferl schwer krank, und der Doktor diagnostizierte Typhus.

Typhus galt ebenso wie Tuberkulose als eine aussätzige Krankheit und war in Hitlers Reich verfemt. Der Führer selbst hatte sie geächtet. Kein Krankenhaus hätte Wolferl aufgenommen. Daher pflegte der Doktor seinen Sohn zu Hause. Erneut verging fast ein Jahr, bis Gustav kurz vor Weihnachten Elisabeth endlich mitteilen konnte, dass das Wolferl wieder gesund und kräftig genug war, um die Reise antreten zu können.

Gustav plante nun alles mit Akribie, rannte auf Ämter, wartete monatelang auf Papiere und Stempel. Dann wurde im März 1938 Österreich angeschlossen, heimgeholt ins Reich, wie es hieß, und sie mussten ihre Pläne erneut ändern.

Zunächst hatten sie als Ausweichziel die Schweiz im Sinn, wohin es zum Beispiel Bubi Putzinger, der es sich wegen seiner exzentrischen und polternden Art schließlich doch mit dem Regime verscherzte, schon Anfang 1937 verschlagen hatte. Auch Franz Lehár, Elisabeths früher Förderer, war mit seiner jüdischen Frau im Züricher Luxushotel Baur au Lac untergekommen.

Hitler aber streckte immer weiter den erstarkenden Arm aus. Die Eheleute fürchteten, dass die Schweiz noch zu nahe an den ehrgeizigen Expansionsplänen des Führers liegen könnte.

Während sie noch Ziele und Möglichkeiten abwogen, erhielt Elisabeth, die bei ihrem geschäftstüchtigen Impresario hatte anklingen lassen, dass sie für neue Angebote aufgeschlossen sei, ein Kuvert aus feinstem Büttenpapier. Dieses barg eine Einladung Elisabeths nach London an den Covent Garden, als Königin der Nacht in Mozarts *Zauberflöte.*

Und Gustav sagte zu Elisabeth: »Siehst du, meine Liebe. Wenn man nur lange genug wartet oder auch zögert, dann kommen die Ziele von alleine auf einen zu.«

Es stand dann fest: Sie würden Gustavs Bruder Paul folgen und nach London übersiedeln! Blieb nur die Frage: Sollten sie ihre Ausreise offiziell angehen?

Die Nationalsozialisten sahen es zwar gern, wenn die jüdischen Mitbürger ihren Herrschaftsbereich verließen, aber von ihrem Vermögen sollten sie bitte schön so viel wie möglich dalassen. Den Ausreisewilligen wurden sogenannte »Judenvermögensabgaben« abgeknöpft und zusätzlich eine »Reichsfluchtsteuer« auferlegt.

Das Finanzamt agierte hier sehr rege, wie in allen Zeiten und in allen Regierungen. »Das ist nichts weiter als legalisierter Diebstahl«, schimpfte Gustav erbost. Elisabeth nahm Kontakt zur britischen Botschaft auf und traf auf einen Attaché, der sich als großer Bewunderer ihrer Kunst entpuppte. Er schlug der berühmten Sängerin unter der Hand das folgende Vorgehen vor: Elisabeth Malpran sollte ihr Engagement in London offiziell bei der Reichsmusikkammer anmelden und auch um die Erlaubnis ersuchen, ihre beiden unmündigen Kinder, Deborah und Wolfgang, samt der Gouvernante Magda, die inzwischen in diese verantwortungsvolle Position aufgestiegen war, mitnehmen zu dürfen. Dies sollte jedoch kurzfristig geschehen, so, als hätte sie sich ihre Zusage erst spät überlegt. Dabei sollte sie auch anklingen lassen, dass sie für künftige Engagements wieder dem Deutschen Reich zur Verfügung stehen werde.

Ihr Gatte hingegen sollte, wie es der Attaché ausdrückte, *um schlummernde Riesen nicht zu wecken,* mit wenig Gepäck, am besten einige Tage vor Elisabeths Abreise nach London, in den Zug von München nach Zürich steigen. Wenn Frau Elisabeth erst einmal abgereist wäre, dann könnte es vielleicht ein misstrauisches Auge auf den Gatten geben, wohingegen eine mehrtägige Abwesenheit ihres Mannes im Vorfeld kaum jemandem auffallen dürfte.

Von Zürich aus sollte Gustav dann weiter nach London reisen. Eine weitere Empfehlung, ebenfalls unter der Hand, lautete, dass der Doktor irgendwie eine Möglichkeit finden sollte, innerhalb Deutschlands mit falschen Papieren zu reisen.

Gustav erfasste sofort, dass ihn die entsprechenden Dokumente ein kleines Vermögen kosten würden. Er zog seinen Rechtsbeistand, Herrn von Meyerlinck, zu Rate, der ihm inzwischen ein guter Freund geworden war. Von Meyerlinck, dessen Kanzlei bekanntlich dicht neben dem Hauptquartier der NSDAP lag, gelang es tatsächlich, über diverse nachbarschaftliche Beziehungen Papiere zu beschaffen. Gustav würde als Peter Friehling reisen.

Die treue Ottilie würde ebenfalls im selben Zug bis nach Zürich mitkommen und die echten Papiere des Doktors mit sich führen. Gustav benötigte diese für seine legale Einreise nach England. Der vorsichtige Attaché sah es als zu gefährlich an, wenn er diese selbst mit sich führe, wohingegen eine ältere arische Dame in der dritten Klasse keine Aufregungen zu fürchten habe. Ottilie war erst einundvierzig, sah aber, seit man ihr ihren Hans genommen hatte, wesentlich älter aus.

Der Doktor überließ die Entscheidung hierfür Ottilie, denn ein Risiko gab es seiner Meinung nach immer. Aber sie hatte dem Vorhaben sogleich und ohne Vorbehalt zugestimmt: Die Nazis hatten schon ihren Hans weggeholt, und nun vertrieben sie auch noch ihre Herrschaft aus dem Land! Sie empfand es daher als heilige Pflicht, ihrem Dienstherrn zu helfen.

Kapitel 14

Flucht

Die Menschen waren lauernd und misstrauisch geworden.

Diejenigen, die vorher wenig hatten, hatten plötzlich sehr viel, und diejenigen, die bisher ohne Bedeutung gewesen waren, gewannen plötzlich an Einfluss und Macht. Und wer Macht hatte, trachtete danach, dass möglichst viele davon erfuhren.

Und jene, die nichts getan hatten, wurden zu Opfern.

Der Advokat Samuel Finkelstein war bereits Ende 1934 in die USA emigriert, und mit ihm fast die gesamte geistige Elite Deutschlands – des Landes, das gerühmt wurde für seine Dichter und Denker.

Unter den vielen, die gingen, befanden sich einige zwanzig Nobelpreisträger, was »jenen im Ausland«, wie der gleichermaßen traurige wie zornige Doktor anmerkte, beileibe hätte zu denken geben müssen! Denn so begann eine jede Diktatur: Nicht die Ratten verließen das sinkende Schiff, sondern die Besten und Klügsten ein dem Untergang geweihtes Land. Die Braunen wollten sie nicht haben, denn die Klugen störten der Gemeinen böses Treiben.

Jene, die blieben, um ihre Stimme zu erheben, wurden von der gleichgeschalteten braunen Brut zum Schweigen gebracht.

Diese wenigen Mutigen ehrt man bis heute mit Kränzen und Gedenkfeiern und mahnenden Reden. Denn es soll niemals vergessen sein, dass allein der Mut von vielen das Böse überwinden kann.

Gustav und Elisabeth weihten die für ihr Alter verständige Deborah in ihre Pläne, die Heimat zu verlassen, ein. Auch, dass sie nach London auswandern würden.

Aber Deborah interessierte zu dem Thema nur eines, was Gustav und Elisabeth bisher überhaupt nicht bedacht hatten: »Was soll denn dann aus meiner Biene werden?« Felix hatte vor drei Jahren, im gesegneten Dackelalter von sechzehn Jahren, den Weg in den Hundehimmel angetreten. Deborahs Tonfall machte klar, dass sie nicht vorhatte, ihre geliebte Biene in München zurückzulassen, obwohl die Dackeldame bei der verweilenden Ottilie sicherlich ein gutes Leben gehabt hätte.

Ein neuerlicher Kontakt zur britischen Botschaft wurde hergestellt, um die Bedingungen zur Einfuhr von Dackeln zu erfahren. Diese ergaben, dass Biene auf der Insel eine mehrmonatige Quarantäne erwartete. Das war natürlich nicht schön, vor allem nicht für Biene, aber Deborah wollte es unbedingt so und nicht anders, und damit war es beschlossene Sache.

Der Zeitpunkt stand fest: Am 12. Juni 1938 würde Gustav den Zug in Richtung Zürich in der zweiten Klasse besteigen und nach drei Stunden Fahrt die Grenze bei Lindau überqueren. Ottilie würde im selben Zug in einem Abteil der dritten Klasse Platz nehmen.

Von Zürich aus würde es für Gustav weitergehen in das französische Calais und von dort mit dem Schiff nach Dover. Sein Bruder Paul sollte ihn an der Fähre abholen und ihn nach London ins Hotel Mayfair in der Stratton Street begleiten. Die Konzertdirektion des Covent Garden hatte im Mayfair für Elisabeth Malpran und ihre Kinder eine Suite bereitgestellt.

Gustav wollte seinem Bruder Paul keinesfalls zur Last fallen, der zwar relativ erfolgreich, aber wie die meisten Maler zu Lebzeiten nicht reich damit geworden war. Er und seine Frau Annabelle lebten hauptsächlich vom Erbe seiner Eltern.

Gustav wusste noch nicht, ob er in London als Arzt zugelassen werden würde. Das konnte er erst vor Ort klären. Vorsorglich hatte er inzwischen alle vorhandenen Vermögenswerte mithilfe des Advokaten Meyerlinck liquidiert. Der größte Teil von Gustavs Vermögen lagerte auf einem Anderkonto der Kanzlei und würde später in mehreren und somit weniger auffälligen Summen auf ein noch zu eröffnendes Konto bei einer Londoner Bank transferiert werden. Meyerlinck hatte zusätzlich die entsprechenden Vollmachten erhalten, den Mietvertrag mit den Amerikanern zu kündigen und den Verkauf der Wohnungen und der Praxis abzuwickeln, sobald ein Anruf Gustavs dazu aus London erfolgte.

Überdies hatte Gustav veranlasst, dass der Advokat Ottilie und Bertha für ihre langen Jahre treuer Dienste jeweils eine hübsche Summe auszahlen würde. Der Doktor wollte sie gut versorgt wissen.

Elisabeth selbst würde ihren gesamten Schmuck mit auf die Reise nach London nehmen, die für den 15. Juni geplant war, zwei Tage vor Deborahs vierzehntem Geburtstag.

Wenige Tage vor der geplanten Ausreise, am 09. Juni, wurde die Münchner Hauptsynagoge in der Herzog-Max-Straße vom Münchner Bauunternehmen Leonhard Moll abgerissen. Auf Befehl des Führers, wie Ottilie wiederum von *einem da drüben in der Prinz' Nr. 16* erfahren hatte, und zwar »weil den Adolf immer scho das Gebäude g'stört hat, wenn er bei seinen Stammtischbesuchen im Café Heck aus dem Fenster g'schaut hat. Und dabei hob i so g'hofft, dass a nimmer hingeht, weil der immer so g'stunken hat. Die Fürz von unserem Felix san a Dreck g'wesen gegen die seinigen. Der ist net g'sund, der Hitler!«

Und Gustav sagte zu Elisabeth: »Es ist gut, dass wir gehen. Sie beginnen ihr blindes Werk der Zerstörung. Meine Heimat stirbt.«

Und diesmal verbarg er seine Tränen nicht vor ihr.

Kapitel 15

Lektionen

So, wie er es auch mit seiner Tochter Deborah gehalten hatte und weiter hielt, besuchte Gustav seinen Sohn jeden Abend vor dem Schlafengehen, außer er war zu einem Notfall abberufen worden. Als das Wolferl dann älter wurde, gab es immer auch eine spannende Geschichte oder eine Lektion für den Kleinen, und oft verband sich das eine mit dem anderen.

Der Doktor erklärte seinem Sohn von klein auf das Prinzip von Ursache und Wirkung. Alles, was das Wolferl tat, sollte er bewusst tun und es stets auf seine Auswirkungen hin prüfen, »denn die kleinste Handlung kann den gesamten Lauf der Welt verändern. Gott hatte die Dinge in ihrem Ursprung einfach und verständlich geschaffen: Gut ist die einfache Logik des Geistes, und man nennt sie Vernunft. Böse ist ein langer verderblicher Umweg, und man nennt ihn Dummheit. Diese klare Weisheit lebt ganz natürlich in den Kindern, aber wenn sie dann erwachsen werden, so vergessen sie es.«

Sein Sohn war noch sehr klein, aber er hatte schon ein waches Verständnis für die Geschehnisse um sich herum und ein natürliches Gefühl für Unrecht, davon zeugten seine Fragen. Wie so oft bedauerte es Gustav, dass man eigentlich schon als Kind all die richtigen Dinge wusste, sie aber später als Erwachsener nicht mehr verstand oder verstehen wollte und deshalb bald kaum mehr eine Erinnerung daran bewahrte.

Kinder waren für Gustav der Beweis, dass die Evidenz der Vernunft existierte. Und Erwachsene waren der Beweis, wie man einfache Wahrheiten verkomplizieren und verdrehen konnte, bis sie so ganz und gar in sich verbogen waren, dass hinterher niemand mehr zu sagen wusste, wie sie einmal waren. Darüber entstehen Kriege.

»Erzähl mir noch einmal die Geschichte von Adam und Eva und der ersten Ameise, Papa«, forderte ihn Wolferl an Gustavs letztem Abend in München auf.

Er hatte sie schon mindestens ein Dutzend Mal gehört, aber Gustav freute sich darüber, dass sein Sohn sie so gerne hörte, und begann zu erzählen:

»Adam und Eva waren die ersten Menschen, die Gott geschaffen hat, und ihr Zuhause war das Paradies. Eines Tages gingen die beiden wie so oft spazieren. Da erblickte Adam plötzlich einen kleinen schwarzen Punkt auf der Erde, der sich bewegte: Das war die Königin Moriah, die erste Ameise. Adam beobachtete sie eine ganze Weile interessiert, wie sie scheinbar ziellos im Gras umherirrte. Dann hob er seinen großen nackten Fuß und trat auf sie, bis sie sich nicht mehr bewegte.

Und Eva fragte: »Warum tust du das, Adam?«

Und Adam antwortete: »Weil ich es kann.«

Später kamen sie an den Baum der Erkenntnis, der viele schöne rote Früchte trug, die anzurühren Gott ihnen streng verboten hatte. Eva pflückte sich jetzt trotzdem einen Apfel und bot ihn Adam an. Adam erschrak, weil er an Gottes Verbot dachte, und fragte: »Warum tust du das?«

Und Eva antwortete ihm: »Weil ich es kann.«

Gott wurde daraufhin sehr böse, und er verjagte Adam und Eva aus dem Paradies. Die beiden jammerten und klagten, und sie fragten Gott: »Warum tust du das?«

Und Gott antwortete ihnen: »Weil ich es kann.«

»Gott schuf noch weitere, vielfältige Arten«, fuhr Gustav fort. »Und die Ameisen unter ihnen waren sehr zahlreich. Doch im Gedächtnis der Ameisenvölker lebt bis heute weiter, dass ihre erste Königin Moriah einst von dem ersten Menschen getötet wurde. Darum tragen seit dem ersten Tag der Menschheit die Ameisen den gleichen Gottesfluch wie wir in sich. Die Menschen und die Ameisen sind die einzigen Lebewesen auf dieser Erde, deren Völker untereinander Krieg führen.«

Wolferl war nach der Geschichte immer sehr still und schlief dann über seinen Gedanken um den Lauf der Welt ein.

Gustav blieb noch eine ganze Weile am Bett seines Sohnes sitzen. Es war von Hand geschnitzt – bereits er und vor ihm sein Vater hatten darin gelegen. Er stellte sich vor, wie sein Vater einst an diesem Bett gesessen und er der kleine Junge darin gewesen war. Wolferls Sohn würde, wenn er einen haben würde, in einem anderen Bett ruhen. Langsam fuhr Gustav mit der Hand über das polierte Holz, das bereits sein Vater berührt hatte, folgte den Spuren seiner Maserung und nahm Abschied von seinem alten Leben. Er fand seinen Frieden schließlich in der Gewissheit, dass er das Kostbarste mitnehmen würde: seine Familie.

Er betrachtete seinen schlafenden Sohn, und sein Herz zog sich vor Liebe zusammen. Auf dem Nachttisch lag eine zerfledderte Ausgabe von Karl Mays *Old Shatterhand*. Wolferls Mund zuckte, und Gustav fragte sich, wovon sein Sohn gerade träumte. Von Cowboys und Indianern, von Helden und Banditen? Wolferls junge Welt war noch klar in Schwarz und Weiß unterteilt. Die Farben von Hass und Gier, von Niedertracht und Intoleranz blühten noch nicht in seiner Phantasie. Gustav wollte ihn so lange wie möglich davor schützen. So, wie sein Vater ihn davor beschützt hatte.

Gustav war zwar als Sohn jüdischer Eltern geboren worden, doch er definierte seine Identität nicht über den Zufall der Religionszugehörigkeit. Seine Familie war seit beinahe zweihundert Jahren in München ansässig. Der Großvater seines Vaters hatte es als persönlicher Bankier von König Max I. von Bayern zu Ruhm und Ehre gebracht. Der König hatte dem Urgroßvater daraufhin für dessen Verdienste die Bürgerrechte verliehen.

Bevor der Nationalsozialismus erstarkt war, hatte Gustav auch nicht in Erwägung gezogen, seine Kinder die hebräische Sprache zu lehren, in der ihn noch sein Vater unterrichtet hatte. Doch er hatte seine Meinung geändert und in den letzten Jahren begonnen, seinen Kindern die Sprache ihrer Vorfahren näherzubringen. Deborah schien eine besondere Begabung dafür zu haben, und bald würde er ihr nichts mehr beibringen können.

Umso bitterer war die Pille für Gustav, ganz plötzlich zu einer unerwünschten Person im eigenen Land geworden zu sein. Nur weil die neue politische Führung die Israeliten zu Aussätzigen der Gesellschaft, zu Untermenschen ohne staatsbürgerliche Rechte erklärt hatte.

Gustav selbst sah sich weniger als Angehöriger des Volksstammes der Juden, vielmehr fühlte er sich als deutscher Weltenbürger. Gustav interessierte sich sehr für Geschichte und Religionen, vor allem aber beschäftigten ihn deren Auswirkungen auf die Menschheit insgesamt. Gott verstand er mehr als eine Art universeller Größe, erkannte in ihm die Potenz und den Antrieb für ein gutes Gewissen, welches die Menschen zu guten Gedanken und guten Handlungen anleiten sollte.

Weil dem Menschen die Gabe der Gedankenfreiheit gegeben war, hielt Gustav jede von Menschenhand geschaffene Religion für Anmaßung, und zwar, weil sie das selbstständige Denken behinderte und den Menschen manipulierte – und Gottes Gedanken und Handlungen aus Eigennutz zu interpretieren suchte. Zwar hielt Gustav alle Religionen an sich für gut und friedlich. Leider aber wusste er auch, dass der Mensch selbst nicht friedlich war. Daraus resultierte, dass alle Religionen im Sinne des ursprünglichen Stifters nicht funktionieren konnten – eben weil Menschen sie ausübten.

Elisabeth und Deborah erklärte er: »Nur weil einige Bücher und Glaubensrichtungen weitere Verbreitung gefunden haben als unzählige andere, die mir im Übrigen nach gründlichem

Studium weder besser noch schlechter dünken, bedeutet dies keinesfalls, dass sie wahrhaftiger oder heilbringender wären. Vielmehr ziehen sie ihre errungene Bedeutung aus der einfachen Tatsache, dass ihre Vertreter mit mehr Geschick, Raffinesse und leider auch Zwang und Gewalt in ihren Missionierungsmethoden vorgegangen sind. Das deutsche Volk ist ein bezeichnendes Beispiel für ebendiese Form der Propaganda: Auch wenn Millionen Kehlen in jubelnde *Heil*-Rufe ausbrechen, so wird aus Unrecht noch lange kein Recht.«

Für sich selbst fand Gustav ausreichend Spiritualität in seiner Liebe zu seiner Familie und in seiner Arbeit. Seine Überzeugung über alles Sein und alles Wirken war im Grunde auf eine einzige Formel zu bringen – so, wie es Immanuel Kant in seiner Kritik der reinen Vernunft formulierte: »Handle nur nach derjenigen Maxime, durch die du zugleich wollen kannst, dass sie ein allgemeines Gesetz werde.«

Dieser philosophische Grundsatz war natürlich harter Tobak für seinen kaum fünfjährigen Sohn Wolferl, wenn schon die Erwachsenen darauf herumkauen mussten. Aber der Reformator Luther hatte es mit simplen Worten schon früher in der Bibel übersetzt, und im Volksmund hatte sie sich als goldene Regel eingebürgert: *Was du nicht willst, das man dir tu', das füg auch keinem andern zu.*

Wolferl hatte die Augen zusammengekniffen und die goldene Regel sehr lange mit seinen Gedanken geknetet, sie auf Ursache und Wirkung geprüft, wie sein Vater es ihn gelehrt hatte. Plötzlich hatte er keck das schmale Gesichtchen gehoben und über einige Zahnlücken hinweg seinen Vater angegrinst: »Heißt das, dass ich jetzt keine Suppe mehr essen muss?«

Da hatte er den Doktor aber ganz schön verblüfft, ihm sozusagen in die Suppe gespuckt wie Bertha, die Brabbelnde.

Dieser kleine ausgefuchste Schlaumeier, dachte der Doktor stolz. Er konnte kaum fassen, wie sein Wolferl fast nebenbei auf die einzig mögliche negative Auslegungsweise gestoßen war, über die die Philosophen des Abendlandes ganze Abhandlungen verfasst hatten!

Auch wenn des Wolferls Frage bereits die Lösung in sich trug, so wollte der Vater doch erfahren, wie der Junge dies denn begründen würde. Daher fragte er ihn: »Sag, wie kommst du denn bloß darauf, Wolferl?«

Und der Kleine antwortete ihm: »Du magst doch kein Fleisch essen, Papa, nicht wahr? Und keiner zwingt dich dazu. Aber ich muss immer schön meine Suppe aufessen. Jetzt muss ich sie aber nicht mehr essen, oder, Papa?«

Das war wirklich eine sehr gute Lektion heute Abend – vom Sohn für den Vater … Im Resultat sah sich Gustav dann noch mit der unangenehmen Aufgabe konfrontiert, seiner Frau Elisabeth beizubringen, dass die Ernährung ihres Jüngsten künftig in einer bestimmten Hinsicht eingeschränkt werden müsse. Aber sie fand seine Verlegenheit sehr charmant und lachte herzlich darüber, dass sich der kluge Doktor von seinem kleinen Sohn hatte austricksen lassen.

Am Abend vor Gustavs Abreise hielten sich die Eheleute lange im Arm. Gustav hatte sich allerlei Gedanken gemacht, und es gab viele Instruktionen für Elisabeth, aber die wichtigste darunter war, dass die Sicherheit der Kinder immer Vorrang vor allem haben musste.

Sie unterhielten sich bis zum Morgengrauen über ihre beiden Kinder, über Wolferls zarte Gesundheit und seinen scharfen Verstand und über Deborah, die ihnen nur Freude bereitete. »Weißt du, Gusterl«, sagte Elisabeth und schmiegte sich noch enger an ihren Gatten: »Um unsere Deborah brauchen wir uns gar nie Sorgen zu machen. Sie ist eine bezaubernde Melange von uns beiden; der Herrgott hat ihr wahrhaftig nur das Beste mitgegeben. Sie singt jetzt schon reifer als ich in ihrem Alter und spielt wesentlich besser Piano, weil sie, anders als ich, das absolute Gehör hat. Aber viel wichtiger ist, dass sie dabei so ernst und klug ist wie du, mein Schatzerl! Ich habe noch nie erlebt, dass sie die Fassung verliert. Ich glaube, unsere Deborah wird einmal die Welt verändern.«

Gusterl pflichtete ihr in allem bei, und doch musste er insgeheim daran denken, dass Deborah nicht nur ein absolutes Gehör besaß, sondern auch eine absolute Seele. Mutige Menschen lebten gefährlich in diesen Zeiten, und eine absolute Seele schlug stets nach zwei Seiten aus: In Liebe und Hass, in Anständigkeit und Mut kannte sie kein Maß, und sehr oft richtete sich der Schaden dabei gegen sie selbst.

Gustav dachte dabei an seinen tapferen Freund Fritz, der von dem braunen Sturm hinweggefegt worden war. Mit einem Mal wurde ihm kalt, und er konnte fühlen, wie sich das zersetzende Gift der Vorahnung in ihm ausbreitete. Plötzlich, er wusste nicht, woher die Eingebung gerade jetzt kam, musste er an die beiden Briefe des Plinius denken, in denen er die letzten Tage von Pompeji beschrieben hatte.

Elisabeth, inzwischen seit fünfzehn Jahren mit Gustav verheiratet, spürte seine jähe Beunruhigung. Sie umarmte ihn daher mit aller Kraft, umfing ihn mit dem Pakt der Frau und Mutter und mit der Essenz aus Liebe und Hoffnung.

Ihre Zuversicht flößte Gustav die nötige Stärke ein, die zweifelnden Gedanken zu vertreiben. Und er klammerte sich an einen Satz des Plinius: »Den Tapferen hilft das Glück!« Bloß, dass sich Gustav gar nicht tapfer fühlte.

Kapitel 16

Abschied

Am nächsten Morgen waren alle gleichermaßen aufgeregt wie bedrückt. Elisabeth konnte Gustav am Mittag nicht zum Bahnhof begleiten. Elisabeth, die berühmte Sängerin, hätte erkannt werden können, und sie wollten jedes Aufsehen vermeiden. Daher fand die Verabschiedung unter vielen Umarmungen und Tränen, Ermahnungen und Schwüren am Prinzregentenplatz statt, und dann war Gustav fort.

Am frühen Abend brachte Elisabeth den kleinen Wolferl zu Bett, nachdem sie ihm zum gefühlt zwanzigsten Mal die Geschichte vom edlen Winnetou vorgelesen hatte. Sie schlug das Buch zu, küsste den Kleinen auf die Stirn und sagte wie immer: »Schlaf schön und träume von den Sternen.«

Aber der Kleine wollte nicht schlafen, sondern fragte: »Mama, warum ist Papa ein Jude geworden? Er hat doch nichts Böses getan, oder?« Und Elisabeth, die ohnehin auf dem umtosten Plateau der Sorge kauerte, wurde beinahe davon hinuntergeblasen, derart flau wurde ihr im Magen. Doch sie fing sich und antwortete: »Nein, mein Spatzerl, natürlich nicht. Wie kommst du bloß darauf?«

»Ottilie sagt, dass die Juden verfolgt und eingesperrt werden. Und das macht man doch nur mit bösen Menschen, oder?«

»Ottilie hat dir das nicht richtig erklärt. Die Juden sind, ebenso wie dein Papa, gute Menschen, die aber immer schon von bösen Menschen verfolgt wurden.« Elisabeth war auf die Schnelle nichts Besseres eingefallen, belegte aber Ottilie in Gedanken mit einer Verwünschung. Das Wolferl fragte prompt: »Wie wird man ein Jude, Mama?«

»Man wird als Jude geboren, Wolferl.«

»Wenn die Juden aber gut sind wie Papa, warum sind dann die Menschen böse zu ihnen?«

»Weil die Menschen, die böse sind, immer auch dumm sind und deshalb gar nicht wissen, was sie tun.«

»Das sind die letzten Worte Jesu«, erwiderte Wolferl mit einem ernsten Nicken, das so gar nicht zu seinem Alter passen wollte. Elisabeth blieb vor Verblüffung der Mund offen.

Ein weiteres Geschenk von Ottilie, der Bibelfesten.

»Sind dumme Menschen denn immer böse, Mama? Ottilie sagt, dass Bertha dumm ist, aber ich finde nicht, dass sie böse ist.«

»Bertha ist nicht böse, aber Ottilie ist sehr geschwätzig. Aber du hast auch recht, mein Schatz. Das ist das Geheimnis des Bösen. Es findet immer einen Weg in die Seelen der Menschen. Und jetzt schlaf, mein Spatzerl.«

Elisabeth hätte sich jetzt liebend gern davongestohlen, bevor ihr Sohn sie in noch mehr philosophische Dispute verwickelte, die eigentlich das Pflaster ihres Gatten waren.

Doch das Wolferl war noch nicht am Ende: »London ist auch ein Geheimnis, nicht wahr, Mama?«

Jetzt blieb Elisabeth wirklich fast das Herz stehen – denn von London hätte Wolferl nun ehrlich überhaupt nichts wissen sollen. Ottilie, der Geschwätzigen, standen gleich noch einige äußerst unangenehme Momente bevor.

Sie küsste Wolferl ein weiteres Mal auf die Stirn und sagte: »Ja, London ist auch ein Geheimnis. Du darfst darum niemandem davon erzählen, hörst du, Wolferl? Gibst mir dein Ehrenwort darauf?«

Und Wolferl hob die Hand zum Schwur und sprach feierlich: »Großes Indianer-Ehrenwort!«

Aber natürlich beschäftigte das Wolferl London ganz und

gar, und er schlief dann lange noch nicht ein. Er hätte gern gewusst, wo das geheimnisvolle London lag, aber Ottilie hatte ihm da nicht weiterhelfen können und nur etwas von einer nassen Insel im Meer gefaselt.

Aber er hatte auch noch aufgeschnappt, dass sie vielleicht für immer dorthin gehen würden, und darum hatte er vor einigen Tagen von seinem Vater wissen wollen, wie lange »für immer« denn bedeuten würde.

Und der Vater hatte ihm mit einem leisen Lächeln geantwortet, *dass dies sicherlich so lange wäre, bis ihm, dem Wolferl, der erste Bart stünde.*

Das schien Wolferls kaum fünf Jahre währendem Universum eine wirklich unvorstellbar lange Zeit zu sein. So, wie das ferne Ziel London für ihn in einer anderen Dimension existierte.

In seiner Welt war das alles noch abstrakt, und sein Vater war darüber froh, denn er hoffte, dass das Kind, das seine Heimat verlieren würde, auf diese Weise weniger Schaden nehmen würde.

Elisabeth, die ihren Sohn längst schlafend wähnte, ging in ihr Musikzimmer und setzte sich ans Klavier. Sie klimperte ein paar Takte und seufzte schwermütig, weil die Musik, die ihr sonst auf verlässliche Weise immer Frieden schenkte, ihr diesen Dienst heute versagte.

Ruhelos wanderte sie im Raum umher. Unfähig, ihren Geist zu besänftigen, lief sie mehrmals zu der Fernsprechapparatur im Flur, die 1929 in ihrem Heim Einzug gehalten hatte. Sie nahm den Hörer ab und überprüfte seine Funktionsfähigkeit. Wann würde der erlösende Anruf von Gustav kommen?

Er musste vor ungefähr einer Stunde in Zürich angekommen sein. Vermutlich hatte der Zug Verspätung, oder er bekam nicht gleich ein Taxi oder wurde an der Rezeption des Hotels aufgehalten, es gab kein Zimmer, der Fernsprechapparat im Hotel war kaputt oder besetzt. Dies und noch einige tausend Möglichkeiten mehr passierten ihrem Gustav gerade in ihrem Kopf –

Dinge, die dem Gesetz nach schiefgehen konnten, wenn jemand dringend einen Anruf tätigen wollte.

An das Schlimmste jedoch, das geschehen sein konnte, nämlich dass man ihren Gustav mit den falschen Papieren im Zug verhaftet hatte, daran dachte sie nicht. Ganz einfach, weil sie nicht daran denken *wollte*. Aber natürlich wartete diese Möglichkeit ganz klein in ihrem Hinterkopf – ein leises, lauerndes Summen, jederzeit bereit, den Ton aufzudrehen und sie in Angst und Schrecken zu versetzen.

Elisabeth blieb die ganze Nacht auf, doch der ersehnte Anruf kam nicht. Stunde um Stunde verharrte sie in beschwörender Selbstbeschwichtigung, redete sich ein, dass es sicherlich zu spät geworden war und Gustav mit seinem Anruf die Kinder nicht hatte wecken wollen. Erschöpft klammerte sie sich daran, dass sein Anruf sicherlich gleich am Morgen erfolgen würde.

Es wurde sieben, dann acht, dann neun Uhr, doch Gustav rief nicht an. Die lauernde Melodie in Elisabeths Kopf gewann an Tempo, vom Adagio über das Moderato wurde es zum flotten Prestissimo, und genauso schlug ihr Herz, schnell und rasend und außer Takt.

Dann, kurz nach neun Uhr vormittags, ertönte endlich das charakteristische Schrillen. Wie von Sinnen stürzte Elisabeth zur Apparatur. Das Telefonfräulein darin sagte blechern: »Ein Anruf für Sie aus der Schweiz. Einen Augenblick, bitte.«

Ein Rauschen und ein Knacken, und dann war da die Stimme aus dem fernen Zürich. Aber sie gehörte nicht Gustav, sondern Ottilie, und sie schrie: »Frau Doktor, Frau Doktor, sind Sie es?«

»Ja doch, Ottilie. So sprich doch, wo ist der Herr? Geht es ihm gut?«

»Gott sei Dank, Sie sind's wirklich, gnädige Frau. Aber der Herr Doktor, der ist nicht da!« Ottilie bemühte sich, Hochdeutsch zu sprechen, weil der Doktor sie vor der Abfahrt darum gebeten hatte.

»Wie, er ist nicht da? Wo ist er denn?«, rief Elisabeth, die die Hörmuschel fest an ihr Ohr gedrückt hielt, als wolle sie hindurchschlüpfen. Doch Ottilies Panik kam ihr längst daraus entgegen und infizierte sie mit furchtbaren Ahnungen.

»Aber das weiß ich doch nicht! Ich habe gewartet und gewartet, bis der Bahnsteig ganz leer war und alle Koffer weg, aber der Doktor ist nicht ausgestiegen. Was soll ich jetzt bloß tun?«, schluchzte sie, überwältigt von der weiten Fremde. Niemals war sie südlicher als bis nach Straßlach gekommen.

»Ottilie, bitte beruhigen Sie sich.« Und während Elisabeth die Worte aussprach, spürte sie die bangen Blicke ringsherum auf sich ruhen. Deborah, bleich und mit weit aufgerissenen Augen, versuchte Haltung zu wahren – sie hielt dabei tröstend die Hand ihres Bruders in der ihren. Zu Wolferls Rechten war Magda zur Stelle, verlässlich in allen Lagen.

Elisabeth sah sie alle der Reihe nach an und wusste, das war ihre Familie, die sie liebte und die ihr vertraute. Aus diesem Gefühl der verbindenden Stärke schöpfte sie jetzt Kraft. Eine große innere Ruhe überkam sie. Wenn das Allerschlimmste eingetreten sein sollte, dann hatte sie jetzt eine Aufgabe vor sich, bei der Angst und Zaudern nicht hilfreich waren. Jetzt zählten allein Verstand und beherztes Handeln.

Zunächst galt es, alles Brauchbare aus Ottilie herauszuholen und ihr weitere Anweisungen zu erteilen. »Ottilie, hören Sie mir genau zu. Haben Sie den gnädigen Herrn in München in den Zug einsteigen sehen?«

»Ja, gnädige Frau. Aber nur von Weitem, denn die Anweisung lautete doch, dass wir nicht miteinander sprechen sollten! Erst wieder am Bahnhof in Zürich.«

Das bedeutete, überlegte Elisabeth, dass Gustav irgendwo dazwischen den Zug verlassen haben musste. Entweder freiwillig, weil er in Gefahr war, oder … Ihr fiel ein, dass sie gar nicht wusste, wie oft der Zug auf der Fahrt überhaupt hätte halten sollen. Sicher gab es immer auch außerplanmäßige Stopps.

»Hat der Zug irgendwo gehalten, wo er nicht hätte halten sollen, Ottilie? Gab es eine Durchsuchung durch die Polizei, oder haben Sie andere Leute in Uniformen gesehen?«

»Nein. Das ist es ja. Nichts, und der Doktor ist trotzdem weg, und ich habe seine Papiere. Was soll ich bloß machen?«, greinte sie erneut drauflos.

»Es gibt keinen Grund für Tränen, Ottilie«, sagte Elisabeth bestimmt. »Passen Sie auf, Sie tun jetzt das Folgende: Für heute und auch noch morgen bleiben Sie in Zürich in Ihrer Pension. Studieren Sie den Fahrplan, und warten Sie bei jedem Zug, der aus Richtung München ankommt, ob der Herr aussteigt. Zwei Tage, hören Sie? Der Doktor ist vielleicht unterwegs ausgestiegen, um einen späteren Zug zu nehmen, und dann braucht er seine Reisepapiere. Verhalten Sie sich unauffällig, und rufen Sie mich heute Abend um acht Uhr wieder an. Der gnädige Herr und ich verlassen uns auf Sie, Ottilie. Wir werden es Ihnen gut vergelten. Gott schütze Sie.«

»Gott schütze Sie auch, gnädige Frau.« Es klickte im Hörer, und die Verbindung in die Schweiz brach ab.

Sofort nach dem Telefonat machte sich Elisabeth auf zur Kanzlei von Meyerlinck & Co., um sich mit dem Advokaten zu beraten. Der Baron von Meyerlinck hatte allerdings bereits eine Menge Besuch, der aber lange nicht so willkommen war wie Frau Elisabeth Malpran und ganz gewiss weniger schön und kultiviert.

In der Kanzlei herrschte verheerende Unordnung. Leere Akten und Papierfetzen lagen überall zerstreut, die Möbel waren teilweise umgestürzt und die Schubladen herausgerissen. Eine große Anzahl Uniformierter war eben dabei, mit voll beladenen Kisten abzuziehen. Elisabeths elegante Erscheinung wurde von ihnen mit neugierigen Blicken taxiert.

Von Meyerlinck war soeben das Opfer einer apokalyptischen Hausdurchsuchung geworden und steckte selbst bis über beide Ohren in Schwierigkeiten. Trotzdem nahm er sich die Zeit, Elisabeth in seinem verwüsteten Büro zu empfangen. Er sagte, es sei nicht gut, wenn man sie hier bei ihm sähe, da man ihn verdächtige, *mit den Judenschweinen gemeinsame Sache zu machen.*

Elisabeth las in von Meyerlincks müden Augen, dass er mit seiner baldigen Verhaftung rechnete.

Aufgrund seiner momentanen Lage sehe er sich außerstande, ihr zu helfen. Elisabeth tauschte die Rolle der Hilfesuchenden daher gegen die der Trostspenderin ein und schenkte dem Baron einige Worte der Aufmunterung.

Er deutete ein Lächeln an: »Machen Sie sich um mich keine Sorgen, gnädige Frau. Ich habe einige hochgestellte Klienten von nebenan und weiß im Falle eines Falles sehr viel über gewisse Auslandskonten zu berichten.«

Elisabeth wollte sich verabschieden, doch er hielt sie zurück. Ein winziges Zögern und die Qual in den Augen des Advokaten verrieten Elisabeth, dass sie auf noch mehr schlimme Neuigkeiten gefasst sein musste.

Und richtig. Von Meyerlinck sagte: »Ich bedaure zutiefst, gnädige Frau, dass ich Ihnen diese Mitteilung machen muss. Aber Sie müssen wissen, dass die Männer zusammen mit meinen Akten auch die Vollmachten des Doktors für den Verkauf seiner Immobilien mitgenommen haben. Ich kann überdies nicht sagen, was mit den Konten meiner Klienten geschehen wird, aber die meisten werden vermutlich liquidiert werden. Was ich damit sagen will, Frau Malpran, ist, dass es nicht mehr lange dauern wird, bis sie Bescheid wissen. Verstehen Sie? Wenn ich Ihnen einen Rat geben darf: Brechen Sie sofort mit Ihren Kindern auf und verlassen Sie Deutschland. Am besten noch heute, wenn Sie die Möglichkeit dazu haben.«

Das waren in der Tat die schlimmsten denkbaren Neuigkeiten. Ausgerechnet jetzt. Aber Elisabeth war so sehr mit der Sorge um Gustavs Verbleib angefüllt, dass sie die gesamte Tragweite von Meyerlincks Eröffnung für sich selbst noch gar nicht richtig ermessen konnte.

Niedergeschlagen kehrte sie nach Hause zurück, wo man sie mit vielen Fragen und Hoffnungen erwartete.

Doch sie brauchte erst ein wenig Zeit für sich, um in Ruhe über ihre weiteren Schritte nachdenken zu können. Wichtige Entscheidungen waren zu fällen. Darum schickte sie Magda mit den Kindern und der Dackeldame Biene auf einen Spaziergang mit anschließendem Eis und Bertha in die Küche.

Nachdenklich lief Elisabeth durch die Wohnung und suchte dabei unbewusst die Räume auf, in denen die Präsenz ihres Gatten noch am stärksten nachwirkte. Im Herrenzimmer trat sie an die Zigarrenkiste und hob den Deckel an. Sie sog den ihr entströmenden, vertrauten Duft ein. Sie mochte den Geruch, auch wenn Gustav, der nur selten in Herrengesellschaft eine Zigarre genoss, eine ganz eigene Einstellung zum Rauchen hatte. Tatsächlich hielt er nicht viel vom Einräuchern und hatte ihr gegenüber behauptet, es sei ungesund, außer man sei ein Schinken.

Sie betrat das Musikzimmer und rief sich jene unvergesslichen Stunden in Erinnerung, wenn sie ihre Arien einstudiert und sich selbst am Klavier begleitet hatte. Manchmal hatte sich Gustav heimlich hereingeschlichen, um gemeinsam mit ihr in der Musik zu versinken. Auch wenn sie ihn nicht sah, wusste sie immer, wenn er da war. Sie konnte seine Präsenz spüren. Ohne einen Laut kommunizierten sie miteinander, teilten die Schwingungen der Musik, die in ihren Herzen erklangen und für Elisabeth auch jetzt noch fühlbar im Raum hingen. Vielleicht sogar sind sie noch heute dort zu finden, weil Erinnerungen unsterblich sind.

Als Nächstes betrat Elisabeth Gustavs Schlafraum. Ihre schmalen Nasenflügel bebten, als sie den feinen Geruch seines Eau de Cologne und seiner Rasierseife wahrnahm. Doch sie war nicht hier, um zu weinen und sich peinigenden Sentimentalitäten hinzugeben, wie etwa Gustavs Kopfkissen an sich zu drücken. *Nein, das würde sie keinesfalls tun!* Schließlich war Gustav nur im Augenblick nicht für sie erreichbar.

Stattdessen dachte Elisabeth mit einem leisen Lächeln an die erste Zeit ihrer Ehe, in der sie Gustavs Schlafraum unschicklich oft aufgesucht hatte, zu ungeduldig, um auf ihn zu warten. Und er hatte ihre Hand genommen, ihre Fingerspitzen geküsst und mit heiserer Stimme geflüstert: »Ich kann die Musik unter deiner Haut vibrieren fühlen, mein Liebling.« Dann hatte er sie ganz fest in die Arme genommen, und sie hatten schwebend den Raum verlassen und sich zusammen im Elysium verloren.

Zuletzt ging sie in Deborahs Zimmer, das inzwischen der Jugend des Mädchens angepasst worden war, einschließlich Himmelbett und Frisiertisch.

Noch immer konnte Elisabeth in diesem Raum den tröstlichen Geruch des Säuglings wahrnehmen, sah die kleine Wiege vor sich und erinnerte sich mit Wehmut daran, wie Gustav und sie viele Male davorgestanden hatten. Sie hatten sich dabei an den Händen gehalten und auf das kleine Menschenwunder hinabgeblickt – vom ungläubigen Staunen aller Eltern dieser Erde erfüllt, dass dieses kleine Wesen durch sie beide entstanden war.

Wo ist eigentlich Deborahs und Wolferls Wiege hingekommen?, fragte sich Elisabeth. Plötzlich wuchs sich diese Frage zu elementarer Wichtigkeit für sie aus. Sie musste unbedingt sofort herausfinden, was mit ihr geschehen war – als würde mit dem Verlust der Wiege auch Gustav für immer verschwunden bleiben. Sie lief und rief noch im Flur nach Bertha: »Bertha, sag, wo ist die alte Wiege der Kinder hingekommen?«

Bertha stapfte ihrer Herrin entgegen. Ihre roten Backen wurden noch röter, als dränge alles Blut dorthin, während sie nachdachte. Sie knetete dabei ihr Geschirrtuch, als müsste sie die Antwort aus dem Tuch herauspressen. Jäh riss sie die Augen auf und verkündete ihren Gedankenblitz: »Auf dem Boden, gnädige Frau, auf dem Boden! Da hat der Hans früher alles Übrige verstaut.«

Die Leiter wurde herbeigeschafft, Bertha leistete Schützenhilfe und hielt sie fest. Die Frau Doktor kletterte hurtig hinauf, stellte nebenbei fest, dass Ottilies Ordnungsdrang nie bis in den Dachboden hinaufgereicht hatte, zog aber nach kurzer Suche tatsächlich die kleine, von Meisterhand geschnitzte Wiege unter einem großen Leintuch hervor.

Die Panik sank vor ihr in den Staub, und endlich konnte sie nun wieder einen klaren Gedanken fassen. Sie streichelte die Wiege mit einer zärtlichen Geste und deckte sie wieder sorgsam ab. Dann stieg sie nach unten, wehrte Bertha ab, die mit dem Küchentuch wedelte, um »Frau Doktor von den Spinnweben« zu befreien, und schickte sie zurück in die Küche.

Eine Stunde später zögerte Elisabeth immer noch, was sie tun sollte. Dabei spukte ihr ständig Gustavs letzter Satz im Kopf herum, dass *die Sicherheit der Kinder immer Vorrang vor allem hatte!*

Natürlich, doch wie viel Sicherheit lag darin, mit den Kindern ins Ungewisse zu reisen, ohne Bescheid über Gustavs Verbleib? Was wäre, wenn er auf der Fahrt wegen der falschen Papiere verhaftet worden war? Dann musste sie hierbleiben und alles versuchen, um ihn wieder freizubekommen! Von London aus würde sie Gustav kaum von Nutzen sein.

Immerhin kannte sie durch ihren Beruf einige hochgestellte Persönlichkeiten in Berlin. Noch einmal ging sie in Gedanken alles durch. Von Meyerlinck hatte ihr dringend geraten, keine Zeit zu verlieren und sofort abzureisen. Dagegen sprach, dass alle ihre Papiere und Fahrscheine für den 15. Juni ausgestellt worden waren. Die Beschaffung hatte lange genug gedauert, unmöglich, alles in so kurzer Zeit umzuschreiben. Außerdem, mit Ottilie in Zürich und dem ungewissen Schicksal ihres Gatten, wie konnte sie da überhaupt an eine Abreise denken? Alles in ihr sträubte sich dagegen.

Plötzlich sehnte sie sich schmerzlich nach ihrer Mutter, die leider zwei Jahre zuvor friedlich entschlafen war – was hätte sie jetzt für deren tröstliche Präsenz gegeben.

Es war furchtbar. Da wälzte sie diese schweren Überlegungen, während die Zeit wie flüchtiges Gas verrann. Sie wünschte sich, ihr Wille wäre ein Strick, um sie fest anzubinden. Wahrlich, dachte Elisabeth, die Zeit war wirklich die boshafteste Masse in Gottes gesamtem Universum – stets verhielt sie sich diametral entgegengesetzt zu den Wünschen der Menschen, und besonders zäh und klebrig war sie in traurigen Zeiten.

Sie warf einen unruhigen Blick auf die Uhr auf dem Kaminsims. Kurz nach eins. Elisabeth überschlug die Stunden im Kopf und errechnete, dass ihr noch etwas mehr als zwei Tage blieben, bis sie den Zug nach Calais über die Stationen Stuttgart und Paris besteigen musste. Vom französischen Calais aus würde sie ein Schiff über den Kanal weiter nach Dover in England bringen. Es war fast derselbe Weg, den Gustav über Zürich hatte nehmen wollen.

Elisabeth erhob sich. Ihre nervöse Unschlüssigkeit ließ sie an die Anrichte treten, auf der mehrere Aufnahmen ihrer Familie in silbernen Rahmen gruppiert waren. Es waren eingefrorene Momente des Glücks, bewahrt für die Ewigkeit, doch Elisabeth zehrte nun von ihnen, spürte in jedem Bild Zuversicht, und jedes Lächeln flüsterte ihrem Herzen Mut und Entschlossenheit zu.

Ein jäher Impuls durchzuckte sie, jetzt wusste sie, was sie tun würde! Sie würde eigene Nachforschungen zum Verbleib ihres Gatten anstellen! Sie ergriff eine Fotografie Gustavs und löste sie aus dem Rahmen. Anschließend nahm sie ein Taxi zum Hauptbahnhof, begab sich zum Bahnhofsvorsteher und erkundigte sich bei ihm nach dem Namen des Schaffners, der am Vortag die Aufsicht über den Mittagszug nach Zürich gehabt hatte.

Sie hatte Glück, der Mann wurde für 14:30 Uhr erwartet. Elisabeth wertete dies sofort als gutes Zeichen.

Sie verbrachte die kurze Wartezeit in einem nahe gelegenen Kaffeehaus. Danach benötigte sie ein neues Paar Handschuhe, weil die ihren ihre Nervosität nicht überstanden hatten.

Punkt 14:30 Uhr fing sie den älteren Mann am Bahnsteig ab, zeigte ihm die mitgebrachte Fotografie ihres Mannes und fragte ihn, ob er sich an diesen Fahrgast nach Zürich erinnern könne.

Der Mann hatte gütige Augen, nach Großvater-Art. Ernst studierte er die Fotografie durch sein Monokel. Dabei zupfte er an seinem Bart, dessen steife Spitzen Kaiser Wilhelms Glorie noch in Ehren hielten. Schließlich antwortete er: »Nein. Es tut mir leid, gnädige Frau.« Und er wandte sich rasch von Elisabeth ab.

Elisabeth, älter und reifer, verstand sich inzwischen auf Menschen, und im Besonderen verstand sie sich auf die Sprache der Augen. Sie konnte in ihnen wie in einem Notenblatt lesen. Daher wusste sie jetzt, dass der Mann gelogen hatte. Und sie erkannte auch, warum. Aus Angst, der gleichen Angst, an der schon viel zu viele in diesem Land litten – verursacht durch Drohungen der Macht.

Diese Erkenntnis führte zu ihrem nächsten Entschluss: Sie musste nach Berlin fahren, direkt in die Zentrale der Macht. Sinnlos, weitere Zeit in München zu verschwenden, der Stadt, in der Heinrich Himmler als Polizeipräsident residierte.

Gustav kannte den fast gleichaltrigen Himmler noch vom Königlich-Bayerischen Wilhelms-Gymnasium in der Thierschstraße, das beide besucht hatten. 1559 vom Jesuitenorden gegründet, war es das älteste und renommierteste Gymnasium Münchens.

Nach Heinrich Himmlers Ernennung hatte Gustav zu Elisabeth gesagt: »Und so werden aus kleinen Monstern große Monster. Arme Heimat, armes München.«

Wenn Elisabeth nach Berlin reisen und danach noch den Zeitplan für London einhalten wollte, dann musste sie für ihre Reise in die Hauptstadt das neue Reisemedium Flugzeug nutzen. Es würde das erste Mal in ihrem Leben sein. Eine Zugfahrt in die Reichshauptstadt und zurück hätte zu viel Zeit gekostet.

Obwohl ihr nicht wohl dabei war, zögerte sie keinen Augenblick in ihrem Entschluss.

Rasch eilte sie nach Hause. Magda war inzwischen mit den Kindern zurückgekehrt. Elisabeth weihte sie in ihr Vorhaben ein und erteilte ihr Instruktionen, während sie wahllos ein paar Sachen in eine große Tasche stopfte, die sie für einen Abend und eine Nacht in der Hauptstadt benötigen würde.

Kapitel 17

Berlin, Reichshauptstadt

Am frühen Abend landete Elisabeth mit einer kleinen Maschine der Lufthansa auf dem Berliner Flugfeld Tempelhof. Der Flug hatte sie gründlich durchgerüttelt, sie war bis auf die Knochen durchgefroren und fühlte sich dazu halb betäubt von den Benzinausdünstungen des Flugzeugs.

Im Hotel Adlon am Brandenburger Tor angekommen, tätigte sie sofort einige Anrufe.

Zunächst wandte sie sich an den Leiter der Berliner Philharmoniker und Vizepräsidenten der Reichsmusikkammer, Wilhelm Furtwängler, doch dieser war verreist. Sein Sekretär bat die gnädige Frau, sich bis zum nächsten Morgen zu gedulden, dann wäre Herr Furtwängler sicherlich wieder erreichbar.

Aber Elisabeth wollte nicht warten. Sie fackelte daher nicht lange und dachte bei sich, wenn schon, denn schon, dann gleich ganz oben beginnen. Sie wählte die Büronummer des Generalfeldmarschalls Hermann Göring, Begründer der Geheimen Staatspolizei, Beauftragter des Vierjahresplans zur Aufrüstung der Wehrmacht – was eigentlich geheim war, aber darüber wusste jeder Bescheid – und zweiter Mann im Großdeutschen Reich.

Göring zählte, wie der Reichspropagandaminister Joseph Goebbels, zum Kreis von Elisabeths Bewunderern. Es war eine Entscheidung zwischen Pest und Cholera. Beide Männer hatten ihr ein ums andere Mal einen Blumenstrauß in die Garderobe gesandt, stets sorgfältig mit imposanten Visitenkarten versehen. Elisabeth war froh, dass sie nicht alle weggeworfen hatte, als hätte sie für diesen Tag in ihrem Leben geplant.

Herr Göring selbst war nicht präsent, aber sie konnte mit seinem Adjutanten Bodenschatz sprechen. Dieser informierte sie, dass der Herr Generalfeldmarschall noch im Haus sei, vermutlich beim Führer, er aber die Nachricht der gnädigen Frau gerne übermitteln und der Herr Generalfeldmarschall zurückrufen werde, sobald sich ihm eine Gelegenheit dazu böte.

Das Wunder von Berlin geschah. Kaum eine halbe Stunde später klingelte der Telefonapparat in ihrer Suite, und der Herr Generalfeldmarschall meldete sich höchstselbst.

Göring war neugierig zu erfahren, was die verdiente Künstlerin von ihm wollte – hauptsächlich aus dem Grund, weil sein Intimfeind Goebbels sich bisher ohne Erfolg um die schöne Sängerin bemüht hatte. Nur um den Mann zu ärgern, hatte er, als er von dessen Interesse für sie erfuhr, Frau Malpran einige Male einen Blumenstrauß übersandt.

Als sein Adjutant Bodenschatz ihn informierte, dass sie ihn in einer dringenden Angelegenheit sprechen müsse, griff er spontan zum Hörer. Da er überdies noch eine späte Verabredung mit einer rumänischen Delegation im Adlon hatte, in der es um Rohstofflieferungen für das Reich ging, würde er die Pflicht mit dem Angenehmen verknüpfen, und so bot er Elisabeth an, sich zu einem kleinen Souper im Feinschmeckerrestaurant des Adlon zu treffen: »Sagen wir, um acht Uhr dreißig?«

Elisabeth nahm die Einladung wie eine Dame an. Anschließend widmete sie sich mit Sorgfalt ihrer Erscheinung. Wenn sie schon bei den Nazis betteln musste, dann sollte sie dafür so schön wie möglich sein.

Der Herr Generalfeldmarschall erschien uniformiert und pünktlich, wie üblich umgeben von einer kleinen Armee von Begleitern, die er allerdings im Foyer zurückließ. Er war inzwischen in die ersten korpulenten Jahre gekommen.

Elisabeth stellte bei sich fest, dass dies kaum Veranlagung sein konnte, denn unter der Last der von ihm bestellten Köstlichkeiten für das »kleine Souper« drohte der Tisch beinahe einzuknicken. Sie registrierte auch, dass der Mann ungesund aussah, blass und teigig, beinahe aufgeschwemmt. Auf jeden Fall wirkte er älter als seine fünfundvierzig Jahre. Gustav hatte ihr einmal erzählt, dass Göring einer der ältesten Weggefährten Hitlers wäre und bereits 1923 beim vereitelten Bierkeller-Putsch an dessen Seite zum Odeonsplatz marschiert sei. Damals habe Göring einen schmerzhaften Oberschenkeldurchschuss erlitten und sei seitdem morphiumsüchtig. Ausgerechnet ein Freund Gustavs, Robert Ballin, habe dem künftigen Reichsfeldmarschall damals Obdach in seinem Anwesen in der Residenzstraße gewährt.

Als Elisabeth, nachdem sie geduldig eine Pause zwischen Görings Komplimenten für die »wunderbare, unvergleichliche Künstlerin« und seinen ausschweifenden Monologen über die Qualitäten des Führers und die Wohltaten des Nationalsozialismus für das deutsche Volk insgesamt abgewartet hatte, endlich ihr Anliegen vorbringen konnte, musste sie zu ihrer Bestürzung entdecken, dass Göring darüber ehrlich verblüfft zu sein schien. Elisabeths Hoffnung kollabierte in den Nachtisch.

Göring wusste nichts von Gustavs Verschwinden, wie er ihr denn auch freimütig eingestand. Er deutete stattdessen etwas anderes an: Ob die Gnädigste denn sicher sei, dass ihr jüdischer Mann sie und ihre Kinder nicht im Stich gelassen habe? Und führte weiter aus, dass ihm diesbezüglich schon einige bedauerliche und ähnlich gelagerte Begebenheiten zu Ohren gekommen seien, wo sich die feigen Lumpen aus dem Staub gemacht hätten.

Elisabeth hatte daraufhin alle Mühe, ihr Temperament im Zaum zu halten. Am liebsten hätte sie ihrem feisten Gegenüber ihr strassbesetztes Abendtäschchen über den teigigen Schädel gezogen. Während Göring sprach, spielte er im Geiste verschiedene Szenarios durch: Wenn der jüdische Arzt tatsächlich verschwunden war, wer von seinen Leuten hatte dann die Hand im

Spiel gehabt? Steckte womöglich Goebbels dahinter? Er hatte läuten hören, dass der *Bock von Babelsberg*, wie Goebbels hinter seinem Rücken genannt wurde, einen Opernfilm plane und die Malpran seine erste Wahl hierfür sei. Seit Lída Baarová, seiner kleinen tschechischen Freundin, war allseits bekannt, dass Goebbels eine Vorliebe für exotische Erscheinungen hatte. Die kleine österreichische Sängerin passte genau in sein Beuteschema. Hatte er sich deshalb den Scherz mit dem Ehemann erlaubt, um sich die Malpran für die Hauptrolle zu sichern? Wenn ja, würde er ihm gehörig in die Parade fahren. Wie hoch standen seine Aktien, dass er die schöne Sängerin Goebbels vor der Nase wegschnappte?

Dabei dachte er nicht unbedingt an ein amouröses Abenteuer, vielmehr an ein privates Konzert der Künstlerin auf seinem Familiensitz Carinhall – selbstverständlich in Anwesenheit des Führers.

Der alte Menschenfuchs hatte Elisabeths tiefe Enttäuschung bemerkt. Ihr Judengatte war ihm einerlei, aber er wusste, wie man aus der Not anderer seine Vorteile zog. Deshalb warf er sich jetzt in die Brust und behauptete, dass er selbstverständlich gleich am nächsten Morgen Nachforschungen nach dem Verbleib ihres Gatten anstellen werde. Wenn sie dann gegen Mittag in seinem Büro in der Reichskanzlei vorspräche, hätte er sicherlich schon etwas in Erfahrung gebracht. Und ergänzte: »Ich kann Ihnen versichern, meine Verehrteste, bei uns herrscht Ordnung. Da können die Leute nicht einfach so verschwinden, ohne eine Spur zu hinterlassen!« Wann sie denn ihren Herrn Gemahl zum letzten Male gesehen habe, erkundigte er sich gleich im Anschluss.

Elisabeth trat die Flucht nach vorn an und erklärte ihm, dass ihr Mann auf dem Weg nach Zürich gewesen sei: »Der von mir hochgeschätzte Franz Lehár ist ein langjähriger Patient meines Mannes. Er hat ihn in einer gesundheitlichen Angelegenheit um Beistand gebeten.« Die Lüge kam ihr leicht über die Lippen, aber sie spürte gleich, dass ihr Göring kein Wort glaubte, auch wenn er sich den Anschein gab.

Elisabeth, die ihn ihrerseits genau beobachtet hatte, ahnte längst, dass Göring sich um den Fall nicht deshalb kümmern würde, weil er ihr helfen wollte. Es schien ihm vielmehr daran gelegen zu erfahren, welcher seiner Parteigenossen hinter dem Verschwinden Gustavs stecken könnte. Elisabeth war es im Grunde egal, welche Ziele Göring verfolgte, Hauptsache, er fände etwas über den Verbleib Gustavs heraus.

Elisabeth bedankte sich jetzt artig und ganz Dame für die Mühen des Herrn Generalfeldmarschalls, wo er doch sicherlich mit Arbeit und Papieren und Anfragen überhäuft sei, und trotzdem … Und so weiter.

Sie überließ ihm ihre weiß behandschuhten Fingerspitzen ein klein wenig länger als schicklich, um gleich darauf Schwäche vorzutäuschen und anzudeuten, wie lang und beschwerlich doch der Tag für sie gewesen sei.

Der Herr Feldmarschall verstand den Wink und wollte Elisabeth gerade eine Gute Nacht wünschen, da rief just in diesem Augenblick jemand neben ihrem Tisch mit deutlich englischem Akzent: »Bitte recht freundlich«, unmittelbar gefolgt von einem hellen Lichtblitz und dem beißenden Geruch von Phosphor.

Göring reagierte ob seiner Körperfülle mit erstaunlicher Rasanz. Er sprang auf, und sein Gesichtsausdruck war nun beim besten Willen nicht mehr freundlich zu nennen. Seine SS-Eskorte, die sich zwischenzeitlich diskret zurückgezogen hatte, preschte heran und nahm dem Mann sofort Kamera und Freiheit weg.

Der unerwünschte Fotograf wurde derart schnell von kräftigen Armen und mit baumelnden Beinen davongetragen, dass Elisabeth ihn nur noch von fern rufen hörte: »Ich bin amerikanischer Staatsbürger!«

Schon eilte der devote Restaurantchef heran, verbeugte sich

mehrmals in bewundernswerter Elastizität vor Göring, wobei seine Nasenspitze beinahe den Teppich putzte, und schimpfte auf die Aasgeier von der Presse, *die man vorne hinauswarf und die hinten wieder hereinkrochen.*

Göring beachtete ihn nicht weiter, sondern ergriff erneut Elisabeths Hand, küsste sie galant und entschuldigte sich bei ihr für die unerfreuliche Störung. Er verabschiedete sich mit der wiederholten Versicherung, die Angelegenheit für sie zu klären, und betonte nochmals, wie sehr er sich darauf freue, Frau Elisabeth morgen Mittag mit guten Nachrichten bei sich im Amt begrüßen zu dürfen.

Dies war ein genialer Schachzug, fand Göring. Denn indem er Frau Elisabeth Malpran zu sich bestellte, verfestigte er ihre Rolle als Bittstellerin.

Elisabeth graute schon jetzt vor dem neuerlichen Treffen mit dem Feldmarschall, und sie fieberte ihm gleichzeitig entgegen; der mächtige Göring war womöglich ihre einzige reelle Chance, etwas über Gustavs Verbleib herauszufinden.

Elisabeth hatte ihr Unwohlsein nicht vortäuschen müssen. Ihr Kopf schmerzte höllisch und fühlte sich heiß an. Sie hoffte inständig, dass sie sich in dem zugigen Flugzeug keine Erkältung zugezogen hatte – es wäre das Letzte, was sie jetzt gebrauchen konnte.

Zurück auf ihrer Suite ließ sie sich sofort ein heißes Bad ein. Während die Wanne volllief, stellte sie trotz der späten Stunde über die Rezeption eine Verbindung zum Prinzregentenplatz her. Vielleicht hatte sich Ottilie inzwischen mit guten Nachrichten zurückgemeldet, obwohl Elisabeth ahnte, dass dem nicht so war. Sonst hätte die umsichtige Magda längst bei ihr angerufen. Elisabeth hatte ihr vorsorglich die Nummer des Hotel Adlon hinterlassen.

Magda berichtete ihrer Herrin kurz, dass Ottilies Tag ebenso ereignislos verlaufen sei wie der vorherige und sie morgen am

Bahnsteig erneut Ausschau nach dem gnädigen Herrn halten werde. Am Abend werde das Dienstmädchen dann wie vereinbart mit dem letzten Zug nach München zurückkehren.

Dass Ottilie ihr gegenüber in tränenreicher Hysterie gebadet hatte – »zum ersten Mal allein in der Fremde, und der Doktor verschwunden, und dann regnet es junge Hunde!« –, behielt Magda wohlweislich für sich. Elisabeth, die Ottilies dramatische Veranlagung natürlich kannte, schätzte Magda umso mehr für ihren Takt.

Nach dem Bad ließ sich Elisabeth noch ein Glas heiße Milch mit Honig bringen. Ihre Suite war eine der besten des Hauses, mit direktem Blick auf das beleuchtete, mit Hakenkreuzfahnen beflaggte Brandenburger Tor.

Selbst jetzt, am späten Abend, herrschte auf dem Platz davor noch rege Betriebsamkeit. Ursprünglich hatte sie auf ein normales Zimmer gedrängt, aber die Direktion hatte auf der Suite bestanden. Der strahlende Direktor hatte es sich auch nicht nehmen lassen, die verehrte Sängerin höchstpersönlich mit vielen Dienern hinaufzuführen. Nur ganz kurz hatte sie der Gedanke an die zusätzlichen Kosten gestreift.

Elisabeth fühlte sich zu Tode erschöpft. Trotzdem oder gerade deswegen konnte sie lange keinen Schlaf finden. Stunde um Stunde wälzte sie sich von einer Seite zur anderen, als würde sie direkt auf den Spitzen ihrer Sorgen liegen.

Erst gegen Ende der Nacht fiel sie in einen unruhigen Schlaf, aus dem sie kaum zwei Stunden später schweißgebadet erwachte. Heftige Hals- und Gliederschmerzen plagten ihren Körper. *Na großartig, Elisabeth! Genau das, was du jetzt gebrauchen kannst – einen grippalen Infekt!*

Sie befolgte Gustavs Rat in solchen Lagen, nach dem ein flotter Spaziergang an der frischen Luft mit mehrmaligem tiefen Ein- und Ausatmen Wunder bewirken könne. Anschließend ein Kännchen Tee mit einem Schuss Rum darin – doch das Wunder blieb aus. Dafür tränten jetzt ihre Augen, und die Nase lief. Die freundliche Rezeptionistin besorgte ihr ein bewährtes Grippe-mittel von der nahe gelegenen Apotheke, das leider auch nur von geringem Nutzen war. Elisabeth ging es immer schlechter, und das Treffen mit Göring in der Reichskanzlei rückte näher.

Darüber hinaus hing die Entscheidung, ob sie am nächsten Tag mit ihren Kindern die Reise nach London antreten sollte, wie ein Menetekel über ihr.

Welche nächsten Schritte sollte sie unternehmen, falls es dem Feldmarschall nicht gelänge, etwas über Gustavs Verbleib herauszufinden? An wen konnte sie sich überhaupt noch wen-den? Wo sollte sie suchen? *Oh Gustav, wo bist du nur?*, flehte sie ein ums andere Mal.

Ihr Kopf wollte ihr über all den quälenden Befürchtungen zerspringen. Sehnsüchtig betrachtete sie das Bett und wurde von dem jähen Wunsch übermannt, sich bis ans Ende der Zeit unter die Bettdecke zu verkriechen. Mit einem Seufzer wandte sie sich ab. Ein Blick auf die Armbanduhr zeigte ihr, dass es Zeit wurde, sich für ihr zweites Treffen mit Göring umzukleiden. Sie musste sich jetzt unbedingt zusammenreißen.

Sie öffnete ihre Reisetasche. Zum ersten Mal war sie froh darüber, dass sie immer notorisch zu viel einpackte. Sie wählte das kleine Schwarze mit der hauchzarten Spitzenpelerine, schminkte sich sorgfältig und zupfte ihre glänzenden Locken zurecht. Eine ganze Weile kämpfte sie mit dem Verschluss der dreireihigen Perlenkette – ein Geschenk Gustavs zu Deborahs Geburt –, so sehr zitterten ihre Hände dabei. Abschließend schlüpfte sie in ihre Chanel-Pumps und betrachtete ihr Bild im Spiegel. Perfekt. Das dunkle Schwarz modellierte ihre zarten Konturen, und die Perlen schimmerten mit ihrem Teint um die Wette.

Um Atem und Kraft zu sparen, ließ sich Elisabeth den kurzen Weg in die Wilhelmstraße kutschieren.

Das Palais Barlow der NSDAP in München mochte durch effektvolle Präsenz bestechen, doch gegen den wuchtigen Nazi-Pomp der Reichskanzlei wirkte es wie die arme Verwandtschaft.

Der Sitz der Reichsministerien war ein Monumentalbau: vierhundertzwanzig Meter lang und zwanzig Meter hoch, mit einem breiten Treppenaufgang zwischen vier wuchtigen Tempelsäulen. Elisabeth wurde beinahe schwindelig beim Anblick des riesigen Reichsadlers und der Masse an blutroten Fahnen, die im Wind über ihr flatterten. Als sie zwischen den Fahnenmasten hindurchschritt, überlief ein Frösteln ihren Körper.

Während sie langsam die zehnstufige Treppe hochstieg, musste Elisabeth unwillkürlich an die eindrucksvolle Pracht und Größe des Mailänder Doms und des Petersdoms in Rom denken. Als Künstlerin wusste sie, dass Inszenierung alles war. Und dies hier war Theaterdonner in Reinkultur.

Im Inneren erging es ihr nicht besser, von allem zu viel und mit zu wenig Geschmack. Das Gebäude selbst summte emsig wie ein Bienenstock. Überall hasteten polierte Stiefel weithin hallend umher, auf dem Weg zu bedeutsamen Angelegenheiten.

Pünktlich ließ sich Elisabeth anmelden, doch der Herr Feldmarschall glänzte durch Abwesenheit. Er ließ ihr durch einen seiner Adjutanten ausrichten, dass er in dringenden Führerangelegenheiten abberufen worden sei, aber schnellstmöglich zurückkehren werde. Sie möge bitte nur kurz warten.

Elisabeth durfte dann eine geschlagene Stunde den Reichskanzleifasching genießen. Sie spürte, wie das Fieber in ihren Schläfen pochte, und fühlte sich von Minute zu Minute elender. Dabei war sie sich beinahe sicher, dass Göring sie absichtlich warten ließ.

Bodenschatz schaute kurz vorbei, um ihr mit einer typischen Geste anzudeuten: fünf Minuten. Diese Geste hatte etwas Unwirkliches an sich und löste in Elisabeth ein Déjà-vu aus: Sie sah sich selbst in ihrer Theatergarderobe vor dem Spiegel sitzen und ihrem nächsten Auftritt entgegenfiebern.

Und es war tatsächlich Fieber, das immer heftiger in ihr wütete. Sie bat Bodenschatz um ein Glas Wasser und ein Aspirin.

Der Adjutant runzelte die Stirn. Er bemerkte jetzt selbst, dass der Dame nicht wohl zu sein schien. Mit schnellen Schritten eilte er davon, und kurz darauf tauchte ein junges Dienstmädchen auf, das Elisabeth das Gewünschte auf einem silbernen Tablett brachte.

»Gnädige Frau, kann ich sonst noch etwas für Sie tun?«, erkundigte sie sich. Elisabeth fragte sie nach einer Möglichkeit, sich kurz frisch zu machen, und wurde von ihr in die den Damen vorbehaltenen Räumlichkeiten geführt.

Auf dem langen, lichtdurchfluteten Korridor hatte Elisabeth dann eine schicksalhafte Begegnung. Aus dem Gegenlicht kam ihr ein Mann entgegen; Größe und Haltung glichen der ihres Mannes in einer Art und Weise, dass sie einen Augenblick lang der fiebrigen Halluzination erlag, Gustav käme ihr aus dem Licht entgegen.

Abrupt blieb sie stehen. Ihr Herz raste, und gefangen zwischen Hoffen und Bangen, sah sie der näher kommenden Gestalt erwartungsvoll entgegen.

Doch der Mann war nicht Gustav. Zwar sah er ihm tatsächlich ähnlich, obwohl sich der Eindruck aus der Nähe wieder etwas verlor. Besonders unterschieden sich seine Augen von denen Gustavs, die Tiefe und Güte verhießen, doch in jenen des Fremden fand Elisabeth wenig von den Versprechungen des Lebens, dafür aber viele Wünsche und Begehrlichkeiten. Darüber hinaus trug er eine maßgeschneiderte SS-Uniform aus bestem Tuch.

Weil sie mitten im Weg stehen geblieben war, blieb auch der SS-Mann stehen. Ein merkwürdiger Ausdruck huschte über sein Gesicht, den Elisabeth nicht deuten konnte, das Fieber absorbierte sie immer mehr.

Der Mann verbeugte sich nun elegant vor ihr, stellte sich als Albrecht Brunnmann vor und fragte, ob er der gnädigen Frau zu Diensten sein könne.

Elisabeth schüttelte verwirrt den Kopf, entzog ihm ihre Hand, von der sie gar nicht wusste, dass sie sie ihm gereicht hatte, und ging langsam an ihm vorbei. Schon hatte sie ihn wieder vergessen, weil er nicht Gustav war.

Das Dienstmädchen, das sie zum Boudoir begleitete, schwatzte sofort munter drauflos: »Der Obersturmbannführer Albrecht Brunnmann ist hier der kommende Mann, hoch angeschrieben beim Führer, gnädige Frau! Die Damen hier sind alle ganz verrückt nach ihm.«

Elisabeth hörte ihr nicht zu, sondern machte ihre Handgelenke frei, um kaltes Wasser darüberlaufen zu lassen. Anschließend feuchtete sie ihr Taschentuch an und kühlte auch mehrmals ihr erhitztes Gesicht damit. Das Geschwätz des Mädchens plätscherte weiter an ihr vorbei, ohne dass sie dessen Inhalt wahrgenommen hätte. Immerhin schienen das kalte Wasser und das Aspirin ein wenig Wirkung zu zeigen, und sie fühlte sich nun eher bereit, die Begegnung mit dem Feldmarschall zu überstehen.

Diesmal war Hermann Göring präsent. Er trug eine seiner weißen, überladenen Uniformen, die ihm im Volksmund den Beinamen »Goldfasan« beschert hatten.

Er eilte ihr mit offenen Armen und aufgesetztem Bedauern entgegen, dass er die »hochverehrte Künstlerin« so lange habe warten lassen müssen, und dann, die Stimme leise und gesenkt, denn für den Führer brauchte es anscheinend eine besondere Tonart: »Sie verstehen, der Führer, eine Angelegenheit von immenser Wichtigkeit.« Er zwinkerte, und Elisabeth musste spontan an eine fette Eule denken.

Sie wünschte ihn denn auch bald auf den stabilen Ast eines hohen Baums und zum Freunde Kuckuck, als Göring verkündete, über keine Neuigkeiten zu ihrem Gatten zu verfügen. Leider, er sei gerade erst dazu gekommen, sich um diese Affäre zu kümmern, und Bodenschatz habe inzwischen selbstverständlich die entsprechenden Anweisungen erhalten. Es tue ihm wirklich leid, der gnädigen Frau im Augenblick nichts Angenehmeres berichten zu können, und bat dann zu Tisch.

Später konnte sich Elisabeth weder an das Essen mit dem dicken Feldmarschall erinnern noch daran, wie sie zurück in das Bett ihrer Hotelsuite gelangt war.

Als sie erwachte, fand sie einen gut aussehenden blonden SS-Mann auf einem Stuhl direkt neben ihrem Bett vor.

Elisabeth, die eine große Lücke in ihrem Gedächtnis hatte, die bis an den Abend mit Göring zurückreichte, dachte an ihr Abendtäschchen, kombinierte es mit ihrem Temperament und wähnte sich verhaftet.

Doch der Uniformierte entpuppte sich gleich darauf als ein um ihre Gesundheit besorgter Stabsarzt, der über ihren »werten Schlaf gewacht hatte«. Vor allem aber schien er hocherfreut, dass die gnädige Frau bei klarem Bewusstsein war. Elisabeth fühlte sich tatsächlich ein wenig besser. Das hämmernde Kopfweh war einem dumpfen Dröhnen gewichen, doch die bleierne Schwäche in ihren Gliedern hatte eher noch zugenommen.

»Was ist passiert?«, fragte sie und setzte sich unsicher auf.

»Sie haben den Herrn Feldmarschall gehörig erschreckt, gnädige Frau«, erwiderte der Mann.

»Wie, was ...?«, stammelte Elisabeth verwirrt.

»Sie sind ihm in seinem Büro ohnmächtig vom Stuhl gefallen.« Er sagte es ernst und ehrerbietig, aber Elisabeth spürte, dass der Mann die gesamte Situation absolut komisch fand. Sicherlich wäre er gerne dabei gewesen, als dem Herrn Generalfeldmarschall Göring die Dame vom Stuhl gekippt war.

Auf jeden Fall habe der Feldmarschall um Hilfe gerufen, und Herr Albrecht Brunnmann sei gerade zur Stelle gewesen. Dieser habe dann ihn, »gestatten, Hauptmann Ansgar Strelitz«, hinzuzitiert, und gemeinsam habe man Frau Malpran zurück in ihr Hotel transportiert, weil die gnädige Frau in einem kurzen wachen Moment energisch darauf bestanden habe, keinesfalls in die Charité verbracht werden zu wollen.

Plötzlich bemerkte Elisabeth das künstliche Licht in ihrem Zimmer und schrak auf: »Mein Gott, es ist ja ganz dunkel draußen. Wie viel Uhr haben wir denn?«

»Fast Mitternacht, Frau Malpran. Sie haben beinahe zehn Stunden geschlafen.« Er wirkte zufrieden, als wäre dies seine ganz persönliche Leistung.

Elisabeth war schon dabei, sich aus der Bettdecke zu schälen, doch der Arzt hinderte sie daran: »Nicht doch. Bitte, gnädige Frau. Wo wollen Sie denn hin? Sie müssen sich noch eine Weile schonen. Ich habe Ihnen heute Mittag eine starke, fiebersenkende Medizin eingeflößt. Das Fieberthermometer zeigte über vierzig Grad an. Das Beste für Sie wäre, wenn Sie versuchten, bis morgen früh weiterzuschlafen. Ich komme dann morgen nochmals vorbei, um nach Ihnen zu sehen.«

»Aber Sie verstehen nicht, Herr Strelitz. Meine Kinder warten zu Hause auf mich. Ich habe ihnen versprochen, dass ich heute Abend zurück sein werde. Sie sind sicherlich schon verrückt vor Sorge. Ich muss sofort telefonieren.«

Wieder versuchte sie aus dem Bett zu klettern. Der Arzt konnte sie gerade noch auffangen, als ihre vom Fieber geschwächten Beine unter ihr nachgaben.

»Aber was tun Sie denn da, Frau Malpran, ich bitte Sie, bleiben Sie doch liegen! Sie sind noch viel zu benommen. Außerdem kann ich Ihnen versichern, dass sich Herr Brunnmann bereits persönlich um alles gekümmert hat. Er konnte eine Verbindung zur Gouvernante Ihrer beiden Kinder herstellen und lässt Ihnen durch mich ausrichten, dass bei Ihnen zu Hause alles in bester Ordnung sei und man Ihnen von München aus eine gute Besserung wünsche. Sie sehen also, kein Grund zur Sorge. Schlafen Sie jetzt, bitte. Umso früher sind Sie wieder gesund.«

Er griff nach einem halb vollen Glas auf dem Nachttisch, das eine eingetrübte Flüssigkeit enthielt, und flößte sie der Erschöpften ein. Es musste ein starkes Schlafmittel enthalten, denn Elisabeth sank fast sofort zurück in Morpheus' Arme.

Als sie am nächsten Morgen gegen acht Uhr erwachte, achtete sie gar nicht darauf, wie sie sich fühlte. Ihr erster Gedanke galt den Kindern zu Hause und der zweite, dass heute der 15. Juni war, der Tag ihrer geplanten Abreise nach London.

Sie konnte die Entscheidung nicht länger hinauszögern. Wie viele wichtige Entscheidungen, die zunächst ewigem Zaudern unterworfen waren, fällte sie diese nun innerhalb von Sekunden: Sie, Elisabeth würde in Berlin bleiben und weiter jede Trommel für Gustav rühren, die sie kannte. Kurz streifte sie der Gedanke, dass jetzt Bubi Putzinger, Hitlers ehemaliger Auslandspressechef, dringend vonnöten gewesen wäre. Aber jener hatte sich längst selbst in die nationalsozialistischen Nesseln gesetzt, inzwischen die Schweiz verlassen und saß nun in London fest.

Dafür hatte das Erlebnis mit dem Fotografen beim Souper mit Göring Elisabeth auf eine Idee gebracht. Verfügte sie nicht selbst über einige gute Kontakte zur ausländischen Presse? Das musste sie sich irgendwie nutzbar machen.

Ihre zweite, weit wichtigere Entscheidung betraf ihre Kinder: Sie würde Magda heute alleine mit Deborah und Wolfgang nach London schicken. Wären ihre Kinder erst einmal in Sicherheit, konnte sie sich ganz anders bewegen und agieren.

Nachdem sie diese beiden weitreichenden Entschlüsse gefasst hatte, ging sie sofort daran, sie in die Tat umzusetzen.

Sie rief Magda an, die die Nachricht ruhig und gefasst aufnahm. Die beiden Frauen sprachen noch sehr lange miteinander wie Freundinnen. Nach dem Gespräch war Elisabeth noch mehr davon überzeugt, dass ihr Entschluss richtig war und sie Magda ihre Kinder ohne Bedenken anvertrauen konnte.

Ottilie war am Abend zuvor unverrichteter Dinge und in trüber Verfassung nach München zurückgekehrt. Magda hatte ihr einen Tag Bettruhe verordnet und bisher auch weder etwas von ihr gesehen noch gehört.

Elisabeth ließ sich dann noch Deborah an den Apparat holen, versicherte ihr, dass alles zum Besten stehe, auch mit ihrer Gesundheit, »Wirklich nur eine winzige Erkältung«, und dass es schon ein paar wichtige Hinweise den Verbleib ihres Vaters betreffend gebe. Diese machten es aber erforderlich, dass sie noch einige Tage in der Reichshauptstadt verweilte.

Sie erklärte ihrer Tochter weiter, dass sie Magda die Verantwortung für die Reise nach London übertragen habe, sich aber trotzdem auch auf ihre Große verlasse! Sie, Elisabeth, werde dann in wenigen Tagen mit dem Vater zusammen nachkommen. »Dickes Busserl, meine Große, seid beide brav und folgt der Magda. Meldet euch dann bei mir im Adlon, sobald ihr im Hotel Mayfair angekommen seid. Grüß mir das Wolferl, und sag ihm, die Mama schickt ihm ganz viele Busserln.«

Nachdem dies alles erledigt war, merkte Elisabeth, wie schwach sie noch war. Nach einem kurzen heißen Bad mit anschließender kalter Dusche widmete sie sich ihrer Toilette. Der Schwung, den sie durch ihre aktiven Entscheidungen gewonnen hatte, schien bereits wieder im Abklingen begriffen, und das Kopfweh kehrte pochend zurück. Sie nahm ein weiteres Aspirin und wartete auf das Einsetzen der Wirkung, als ein Herr von der Rezeption anrief und im strammen Ton verkündete, dass der Hauptmann der SS, Dr. Strelitz, auf dem Weg zur gnädigen Frau nach oben sei. »Heil Hitler!«

Es folgte eine nur kurze Begegnung. Der Arzt zeigte sich sehr erfreut, sie schon wieder in so gutem Zustand anzutreffen. Dazu zauberte er einen entzückenden Blumenstrauß im Auftrag des Herrn Brunnmann hervor, zusammen mit einem kleinen Billett mit dem Wortlaut: »Mit den besten Wünschen für eine baldige Genesung«, ergänzt um das Angebot, »der verehrten gnädigen Frau jederzeit und in jeder Angelegenheit zu Diensten zu sein.«

Elisabeths Gedächtnis hatte die beiden Begegnungen mit Herrn Brunnmann in der Reichskanzlei vollkommen ausgelöscht. Ebenso war ihr entfallen, dass sie kurz geglaubt hatte, in ihm Gustav wiedererkannt zu haben. Seltsamerweise konnte sie sich dafür aber an jedes einzelne der schwärmerischen Worte über die Qualitäten des Herrn Brunnmann erinnern, die das vorwitzige Serviermädchen in der Damentoilette von sich gegeben hatte.

Dr. Strelitz verabschiedete sich mit dem unvermeidlichen Hitlergruß, und Elisabeth atmete auf und machte sich sogleich daran, alle ihr zur Verfügung stehenden Quellen anzuzapfen. Sie telefonierte mit dem Büro von Furtwängler (»Rundfunkaufnahmen, aber er wird sich sicherlich bald bei Ihnen melden, Frau Malpran«) ebenso wie mit Bodenschatz in Görings Büro (»Beim Führer und nein, es gibt leider noch keine neuen Erkenntnisse, aber wir melden uns!«).

Elisabeth erinnerte sich jetzt auch an einen Empfang vor drei Jahren in Berlin, bei dem sie dem amerikanischen Botschafter William E. Dodd und dessen lebhafter Tochter Martha vorgestellt worden war. Martha Dodd hatte prompt versucht, sie zu einem Engagement an der New Yorker Metropolitan Opera zu überreden. Dieser Kontakt erschien ihr nun äußerst wertvoll, und sie nutzte ihn sogleich.

Zu ihrer Enttäuschung teilte man ihr mit, dass Miss Martha Dodd in die USA zurückgekehrt sei. Sie hinterließ daher überall lediglich Nachrichten und fühlte sich wegen der bisherigen Fehlschläge gleichermaßen erschöpft wie frustriert.

Elisabeth fand, dass es an der Zeit war, ihre Berühmtheit in die Waagschale zu werfen. Sie griff auf die Idee zurück, die ihr der amerikanische Fotograf eingegeben hatte, nachdem er Görings Leibwache in die Hände gefallen war.

Ihr war nicht entgangen, dass der dicke Herr Feldmarschall wohl Damenbekanntschaften genoss und pflegte, aber so gern er sich in seiner bekannten Großmannssucht sonst im öffentlichen Licht der Presse sonnte, mit einer Dame, die nicht seine Ehefrau war, wollte er offenbar nicht auf dem Titelblatt erscheinen.

Wenn man seine resolute zweite Ehefrau Emmy kannte, eine leidliche Schauspielerin mit kurzer Karriere, die sich mit »Hohe Frau« titulieren ließ, dann hatte man auch gleich die Erklärung hierfür.

Elisabeth dachte bei sich, dass es zwar eine Unmenge Tyrannen geben mochte, aber irgendwann begegnete offenbar jeder seinem häuslichen Meister.

Sie ließ sich daher eine telefonische Verbindung zum Korrespondenten der größten amerikanischen Nachrichtenagentur, Associated Press in Berlin, Mr Louis P. Lochner, herstellen und bat den gleichermaßen Überraschten wie Hocherfreuten – da die bekannte Diva bisher als pressescheu gegolten hatte – zu einem Gespräch ins Adlon.

Elisabeth hatte nicht vor, der Presse in Gestalt des Mr Lochner den eigentlichen Grund ihres Aufenthalts in Berlin mitzuteilen. Sie wollte lediglich Hermann Göring daran erinnern, dass es sie, Elisabeth Malpran, gab und dass andere ihr zuhörten.

Kapitel 18

Mr Lochner war mit einer deutschen Adeligen verheiratet. Er sprach gut Deutsch, pflegte beste Verbindungen in höchste Kreise und stand dem Nationalsozialismus, soweit Elisabeth zugetragen worden war, kritisch gegenüber.

Der kleine, fast kahlköpfige Lochner eilte alsbald herbei, und Elisabeth sprach ausführlich über ihr privates Glück mit ihrem Mann und ihren Kindern und wie sehr sie sich darauf freue, bald im Londoner Covent Garden in Mozarts *Zauberflöte* auftreten zu dürfen. Die Sorge um ihren Mann ließ sie sich mit keinem Wort und keiner Geste anmerken; es hatte seinen Vorteil, eine im dramatischen Fach ausgebildete Künstlerin zu sein.

Aber sie erwähnte, natürlich ganz beiläufig, wie sie kürzlich bei einem gemeinsamen Souper im Hotel Adlon mit dem Generalfeldmarschall und Musikliebhaber Hermann Göring ein reizendes Gespräch über die Oper hatte führen dürfen.

Mr Lochner lauschte aufmerksam und stellte selbst wenig Fragen. Elisabeth vermutete, dass er mehr hinter ihrer plötzlichen Offenheit witterte, sich aber vornehm zurückhielt, was ihr eine erstaunliche Eigenschaft für einen Journalisten zu sein schien.

Später dachte sie darüber nach, ob der Mann sich einfach nur deshalb in Geduld geübt hatte, weil er instinktiv geahnt hatte, dass sie bald wieder zusammenkommen würden. Auf jeden Fall schied man im besten Einvernehmen voneinander.

Prompt erschienen am nächsten Tag in allen wichtigen Blättern überschwängliche Artikel über Elisabeth Malpran, die schönste Sopranistin, die die Welt je gesehen hatte …

Elisabeth hatte erreicht, was sie wollte: öffentliche Aufmerksamkeit. Ihre Botschaft war angekommen, denn die Reaktion darauf ließ nicht lange auf sich warten.

Schon gegen elf Uhr desselben Morgens meldete der forsche Herr von der Rezeption den Besuch »des persönlichen Adjutanten des Herrn Generalfeldmarschalls Göring, Herrn Karl-Heinrich Bodenschatz. Heil Hitler!«.

Bodenschatz, ein Oberst der Luftwaffe, war bis zum Tod des »Roten Barons«, Manfred von Richthofen, dessen Adjutant gewesen. Göring hatte im Ersten Weltkrieg im selben Geschwader wie die beiden gedient. Seit 1928 fungierte Bodenschatz nun als Görings Adjutant und war ihm in Freundschaft verbunden. Er war sein Mann für alle Konstellationen und heiklen Angelegenheiten. Seine dehnbare Position reichte vom Prügelknaben bis zum Postillon d'Amour. Stets informiert und diskret, besaß allein sein Besuch bei Elisabeth entsprechende Aussagekraft.

Aber er sagte dann noch so einiges, versicherte der von allen hochgeschätzten Künstlerin, dass wirklich alles getan werde, um die Umstände des Verschwindens ihres Gatten aufzuklären, und bat die gnädige Frau dringend, doch im Augenblick von weiteren Terminen mit der ausländischen Presse Abstand zu nehmen. Sie solle dem Herrn Generalfeldmarschall bitte das verdiente Vertrauen entgegenbringen …

Und dann ließ er ein furchtbares Gespenst in ihr Gespräch ein. Elisabeth rechnete es Bodenschatz an, dass er dies immerhin mit einem gequälten Gesichtsausdruck tat, als litte er an Zahnschmerzen. Obwohl der Mann es nicht direkt aussprach, so verstand Elisabeth ihn trotzdem nur zu gut. Er setzte damit ein Mittel ein, für das das herrschende Regime stets devotes Entgegenkommen einheimste: die Drohung. Die verehrte Gnädige müsse jetzt schließlich vor allem und zuerst an ihre beiden

Kinder denken. Die Presse sei bei der Informationsbeschaffung nicht immer zimperlich in ihren Methoden und werde die Situation womöglich ausnutzen. »Bedenken Sie, gnädige Frau, Sie wollen doch sicher nicht riskieren, dass die Pressemeute Ihre Anwesenheit in Berlin ausnutzt und Ihre lieben Kinder zu Hause privater Belästigung ausgesetzt sind!«

Natürlich verstand Elisabeth die Andeutung von Bodenschatz. Nicht die Presse war es, die man in München als Belästigung zu fürchten hatte …

Und als wäre dies nicht genug, hatte Görings Adjutant nach seinem hackenschlagenden Abgang rein zufällig eine braune Mappe auf dem Tisch liegen gelassen.

Elisabeth fand darin einige Broschüren: »Das Deutsche Reich und der Führer informieren«. Zuoberst protzte der Erlass der Nürnberger Gesetze aus dem Jahre 1935 mit der schönen patriotischen Überschrift: »Gesetz zum Schutze des deutschen Blutes und der deutschen Ehre.«

Schwarz auf weiß konnte man hier nachlesen, dass die Kinder von Mischehen zwischen Juden und Ariern als Mischlinge ersten Grades angesehen wurden. Im Klartext hieß das natürlich, dass Deborah und das Wolferl den neuen Herren als unerwünschte Halbjuden galten. Die Broschüren zielten darauf, Elisabeth mundtot zu machen.

Und Elisabeth dachte, so wenig zimperlich die Nazis in ihren Taten waren, so wenig subtil sie in der Anwendung ihrer Methoden. Sie hatten grobe Hände und grobe Gedanken, und sie mochte gar nicht weiter über diese selbst ernannte Herrenrasse nachdenken, weil ihr davon nur übel wurde. Innerlich schäumte sie. *Ihre eigenen Kinder gegen sie als Druckmittel zu verwenden!*

Ein Glück für den Herrn Bodenschatz, dass er da längst den Rückzug angetreten hatte. Er hätte sonst sicher Schaden genommen, aber das Adlon benötigte dann eine neue Kaffeekanne, und der Teppich sang ein Klagelied.

Nach diesem kurzen Temperamentsausbruch gab sich Elisabeth kurz dem Gefühl des Triumphs hin, da sie ihre Kinder längst außer Landes und in Sicherheit wähnte. Seit der Abfahrt vom Münchner Hauptbahnhof, über den Göring nicht im Bilde schien – anders war die Intervention seines Adjutanten mit dem gemeinen Wink nicht zu interpretieren –, waren achtzehn Stunden vergangen.

Magda und die Kinder mussten also längst die Grenze zum freien Frankreich bei Straßburg passiert, Paris womöglich schon erreicht haben! In spätestens weiteren achtzehn Stunden befänden sich die unerschütterliche Magda und die Kinder auf dem Kanal in Richtung Dover, wo sie Gustavs Bruder Paul in die sicheren Arme nähme.

Wie alle Gefühle des Triumphs verflog auch dieses schnell, denn noch war der Anruf aus Dover durch Paul nicht erfolgt, das Schicksal Gustavs nicht geklärt, und ihr Kopfweh schickte sich an zu neuer Pein.

Daher tat Elisabeth das einzig Vernünftige: Sie nahm noch ein Kopfschmerzmittel und beschloss, sich für einige Augenblicke auf dem Sofa auszustrecken. Tatsächlich schlief sie ein. Als sie aus unruhigem Schlummer erwachte, war es im Zimmer längst dunkel geworden. Elisabeth stellte erschrocken fest, dass sie ganze sechs Stunden durchgeschlafen hatte!

Sofort fragte sie bei der Rezeption nach, ob zwischenzeitlich Anrufe für sie eingegangen seien. Zu ihrem Ärgernis erfuhr sie, dass sie gleich mehrere Telefonate verpasst hatte. Einige Journalisten hätten sich gemeldet und auch der Herr Furtwängler, eine Frau Martha Dodd aus Übersee und ein äußerst aufdringlicher und erregter Herr, der sich als ihr Impresario ausgegeben habe. *Aber die gnädige Frau hätte ja durch den Herrn Bodenschatz am Mittag ausrichten lassen, dass die gnädige Frau nicht gestört werden wolle. Darum habe man die Telefonate nicht weitergeleitet. Heil Hitler!*

Elisabeth wünschte den Herrn Bodenschatz für die nächsten tausend Jahre in Dantes Purgatorium und putzte dann den armen Hotelangestellten bis auf seine Grundfesten nieder, dass es allein ihr, Frau Malpran, zustehe, *wann man ihr ihre Telefonate durchzustellen hatte. Grüß Gott!*

Danach wurde ihr bewusst, dass es ihr tatsächlich besser ging als noch am Morgen und dass das beste Heilmittel gegen eine fiebrige Erkältung nicht etwa Ruhe, sondern ein aufrichtig gelebter Zorn war. Sie verspürte sogar wieder ein wenig Appetit und bestellte sich ein leichtes Mahl auf ihre Suite. Ein kleiner Page in roter Uniform brachte ihr zugleich alle ihre Nachrichten.

Inzwischen waren seit der Abreise der Kinder vierundzwanzig Stunden verstrichen. Elisabeth hatte ein wenig darauf spekuliert, dass sich Magda aus Paris bei ihr melden würde; so war es vereinbart gewesen, wenn ihr genügend Zeit während des Umsteigens verblieben wäre. Aber so begnügte sie sich mit der Hoffnung, dass spätestens am nächsten Morgen der ersehnte Anruf aus London erfolgen würde. Sie rief am Prinzregentenplatz an, und eine wiederhergestellte Ottilie versicherte der gnädigen Frau, dass zu Hause alles in bester Ordnung sei, nur ein wenig leer ohne Kinder und Dackel.

Dann telefonierte sie mit ihrem aufgeregten Impresario, der in Wien aus allen K.u.k.-Wolken gefallen war und immer noch im freien Fall begriffen war, weil sie noch in Berlin weilte (davon musste er aus der Zeitung erfahren!) und nicht auf dem Weg nach London sei! Um den Redseligen loszuwerden, versicherte sie ihm, dass sie ihrer Verpflichtung im Covent Garden selbstverständlich nachkommen und nur ein wenig später losfahren würde.

Herr Furtwängler war neuerlich nicht erreichbar. Die Telefonvermittlung des Adlon bedaure, aber es sei ihr leider nicht gelungen, eine Verbindung zu Martha Dodd in New York herzustellen.

Auch wenn sich Elisabeth über Bodenschatz geärgert hatte, rief sie trotzdem in der Reichskanzlei an. Weder würde sie sich einschüchtern lassen, noch würde sie aufgeben. Doch weder

Göring noch Bodenschatz waren für sie zu erreichen oder wollten vielleicht auch nicht mit ihr sprechen. Die Nachrichten der Journalisten ignorierte sie zunächst, bewahrte sie aber für später auf.

Elisabeth fühlte zwar noch eine gewisse Schwäche und ein Kratzen im Hals, aber da es ein milder Juniabend war, beschloss sie, dass ein kleiner Spaziergang an der frischen Luft zu ihrer vollständigen Genesung beitragen würde.

Sie kleidete sich in ein burgunderfarbenes Ensemble mit passendem Hut, streifte schwarze Strümpfe mit amerikanischer Naht über und schlüpfte in ihre Pumps. Das dunkle Rot stand ihr ausgezeichnet. Sie begutachtete ihre Erscheinung im Spiegel, und dabei überkam sie ein unvermutetes Gefühl der Zuversicht, dass sich alles wieder zum Guten wenden würde.

In der Lobby erwartete sie dann eine unwillkommene Überraschung. Immerhin hatte Bodenschatz, was die Penetranz der Presse betraf, nicht übertrieben: Eine bunte Truppe hatte sich inzwischen dort versammelt und bedrängte Elisabeth sofort wie eine Schar Gänse, die gefüttert werden wollte. Gleichzeitig schnatterten alle wild drauflos, und in einem fort blitzte es aus vielen Fotoapparaten, die wie von Zauberhand über der Menge zu schweben schienen.

Frau Elisabeth Malpran sah auch wirklich entzückend aus und gab viele wunderbare Aufnahmen her, die am nächsten Tag dann gleich in mehreren Zeitungen zur allgemeinen Bewunderung erschienen. Aus dem Spaziergang wurde nichts, weil Elisabeth vor dem Ansturm lieber zurück in ihre Suite floh. So viel zu ihrem Gefühl von aufkeimender Zuversicht.

Während sie die Nadeln aus ihrem Haar zog, mit denen sie das kecke Nichts an Hut befestigt hatte, musste sie daran denken, wie ihr geschäftstüchtiger Impresario sich am Telefon über ihr kostenloses Interview mit der Associated Press aufgeregt hatte, *weil jedes Interview seinen Preis haben musste!* (Laut Vertrag standen ihm zwanzig Prozent aus Elisabeths Einkünften zu.)

Da saß sie nun wieder in ihrer Suite und wusste nichts mit dem langen Abend anzufangen. Wie ein eingesperrtes Tier lief sie in ihrem Zimmer umher, dazu verurteilt zu warten: auf eine Nachricht über Gustav oder ihre Kinder. Irgendwann sank sie ermattet auf ihr Bett.

Sehr früh am nächsten Morgen erwachte sie mit steifen Gliedern. Als Erstes versuchte sie, Gustavs Bruder Paul in London zu erreichen. Wieder bedauerte die Telefonvermittlung des Adlon die vergeblichen Versuche: »Das kann nicht an unserer Technik liegen, gnädige Frau, sondern an den Briten.« Elisabeth befürchtete nun, dass diese Fehlfunktion auch im umgekehrten Falle vorliegen und auch Paul sie nicht im Adlon erreichen konnte.

Gegen neun Uhr morgens kam ihr eine Idee. Sie rief erneut bei Mr Lochner von der Associated Press an und fragte ihn, ob es möglich wäre, seinen Apparat für ein Telefonat nach London zu benutzen?

Mr Lochner, hocherfreut, spekulierte auf ein weiteres Exklusivinterview und lobte seine Nase, die von Anfang an gewittert hatte, dass Frau Malprans Aufenthalt in Berlin noch eine Delikatesse im Portfolio bereithielt.

Elisabeth, durch Erfahrung vorsichtig geworden, erkundigte sich zunächst beim Portier, was aus der lagernden Presseschar geworden sei. Sie erhielt die erfreuliche Antwort, dass die Hotelhalle von ihnen gesäubert worden sei, was auch immer man darunter zu verstehen hatte.

Elisabeth bestieg ein Taxi, und vom Büro der Associated Press aus gelang es ihr ohne Verzögerung, ihre Schwägerin Annabelle in London zu erreichen.

Annabelle war ein vitales Geschöpf, immer in Bewegung, und teilte ihr aufgeregt mit, dass sich Paul wie vereinbart schon am Abend zuvor nach Dover begeben hatte. Er wollte dort übernachten, da die Fähre sehr früh am Morgen anlegen sollte. Elisabeth hinterließ ihr für alle Fälle die Nummer von Mr Lochners Büro und bat sie um die Telefonnummer von Pauls Hotel. Sie rief dort an, aber Paul hatte bereits ausgecheckt. Elisabeth eilte daher zurück ins Adlon, wo Paul als Erstes versuchen würde, sie zu erreichen, und wartete. Und wartete. Stunde um Stunde. Zwischendurch rief Mr Lochner einmal bei ihr an, um ihr von Pauls Frau auszurichten, dass sich Paul bisher *nicht* gemeldet habe.

Elisabeths Nerven drohten schon zu versagen, da meldete die Rezeption Mr Louis P. Lochner, und Elisabeth stürzte ihm auf dem Flur entgegen.

Mr Lochner knetete seinen Hut auf eine Art und Weise, die keine guten Nachrichten verhieß. Was auch sein persönliches Erscheinen erklärte.

Herr Paul Berchinger, Gustavs Bruder, habe sich bei ihm gemeldet, nachdem er das Adlon nicht hatte erreichen können: Paul hatte bereits zwei Fähren aus Calais abgewartet, aber die Kinder und Magda waren auf keiner der beiden gewesen. Er werde aber noch auf die nächste und letzte Fähre des Tages am Nachmittag warten und sich dann wieder melden.

Elisabeth brach zusammen, und Mr Lochner, der nicht mehr an sein Interview dachte, sondern nur noch an die Mutter, die sich um ihre Kinder sorgte, entwickelte enorme Fürsorge.

Er bestellte Kaffee und Cognac und flößte Elisabeth von beidem ein, nicht ahnend, dass Elisabeth kurz zuvor, von neuerlichen heftigen Kopfschmerzen geplagt, gleich zwei Tabletten auf nüchternen Magen genommen hatte. Ihr wurde so schlecht, dass Mr Lochner die Taumelnde ins Badezimmer geleiten musste.

Elisabeth kehrte nach fünfzehn Minuten verlegen und leidlich nüchtern zurück. Nun bekam Mr Lochner tatsächlich sein Exklusivinterview mit Elisabeth Malpran, aber eines, das er niemals veröffentlichen würde. Denn Elisabeth erzählte dem Mann, zu dem sie Vertrauen gefasst hatte, von ihrem Plan, aus Deutschland auszuwandern.

Mr Lochner, der schon so einiges in seinem Leben gesehen hatte, vor allem seit er aus dem Deutschen Reich berichtete, wunderte sich darüber, warum sie und ihr Gatte es denn nicht umgekehrt angegangen seien? Warum denn ihr Mann in Gottes Namen zuerst und unter seinem eigenen Namen vorausgefahren sei? Wäre es denn nicht besser gewesen, wenn sie und die Kinder vor ihm nach London gereist und er mit falschen Papieren nachgekommen wäre?

Und Elisabeth erwiderte, er hätte doch falsche Papiere gehabt, und dann wurde sie ganz blass, und ihre violetten Augen weiteten sich. Mr Lochner befürchtete sofort ein weiteres Malheur und sah sich hektisch nach einem geeigneten Behälter um. Doch Elisabeth übergab sich nicht, sondern sagte: »Mein Gott, mein Mann reist nicht als Dr. Gustav Berchinger, sondern als Peter Friehling.«

Mr Lochner sagte: »Ich nehme an, das haben Sie dem Herrn Göring nicht erzählt?«

»Nein, natürlich nicht«, antwortete Elisabeth und sah den in diesen konspirativen Angelegenheiten weitaus erfahreneren Mr Lochner an, als fordere sie ihn zu Lösungen auf.

»Hm«, machte Mr Lochner und kratzte sich das Kinn. Irgendwo in Elisabeths Kopf schlug eine Stimmgabel missliche Töne an und teilte ihr mit, dass ihr nicht gefallen würde, was dem »Hm« am Ende von Mr Lochners Gedanken folgen würde.

»Nun«, räusperte sich Mr Lochner. In diesem kleinen Laut lag unüberhörbar ein Zaudern, mit seinen Überlegungen herauszurücken. Zwischenzeitlich und irgendwie war Mr Lochners unglücklicher Hut in Elisabeths Hände geraten und würde in seiner eigentlichen Funktion nie wieder getragen werden.

»Nun, es gibt zwei Möglichkeiten, Frau Malpran. Herr Göring hat nicht gefragt, weil er längst über Ihren Englandplan Bescheid wusste und mit Ihnen gespielt hat. Oder aber das Verschwinden eines jüdischen Mitbürgers hat ihn einfach nicht tangiert. Wir wissen, dass unsere *reinblütigen Arier«*, es lag viel

Verachtung darin, wie er diese beiden Worte aussprach, »mit Eifer dabei sind, alle unerwünschten Elemente mit eisernem Besen aus dem Land zu kehren. Sie freuen sich daher über jeden, der freiwillig geht. Wenn Ersteres zutreffen sollte, dann wäre die Frage allerdings: Wenn die Nazis Ihren Gatten nicht haben, wer hat ihn dann?«

Entsetzt fiel Elisabeth der alte Schaffner in München ein. »Mr Lochner, ich glaube, wir können davon ausgehen, dass die Nazis ihn haben.« Sie berichtete ihm kurz von dem Mann, wie er unverkennbar Angst gehabt und um sich geblickt hatte, als fürchte er braune Blicke.

»Gut, dann überlegen wir einmal. Da wäre also die Sache mit den falschen Papieren, die Ihren Mann als reisenden Arier ausweisen. Entweder hat man entdeckt, dass die Papiere unecht sind, und er wurde deshalb verhaftet, oder die Nazis wussten gleich, wer er ist, weil ihnen Ihr Plan von Anfang an bekannt war. Im ersteren Fall wird er von der Polizei befragt, im zweiten Fall entweder von SS oder Gestapo.«

Elisabeth wurde bei dem Wort *befragt* bleich, denn sie wusste, was das bedeutete. »Aber was soll ich denn jetzt tun, Mr Lochner? Ich muss meinen Mann retten!«, rief Elisabeth verzweifelt.

»Ich würde Ihnen Folgendes vorschlagen, gnädige Frau. Auch wenn es Ihnen schwerfallen wird. Aber sobald Sie wissen, dass Ihre Kinder in Sicherheit sind, sollten Sie noch einmal Kontakt zu Göring aufnehmen und ihn informieren, dass Ihr Mann unter dem Namen Peter Friehling reist. Ich empfehle, dies wenn möglich als tränenreiches Geständnis vorzutragen. Göring scheint da ja empfänglich zu sein – jedenfalls, was man so hört. Ich fürchte, mit mehr Rat kann ich Ihnen nicht dienen, Gnädigste.«

Mr Lochner stand auf und schenkte sich nun selbst einen Cognac ein. Das Gespräch verstummte, und beide blickten gleichzeitig zum schwarzen Telefon. Aber die gemeinsame Beschwörung von Technik und Bakelit schlug fehl – die Apparatur zeigte keinerlei Entgegenkommen und blieb stumm; mitleidslos strahlte sie nichts weiter ab als die Melancholie eines toten Dings.

Als sich Mr Lochner verabschiedete, versprach er, sich später wieder mit Frau Malpran in Verbindung zu setzen.

Elisabeth rief ihn an der Tür noch einmal zurück. Ihre Stimme war seltsam angespannt, als wüsste sie bereits die Antwort auf eine Frage, die sie sich eben selbst gestellt hatte:

»Mr Lochner, bitte seien Sie ehrlich zu mir. Wie schlimm wird es noch werden? Ist Sicherheit nur noch ein Traum der Mütter?«

Mr Lochner drehte sich zu ihr und sah sie betrübt an. Er erkannte an der Traurigkeit in ihrem Blick, dass ihre Frage nicht nur ihren Mann und ihre beiden Kinder einschloss, sondern das Schicksal aller im Land lebenden Minderheiten, all jener Unglücklichen, die in das Zentrum der menschenverachtenden Politik der Nationalsozialisten gerückt waren.

Unvermittelt musste er daran denken, wie sie ihm gestern von ihrem kleinen Sohn erzählt hatte, der ein verkürztes Bein hatte und deshalb hinkte, und an die kursierenden Gerüchte, dass Hitler, den er persönlich kennengelernt und interviewt hatte, plante, Menschen mit körperlichen Defekten auszulöschen.

Vermutlich hatte man damit schon begonnen, denn die Nazis errichteten für ihr böses Werk überall im Land Konzentrationslager. Darüber hinaus munkelte man in seinen Kreisen auch über Zwangssterilisationen an Behinderten, mit denen das Regime verhindern wollte, dass sich diese *unerwünschte Sorte missgebildeter Menschen* fortpflanzen konnte. Angeblich existierte hierzu ein schriftlicher, geheim gehaltener Führerbefehl.

Etwas in den Augen und der Haltung der Sängerin verriet Mr Lochner, dass sie sich durch ihre Frage keineswegs eine falsche Beruhigung von ihm erhoffte oder eine Bestätigung, dass vieles, was man über die Pläne und Machenschaften der Nazis hörte, nichts weiter sei als übertriebene Gerüchte, dummes Geschwätz, dem man nicht allzu viel Glauben schenken solle.

Louis P. Lochner erkannte vielmehr überrascht, dass sie im Grunde ihres Herzens die Wahrheit längst wusste. Und dass sie über ausreichend Mut verfügte, um diese zu verkraften.

Daher erwiderte er ehrlich: »Ich fürchte, es wird noch sehr schlimm werden, Frau Malpran. Ich denke, so wie viele andere auch in diesem Land, dass ein weiterer großer Krieg kommen wird.«

Er verabschiedete sich, und noch während er die Sängerin verließ und in Richtung Aufzug eilte, glaubte er das, was er eben gesagt hatte, nicht nur, er wusste es. So sicher, wie ihm niemals wieder Haare auf dem Kopf sprießen würden.

Mr Louis P. Lochner sollte recht behalten. Ein gutes Jahr später war es so weit: Hitler befahl den Angriffskrieg auf Polen, und Mr Lochner begleitete als erster amerikanischer Journalist die deutschen Soldaten in den Polenfeldzug.

Für seine realistischen wie kritischen Kriegsreportagen erhielt er 1939 den Pulitzerpreis, wurde aber 1941 wegen seiner mutigen Beiträge den Nazis derart unbequem, dass sie ihn prompt internierten.

Am Ende des Krieges, 1945, befand sich Mr Lochner unter den ersten Journalisten, die das Konzentrationslager in Dachau besichtigen konnten, um das dortige Leid zu dokumentieren und für alle Zeit festzuhalten, damit kommende Generationen für die Zukunft etwas daraus lernen würden.

Kapitel 19

Zwei weitere Tage verbrachte Elisabeth in der Hölle der Unwissenheit, zwei Tage, in denen sie wie ferngesteuert eine Vielzahl von Aktivitäten entwickelte – weil alles besser war, als herumzusitzen und zu warten.

Sie führte eine Unzahl an verzweifelten wie fruchtlosen Telefonaten mit Gustavs Bruder Paul, schlief nicht und aß und trank nur so viel, um nicht gänzlich zusammenzubrechen.

Sie traf sich ein weiteres Mal mit Göring in der Reichskanzlei und sprengte dabei dessen letzte Hoffnung im Rennen mit Goebbels auf den Elisabeth-Pokal; sie telefonierte mit Furtwängler und Martha Dodd sowie mit dem früheren Leiter der Reichsmusikkammer, Richard Strauss, der jedoch auf seine jüdische Schwiegertochter Rücksicht zu nehmen hatte und sich deshalb mit dem Taktstock leise verhielt. Er versprach ihr trotzdem, sich ein wenig umzuhören, so, wie ihr auch alle anderen ihre Unterstützung zusagten und ihr Mut zusprachen.

Ein wenig rächte sich jetzt aber auch, dass sie seit ihrem einzigen Auftritt in Bayreuth 1931 und Gustavs Verhaftung im Jahr darauf infolge seiner Fahndung nach der verschwundenen Ottilie die letzten Jahre nur noch einige wenige Vorstellungen in Deutschland absolviert und ihre Karriere ausschließlich auf das europäische Ausland konzentriert hatte. Ihre vormals angehäuften Kontakte waren mittlerweile rar und ihr zum Teil auch entfremdet geworden.

Vielleicht lehnte sie deshalb am 17. Juni, dem Tag von Deborahs vierzehntem Geburtstag, die Einladung von Herrn Brunnmann für ein Souper nicht ab, obwohl ein geselliger Abend eigentlich das Letzte war, wonach ihr der Sinn stand. Herr Brunnmann erwies sich dann als äußerst kultivierter und zurückhaltender Gastgeber, der sich am Ende mitfühlend erbot, persönlich Nachforschungen zum Verbleib der Kinder von Frau Malpran anzustellen.

Elisabeth bedankte sich ehrlich, weil sie meinte, gespürt zu haben, dass er tatsächlich daran interessiert schien, ihr zu helfen – selbst wenn ihr der Mann in seiner Undurchschaubarkeit Rätsel aufgab.

Auch glaubte sie, ihm früher schon einmal begegnet zu sein, und als sie ihre Vermutung aussprach, erwiderte er:

»Selbstverständlich hatte ich bereits das Vergnügen einer früheren Begegnung. Ich durfte Sie in der Ausübung Ihrer Kunst in Rom, Paris und in Brüssel bewundern, doch dort war ich nur einer unter vielen im Parkett. Aber sicher erinnern Sie sich noch daran, dass wir uns vor zwei Tagen in der Reichskanzlei begegnet sind?«

Elisabeth antwortete so charmant wie wahrheitsgetreu, dass ihr das bedauerlicherweise entfallen sei – entschuldigte sich aber damit, dass sie an jenem Tag fiebrig und aufgewühlt gewesen sei und sie sich an den gesamten Tag nur lückenhaft erinnern könne.

In der Nacht warf sie sich in unruhigem Schlaf hin und her. Sie träumte von Gustav, der ihr aus einem langen Korridor aus Licht entgegenkam. Aber als er dann direkt vor ihr stand, war es nicht ihr Gustav, sondern Albrecht Brunnmann. Und dort, wo sich seine Augen hätten befinden müssen, klafften zwei tiefe, schwarze Löcher.

Mit einem angstvollen Schrei erwachte Elisabeth, am ganzen Körper zitternd.

Mr Lochner wurde ihr in diesen furchtbaren Tagen zu einem echten Freund. Er entfaltete eigene Umtriebe und kontaktierte befreundete Journalisten im ganzen Reich, die samt und sonders versprachen, Augen und Ohren offen zu halten und Nachforschungen auf der Fahrtroute der Kinder und der von Gustav Berchinger anzustellen.

Doch alle Bemühungen verliefen im Sande der kraftvollen Nazimühlen. Erst später sollte Elisabeth begreifen, dass ihr hier die effektivste, die einzige und wahre Wunderwaffe des Naziregimes begegnet war: die Fähigkeit, Menschen mit Stumpf und Stiel zu verschlingen und sie in den Niederungen des Bösen auf immer verschwinden zu lassen.

Obwohl am Ende ihrer Kräfte angelangt, raffte sich Elisabeth immer wieder mit der Energie einer Mutter auf, wälzte ununterbrochen neue Ideen und hatte sogar eine Vermisstenanzeige bei der Polizei aufgegeben. Für den folgenden Tag plante sie, einen Wagen samt Chauffeur anzumieten und die Bahnstrecke ihrer Kinder bis zur deutsch-französischen Grenze zurückzuverfolgen.

Mr Lochner stattete ihr am Abend zuvor – dem zweiten Tag seit dem Verschwinden ihrer Kinder, dem fünften seit Gustavs – einen weiteren Besuch ab.

Der Anblick ihrer zarten blassen Gestalt rührte ihn. Er hatte Elisabeth gerade dazu überreden können, wenigstens eine Tasse Tee und ein paar Löffel einer leichten Consommé zu sich zu nehmen, als es energisch an der Tür klopfte. Ohne die Antwort abzuwarten, riss jemand sie auf, und Elisabeth wurde von einem Bündel aus Armen und Beinen überrannt.

Dies war nach den Strapazen der letzten Tage zu viel für die Arme: Sie tauchte in eine jähe Schwärze ab und versetzte damit Anwesenden wie Neuankömmlingen einen heftigen Schrecken.

Als sie langsam wieder zu sich kam, spürte sie etwas Feuchtes auf ihrer Stirn, was sich als ein Waschlappen herausstellte, etwas Schweres auf ihren Beinen, das sich als Dackel entpuppte, und als sie vorsichtig mit den Augen blinzelte – aus Furcht, ihre Freude nur im Traum erlebt zu haben –, entdeckte sie neben sich die verängstigten, aber erwartungsvoll gespannten Mienen ihrer Kinder. Fast wäre sie gleich wieder vor Schwindel umgefallen, wenn sie nicht schon gelegen hätte.

Das war vielleicht ein Jubel! Und Mr Lochner – mit neuem Hut – grinste dazu wie ein Honigkuchenpferd. Der mit den Kindern eingetroffene Albrecht Brunnmann hielt sich bei der anrührenden Wiedersehensfeier bescheiden im Hintergrund.

So völlig vom Rausch der Freude übermannt, brauchte es einige Zeit, bis sich Elisabeth so weit gefangen hatte, dass sie die Anwesenheit von Herrn Brunnmann überhaupt wahrnahm. Auch sprudelten die Kinder, vor allem der kleine Wolfgang, vor Worten und Tränen über. Doch da war etwas in den Augen ihrer Tochter Deborah, eine Klage, die wie ein andauernder Schrecken wirkte.

Da begriff Elisabeth, was nicht recht und vollkommen war, warum Deborah in der Freude zögerte: »Aber was ist denn mit unserer Magda, der jungen Gouvernante meiner Kinder? Wo ist sie? Ist sie nicht hier?«

Und alle im Raum, einschließlich der Dackeldame Biene, wandten ihre Köpfe wie in einer einstudierten Synchronisation Herrn Brunnmann zu. Er kam dieser stummen Aufforderung nach, als hätte er bereits auf seinen Einsatz gewartet: »Ihre Gouvernante befindet sich noch im Gewahrsam der Polizei in Stuttgart, gnädige Frau. Man hat sie irrtümlich für eine Diebin gehalten, da bei ihr eine Menge wertvoller Schmuck gefunden wurde. Leider dauern meine Bemühungen um ihre Freilassung noch an.«

»Aber um Himmels willen, was ist das für eine verrückte Geschichte? Magda ist doch keine Diebin! Bei dem Schmuck handelt es sich selbstverständlich um den meinen. Ich persönlich habe ihn Magda anvertraut. Sie ist unschuldig und muss sofort freigelassen werden.«

»Natürlich, Frau Malpran, und ich bin auch sehr zuversichtlich, aber es braucht wohl noch ein oder zwei Tage, bis alle Formalitäten erledigt sind. Der Schmuck wurde als Beweismittel beschlagnahmt, aber ich bemühe mich bereits um seine Herausgabe. Ich schlage vor, Sie genießen jetzt erst einmal das Zusammensein mit Ihren Kindern und überlassen mir die Sorge um Ihre Gouvernante. Morgen werde ich Ihnen dann erneut meine Aufwartung machen. Das Reisegepäck Ihrer Kinder steht in der Hotelhalle und wird in den nächsten Minuten in Ihre Suite verbracht werden. Ich empfehle mich jetzt, gnädige Frau, und wünsche Ihnen einen angenehmen Abend im Kreise Ihrer Kinder.«

Sein Vortrag hatte höflich geklungen, aber auch irgendwie endgültig, als hätte Herr Brunnmann nicht vor, weitere Fragen zu beantworten. Er wandte sich zur Tür, als sich Elisabeth rechtzeitig besann: »Verzeihen Sie bitte, Herr Brunnmann. Ich bin unhöflich. Sie bringen mir meine Kinder zurück, und ich habe mich noch nicht einmal bei Ihnen dafür bedankt. Glauben Sie bitte nicht, ich wüsste Ihre Bemühungen nicht zu schätzen. Aber unsere Gouvernante Magda ist schon sehr lange bei uns. Sie gehört für mich zur Familie. Es liegt mir sehr am Herzen, dass ihr nichts Böses geschieht. Darum bitte ich Sie inständig, tun Sie alles für unsere Magda, genauso, wie Sie für meine Kinder eingestanden sind. Ich wäre Ihnen sehr dankbar.«

Herr Brunnmann ließ den Türknauf los und kehrte zurück. Er verneigte sich vor Elisabeth und ergriff ihre Fingerspitzen, die sie ihm mit der ihr eigenen, unnachahmlichen Grazie dargeboten hatte. Er zelebrierte den Handkuss formvollendet, ohne dass seine Lippen ihren Handrücken dabei berührten. Danach richtete er sich auf und forschte kurz in Elisabeths Gesicht, als suchte er darin eine Bestätigung ihrer letzten Worte, bevor er den Raum mit langen, geräuschlosen Schritten verließ.

Elisabeth sah ihm nach. Nie zuvor war ihr ein so großer Mann begegnet, der sich mit solch ruhiger Geschmeidigkeit bewegte. Aber sie hatte eben auch in den Tiefen seiner Augen etwas bemerkt, das sie kurz irritiert hatte. Doch war sie viel zu sehr durch ihre Kinder abgelenkt, als dass sie sich weitere Gedanken darüber hätte machen können.

Mr Lochner verabschiedete sich nun ebenfalls von ihr. Die nächsten Stunden wurde Elisabeth dann in Gänze von ihren Kindern in Anspruch genommen.

Wolferl und Deborah, aber auch Biene benötigten dringend ein Bad, und bald war dasselbige unter Wasser gesetzt. Der Schaum quoll zu Wolferls Freude über den Wannenrand hinaus; kein Wunder, er hatte eine ganze Flasche Fichtentraum hineingekippt.

Die Koffer waren inzwischen gebracht worden, und die Kinder saßen in frischer Nachtkleidung auf dem Sofa. Elisabeth hatte für sie ein üppiges Abendessen auftragen lassen, und das Wolferl war sofort darüber hergefallen. Elisabeth freute sich über seinen gesunden Appetit, zeigte dies doch, dass ihr Sohn das Erlebte insgesamt unbeschadet überstanden hatte. Zumindest schien es ihm nicht auf den Magen geschlagen zu haben.

Mit Deborah verhielt es sich anders. Sie nippte nur an allem und sagte, sie habe keinen Hunger. Besorgt betrachtete Elisabeth ihre Tochter. Deborah wirkte aufgewühlt. Lag es nur daran, dass Magda vorerst noch im Gefängnis hatte bleiben müssen, oder steckte mehr dahinter?

Tausend schreckliche Dinge, die einem jungen, unschuldigen Mädchen wie Deborah im Gefängnis zustoßen konnten, schossen Elisabeth durch den Kopf. Nur mit größter Selbstbeherrschung gelang es ihr, gegen das aufsteigende Entsetzen anzukämpfen. Obwohl sie sich vor der Antwort fürchtete, fragte sie jetzt: »Was hast du, Deborah? Willst du mir nicht erzählen, was passiert ist?«

Deborah schüttelte den Kopf und deutete auf ihren mit vollen Backen kauenden Bruder. »Später, Mama, wenn das Wolferl schläft.«

Doch der Kleine war viel zu aufgekratzt, als dass jetzt schon an Schlaf zu denken wäre. Er sprudelte geradezu über vor Mitteilungsbedürfnis und erzählte bereits zum dritten Mal die Geschichte ihrer Verhaftung durch die Polizei am Stuttgarter Bahnhof: Wie sie von Magda getrennt worden waren, Biene einen Polizisten in die Wade gebissen hatte, und er, Wolferl, ihr zugerufen hatte: »Lauf, Biene!«, und sich die Dackeldame dann schnell verkrümelt hatte, gerade als der Polizist seine Waffe zog. Für das Wolferl existierte das Erlebte eher in Gestalt eines aufregenden Abenteuers, so wie sie seine Helden in den Karl-May-Büchern bestehen mussten. Wenn er ein wenig rau behandelt worden war, gefroren und gehungert hatte, so musste dies so sein, denn zu einem richtigen Abenteuer gehörte schließlich auch ein wenig Leiden! Wie sollte man sonst hinterher als ein Held gefeiert werden können?

Seine Logik mochte rührend kindlich sein, aber in diesem Fall hatte sie ihren Zweck erfüllt und ihn vor einem Schock beschützt, wie seine Schwester Deborah ihn erfahren hatte.

Wie sich herausstellte, hatte das Wolferl die meiste Zeit im Schutz der Arme seiner großen Schwester verbracht. Vielleicht lag darin die Erklärung für Deborahs gleichermaßen mentale wie physische Erschöpfung, da sie alles darangesetzt hatte, dass ihr Bruder keine Furcht verspürte: Sie hatte ihn gewärmt und ihm ihre eigene karge Essensration überlassen, hatte über seinen Schlaf gewacht und allerlei Krabbeltier abgewehrt.

Endlich fielen dem Kleinen die Augen zu. Gerade hatte er noch etwas gesagt, und im nächsten Moment sank sein Kopf an Elisabeths Schulter. Sie küsste seine zarte Stirn, nahm ihn hoch und trug ihn zum Bett hinüber.

Liebe und Zärtlichkeit übermannten sie beinahe schmerzhaft, als sie das warme Gewicht ihres kleinen Sohnes auf ihren Armen wiegte. Mit großer Achtsamkeit, als wäre er zerbrechlich, legte sie ihn nieder und deckte ihn zu. Sie konnte sich nur schwer von seinem friedlichen Anblick lösen, so viel Glück bereitete es ihr, ihm einfach nur beim Schlafen zusehen zu können. Mehr als zwei Tage hatte sie um diesen Augenblick gebetet, und nun war er da.

Gleichzeitig fühlte sie die unruhige Präsenz ihrer Tochter, spürte ihren heimlichen Schrecken, über den sie als ihre Mutter mit ihr sprechen musste. Elisabeth fürchtete sich jetzt beinahe davor, die Wahrheit zu erfahren, ebenso wie vor der Verantwortung, die Deborah auf sie übertragen würde. Inständig hoffte sie, dass sie ihrer Rolle als Mutter gerecht werden würde, sodass Gustav stolz auf sie wäre. Vor allem aber betete sie darum, die richtigen Worte des Trostes und der Stärke zu finden, um Deborahs verletztem Gemüt Linderung zu verschaffen.

Elisabeth setzte sich neben sie und nahm die kalten Hände ihrer Tochter in die ihren. Sie rieb sie mit vertrauter Geste, wie sie es oft getan hatte, wenn Deborah über kalte Hände geklagt hatte. Deborahs Hände waren sehr schön, schmal und zartgliedrig und geschmeidig vom Klavierspiel.

Deborah begann nun mit ihrem Bericht der Geschehnisse, der sich sehr von dem Wolferls unterschied. Während sich Mutter und Tochter weiter an den Händen hielten und ihre Wärme teilten, erzählte sie, wie zwei Polizisten im Stuttgarter Hauptbahnhof in ihr Abteil gedrängt waren, ihre Papiere verlangt und gleich darauf behauptet hatten, dass damit etwas nicht in Ordnung sei und sie deshalb alle mitkommen müssten. Wie sich Magda ihnen mutig entgegengestellt und sofort angeboten hatte, mit Frau Elisabeth Malpran, der berühmten Sängerin, zu telefonieren, die zurzeit Gast im Hotel Adlon in der Reichshauptstadt Berlin sei und die Richtigkeit ihrer Angaben bestätigen würde.

Aber die Männer hatten Magda nicht zuhören wollen, stattdessen hatten sie sie gepackt und an den Haaren aus dem Abteil geschleift. Wolferl hatte angefangen zu weinen, aber Magda habe ihm zugerufen, das sei alles nur Spaß und es täte gar nicht weh. Wolferl hätte es vielleicht geglaubt, aber Biene nicht. Zähnefletschend habe sie sich auf das Bein eines der Polizisten gestürzt. Der andere habe seine Waffe gezogen, Wolferl habe geschrien: »Lauf, Biene« und Magda gefleht: »Um Gottes willen, die Herren! Sie werden doch nicht auf kleine Kinder und Hunde schießen. Es ist doch gut. Wir kommen mit Ihnen!«

Biene hatte in dem allgemeinen Tumult entkommen können.

Man hatte sie in einem Lastwagen weggebracht und in eine Gefängniszelle geworfen. Magda hatte man bald darauf von dort abgeholt, und seitdem hatte Deborah sie nicht mehr wiedergesehen.

Deborah und das Wolferl hatten zwei Tage allein im Gefängnis verbracht. Es gab wenig zu essen, keine Möglichkeit, sich zu waschen, und für ihre Notdurft hatten sie einen verbeulten Blecheimer, dessen einzige Verteidigung ein Deckel war. Immer wieder hatte Deborah versucht, mit der verkniffenen Wärterin ein Gespräch anzufangen, aber sie war entweder dumm oder stumm, vermutlich beides. Sie hatte schließlich ihre ganze Kraft aufgewendet, sich um das Wolferl zu kümmern, hatte ihm alle Geschichten erzählt, die sie je gelesen, und ihm alle Lieder vorgesungen, die sie je gelernt hatte, um ihn davor zu bewahren, dass ihm langweilig oder bange wurde.

Elisabeth dankte ihrem Herrgott für diese Tochter, und im selben Atemzug klagte sie ihn an: Wie konnte Er die Taten solcher Menschen zulassen? Was waren das für Bestien, die unschuldigen Kindern etwas Derartiges antun konnten?

Aber die Tage im Gefängnis waren nicht Deborahs eigentlicher Schrecken. Dieser offenbarte sich erst, als sie ihrer Mutter erzählte, wie Herr Brunnmann gekommen war und sie aus der Gefängniszelle befreit hatte.

Herr Brunnmann hatte zunächst einen ziemlichen Wirbel veranstaltet, *weil hier ein schwerwiegender Justizirrtum vorlag, die Kinder der bekannten und vom Führer sehr geschätzten Sängerin Frau Elisabeth Malpran grundlos einzusperren.*

Weil Deborah sich dann standhaft geweigert hatte, ohne Magda zu gehen, wurde sie durch die dünnen Wände des Nebenzimmers, in dem man sie und Wolferl warten ließ, Zeuge des Gesprächs zwischen Herrn Brunnmann und dem Gefängnisdirektor. Sie hörte, wie dieser darauf hinwies, dass die Befragung der Verdächtigen zwar keine neuen Erkenntnisse ans Tageslicht gebracht, dafür aber körperlichen Schaden hervorgerufen hatte.

»Bedauerlicherweise«, meinte der Direktor ohne eine Spur von Bedauern, »hat unser Mann hier etwas zu viel Eifer an den Tag gelegt. Die Frau befindet sich in keinem guten Zustand. Ein Transport könnte ihr den Rest geben.«

Deborah hatte sofort begriffen, dass diese Unterhaltung nur eines bedeuten konnte: dass man Magda in den letzten beiden Tagen böse misshandelt haben musste.

Immerhin hatte sie auch gehört, wie Herr Brunnmann beste medizinische Versorgung für Magda angeordnet hatte und sofort informiert werden wollte, wenn die Frau wieder so weit hergestellt wäre, dass sie die Rückreise nach München antreten könne.

Sie verließen das Gefängnis bei strömendem Regen. Als sie sich Brunnmanns schwarzer Limousine näherten, hatte es die erste freudige Überraschung der letzten Tage gegeben: Die treue Biene hatte, ihrem verdreckten und halb verhungerten Zustand nach zu urteilen, die ganze Zeit über vor dem Gefängnis Wache gehalten. Winselnd stürzte sie sich nun auf sie.

Herr Brunnmann hatte den triefenden Hund, ohne mit der Wimper zu zucken, mit in sein gepflegtes Auto genommen. Es war dieser eine Moment gewesen, durch den er Deborahs Vertrauen gewann.

Am Ende ihres Berichts weinte Deborah mit bebendem Körper an Elisabeths Schulter. Irgendwann sehr viel später hob sie ihr verquollenes Gesicht und fragte ihre Mutter: »Mama, es ist so furchtbar, was sie Magda angetan haben. Wie kann ein

Mensch einen anderen freiwillig quälen? Ihm so wehtun, dass er beinahe daran stirbt? Und wo ist Papa? Was ist mit ihm passiert? Wenn er auch verhaftet wurde, haben sie ihm dann genauso wehgetan wie Magda? Ich habe solche Angst, Mama.«

Elisabeth hielt ihre Tochter die ganze Nacht über im Arm, nachdem sie sich gemeinsam in den Schlaf geweint hatten. Bevor sie einnickte, nahm sich Elisabeth fest vor, gleich am nächsten Morgen Herrn Brunnmann darum zu bitten, alles zu arrangieren, damit sie selbst nach Stuttgart fahren konnte. Vielleicht konnte dieser Dr. Strelitz gleich mitfahren. Er war zwar ein SS-Mann, schien aber kein unbegabter Mediziner zu sein, sofern sie dies im Vergleich mit den Fertigkeiten ihres Mannes beurteilen konnte.

Magda sollte erfahren, dass man sich um sie sorgte, dass man sie nicht allein ließ in ihrem Leid, das ihr von gemeinen und gefühlskalten Menschen zugefügt worden war.

Kurz nach fünf Uhr morgens schellte in der Suite das Telefon. Elisabeth schreckte aus wirren Träumen auf und dachte, dass sie die Rückkehr ihrer Kinder nur geträumt hatte.

Dann spürte sie Deborahs und Wolferls vertraute, warme Körper links und rechts an ihre Seite geschmiegt. Aufgeschreckt durch das Telefonläuten, bewegten sich beide benommen, doch nur Deborah wurde davon wach. Wolferl drehte sich sachte schnaubend zur Seite und schlief mit dem Daumen im Mund sofort wieder ein.

Im Raum herrschte vollkommene Dunkelheit. Elisabeth hatte am Abend die schweren Damastvorhänge zugezogen und benötigte etwas Zeit, um sich zurechtzufinden. Endlich ertastete sie den Lichtschalter. Das Telefon verstummte im gleichen Augenblick, als die Nachttischlampe aufflammte.

Elisabeth und Deborah sahen sich in geteilter Erleichterung an. Beide hatten sie das Schrillen des Apparats als etwas Unheilverkündendes empfunden, ein unseliger Ton, der ihre geheimen

Kapitel 20

Die Knechte des Regimes waren kurz nach vier Uhr morgens am Prinzregentenplatz 10 aufgetaucht.

Die Regierungsbarbaren kannten die Wirkung und Qualität des Schreckens, jemanden mitten in der Nacht aus der Sicherheit seines warmen Bettes zu zerren. Mit selbstherrlichem Gehabe und Radau waren sie in die Wohnung gestürmt.

»Frau Doktor, Frau Doktor! Sind Sie es?«, brüllte Ottilie, als wolle sie die Distanz zwischen München und Berlin allein mit ihrer Lautstärke überwinden. Dabei musste sie so schreien, denn im Hintergrund erklang allerlei Lärm wie das Splittern von Glas und das Krachen von umstürzenden Möbeln. Dazwischen war johlendes Krakeelen zu hören.

»Ottilie, sind Sie es? Was ist denn so früh? Und was ist das um Himmels willen für ein Aufruhr bei uns?«

»Den Doktor suchen's. Sagen, er wär ein flüchtiger Verbrecher und ein Dieb! Unser Doktor! Die schlag'n hier alles kurz und klein, das schöne Geschirr und Ihr Klavier. Ich durft bloß telefonier'n, weil der Hauptmann hier Ihr schönes Bild g'sehn hat. Frau Doktor, Sie müssen sofort was tun, sonst bleibt nichts mehr übrig!«

»Ottilie, das ist schlimm, aber nicht so schlimm«, erwiderte Elisabeth und hatte Mühe, ein hysterisches Kichern zu unterdrücken. Ihr Gustav war überall, nur nicht zu Hause. Darum sagte sie, auch weil sie die tröstlichen Körper ihrer Kinder neben sich im warmen Bett in Sicherheit wusste: »Es sind doch nur Sachen, Ottilie. Aber sag, haben Sie dir oder der Bertha etwas getan? Seid ihr wohlauf?«

»Ja, ja, aber die Gläser und die Möbel und die Wäsche. Alles hin, alles dreckig«, jammerte Ottilie weiter.

»Das bringen wir wieder in Ordnung, Ottilie. Am besten gibst du mir einmal diesen Hauptmann an den Apparat.«

Elisabeths Verstand arbeitete indessen geschwind, sie rekapitulierte ihren Besuch bei von Meyerlinck, dachte an Gustavs dort verwahrte Papiere und Vollmachten und wie der Advokat ihr beim Abschied anvertraut hatte, dass *sie* sicherlich bald über ihre Fluchtpläne im Bilde sein würden.

Die Durchsuchung zeigte, dass es so weit war. Zunächst aber musste sie in Erfahrung bringen, wie entgegenkommend sich der Leiter der Aktion zeigen würde. Danach würde sie keine andere Möglichkeit haben, als erneut Herrn Brunnmann um Hilfe anzugehen und ihrem Schuldschein dadurch eine weitere Position hinzuzufügen.

»Hauptmann Kaspar Brandmeier. Heil Hitler!«, brüllte der Mann nicht weniger laut als Ottilie in den Apparat. Das Hackenschlagen seiner Stiefel auf dem schönen Eichenparkett knallte durch den Hörer, dass es Elisabeths empfindsames Ohr schmerzte.

»Herr Hauptmann, ich danke Ihnen, dass Sie meinem Hausmädchen erlaubt haben, mich zu verständigen. Sie haben sicherlich einen wichtigen Auftrag und Grund für Ihre Durchsuchung. Ich möchte Ihnen aber versichern, dass ich mich zurzeit in Berlin aufhalte, um das Verschwinden meines Mannes aufzuklären. Herr Generalfeldmarschall Göring kümmert sich persönlich darum, wie er mir gerade erst bei einem gemeinsamen Souper versichert hat. Gibt es eine Möglichkeit, dass Sie Ihre Durchsuchung jetzt beenden, und ich sorge dafür, dass Sie in den nächsten Stunden eine entsprechende Anweisung aus Berlin erhalten?«

»Tut mir leid, gnädige Frau. Aber ich habe meine strikten Befehle. Sie können selbstverständlich Beschwerde in Berlin einlegen. Allerdings kann ich Ihnen versichern, dass Ihre arischen Hausangestellten nichts zu fürchten haben.« Das klang so entschieden wie ablehnend, und Elisabeth verstand, dass der Mann sich die braune Ideologie völlig einverleibt hatte. Was wiederum bedeutete, dass er der Fähigkeit, selbstständig zu denken, verlustig gegangen war und nicht über seinen Uniformkragen hinausblicken konnte.

Sie würde bei ihm nichts weiter ausrichten und verschwendete nur ihre Zeit. Durch den Hörer klang dann wieder ein besonders durchdringendes Scheppern. Elisabeth hörte Ottilie im Hintergrund »Jessas, die schöne Vitrine« rufen und konnte sie sich sehr gut vorstellen, wie sie dabei ihre Hände erschrocken vors Gesicht schlug.

Elisabeth wahrte ihre Gemütsruhe, obwohl einige scharfe Worte an ihren Stimmbändern schabten, und erwiderte mit erzwungener Höflichkeit: »Ich danke Ihnen trotzdem, Herr Hauptmann.«

Ottilie kehrte noch einmal kurz zurück an den Apparat, und Elisabeth tat ihr Bestes, sie zu beruhigen, indem sie ihr erzählte, dass Deborah und das Wolferl unversehrt bei ihr in Berlin angekommen waren. Sie versprach auch, so bald wie möglich nach Hause zurückzukehren.

So wurde nichts aus Elisabeths Vorhaben, am Morgen nach Stuttgart zu reisen, um nach der unglücklichen Magda zu sehen.

Elisabeths drückende Sorgenlast nahm weiter zu. Noch ahnte sie es nicht, aber die nächtliche Heimsuchung würde sich für sie noch als äußerst fatal erweisen.

Elisabeth wartete bis kurz nach sieben Uhr morgens. Dann rief sie in der Dienststelle des Herrn Brunnmann an und erfuhr zu ihrem Leidwesen, dass er für heute nicht erwartet wurde, da er sich auf einer Dienstreise befand. Dann aber dachte sie, was soll's, halb so wild, schließlich war der Schaden zu Hause sowieso schon angerichtet.

Kurz überlegte sie, ob sie sich nochmals an Görings Büro wenden sollte, doch ihr Unwille war größer. Darum beschloss sie, noch am selben Tag mit den Kindern zurück nach München zu reisen. Ihre bisherigen Bemühungen, das Schicksal ihres Gatten in Berlin zu klären, waren ohne Ergebnis verlaufen, und eigentlich konnte sie die Angelegenheit genauso gut von zu Hause aus weiterverfolgen.

Auch lag München näher an Stuttgart, sodass sie die Fahrt zum Gefängnis dann gleich am nächsten Morgen antreten und Magda vielleicht noch am selben Tag mit zurück zum Prinzregentenplatz nehmen könnte.

Als sie um die Vorbereitung der Hotelrechnung bat, erlebte sie die nächste böse Überraschung: Elisabeths Bank verweigerte die telegrafische Überweisung, auf die das Hotel bestand.

Wie sie da in der Hotellobby stand und dazu gezwungen war, ihren knausrigen Impresario in Wien zu kontaktieren, um sich von ihm das Geld für die Hotelrechnung und drei Fahrkarten nach München zu leihen, zündete die Erkenntnis ihrer Lage erst richtig in ihrem Bewusstsein:

Sie war absolut mittellos!

Natürlich, von Meyerlinck hatte es ja bereits angedeutet. Die Beschlagnahmung von Gustavs gesamten Vermögenswerten war das unmittelbare Ergebnis der Durchsuchung bei ihrem Anwalt gewesen.

Elisabeth verfügte zwar über ein eigenes Bankkonto für ihre Gagen, aber sie hatte es gegen null gebracht, als sie ihre Emigration nach London vorbereitet hatte. Gerade weil Gustav und sie nicht vorgehabt hatten, den Nationalsozialisten ihr schwer verdientes Geld zu überlassen, hatten sie es ihnen erst ermöglicht, sich ihr gesamtes Vermögen, einschließlich allem, was Elisabeth selbst als Künstlerin verdient hatte, einzuverleiben.

Elisabeth besaß kaum noch eine Reichsmark. Nicht einmal ihr wertvoller Schmuck befand sich noch in ihrem Besitz. Sie nahm nicht an, dass sie ihn je wiedersehen würde; wahrscheinlich baumelte er längst an den feisten Hälsen der Stuttgarter Nazigattinnen. Ihr waren nur ihre Perlen und ihre goldene Uhr geblieben und die beiden Ringe, die sie trug. Einer davon war ihr Ehering.

Ihr Blick suchte jetzt ihre Kinder, die den Postkartenständer an der Rezeption drehten. Deborah zeigte dem Wolferl die Wahrzeichen Berlins, und ihr Sohn reckte aufgeregt seine kleine Gestalt, um ja alles auf einmal anzusehen. Diese beiden waren ihr wahrer, ihr einziger Schatz, und ihr Herz flog ihnen zu. Sie würde alles, alles für ihre Kinder tun, koste es, was es wolle, und wenn sie hierfür einen Pakt mit dem Teufel eingehen musste!

Zunächst galt es also für das neue Familienoberhaupt Elisabeth, Geld zu verdienen. So, wie sie ihren geschäftstüchtigen Impresario kannte, hatte er bereits in dieser Minute begonnen, Angebote innerhalb Deutschlands und des Reichs einzuholen – denn das geliehene Geld musste schließlich wieder hereinkommen.

Elisabeth wurde von einer abgrundtiefen Wehmut erfasst. Nun hatte das Regime genau das bekommen, was es immer gewollt hatte: eine treue und demütige Künstlerin Elisabeth Malpran, die sich für ihre Kinder auf dem Altar der braunen Kultur opfern würde.

Weniger als einen Monat sollte es dauern, bis Elisabeth nach Berlin an die Staatsoper Unter den Linden zurückkehren und in Anwesenheit des Führers – an seiner Seite ein über alle Orden strahlender Göring, als wäre es sein Verdienst – Premiere feiern würde.

Ihr Mann Gustav galt weiter als verschollen.

Kapitel 21

München

»Eine Schand ist des, Frau Doktor! All die schönen Sachen, einfach so zerdeppert. Und mitgenommen haben's nur die Papiere vom Doktor, sonst gar nix. Ich hab genau auf'passt. Des G'schirr und die Möbel und alles andere haben's nur aus Spaß an der Freud kaputt g'macht. Wie die kleinen Buben ham die sich aufg'führt. Ich versteh des net, denen g'hört allen so richtig eine hinter die Ohren pratzt.«

»Ist gut, Ottilie, es ist ja vorbei«, sagte Elisabeth müde, die sich diese Litanei schon zum mindestens dritten Mal seit ihrer Rückkehr hatte anhören müssen. Berthas Klagen nicht mitgerechnet. Wenigstens aber hatte sie sich freiwillig in die Küche verbannt mit den Worten: »Die Kinder und die Frau Doktor brauchen jetzt was Gutes zu essen!«

Ottilie und Bertha hatten sich den ganzen Tag abgemüht, Scherben gekehrt, Vitrinen, Kommoden und Schränke wieder aufgerichtet und eingeräumt, Wäsche geordnet und zerschnittene Bilder und beschädigte Möbel in den Haushaltsraum zur Besichtigung und weiteren Verwendung für die gnädige Frau zusammengetragen. Kurzum gekittet, was zu kitten war; zwei Haushaltsperlen, die eifrig um die Wette glänzten.

Elisabeth sparte auch nicht an Lob und Trost für sie, aber nun benötigte sie selbst etwas Ruhe und scheuchte die beleidigte Ottilie aus ihrem Zimmer. Sie spürte eine neuerliche Migräne im Anzug. Weil sie auch keinen Appetit hatte, ließ sie sich von Ottilie nur einen Tee bringen. Die Kinder aßen mit den beiden Angestellten und Biene in der Küche zu Abend.

Am nächsten Morgen hatte Elisabeth wieder erhöhte Temperatur. Deborah eilte ganz früh hinunter in die Praxis, um ein Medikament für sie zu holen. Aber da war nichts mehr: alles zerschlagen oder gestohlen. Und Ottilie jammerte: »Jessas, des hab ich in der Aufregung ja ganz vergessen. Da sind's auch g'wesen, die damischen Rabauken. Ach, die schöne Praxis, was wird der gute Doktor bloß dazu sagen.«

Elisabeth fürchtete ein neuerliches, längeres Lamento. Daher schickte sie Ottilie mit der Bitte um einen weiteren Tee hinaus, in den Bertha als unaufgeforderte Zugabe ihr Universalheilmittel, einen gehörigen Schuss Rum, dazugab.

Gegen Mittag rief Herr Albrecht Brunnmann an, aber die erschöpfte Elisabeth schlief. Deborah wollte sie nicht wecken und nahm daher das Gespräch entgegen.

Herr Brunnmann informierte sie, dass Magda heute noch mit einem Gefangenentransport nach München II überstellt und von dort zum Prinzregentenplatz verbracht werden würde.

Deborah wartete den ganzen Tag auf sie, aber Magda tauchte nicht auf. Ihre Ungeduld und ihre Befürchtungen erhoben sich unheilvoll und hoch wie ein Turm vor ihr.

Ihrer Mutter Elisabeth ging es an diesem Tag schlecht, sie hustete und fieberte und verschlief die Aufregung ihrer Tochter – vielleicht auch, weil sich in Berthas Tee mehr Rum befunden hatte, als im medizinischen Sinne erforderlich gewesen wäre. Deborah stibitzte sich die Karte des Herrn Brunnmann aus der Tasche ihrer Mutter, aber dieser war nach Auskunft seines Büros erneut verreist.

Am darauffolgenden Mittag war Magda noch immer nicht nach Hause zurückgekehrt, und ihre Mutter Elisabeth war weiter bettlägerig. Deborah konnte die Ungewissheit nicht länger ertragen. Sie beschloss, bei der Polizeistelle München II nachzufragen.

Magda, obwohl fünfzehn Jahre älter als Deborah, war ihr eine enge Vertraute und Freundin geworden; sie durfte nicht im Stich gelassen werden. Außerdem, überlegte Deborah weiter, vielleicht auch, um sich selbst Mut zuzusprechen, war etwas zu tun besser, als gar nichts zu tun.

Angesichts der Tatsache, dass sie gerade erst eine äußerst unschöne Begegnung mit der willkürlichen Polizeimacht erlebt hatte, legte sie für eine gerade Vierzehnjährige eine enorme Portion Mut und Entschlossenheit an den Tag.

Vielleicht aber drang hier auch ein wenig das Vermächtnis ihrer Mutter Elisabeth durch: deren Hang zur Impulsivität. Nur fehlte Deborah deren Begabung, diese auch im richtigen Augenblick anzuwenden.

Im Treppenhaus kam es zu einer kurzen Verzögerung. Deborah lief just dem General mit der nicht ablaufen wollenden Haltbarkeitsdauer in die Arme.

Ottilie, die in Regen- und Donnertagen über den größten Erfahrungsschatz an Begegnungen mit ihm verfügte, hatte kürzlich bissig bemerkt, *dass das Mannsbild wahrlich der älteste Knacker im ganzen Reich sein müsse, und dafür hätte er glatt einen extra Orden verdient!*

Und Magda, die gerade einen Strumpf stopfte, hatte schmunzelnd ergänzt, *dass der Alte doch sowieso schon über mehr Orden als Brust verfüge.* Danach hatten sie einige vergnügliche Momente lang darüber spekuliert, welches Fleckerl sich der General im Falle eines weiteren Ordens denn ausgesucht hätte, und waren irgendwann übermütig kichernd beim Hosenlatz gelandet.

Deborah wollte sich mit einem höflichen Knicks an ihm vorbeischieben. Aber der alte General, der junge Menschen sonst völlig übersah, als bestünden sie aus Luft oder Glas, schien gerade heute auf Gesellschaft aus zu sein. Er stellte sich ihr mitten in den Weg und sprach sie mit blecherner Lautstärke an, die weithin ins Feld schallte: »Sagen Sie einmal, junges Fräulein.

Was ist denn in letzter Zeit bei Ihnen los? Die Praxis geschlossen, und den Doktor sieht man gar nicht mehr. Und wo steckt Frau Elisabeth? Berichten Sie!«

Deborah blieb keine Wahl, als ihm zu schildern, dass der Doktor verschwunden, die Mutter krank und ihre Gouvernante vermutlich noch im Gefängnis saß, angeblich weil sie eine Diebin sei. Sie selbst sei gerade dabei, die nächstgelegene Polizeidienststelle aufzusuchen, um Erkundigungen über ihren Verbleib einzuholen.

Der General wurde daraufhin ganz entrüstet und ließ einige böse Worte fallen über österreichische Gefreite, Größenwahn und braune Sippschaften, wofür er mindestens so viele Jahre Gestapo-Gastfreundschaft bekommen hätte, wie er Lebensjahre zählte. Sodann holte er einmal tief Luft, ein Röhren wie von einem bronchitisgeschädigten Hirsch, vielleicht ein persönliches Halali, und tat kund, was Deborah niemals für möglich gehalten hätte: »Ich komme mit!«

Deborah hatte gleich ein ungutes Gefühl bei der Sache, aber sie war nach seinen Maßstäben nur ein Kind, *das mit so etwas selbstverständlich überfordert sei,* und er war *ein Soldat, ein Veteran Kaiser Wilhelms, mit Orden und Einfluss!*

Und so zogen sie zusammen in den Krieg. Der General forsch mit Stock und Bein ausholend, das Kinn gereckt, die Brust gestreckt, und Deborah trippelte als elegante Dame herausgeputzt auf den ersten Stöckeln ihres Lebens neben ihm her. Sie trug ein Kostüm aus dem Schrank ihrer Mutter, und auf ihrem sorgfältig hochgesteckten Haar saß ein kecker kleiner Hut. Eine entzückende Ausstattung, um sich einige Jahre Frausein dazuzumogeln.

Das Ziel war bald erreicht. Der wackere Kriegsheld enterte in einem Sturmangriff die Amtsstube und ging sofort ab wie eine Haubitze. Wortgeschosse wie »Ich verlange…« und »Sie haben hier gar nichts zu verlangen, Alterchen« und »Wissen Sie, wen Sie vor sich haben?« und »Leck mich« flogen wie Kugeln.

Deshalb beschloss der seines Ruhms missachtete General, dem Mann die Behandlung angedeihen zu lassen, die man in den guten alten Zeiten bei allen unverschämten Lumpen angewandt hatte: Er zog dem Überraschten eins mit dem Spazierstock über, und Deborah wurde schlecht.

Das ging nun natürlich überhaupt nicht, ein tätlicher Angriff auf einen Beamten des Deutschen Reiches! Daher fackelte man auch nicht lange, und der General wurde kurzerhand verhaftet.

Das erwies sich dann auch wieder als gar nicht so einfach, denn der alte General war ein ruhmreicher Kämpfer an allen Fronten, der Spazierstock flog, traf hier ein Auge, dort eine Nase, und zum Schluss brauchte es drei Mann, um des Tobenden Herr zu werden.

Dann aber beging der General eine wahrlich ungeheuerliche Tat: Er gab einen Laut von sich, der wie ein »krchchch« klang, fasste sich an die Orden, eine Geste wie ein letzter Salut, und dann legte er sich lang hin und hauchte seinen letzten Atem aus. Ein heldenhafter Tod im Angesicht des Feindes.

Die Beamten guckten da ziemlich dumm aus ihrer braunen Wäsche; jetzt hatten sie die ganzen Kalamitäten am Hals: Ein Protokoll musste geschrieben, ein Leichenbeschauer bestellt und überhaupt einige Fragen beantwortet und einige Erklärungen abgegeben werden, aber der General bekam dann ein sehr schönes Begräbnis, zusammen mit seinen Orden.

Sehr viele Menschen kamen zu seinem letzten Geleit und der schönen Ansprache (»Deutschland vergisst seine Kriegshelden nicht«), aber Familie fand sich keine mehr. Der General hatte sie alle überlebt.

Irgendwann später am Tag, als der General schon fortgeschafft worden war, erinnerte sich einer der Polizeibeamten, der ein frisches Pflaster auf der Nase trug, an dessen gefällige Begleitung. Er fragte in die Runde seiner Kollegen: »Wo ist eigentlich das hübsche Fräulein hingekommen?«

Deborah hatte es angesichts der ungünstigen Entwicklung vorgezogen, lieber zu einem späteren Zeitpunkt wiederzukommen. Aber dazu kam es dann gar nicht mehr.

Zu Hause stürzte ihr nämlich Ottilie schon im Korridor entgegen und schrie in heftigstem Bayrisch: »Ja, wo bleibn S' denn, Fräulein Deborah? Die Magda is kemma, und schlimm sieht's aus. In allen Farben tut's leucht'n, und koane Hoar hat's mehr. Liaba Gott, wenn nur der Doktor da wär!«

Magda sah wirklich arg mitgenommen aus. Eigentlich hätte sie in ein Krankenhaus gehört, aber sie weigerte sich strikt. Ottilie wurde sofort nach einem Doktor geschickt, der erst gegen Abend in Erscheinung trat; es gab inzwischen zu viel Arbeit für zu wenige Ärzte. Die meisten jüdischen Ärzte hatten München mittlerweile verlassen – gezwungenermaßen, weil sie ihre Krankenhaus- und Kassenzulassungen verloren hatten. Als Nächstes plante die Regierung, allen jüdischen Ärzten die Approbation zu entziehen und somit ihre Überlebensgrundlage.

Der Arzt richtete bei Magda mehrere gebrochene Finger. Auch war ihr Körper von einer Unmenge Prellungen übersät und leuchtete wirklich in allen Farben, wie Ottilie beschrieben hatte. Aber sie war sehr tapfer und tat das ihr Zugestoßene als kaum erwähnenswert ab. Stattdessen weinte sie Freudentränen, so froh war sie, dass Deborah und Wolfgang nichts Böses geschehen war. Angesichts der ihr angediehenen Behandlung hatte sie schon mit dem Schlimmsten gerechnet.

Der Arzt diagnostizierte dann noch fachmännisch eine Gehirnerschütterung, als Magda sich zum Abschied über seine Schuhe erbrach. Dann ging er, um nach Frau Elisabeth zu sehen, die der Infekt heimtückisch niedergestreckt hatte – kein Wunder nach den Strapazen der letzten Tage.

Er ordnete für Frau Elisabeth mindestens eine Woche strikte Bettruhe und viele Stärkungstrunke à la Bertha an und genehmigte sich auch gleich selbst einen und dann noch einen.

Kapitel 22

Zwei Wochen später meldete sich Herr Albrecht Brunnmann telefonisch am Prinzregentenplatz an, um Frau Elisabeth Malpran seine Aufwartung zu machen.

Elisabeth war wieder so weit genesen, dass sie erste Stimmübungen für ihr kürzlich bestätigtes Engagement an der Berliner Staatsoper absolvieren konnte. Sie empfing Herrn Brunnmann in ihrem Musikzimmer, wo ein neuer Flügel stand – noch unbezahlt, weil der vormalige durch regierungstreue Kunstbanausen eine üble Schändung erfahren hatte.

Herr Brunnmann brachte ein ebenso unerwartetes wie willkommenes Gastgeschenk mit: Elisabeths beschlagnahmten Schmuck. Die Kollektion war vollständig und ganz und gar unbeschädigt. Elisabeth staunte darüber, hatte sie doch nach all dem Erlebten mit dem Gegenteil gerechnet.

Selbstverständlich ließ sie sich ihre Gedanken nicht anmerken, nicht vor einem hochrangigen Vertreter des Regimes. Doch als sie den Kopf hob, entdeckte sie in den Augen des Herrn Brunnmann, dass er sie durchschaut hatte.

Herr Albrecht Brunnmann neigte nicht zu allzu vielen Worten, erst recht nicht, wenn es seine eigene Person betraf. Doch an diesem Tag erfuhr Elisabeth immerhin so viel, dass er eigentlich Maschinenbau-Ingenieur war und bis zur Machtübernahme durch die Nationalsozialisten für die deutsche Tochter einer amerikanischen Ölgesellschaft gearbeitet hatte.

Was er seit Anfang 1933 in seiner maßgeschneiderten SS-Uniform auf seinen unzähligen Reisen in der stets auf Hochglanz polierten schwarzen Mercedes-Limousine mit Chauffeur und Standarte trieb, erfuhr Elisabeth nicht, und sie fragte ihn auch nicht danach.

Sie gestand es sich selbst niemals gänzlich ein, aber sie fürchtete sich vor diesem Wissen. Immerhin hatte er ihre Kinder gerettet, Magda vom Vorwurf des Diebstahls befreit und ihren Schmuck zurückgebracht. Ein wenig blinde Dankbarkeit stand ihr zu.

Leider erwies sich die Rückgabe ihrer Juwelen dann für Elisabeth als ein für jene Zeit typisches, sprich nachteiliges Tauschgeschäft.

Denn Herr Brunnmann hatte neben ihren Preziosen auch eine amtliche Bestätigung der Beschlagnahmung der »Immobilie befindlich am Prinzregentenplatz 10« mitgebracht. Gustav war als Besitzer der Immobilie eingetragen. Elisabeths Gatte jedoch galt dem Regime jetzt praktischerweise als jüdischer Flüchtling, und alles, was einmal von Rechts wegen ihm gehört hatte, gehörte nun dem Großdeutschen Reich und seinem Führer.

Ein weiterer herber Schlag für Elisabeth, die damit ihr Zuhause verlor. Aber der vorausschauende Herr Brunnmann hatte gleich eine Lösung parat: Er selbst hatte die Immobilie rechtmäßig erworben und bot Elisabeth nun an, mit ihren Kindern darin wohnen zu bleiben, und zwar so lange es ihr selbst angenehm wäre. Er zog einen Packen Papiere aus seiner Aktentasche und präsentierte ihr einen fertigen Mietvertrag auf ihren Namen.

Die Höhe der Miete war tatsächlich äußerst entgegenkommend. Elisabeth, verwirrt und wegen der niederschmetternden Nachricht von der Enteignung noch halb unter Schock stehend, unterzeichnete sofort und ohne noch einmal darüber nachzudenken.

Das Zuhause der Kinder war damit gesichert, und Elisabeth überkam Erleichterung. Sie versicherte Herrn Brunnmann noch mehrmals im Laufe dieser Begegnung, dass sie, sobald ihr die nötigen Mittel zur Verfügung stünden, die Immobilie selbstverständlich sofort von ihm zurückerwerben wolle.

Sie bat ihn dann erneut um seine Hilfe bei den Nachforschungen zum Verbleib ihres Gatten Gustav, was er ihr versprach. Elisabeth selbst fuhr die Strecke bis zur Schweizer Grenze mehrere Male ab, zeigte Gustavs Bild herum und befragte jeden, der ihr unterkam. All diese Unternehmungen waren wie ein Versprechen an sich selbst, dass Gustav ihrem Herzen weiter ganz nah und niemals vergessen sein würde.

Wochen und Monate zogen ins Land, und mit jedem Tag schwand die Hoffnung auf ein gutes Ende ein Stück mehr, doch Elisabeths Liebe für Gustav blieb beständig.

Im November 1938, nach fünf Monaten verschiedener Engagements in Städten des Deutschen Reichs, fiel Elisabeth erstmalig auf, dass ihr bisher kein einziges Engagement auf den großen und freien europäischen Bühnen Paris, London oder Brüssel angetragen worden war. Einzig ein Angebot aus dem faschistischen Rom lag vor.

Misstrauisch fragte sie bei ihrem österreichischen Impresario nach, der ihr nach einigem Herumgedruckse gestand, dass er *von höherer Stelle gebeten worden sei, dergestalte Angebote nicht an die Sopranistin Elisabeth Malpran heranzutragen.*

Da begriff Elisabeth, dass sie wie eine Geisel im eigenen Land gehalten wurde. Sie wurde erst wütend und dann sehr entschlossen. Man hielt sie also für unzuverlässig? Bitte, wenn man sie schon für unzuverlässig hielt, dann wollte sie die Regierung auf keinen Fall enttäuschen.

Und so begann Elisabeth im November 1938 ein zweites Mal, eine Flucht aus Deutschland zu planen.

Kapitel 23

Wenige Tage zuvor hatte der Karneval des Bösen erneut durch München getobt. Elisabeth hatte an jenem Abend am Fenster ihres Wohnzimmers im vierten Stock gestanden und den nächtlichen Feuerschein beobachtet, der über der Stadt lag. Mit endgültigem Schrecken hatte sie erkannt, dass der faschistische Wahnsinn unaufhaltbar und immer weiter um sich greifen würde, bis er alles Gute und Schöne für immer verschlungen hätte.

In dieser verhängnisvollen Nacht des 9. November waren überall im Reich jüdische Geschäfte in Flammen aufgegangen und jüdische Bewohner aus ihren Häusern und Wohnungen vertrieben worden. Das Schicksal der beiden letzten verbliebenen Synagogen Münchens wurde in dieser Nacht ebenfalls vom Feuer besiegelt.

Die jüdische Kultur und alles jüdische Leben sollten vollkommen ausgelöscht werden, so lautete der Wille des Führers.

Es war der Beginn der Novemberpogrome. Diese Nacht legte Zeugnis ab von der fortschreitenden Entmenschlichung und moralischen Verrohung der herrschenden Kaste. Unter der Bezeichnung *Reichskristallnacht* würde sie Eingang in die Geschichtsbücher finden. Elisabeth fand, dass dieses harmlos klingende Wort der furchtbaren Geschehnisse an diesem Datum bei Weitem nicht gerecht wurde. Aber im Grunde konnte es dafür gar kein Wort geben.

Trotz der unzähligen von SA-Männern gelegten Feuer gab es fast keine Schäden an arischen Häusern zu beklagen. Denn die ausgegebene Parole an die Feuerwehrleute lautete nicht, einfach zu löschen, sondern zu verhindern, dass sich ein *jüdisches* Feuer verselbstständigte und auf ein *arisches* Haus übergriff.

Denn das deutsche Volk musste bei Laune und in Gottvertrauen auf den Führer gehalten werden. Und das deutsche Volk lernte schnell. Es lernte vor allem, wegzusehen und sich still zu verhalten, dann traf das Unglück nur die anderen. Ein ganzes Volk schlug sich freiwillig mit Blindheit.

Als Elisabeth am Fenster stand, überlegte sie, mit welcher Virtuosität die Nationalsozialisten auf dem Instrument des Terrors spielten und die Partitur der Diktatur beherrschten: die Solisten laut und fanatisch, der völkische Chor still und passiv, damit ja keiner die Aufmerksamkeit der Dirigenten auf sich lenkte und den staatlichen Taktstock zu spüren bekam.

Die Ouvertüre der Vernichtung und des Untergangs hatte mit verheerender Endgültigkeit begonnen. Sie war weit bis in die Welt hinaus zu hören gewesen, doch die Antwort blieb lange aus.

Elisabeth hatte in jener Nacht eines begriffen: Ihre beiden unschuldigen Kinder würden in diesem von den Nationalsozialisten beherrschten Land niemals sicher sein.

Erneut wandte sie sich an die britische Botschaft um Hilfe. Doch dieses Mal erwies sich ihr Ansinnen als weit schwieriger, und das, obwohl sie in London den Bruder ihres Mannes als Bürgen vorweisen konnte.

Inzwischen überstieg die Zahl der Auswanderungswilligen nämlich die der Einwanderer, und daher wurde vorab ein Deposit auf einer Bank in England verlangt, das die Lebenshaltungskosten für Elisabeth auf fünf Jahre und für die ihrer Kinder auf zwei Jahre abdeckte. Elisabeth hatte die entsprechende Summe nicht zur Verfügung.

Doch anstatt Paul Berchinger darum zu bitten, verfiel sie auf die Idee, dafür Teile ihres Schmucks zu verkaufen. Das war schnell überlegt, aber schwer umzusetzen, wie Elisabeth bald erfahren musste. Denn leider nutzten eine Menge Ausreisewilliger diese Maßnahme der Geldbeschaffung; das verzweifelte Angebot überstieg bei Weitem die Nachfrage und trieb die Preise stetig nach unten.

Mithilfe der Kontakte ihres amerikanischen Freundes Mr Lochner gelang es Elisabeth trotzdem, einige ihrer Schmuckstücke zu verkaufen. Mr Lochners Angebot, ihr bei der Organisation der Ausreise behilflich zu sein, schlug sie aus. Sie wollte ihn nicht in Schwierigkeiten bringen.

Dies war zwar eine noble Geste, aber leider nicht sehr klug, wie sich bald herausstellen sollte.

Die Vorbereitungen für die Flucht zogen sich bis ins Frühjahr 1939 hinein, vor allem auch, weil Elisabeth Ende März noch ein gut bezahltes mehrwöchiges Engagement in Wien als Desdemona in Verdis *Otello* angetreten hatte. Sie konnte es sich nicht leisten, auf diese zusätzliche Einnahme zu verzichten.

Dann endlich hatte ihr widerstrebender Impresario seinen Teil erfüllt. Elisabeth hielt die offizielle Einladung für einen Liederabend im Zürcher Luxushotel Baur au Lac in den Händen. Dieser würde ihr als Vorwand dienen, für den Fall, dass sie im Zug erkannt werden würde.

Offiziell reiste sie nicht unter ihrem Künstlernamen, sondern unter Gustavs Nachnamen, den auch die Kinder in ihrem Pass trugen. Herr Brunnmann hatte schon vor Monaten auf ihre Bitte hin – selbstverständlich in Unkenntnis ihres Vorhabens – dafür gesorgt, dass in den Papieren der Kinder keinerlei jüdische Abstammung vermerkt worden war.

Am 9. Juni 1939, einem Freitag und fast exakt auf den Tag genau ein Jahr nach Gustavs Verschwinden, war es so weit:

Am Nachmittag würden Elisabeth, ihre Kinder und Magda den Zug in Richtung Schweiz besteigen. Es war dieselbe Verbindung, die auch Gustav gewählt hatte.

Kapitel 24

Deborah lag in ihrem Zimmer auf dem Bett und nahm innerlich Abschied von ihrem alten Leben. Ihre Mutter hatte sie gerade erst in ihren Plan eingeweiht. Morgen würden sie erneut die Flucht aus der Heimat wagen.

Sie dachte an ihren Vater und was wohl aus ihm geworden war. Wie ihre Mutter hoffte sie weiter darauf, ihn wiederzusehen.

Lange bevor ihr Verstand in die Nähe eines bewussten Begreifens gerückt war, hatte Deborah bereits gefühlt, dass etwas Schlechtes um sich griff.

Sie erinnerte sich daran, wie ihr kluger Vater ihr als kleinem Mädchen erklärt hatte, wie alt diese Erde bereits war: unvorstellbare viele Milliarden Jahre! Die Welt wandle sich deshalb nur sehr langsam, friedlich und still atme sie im Rhythmus der Ewigkeit. Die kurze Zeitspanne des Menschen auf ihr war darum nur von kümmerlichem Belang. Vermutlich hatte die Erde noch nicht einmal bemerkt, dass der Mensch inzwischen auf ihr gewachsen war. Genau das bereitete dem jungen Mädchen Sorgen, denn sie hatte erlebt, wie rasend schnell sich die Welt in den letzten Jahren gewandelt hatte.

Die selbsternannte Herrenrasse schlug gewaltigen Krach, getragen von einer ungeheuren, zerstörerischen Kraft. Sicher war die gepeinigte Erde inzwischen auf die Störung ihres Friedens durch den Menschen aufmerksam geworden?

Deborah hatte diese Wandlung erstmals begriffen, als sie neun Jahre alt war – kurz nachdem Deutschland einen neuen

Reichskanzler bekommen hatte und das Volk der Juden, zu dem auch ihr Vater gehörte, vom neuen Herrscher und seinen Gefolgsleuten als unerwünscht erklärt worden war.

Onkel Fritz, der Zeitungsmann, dessen laute und bunte Gespräche mit ihrem Vater sie so gern belauscht hatte, war bald darauf einfach verschwunden. Auch wenn sie noch sehr jung gewesen war und sich das Warum nicht richtig hatte erklären können, so hatte sie doch verstanden, dass die Gespräche, die ihr selbst so gut gefallen hatten, von *den anderen* missbilligt wurden.

Seither kam es ihr vor, als reihe sich in ihrem jungen Leben ein Unheil an das andere, türme sich eine Katastrophe auf die nächste, als sei das eine der Nährboden für das andere.

In einer Woche würde sie fünfzehn Jahre alt werden. Ihren vierzehnten Geburtstag hatte sie in einer schmutzigen Gefängniszelle verbracht. Wo würde sie ihren fünfzehnten feiern? Bei Onkel Paul in London, an den sie sich kaum mehr erinnern konnte?

Ihre eigene Zukunft kam Deborah unwirklich vor. Sie schob den Gedanken daran von sich, vielleicht weil sie in ihrem jungen Leben bereits die Erfahrung gemacht hatte, dass gerade die Dinge, denen man besonders entgegenfieberte, niemals so eintrafen, wie man sie sich vorstellte.

Mit ihren fast fünfzehn Jahren konnte sie die Verheißungen der Jugend in sich spüren, teilte die millionenfach geträumten Wünsche aller Mädchen dieser Erde – eine unbewusste, noch unerklärte Sehnsucht. Doch da war auch dieser latente Schmerz, der sie niemals mehr verließ, seit ihr Vater spurlos verschwunden war. Manchmal wachte sie morgens auf und war traurig. Dann überfiel sie eine unbestimmte Angst, dass das Glück sich für sie nie erfüllen würde.

Aber sie wollte sich nicht traurig oder ängstlich fühlen, nicht heute. Tapfer trieb sie einen Keil zwischen ihre Gedanken und ihre Furcht, indem sie sich dem gegenständlichen Beweis ihrer

Abreise zuwandte: den drei schweren Koffern, die in ihrem Zimmer bereitstanden. Einer für jedes Familienmitglied.

Deborah hatte sie am Nachmittag selbst gepackt. Ihre Mutter hatte sie darum gebeten, nachdem sie selbst an der Aufgabe gescheitert war: »Deborah, mein Spatzerl, bitte, machst du das, ja? Du kennst mich, ich kann mich doch nie für etwas entscheiden. Du wirst das viel besser machen als ich!«

Wie stets bei an sie ergangenen Pflichten widmete sich Deborah diesen mit Gewissenhaftigkeit. Aber die Aufgabe hatte sich schnell als unerwartet knifflig herausgestellt. Die zentrale Frage, der sich Deborah stellen musste, lautete: Wie traf man eine Auswahl unter den Dingen, die bisher ein ganzes Leben ausgemacht hatten, wenn sie nur einen Koffer füllen durften?

Sie hatte lange darüber nachgegrübelt. Bis sie zu dem tiefsinnigen Schluss gekommen war, dass alles, was man auf den Boden werfen, zerbrechen, zerschneiden oder wie auch immer unwiderruflich zerstören konnte, also alles, dem ein physisches Gewicht eigen und das von Menschenhand geschaffen worden war, niemals so kostbar sein konnte wie die Erinnerungen, die sie in unerschöpflichen Mengen mitnehmen konnte. Von da an war es leicht gewesen. Das Kofferschließen bedurfte auch keinerlei Hilfe in Form eines gewichtigen Gesäßes.

Darüber war es Abend geworden. Deborah, die die Dämmerung mochte, hatte bisher kein Licht in ihrem Zimmer gemacht. Die Umrisse der drei Koffer konnte sie daher lediglich als eckige Schemen wahrnehmen.

Seit vielen Jahren waren die Louis-Vuitton-Koffer die treuen Reisebegleiter ihrer Mutter. Einmal, bei einer Konzertreise, waren sie plötzlich verschwunden gewesen und erst Wochen später im Bühnenfundus wieder aufgetaucht. Ein Arbeiter hatte die extravaganten Stücke für Requisiten gehalten.

Ihre Mutter war zwischenzeitlich untröstlich gewesen. Ihr Vater hatte sich damals den Scherz erlaubt und einen Nachruf auf die Koffer verfasst. Deborah hörte ihn noch immer deklamieren: »Es waren gute Koffer, ledern und stark und von hervorragender Eleganz. Wir werden die Erinnerung an die gute Verarbeitung und die edlen Gürtelverschlüsse stets in Ehren halten.«

Einst hatte Elisabeth die Koffer mit Besitzerstolz aus Paris mitgebracht, spontan erstanden auf den Champs-Élysées. Leichtsinnig hatte sie für sie ihre gesamte damalige Gage geopfert. Das war lange vor Deborahs Geburt gewesen. Elisabeth und ihre Koffer waren zusammen weit gereist. Die drei Gepäckstücke hatten sogar eigene Namen. Es war eine Eigenart Elisabeths, für jeden Menschen und jedes Ding eine Bezeichnung zu finden. Ihr Vater hatte diese Neigung ihrer Mutter als *die Enthüllung der Seele* bezeichnet.

Den größten der drei Koffer hatte Elisabeth »Diva« getauft, weil er ihre wunderbaren maßgefertigten Bühnenroben beherbergte, den mittleren »Sophie«, dem altgriechischen Namen für Weisheit, der Partituren und Libretti wegen, die darin verwahrt wurden, und der letzte hieß »Vanita«, nach der Göttin der Eitelkeit. Er enthielt, natürlich, die unzähligen Schminkutensilien und Perücken der Künstlerin Elisabeth. Ein magischer Schatz zur Verwandlung, in dem Deborah und ihre Mutter früher oft und unbeschwert geschwelgt hatten.

Viele Male hatte Deborah die farbenfrohen Städteschilder daran bewundert, die von glanzvollen Zeiten und Reiselust zeugten. Die Koffer hätten in der Tat eine Menge zu erzählen gehabt.

Heute wirkten die bunten Papierschildchen auf Deborah irgendwie melancholisch, als verschlössen sie sich der Erinnerung.

In dieser Nacht fanden weder Elisabeth noch Deborah Ruhe, allein der kleine Wolfgang schlief den Schlaf des Sechsjährigen.

Am nächsten Tag verrannen die Stunden bis zur Abreise äußerst zäh; Elisabeth wollte so spät wie möglich aufbrechen, damit sie auf dem Bahnhof nicht zu lange warten mussten.

Bertha und Ottilie wussten zu ihrem eigenen Schutz nur, dass Frau Elisabeth mit den Kindern auf Konzertreise ging, aber man war schon so lange beisammen, dass sie vermutlich etwas ahnten: Sie schienen nervös und lungerten auffällig oft in ihrer Nähe herum, bis Elisabeth zu ihnen sagte: »Also bitte, was ist denn heute nur los mit euch zweien? Man stolpert ja öfter über euch als über unseren Dackel!«

Elisabeth hatte heimlich für die beiden ein Kuvert mit einer Erklärung und dem Lohn für ein ganzes Jahr in ihrem Schlafzimmer deponiert, wo Ottilie es später finden würde.

Ungefähr eine halbe Stunde vor dem geplanten Aufbruch schlug die Türglocke an. Ottilie meldete der gnädigen Frau den überraschenden Besuch von Herrn Albrecht Brunnmann.

Sofort brach aufgeregte Hektik aus, weil die Koffer vom Flur schnell wieder in Deborahs Zimmer gebracht werden mussten.

Erst hinterher kam Elisabeth in den Sinn, wie sehr ein schlechtes Gewissen einen doch zu übereilten Handlungen trieb. Sie hätte ja einfach das Gleiche behaupten können wie bei Ottilie und Bertha, nämlich, dass sie im Begriff stand, auf Konzertreise zu gehen; Herr Brunnmann war Derartiges von ihr gewöhnt. Stattdessen hatte sie mit ihrer überstürzten Reaktion Ottilie auf den Plan gerufen, deren konsternierter Blick ihr nicht entgangen war.

Da saßen sie nun, tranken Kaffee und plauderten höflich, während sich Elisabeth die ganze Zeit über zwingen musste, ihre Augen und Hände ruhig zu halten, um nicht dem Drang nachzugeben, ihre Armbanduhr zu fixieren.

Ausgerechnet heute war Herr Brunnmann verflixt ausdauernd und ausgezeichnet aufgelegt. Er hatte Wolfgang wieder eine Tüte Bonbons mitgebracht und dazu dessen bevorzugte Leckerei, echte Mozartkugeln aus Salzburg, und Elisabeth und Deborah eine Sachertorte aus Wien, was immerhin Auskunft über seine letzten Reisen gab. Die Schokoladensünde war von Bertha auch gleich großzügig angeschnitten und serviert worden.

Herr Brunnmann blieb sitzen. Die Zeit verstrich, und es gab keine Möglichkeit, ihn elegant loszuwerden, zumindest keine, die Elisabeth in ihrer Not einfallen wollte. Und dann war es zu spät für den Aufbruch.

Als Herr Brunnmann sich nach über zwei Stunden endlich verabschiedete, gab es für Elisabeth eine böse Schrecksekunde. Er zog eine kleine Schmuckschachtel hervor, und sie dachte panisch: *Um Himmels willen, er wird mir doch jetzt keinen Antrag machen wollen?*

Doch er öffnete sie langsam, hielt sie ihr hin und sagte scheinbar beiläufig: »Diesen Ring habe ich durch Zufall bei einem Juwelier in Berlin entdeckt. Es ist Ihrer, nicht wahr, Frau Elisabeth? Ich habe ihn an der ungewöhnlichen Farbe des Steins erkannt. Das gleiche Violett wie das Ihrer Augen. Ich möchte Sie bitten, wenn Sie das nächste Mal Geldmittel benötigen, kommen Sie damit zu mir. Sie wissen, ich bin Ihr Freund.« Er küsste ihre Hand, und es war das erste Mal, dass seine Lippen dabei ihren Handrücken berührten.

Er ging und ließ Elisabeth mit heftig pochendem Herzen zurück. Sie spürte noch immer seine Lippen auf ihrer Hand und wischte sie mechanisch an ihrem Kostüm ab. Kraftlos sank sie auf den Sessel zurück. Elisabeth hatte begriffen, dass dies kein normaler freundschaftlicher Besuch von Herrn Brunnmann gewesen war, sondern eine Warnung.

Trotzdem oder gerade deshalb beschloss Elisabeth, es gleich am nächsten Tag erneut zu versuchen.

Ohne Zwischenfall erreichte sie mit den Kindern und Magda den Hauptbahnhof. Ein großes Polizei- und SS-Aufgebot war davor aufmarschiert.

Der Taxifahrer, mit Hakenkreuzbinde am Arm, hielt ein Stück vor der Absperrung an, reckte den Kopf und sagte: »Öha, scho wieder a Razzia. Die suchen bestimmt wieder flüchtige jüdische Verbrecher«, und Elisabeth erklärte: »Bitte kehren Sie um, ich habe es mir anders überlegt.« Neben sich hörte sie es rascheln. Wolferl war dabei, sich ein weiteres Bonbon aus der Tüte zu angeln, die ihm Herr Brunnmann mitgebracht hatte. »Nein, Wolferl, du hattest schon genug«, sagte Elisabeth gereizt und entwand ihm das Bonbon. Dann starrte sie darauf und dachte zuerst, ihre Augen spielten ihr einen Streich: Auf dem Einwickelpapier des Bonbons prangte ein Hakenkreuz.

Sie entkam ihm nicht.

Elisabeth sagte Zürich ab, gab ihre Pläne aber keineswegs auf. Sie dachte sich jedoch, dass es vielleicht klüger wäre, einige Monate bis zu ihrem nächsten Versuch abzuwarten, bis *man* dachte (wobei sie sich selbst nicht sicher war, wer dieses *man* denn eigentlich genau sein sollte), sie hätte sie aufgegeben.

Vor allem würde sie niemanden mehr in ihre Vorhaben einweihen, weder die britische Botschaft noch Mr Lochner und am allerwenigsten ihren überängstlichen Impresario, den sie im Übrigen im Verdacht hatte, ihre Pläne verraten zu haben. Dabei hatte sie ihn in dieser Sache explizit um Diskretion und Stillschweigen gebeten. Der Mann war ebenso unstet wie geschäftstüchtig; die Vermutung, er könnte fürchten, mit Elisabeth Malpran sein bestverdienendes Pferd im Opernstall zu verlieren, wenn sie sich ins freie Ausland absetzte, drängte sich ihr auf.

Als Erstes suchte sich Elisabeth daher einen neuen Impresario. Eine Sängerin musste ihrem Opernagenten beinahe das gleiche Vertrauen entgegenbringen können, wie sie ihrem Pianisten oder Dirigenten vertrauen musste, ihr die richtigen Tempi und Einsätze vorzugeben.

Elisabeth dachte, dass ihr Impresario die in diesem Entschluss verborgene Ironie vermutlich niemals begreifen würde. Im Grunde hatte seine Furcht, sie zu verlieren, genau das herbeigeführt, was er hatte vermeiden wollen: den Verlust seines Stars.

Kapitel 25

Die nächsten drei Monate gerieten zu einer schweren Belastungsprobe für Elisabeth. Längst war sie eine Gefangene zwischen Angst und Hoffnung, zwischen Resignation und Rebellion. Wenn sie am Ende ihres Auftritts auf der Bühne stand und der Applaus über sie hinwegbrandete, kam sie sich vor wie ein bröckelnder Turm aus Sand, den allein der Gedanke an den Schutz ihrer Kinder aufrecht hielt.

Sah sie dann ihre Zuhörer, die neue Herrschaft in ihren Galauniformen, Seite an Seite mit ihren juwelengeschmückten Damen, dann musste sie an sich halten, um ihnen nicht ihre Qual entgegenzuschreien: »*Was habt ihr meinem Gustav angetan?*«

Nach außen hin gab sie weiter den schönen und strahlenden Opernstar, trat in Berlin, Hamburg und Wien auf und seit Langem auch wieder einmal in München.

Sie musste sich dort von dem ihr verhassten Heinrich Himmler als »liebe gnädige Frau« die Hand küssen lassen. In seiner Gegenwart konnte sie sich des Verdachts nicht erwehren, dass er beim Verschwinden ihres Mannes die Hand im Spiel gehabt hatte.

Anschließend war sie von ihm zu einem Galaessen geladen worden, an dem sie zu seiner Rechten präsidieren durfte und deshalb den ganzen Abend über an Würgereiz litt und keinen Bissen hinunterbrachte.

Auch Herr Brunnmann lud sie zweimal, allerdings in einem privateren Rahmen, zu einem Souper ein. Und obwohl er sich ihr gegenüber nach wie vor sehr zurückhaltend gab, beinahe mit nüchterner Geschäftsmäßigkeit auftrat, auf die selbst eine weniger reizvolle Frau als Elisabeth irritiert reagiert hätte, glaubte sie seit der Rückgabe des Rings eine leichte Wandlung in seinem Benehmen wahrgenommen zu haben. Doch jedes Mal, wenn sie sich trennten und er sich mit selbstverständlicher Gelassenheit von ihr verabschiedete, meinte Elisabeth, sich wohl doch getäuscht zu haben.

Jedoch allein die Tatsache, dass sie sich überhaupt mit dieser Frage beschäftigte, zeigte, dass sie sich nicht vollständig irren konnte. Je mehr sie sich mit seinem Verhalten befasste, desto mehr glaubte sie in seiner Haltung eine Art unausgesprochene Erwartung zu entdecken. Elisabeth fragte sich, ob er sich mehr von ihr erhoffte als nur tiefe Dankbarkeit für die Errettung ihrer Kinder.

Ihre innere Anspannung überstieg bald das Maß des Erträglichen. Sie schlief noch weniger, vergaß zu essen, reiste und arbeitete viel und fühlte sich zunehmend matt. Ihre Stimme und Konzentration litten darunter. Mehr und mehr glich ihre Müdigkeit einer Form der geistigen Erschöpfung, als könnte sie künftige Bürden bereits erahnen.

Eines Nachts, sie war gerade erst aus Wien zurückgekehrt und wälzte sich, wie in letzter Zeit so oft, unruhig in ihrem Bett, da träumte sie einmal mehr von Gustav, wie er auf sie zulief, sich aber dann plötzlich in Albrecht Brunnmann verwandelte. Sie wachte auf und fühlte sich verwirrt und desorientiert. Sie benötigte eine Weile, um sich wieder zurechtzufinden und ihre Gedanken neu zu stimmen, die in allen Tonlagen in ihrem Kopf vibrierten.

Und ganz unerwartet, in einem Moment der Selbsterkenntnis, der wie eine Inspiration über sie kam, fragte sie sich, ob das Problem vielleicht weniger bei Herrn Brunnmann lag, sondern vielmehr bei ihr. Konnte es sein, dass sie selbst sich mehr von ihm erwartete als er sich von ihr?

Elisabeth war eine leidenschaftliche Frau und Künstlerin – sie hatte die Seele der Liebe und den Rausch der Sehnsüchte oft genug auf der Bühne verkörpert. Sie wusste um die Begierden und die fleischliche Lust menschlicher Körper, gleich ob Mann oder Frau, denn sie selbst hatte sie am eigenen Leib mit ihrem Gustav erfahren dürfen.

Elisabeth überlegte weiter, dass die Bedürfnisse der Frau in diesen Zeiten nicht erwünscht waren, Frauen wurden auf ihre Aufgaben in Heim und am Herd beschränkt. Vor allem hatte die ideale Frau der Naziideologie eine heilige Pflicht, nämlich die, dem Führer Söhne zu gebären, mit denen er dann das gierige Maul des Krieges stopfen konnte.

Elisabeth gestand sich ein, wie sehr sie sich nach Gustav sehnte, der nun seit fünfzehn Monaten verschollen war, und dass sie nicht allein seinen klugen Geist vermisste, sondern ihr Körper auch den Mann und seine Berührungen.

Weil sie es ihrem Gustav schuldig war, setzte sie sich ehrlich damit auseinander. Sie fragte sich deshalb auch selbstkritisch, ob nicht auch ihre Eitelkeit als Frau gekränkt darüber war, dass Herr Albrecht Brunnmann der einzige Mann in ihrer Umgebung zu sein schien, der ihr niemals echte Avancen machte.

Auf jeden Fall ließen sie ihre Selbstbetrachtungen nicht weniger verwirrt und ratlos zurück als zuvor. Elisabeth konnte lange nicht mehr einschlafen.

Als Herr Brunnmann das nächste Mal in München weilte und sie neuerlich einlud, täuschte sie eine Migräne vor und war froh, dass er sie nicht weiter drängte.

Kapitel 26

Im Juli gab es die nächste Aufregung.

Elisabeth weilte in Berlin, Deborah war in der Gesangsstunde und Ottilie mit Magda auf dem Viktualienmarkt unterwegs.

Da beschloss der kleine Wolfgang, mit der Dackeldame Biene allein spazieren zu gehen. Bertha, die eigentlich auf ihn hätte aufpassen sollen, schlief mit offenem Mund auf der Ofenbank in der Küche.

Das tat sie in letzter Zeit oft, wie sie überhaupt sehr dösig geworden war, sodass Ottilie zu Magda sagte: »Bald schläft uns die Bertha noch mitten im Kochen ein und landet dann selbst im Topf. Wirst schon sehen!«

Magda und Ottilie kehrten mit vollen Körben zurück und bemerkten gleich, dass das Wolferl und die Biene verschwunden waren. Die umsichtige Magda hielt es für keine gute Idee, die Polizei einzuschalten.

Daher schwärmten sie und Ottilie aus, gemeinsam mit der zwischenzeitlich zurückgekehrten Deborah. Den Wolfgang fanden sie Gott sei Dank bald. Aber er war ganz verstört, denn die pfiffige Biene war ihm entwischt. Sie suchten bis zum Abend nach ihr, doch die Dackeldame blieb verschollen. Das Wolferl weinte herzerweichend, sodass Deborah ihm nicht richtig böse sein konnte, aber Bertha bekam so einiges zu hören.

Zu ihrer aller Freude wartete Biene am nächsten Morgen vor der Tür. Sie war putzmunter und vertilgte auch gleich den von der reuigen Bertha mit Leckereien gefüllten Napf. Biene hatte ihr nächtliches Abenteuer augenscheinlich genossen.

Zwei Wochen später, Elisabeth hatte des Geldes wegen eine zehntägige, aufreibende Konzerttortur durch drei Städte hinter sich gebracht, tauchte Herr Albrecht Brunnmann erneut unangemeldet am Prinzregentenplatz auf.

Elisabeth gab sich alle Mühe, der ihm geschuldeten Höflichkeit nachzukommen. Aber obwohl Sensibilität nicht zu Herrn Brunnmanns Tugenden zählte, begriff er, dass Frau Malpran seinen Besuch mehr wie eine Pflicht denn als Kür absolvierte, und verabschiedete sich bald.

Elisabeth hatte für ihren nächsten Anlauf, das Deutsche Reich zu verlassen, einen Tag im September gewählt. Sie wollte sich jedoch erst im letztmöglichen Moment für den genauen Tag entscheiden, als fürchte sie, dass die Nationalsozialisten inzwischen Gedanken lesen konnten.

Auch Deborah oder Magda sollten frühestens am Abend vorher informiert werden, um sich durch keine unbewusste Handlung oder Äußerung verraten zu können.

Am 1. September 1939 kehrte Ottilie mit leerem Korb vom Markt zurück. Sie war völlig aufgelöst und fiel daher in ihr breitestes Bayrisch zurück:

»Jessas, gnädige Frau, mir san im Krieg, wie's der arme Doktor immer vorherg'sagt hat! Koa Wunder, dass die ihr Parteihaus *Braunes Haus* nennen. A Scheißhaus is des! Dene hams doch ins Hirn g'schi…«

»Ottilie, bitte mäßigen Sie sich. Das Wolferl!«, unterbrach Elisabeth ihren mit Spezialitäten gespickten Monolog. Dabei konnte sie Ottilies Aufregung gut nachvollziehen. Sowohl Ottilies Vater als auch ihr älterer Bruder waren im Ersten Weltkrieg gefallen, und ihr Hans war jetzt Soldat.

Die Mahnung aber kam zu spät für das aufgeweckte Wolferl. Er hüpfte schon im Kreis umher und schrie ekstatisch: »Braunes Haus, Scheißhaus, braunes Haus, Scheißhaus …«

Ottilie verkrümelte sich mit hochrot eingezogenem Kopf.

Elisabeth führte sogleich ein ernstes Gespräch mit ihrem Sohn, denn diese Worte durfte er auf keinen Fall vor den falschen Ohren wiederholen. Dabei war es beinahe ein Ding der Unmöglichkeit, einem Sechsjährigen zu erklären, dass es keine Freiheit der Meinung mehr gab, und es klappte auch nur unter Strafandrohung und ohne dass Wolferl eine Einsicht gehabt hätte.

Elisabeth schaltete danach den Rundfunkempfänger ein und lauschte Hitlers Kriegsrechtfertigungsrede vor dem Reichstag:

»Polen hat heute Nacht zum ersten Mal auf unserem eigenen Territorium auch mit bereits regulären Soldaten geschossen. Seit 5 Uhr 45 wird jetzt zurückgeschossen. Und von jetzt ab wird Bombe mit Bombe vergolten.«

Elisabeth erinnerte sich gut, wie Gustav ihr gesagt hatte, dass im Krieg weder Recht noch Wahrheit herrschte. Sie überlegte sich deshalb, wie schwer es nun, da Deutschland sich im Kriegszustand befand, erst werden würde, das Land zu verlassen.

Und der Vorwurf legte sich wie eine böse Ahnung über sie: *Hatte sie zu lange gezögert?*

Ihre Zuversicht stemmte sich dagegen. Elisabeth spekulierte, dass die Nazis jetzt mit anderem, Schwerwiegenderem beschäftigt waren. Vielleicht würde es sogar einfacher für sie werden.

Eines aber war sicher: Mit Kriegsbeginn würde ein Exodus einsetzen, und noch viel mehr Menschen würden das Land verlassen wollen. Elisabeths größte Sorge galt daher der Frage: Wie würde das freie Land Schweiz darauf reagieren? Würde es seine Grenzen schließen?

Elisabeth handelte sofort. Sie nahm ein Bündel Geldscheine, schnappte sich ein Taxi und fuhr zum Hauptbahnhof, wo sie gleich für den nächsten Tag Fahrscheine für Zürich lösen wollte. Ihr Instinkt hatte sie nicht getrogen. An diesem Nachmittag war am Münchner Bahnhof noch mehr los als sonst schon, und die gewünschten Fahrscheine waren bereits ausverkauft.

Elisabeth folgte wiederum einer jähen Eingebung und kaufte die frühesten, die es noch gab, und zwar für den 05. September sowie für die beiden darauffolgenden Tage, jeweils vier Fahrkarten erster Klasse nach Zürich. Es kostete sie ihre gesamte Barschaft.

Danach fühlte sie sich erleichtert, die Last des Entschlusses war von ihr abgefallen, auch weil sie für jegliche Eventualität vorgesorgt hatte. Selbst wenn am 05. September etwas dazwischenkommen würde wie ein weiterer, unangekündigter Besuch des Herrn Brunnmann, so gab es für die zwei folgenden Tage einen Ersatzplan.

Blieb noch das Problem, wie es mit Bertha und Ottilie weitergehen sollte, die bald ihre Arbeit und damit ihren Lebensunterhalt verlieren würden.

Die Wohnung am Prinzregentenplatz gehörte ihnen bekanntlich nicht mehr. Die beiden langjährigen Dienstboten konnten nach dem, was der unschuldigen Magda in Stuttgart widerfahren war, nicht dort bleiben, wenn ihre Herrschaft das Land gegen den Willen der Regierenden verlassen haben würde. Elisabeth fürchtete zwar keine direkten Repressalien gegen die beiden, doch es würde ihrem eigenen Gewissen dienen, die beiden treuen Seelen gut versorgt und in Sicherheit zu wissen.

Elisabeth sprach daher mit Magda über das Problem, und sie fanden eine praktikable Lösung für die Köchin Bertha. Am übernächsten Tag schon kam Magdas älterer Bruder Josef nach München, der nach dem Tod des Vaters jetzt der Bauer auf dem Hof in Thanning war. Er nahm Bertha mit zu sich. Bertha zeterte und weinte, sie wollte nicht gehen, denn sie glaubte, dies wäre die Bestrafung dafür, dass ihr das Wolferl entwischt war. Aber es half alles nichts.

Elisabeth tat es selber leid, die Verzweiflung der getreuen Alten mit anzusehen, aber sie durfte ihr schon zu deren eigenem Schutz nicht die Wahrheit verraten.

Das mit Ottilie erledigte sich dann innerhalb von wenigen Tagen von ganz allein.

Hans, der Soldat, hatte sie schon vor Langem um ihre Hand gebeten, und jetzt, im Angesicht des Krieges, willigte Ottilie sofort ein.

Schon am 04. September wurde sie von Elisabeth in eine neue Zukunft nach Freising verabschiedet. Sie hatte Ottilie großzügig mit einer Aussteuer versorgt, wobei sie der Guten alles mehr oder weniger aufdrängen musste.

Nun gab es in der Wohnung am Prinzregentenplatz nur noch Elisabeth, Magda, Deborah, Wolfgang und die Dackeldame Biene, die in letzter Zeit noch dicker geworden war. Elisabeth vermutete stark, dass sie von Bertha mit viel schlechtem Gewissen angefüttert worden war.

Am Abend des 4. September unternahm Elisabeth einen letzten Rundgang durch die Wohnung und zwang sich, nicht an das Glück der Arche-Noah-Jahre zu denken, das sie hier mit Gustav hatte verleben dürfen. Wie seltsam leer die Wohnung wirkte. Es kam ihr fast so vor, als würde das Echo ihrer künftigen Abwesenheit bereits in ihr widerhallen.

Eine halbe Stunde vor Mitternacht, Elisabeth war kaum in den Schlaf gesunken, wurde sie unsanft geweckt. Die Übeltäter standen an ihrem Bett: Deborah und Wolfgang!

Elisabeth fuhr erschrocken auf und rief: »Um Himmels willen, was ist denn jetzt wieder passiert?«

Und Deborah sagte: »Mama, Biene ist Mama geworden.« Ihre Augen kommunizierten in der Sprache der Verzweiflung. Deborah, die erst seit wenigen Stunden in den Plan ihrer Mutter eingeweiht war, hatte sofort erfasst, dass sie Biene und ihre Welpen nicht würden mitnehmen können. Gleichzeitig flehte sie ihre Mutter um eine Lösung für dieses neuerliche Dilemma an.

Elisabeth seufzte, schlüpfte in ihre Pantoffeln und sagte: »Sehen wir sie uns also an.«

Der Anblick der stolzen Mutter und ihrer vier Winzlinge war herzzerreißend, doch hätte es für diesen Zuwachs keinen ungünstigeren Zeitpunkt geben können. Elisabeth überlegte, wie sehr sie sich gestern noch für Ottilie und Hans gefreut hatte und wie nötig sie das tierliebe Hausmädchen heute hier gebraucht hätte.

Was sollte sie tun? Sie spürte die bittenden Blicke der Kinder auf sich ruhen, wusste, was sie sich von ihr wünschten, vor allem Deborah, die Biene unter großen Mühen mit der Flasche aufgezogen und ihr das Leben gerettet hatte.

Doch Deutschland befand sich im Krieg, und die Sicherheit der Kinder war jetzt das oberste Gebot. Elisabeth fühlte sich inzwischen viel zu ausgelaugt und müde, wusste um das Schwinden ihrer Kräfte und dass sie kaum mehr dazu imstande wäre, zwei weitere Monate auf der Bühne der Heuchelei zu bewältigen. Sie überlegte: Ihr Zug ging morgen erst nach drei Uhr nachmittags. Freising hin und zurück war vorher mit dem Taxi leicht zu schaffen.

Darum sagte sie jetzt: »Es tut mir leid, ihr zwei. Aber es geht nicht anders. Morgen fahre ich ganz früh nach Freising und bringe Biene und die Kleinen zu Ottilie. Da werden sie es gut haben. Wir müssen fort aus Deutschland. Wir können nicht mehr warten. Bald wird es zu spät sein. Ihr müsst das verstehen, ja?«

Sie sah, wie Deborahs Augen im traurigen See ihrer Tränen untergingen. Aber sie protestierte nicht und akzeptierte die Entscheidung ihrer Mutter – vielleicht, weil sie in ihrem Blick die Endgültigkeit erkannt hatte.

Elisabeth kroch zurück in ihr Bett und fiel erst kurz vor Morgengrauen in einen unruhigen Schlaf.

Elisabeth träumte. Barfuß irrte sie durch ein endloses Labyrinth aus schwarzem Eis. Immer wenn sie dachte, einen Ausweg gefunden zu haben, tat sich vor ihr eine noch höhere Mauer auf. Sie spürte, wie die Kälte von ihren Füßen aus immer höher kroch und sich langsam ihrem Herzen näherte. Elisabeth wusste, sobald sie ihr Herz erreicht hätte, würde sie sterben. Verzweifelt suchte sie nach einem Ausweg und hetzte immer weiter.

Aber am Ende stellte sich ihr stets ein Mann in schwarzer Uniform in den Weg. Sein Kopf war nur ein Totenschädel und er sprach:

»Bedaure, gnädige Frau. Aber alle Ausgänge sind geschlossen.«

Kapitel 27

Früh am nächsten Morgen, Elisabeth hatte sich gerade bereitgemacht für die knapp einstündige Taxifahrt nach Freising, fuhr eine dunkle Mercedes-Limousine mit Naziwimpeln am Prinzregentenplatz 10 vor. Ihr entstieg einer von Hitlers Adjutanten.

Höflich teilte er Frau Elisabeth Malpran mit, dass der Führer zurzeit in München weile und erfahren habe, dass sie gerade pausiere. Man erbitte deshalb für den Abend ihre Präsenz in Schloss Neuschwanstein, wo man einen kurzfristig angesetzten Wagner-Liederabend für den Führer plane. Die Proben dafür hätten bereits begonnen. Er nehme die gnädige Frau darum gleich mit nach Füssen, damit sie keine Umstände habe.

Kurz schoss Elisabeth durch den Kopf, warum Hitler nicht in Berlin war, wo er doch Krieg führte. Dann fiel ihr ein, dass sie auch gerade erst gelesen hatte, dass Göring angeblich Ferien an der Riviera machte. Der eine lud zum Wagner-Abend, der andere machte Ferien, und in Polen starben Soldaten.

Elisabeth blieb nichts anderes übrig, als dieser Aufforderung, die einem Befehl gleichkam, nachzukommen und ihre Kinder plus neuerdings fünf Hunde in Magdas Obhut zurückzulassen.

Albrecht Brunnmann persönlich eilte ihr knapp zwei Stunden später zur Begrüßung im Schlosshof entgegen, um ihr den Türschlag zu öffnen. Er war charmant und zuvorkommend wie gewöhnlich. Durch nichts ließ er sich anmerken, dass Elisabeth seine letzte Einladung abgelehnt und ihn durch ihr abweisendes Benehmen mehr oder weniger aus der Wohnung hinauskomplimentiert hatte.

Über die Dächer Münchens kletterte bereits der neue Tag herauf, als Elisabeth völlig erschlagen von Neuschwanstein zurückkehrte. Herr Brunnmann hatte Elisabeth angeboten, sie mit seinem Wagen nach Hause zu begleiten, und für dieses Mal hatte sie seine Freundlichkeit nicht ausgeschlagen.

Dankbar notierte sie, dass Herr Brunnmann keinen Wert auf eine Konversation zu legen schien, sondern stumm neben ihr im Fond des Wagens saß. Erleichtert überließ sie sich dem weichen Polster.

Elisabeth genoss die Stille zwischen Tag und Nacht, zwischen Tod und Geburt, widerstand aber der verlockenden Versuchung, ihre Augen zu schließen. Sie wusste, dass sie sich bei der Ankunft nicht würde ausruhen können, sondern gleich Biene und die Welpen nach Freising zu Ottilie bringen müsste.

Um nicht einzuschlafen, versuchte Elisabeth die Lieder zu rekapitulieren, die sie in Neuschwanstein dargebracht hatte, aber der Abend schien für sie in diffuser Unwirklichkeit versunken zu sein, als hätte sie ihn nicht selbst erlebt. Sie hätte dieses seltsame Gefühl ebenso wenig zu beschreiben vermocht, wie es für die seelenlose Farbe einen Namen gab, in die die geisterhafte Stadt zu dieser Stunde getaucht war. Möglich, dass es die Melancholie des bevorstehenden Abschieds war, die von ihr Besitz ergriffen hatte.

Noch bevor der Wagen von Herrn Brunnmann am Prinzregentenplatz hielt, überkam Elisabeth eine merkwürdige Vorahnung. Es war schon öfter vorgekommen, dass sie erst in den frühen Morgenstunden von ihrer Arbeit heimkehrte, darum benötigte sie einen Augenblick, bis sie begriff, was anders war als sonst: Es war das Licht. Niemals hatte sie um diese Uhrzeit so viel Licht in den Fenstern der umliegenden Häuser bemerkt. Was konnte es sein, das die Menschen zu so früher Stunde aufgestört hatte?

Ohne sich von Herrn Brunnmann zu verabschieden, geschweige denn abzuwarten, bis der Chauffeur ihr den Schlag geöffnet hätte, stürzte sie aus dem Wagen, schloss das untere Eingangsportal auf und rannte die vier Stockwerke nach oben. Sie fand die beiden Flügel ihrer Wohnungstür weit geöffnet und erstarrte in namenlosem Entsetzen.

Nie zuvor hatte sie etwas Grausameres erblickt: Biene lag tot in ihrem eigenen Blut im Flur, die blinden Welpen waren zu ihr gekrochen, nuckelten an ihren kalten Zitzen und stießen dabei herzzerreißende Fieptöne aus.

Elisabeths Schrei hatte nichts Menschliches mehr an sich. Wie von Sinnen hetzte sie durch alle Räume, unablässig nach Deborah und Wolfgang und Magda rufend, aber niemand antwortete ihr. Nur das klagende Rufen der mutterlosen Welpen erklang in der Stille.

Und das, was einmal das Geschöpf Elisabeth ausgemacht hatte, zerbrach. Ihr Mut und ihre Kraft vergingen in der dunklen Verzweiflung einer Mutter, die ihre Kinder nicht hatte beschützen können.

Herr Brunnmann fing Elisabeths zarte Gestalt gerade noch rechtzeitig auf, bevor sie ohnmächtig zu Boden sank.

Kapitel 28

Erst sehr viel später vermochte Deborah den Ablauf der Geschehnisse dieser furchtbaren Nacht zu schildern und ihrem Tagebuch anzuvertrauen: das Poltern an der Tür, Magdas Widerstand, Bienes Tod, der Abtransport in einem engen Güterwaggon – zusammengepfercht mit unzähligen anderen jammervollen Gestalten.

Sie kamen gegen neun Uhr abends, Männer in schwarzen SS-Uniformen. Wir konnten sie schon lange vorher hören, mit ihren schweren Stiefeln stürmten sie die Treppe herauf. Ich sah, wie Magda neben mir ganz blass wurde und sich ans Herz fasste. Sicher dachte sie daran, was sie in Stuttgart erlebt hatte. Aber sie ist die mutigste Frau, die man sich vorstellen kann, und sie öffnete ihnen die Tür, während sie zu mir sagte: »Bevor sie sie uns noch zertrümmern.«

Dann geschah alles furchtbar schnell. Magda stellte sich schützend vor uns, aber die Männer fegten sie einfach weg wie eine lästige Fliege. Mein Bruder schrie. Einer der Männer packte ihn und hielt ihm den Mund zu: »Still, du Judenbalg.« Da stürzte sich Biene mit gefletschten Zähnen ins Getümmel. Ich schrie: »Biene! Nein!« Zwei der Männer zogen ihre Waffen und schossen abwechselnd auf sie. Sie lachten. Wolferl wurde ganz still und schlaff in den Händen des Mannes. Seine Augen wurden stumm.

Ich weiß, dass er seither oft davon träumt, weil auch ich immer noch davon träume. Sie nahmen uns beide mit, die stöhnende Magda ließen sie liegen. Sie kam uns aber dann nachgelaufen und bestand darauf, uns nicht alleine zu lassen. Da nahmen sie sie auch mit.

Unten wartete ein Lastwagen mit einer Plane. Sie warfen uns hinauf wie Pakete. Ich erinnere mich, wie eng es war, wir waren so viele, und doch blieb genug Platz für die Angst. Magda und ich hatten meinen Bruder in die Mitte genommen, und zu dritt klammerten wir uns aneinander. Die Fahrt dauerte nicht lange. Sie fuhren mit uns zum Güterbahnhof Milbertshofen, und wir wussten, dass wir verreisen würden. Es kamen noch mehr Lastwagen an, mit noch mehr menschlichen Paketen.

Wir liefen zwischen all den anderen. Ich hielt meinen kleinen Bruder fest an der Hand. Wir mussten weit laufen, die Gleise entlang, und viele stolperten. Für Wolferl mit seinem verkürzten Bein war es eine Tortur. Die anderen trieben uns ständig an. Alles musste zügig gehen, als wollten sie uns ganz schnell wieder loswerden. Wir mussten still marschieren. Wer weinte wurde geschlagen. Ich glaube, die anderen fühlten sich durch unsere Klagen belästigt. Still und stumm sollten wir leiden, und so sollten wir auch sterben.

Dann wurde es mit einem Mal doch laut. Ich konnte nichts sehen, es geschah weit vor uns. Ein Schreien und Flehen und dann: Schüsse! Wolferl zuckte bei jedem einzelnen zusammen. Dann näherte sich uns ein entsetztes Wimmern – eine Nachricht kam von ganz vorn und lief wie eine unheimliche Welle nach hinten weiter. Sie hinterließ Angst und Entsetzen bei jedem, den sie streifte, eine schreckliche Flüsterpost: Sie trennen die Familien!

Dann waren das Wolferl und ich an der Reihe, und sie rissen mir meinen Bruder weg. Ich schrie und kämpfte, und dann packte mich jemand mit einem Lachen und trug mich weg. Magda kämpfte ebenso, aber auch sie schleiften sie davon. Ich fühlte diesen furchtbaren Hass und war doch so ohnmächtig und schwach, weniger als ein Nichts. Seit dieser Nacht habe ich diese grausamen Töne in mir. Niemand außer mir kann sie hören. Sie toben in meiner Seele, misstönend und schrill, als wäre ich ein verstimmtes Instrument. Es zerreißt mir die Brust. Seit jener Nacht trage ich den fernen Klageton des Todes in mir und frage mich: Kann man an der Qual der inneren Töne sterben?

Deborahs junge Seele, deren Lebenslied wenige Tage zuvor noch verheißungsvoll erklungen war, war in jener Nacht in einem Schrei aus Trauer und Hass zerborsten. Hass war Deborahs gefühlte Gegenwart, eine Mutation aus Bitternis und Leid.

Wieder erwies sich Herr Albrecht Brunnmann als Retter in der Not.

Nachdem er seinen Chauffeur weggeschickt hatte, um Dr. Strelitz, der zufällig in München weilte, für Frau Malpran zu holen, hatte er bei Elisabeth gewacht, bis sie das Bewusstsein wiedererlangte, und ihr in die Hand versprochen, ihre Kinder wieder nach Hause zu bringen. Er verließ Elisabeth erst, nachdem Dr. Strelitz eingetroffen und ihr ein Beruhigungsmittel verabreicht hatte.

Brunnmann trug auch Sorge dafür, dass sämtliche Spuren der verhängnisvollen nächtlichen Geschehnisse beseitigt wurden. Am Mittag desselben Tages kehrte er zurück. Bei ihm waren Deborah und Wolfgang.

Für Magda hatte er nichts erreichen können. Offiziell blieb sie verschollen, aber Herr Brunnmann hatte in Erfahrung gebracht, dass sie beim Versuch zu flüchten erschossen worden war.

Wolfgang stand unter Schock. Er sprach nicht und ließ sich von seiner Mutter umarmen wie eine seelenlose Puppe.

Deborah warf sich zwar in die Arme ihrer Mutter, weinte aber nicht.

Herr Albrecht Brunnmann und Frau Elisabeth Malpran heirateten vier Wochen später, nachdem Gustav von den Behörden offiziell für tot erklärt worden war. Fortan standen Elisabeth und ihre Kinder unter Brunnmanns persönlichem Schutz.

Die Ehe ihrer Mutter mit Herrn Brunnmann blieb für Deborah ein schwebendes Rätsel. Sicherlich mochte eine gewisse körperliche Anziehungskraft zwischen den beiden herrschen, auch wenn Deborah dies mehr ahnte, als dass ihre Jugend es wirklich verstand. Albrecht Brunnmann war ein sehr gut aussehender Mann und erinnerte in seiner eleganten und ruhigen Erscheinung in gewisser Weise an Deborahs Vater. Und er behandelte Elisabeth wie ein vollendeter Kavalier, mit ausgesuchter Höflichkeit und offenkundigem Besitzerstolz.

Trotzdem hatte die neue Ehe ihrer Mutter für Deborah etwas Verstörendes an sich: Niemals konnte sie – von einem Handkuss abgesehen – beobachten, dass die beiden Zärtlichkeiten austauschten.

Ihre Mutter und ihr Vater hingegen hatten ihre Liebe und ihre gegenseitige Bezauberung offen gezeigt. Solange Deborah zurückdenken konnte, hatte es zwischen ihnen geheimes Geflüster und intensive Blicke gegeben.

Sie hatte immer von einer solchen Liebe für sich selbst geträumt. Sie wusste, eines Tages würde sie ihr begegnen.

Kapitel 29

Deborah sann nicht nur über die beiden als Ehepaar nach, sondern beschäftigte sich ebenso häufig mit der Person des Herrn Brunnmann selbst. Seit sie ihn kannte, überlegte sie, ob sie ihn mochte oder ob sie Angst vor ihm hatte. Oft folgte das eine unmittelbar auf das andere.

Auf der Habenseite stand, dass er sie und ihren Bruder bereits zweimal gerettet hatte.

Mit der Angst hingegen verhielt es sich weitaus komplizierter. Sie war einfach manchmal da, ebenso wie ihre Wut. Von einer Minute auf die andere wurde sie von einer jähen destruktiven Anwandlung erfasst, die rasch in blinden Hass umschlagen konnte. Doch gegen wen sollte sie diesen Hass richten? Ihre Pein war abstrakt.

Lange Zeit versuchte sie dagegen anzugehen, doch das verstärkte nur ihre Aggressionen und den Drang, irgendetwas zu zerstören, und wenn es nur ihre alte Puppe war. Eines Tages entdeckte sie dann eher zufällig, wie sie sich Linderung verschaffen konnte: indem sie sich selbst verletzte. Heimlich begann sie, sich Schnitte an den Innenseiten ihrer Unterarme zuzufügen.

Mit seltsamer Befriedigung beobachtete sie dann, wie das Blut aus ihren Wunden sickerte. Die roten Rinnsale krochen wie kleine, sich windende Schlangen über ihre weiße Haut. Deborah genoss das süße Aufatmen ihrer Seele. Endlich, endlich hatte sie ein Ventil für ihren brennenden Hass gefunden.

Nachts, wenn sie, wie so oft, wach lag, dachte sie darüber nach, wie viele verschiedene Dimensionen des Schmerzes es auf der Welt wohl geben mochte. Existierten ebenso viele Dimensionen der Liebe? Konnte sich die Liebe auch im Schmerz erfüllen, oder war Schmerz nur ein Tribut an den Hass?

Auf Geheiß des Herrn Brunnmann kamen eine neue Köchin und ein neues Dienstmädchen ins Haus. Aber es war nicht mehr die vertraute Gemeinschaft wie zuvor. Die beiden waren so, wie man gute Deutsche definierte: linientreu.

Deborah wurde das Gefühl nie los, dass sie die Wohnung fortan mit zwei weiblichen Spionen teilten.

Im Juni 1940 erreichte Hitler den Höhepunkt seiner kriegerischen Macht: Nach Polen hatte er erfolgreich Dänemark, Norwegen, Belgien und Luxemburg besetzt und den Frankreich-Feldzug gewonnen. Er hatte die Kapitulation Frankreichs in demselben Eisenbahnwaggon – der dazu extra aus dem Museum gehievt worden war – entgegengenommen, in dem im Ersten Weltkrieg die Niederlage Deutschlands durch die Siegermächte besiegelt worden war.

Ihre Mutter, die seit dem Verschwinden ihres Vaters aufmerksam die Tageszeitung studierte, hatte es Deborah vorgelesen. Deborah fand, dass dieser Führer ein ebenso kleinlicher wie rachsüchtiger Mann sein musste.

Der Wermutstropfen in der Kriegssuppe blieben die Briten, die der Hitlerdiktatur am 03. September 1939 den Krieg erklärt hatten. Ihr Premier Churchill hatte früher als andere europäische und transatlantische Politiker, die ihren Isolationismus pflegten, die Gefährlichkeit und die Machtgelüste des deutschen Führers und seiner nibelungentreuen Gefolgsleute erkannt und seine Absichten durchschaut.

Dabei hatte Hitler diese in der 1925 veröffentlichten Chronik eines Wahnsinnigen, *Mein Kampf*, ausführlich und für alle Welt käuflich dargelegt. Ein millionenfach verkauftes Buch, bloß schien es irgendwie kaum jemand gelesen zu haben.

In einem kurzen Aufflackern früherer Tatkraft setzte Elisabeth bei Herrn Brunnmann durch, dass Ottilie wieder eingestellt wurde, dafür aber das neue Hausmädchen gehen musste. Ottilie kehrte also an den Prinzregentenplatz zurück. Sie wurde von Elisabeth, Deborah und dem Wolferl, das sich dank rührender Fürsorge wieder erholt hatte, wie ein verlorenes Familienmitglied begrüßt.

Ottilies Mann Hans war auf dem Polen-Feldzug für Führer und Vaterland gefallen.

Kapitel 30

Der einzige Tod

Der Mensch trägt im Leben viele Wunden davon. Die schlimmsten sind jene, die nicht sichtbar werden, weil sie im Innern der Seele verschlossen bleiben – wie jene Wunden, unter denen Deborah litt. Vielleicht hätte ihr verwundeter Geist Erlösung erfahren können, wenn sie sich ihrer Mutter anvertraut hätte. Elisabeth war selbst durch die Hölle gegangen. Der Verlust Gustavs und die fortwährende Angst um ihre Kinder hatten sie aufgezehrt, und sie schöpfte ihre gesamte verbliebene Kraft aus der Tatsache, dass sie ihre Kinder nun in Sicherheit wusste. Und so fiel niemandem auf, dass Deborahs Kinderseele erloschen war.

Auch Ottilie litt, und vieles von ihrem Leid war nach außen hin sichtbar: Das vormals so propere Hausmädchen war erschreckend abgemagert, ihre einst roten Wangen blass und verdorrt wie eine Winterfrucht. Sie weinte viel, der geringste Anlass genügte. Ein scharfes Wort der neuen Köchin: ein Wasserfall; ein abgerissener Knopf: eine Tragödie mit Weinkrampf. Jetzt zeigte sich, dass Hans' blinde Gefolgschaft und seine bedingungslose Liebe die Eckpfeiler waren, auf denen Ottilies Stärke geruht hatte.

Weil ihr dieses Fundament nun fehlte, wurde sie in sich selbst instabil, und ihre Persönlichkeit begann zu verblassen: Wo früher Beherztheit geherrscht hatte, bestimmte jetzt Zögern; wo sich einmal treffsicherer Spott fand, dümpelte jetzt stille Resignation; wo früher Ordnungsliebe gewaltet hatte, war jetzt Nachlässigkeit; wo früher Stärke war, regierte jetzt Schwäche.

Es brauchte Monate und viel Geduld, bis Ottilie ihre Trauer in den Griff bekam und ihre legendäre Ordnungsliebe wieder zum Leben erwachte.

Die ganze Familie empfand es als angenehm, dass Herr Brunnmann fast ununterbrochen auf Reisen weilte und nur zu kurzen Stippvisiten nach Hause kam. Allerdings war sich Deborah sicher, dass ihn die neue Köchin fleißig über alle häuslichen Vorkommnisse auf dem Laufenden hielt.

Elisabeth verbrachte nun die meiste Zeit zu Hause bei ihren Kindern. Nur noch selten nahm sie Engagements wahr, denn ihre Gesundheit war seit jener Nacht im September noch labiler geworden. Ihre zarte Schönheit schien fragiler denn je und ihre Haut beinahe durchsichtig.

Auch hatte ihre Seele kaum weniger Schaden genommen als jene ihrer Kinder. Ähnlich einem in die Enge getriebenen Tier schreckte sie bei unerwarteten Geräuschen zusammen.

Die Bewohner am Prinzregentenplatz machten es sich daher bald zur Angewohnheit, alle ihre Verrichtungen möglichst geräuschlos zu erledigen, bedächtig aufzutreten und leise zu sprechen.

Vielleicht hatte Deborah darum, wann immer sie später an jene Zeit zurückdachte, stets das Gefühl, dass das Leben in seinen Konturen irgendwie gedämpfter gewesen war.

Immer häufiger litt Elisabeth nun unter fiebrigen Infekten, und ihre Rekonvaleszenzen dauerten von Mal zu Mal länger.

Anfang 1941 erkrankte sie dann erneut, Dr. Strelitz diagnostizierte eine Lungenentzündung. Es dauerte fast drei Monate, bis sie wieder auf den Beinen war. Ihre Stimme hatte unter den gesundheitlichen Strapazen gelitten und an früherer Stärke verloren.

Fortan würde Elisabeth niemals wieder öffentlich auftreten und nur noch im privaten Kreis singen.

Ihre größte Freude aber war es, wenn sie gemeinsam mit Deborah musizieren konnte. Sooft es ihre empfindliche Gesundheit zuließ, gab sie ihrer begabten Tochter Gesangs- und Klavierunterricht.

Deborah war gerade siebzehn, aber ihre Stimme, ein lyrischer Sopran, sehr vielversprechend und volltönend, mit silbernem Timbre. Mühelos verband sie Eleganz mit Intensität, dies bestätigte Elisabeth der Gesangspädagoge am Münchner Konservatorium, das erst im Jahre 1927 gegründet worden war und das Deborah jetzt täglich besuchte.

Neben dem Opernfach Gesang studierte sie dort auch Piano in der Meisterklasse. Elisabeth war so stolz, als man ihr bei einem Besuch des Konservatoriums versicherte, dass das Talent ihrer Tochter bei entsprechender Konzentration auch für eine Pianistenkarriere ausreichen würde. Doch Deborah wusste schon lange, dass sie wie ihre Mutter Opernsängerin werden wollte. Die öffentliche Schule besuchten weder Deborah noch Wolfgang. Auf Wunsch von Herrn Brunnmann erhielten die Kinder zu Hause privaten Unterricht.

Kapitel 31

Am Hochzeitstag hatte die Familie auch Herrn Brunnmanns älteren Bruder kennengelernt, Leopold. Er stellte für sie eine echte Überraschung dar. Ja, Deborah fand sogar, dass er überhaupt das Beste an der Heirat ihrer Mutter war.

Bei Leopold handelte es sich um einen waschechten katholischen Priester. Er war acht Jahre älter als Albrecht. Die beiden Brüder sahen sich zwar rein äußerlich sehr ähnlich, waren aber charakterlich grundverschieden. Denn im Gegensatz zu seinem ernsten und auf sein Äußeres bedachten Bruder lachte Leopold gern und war auch ziemlich nachlässig in Kleiderfragen, was oft Anlass zu Scherzen gab.

Leopold avancierte schnell zu Deborahs liebstem Gesprächspartner. In der Art, wie er sein Wissen vermittelte und erzählte, erinnerte er sie an ihren Vater Gustav. Deborah fand bald heraus, dass man ihn tatsächlich alles fragen konnte, auch über Gott. Leopold nahm nie eine Frage krumm.

Er schien auch der Einzige zu sein, der es wagte, seinem Bruder Albrecht gegenüber einen neckenden Ton anzuschlagen, in dem sich – nur für feine Ohren wahrnehmbar – oft auch ein Tadel verbarg.

In seiner Anwesenheit wirkte Herr Brunnmann denn auch immer etwas leidend. Elisabeth und Deborah staunten nach dem ersten längeren Besuch Leopolds – Herr Brunnmann war verreist – über die Ungleichheit der Brüder. Herr Brunnmann war eine elegante Erscheinung und zeichnete sich durch Unnahbarkeit und Beherrschtheit aus. Onkel Poldi hingegen verfügte über ein sprühendes Mitteilungsbedürfnis und Mutter-witz.

Elisabeth, die ihn von Anfang an mit Poldi ansprach, sagte nach einem Besuch Leopolds zu Deborah: »Na, so was. Was für ein munteres Exemplar Gottes! Hast du den kapitalen Fettfleck auf seinem Gewand bemerkt? Wer käme da je darauf, dass die beiden Brüder sind? Und was für liebe Augen der Poldi hat. Ich glaube, da mag man anstellen, was man will, der Poldi verzeiht einem das schon gleich im Voraus.«

Leopold bescherte ihnen den ersten unbeschwerten Nach-mittag am Prinzregentenplatz seit Langem – beinahe wunder-ten sie sich selbst über ihre Heiterkeit. Deborah freute sich, ihre Mutter in solch fröhlicher Stimmung zu erleben.

Deborah wagte es bald, den Priester auf die Gegensätzlichkeit der beiden Brüder anzusprechen, worauf Poldi antwortete: »Dies, kleine Deborah, ist ein Geheimnis, das unsere Mutter mit zum Chor der Engelein genommen hat.« Dann erzählte er ihr von seiner Mutter, sprach von ihrer Lebenslust und fröhlichen Art und davon, dass sie eine talentierte Künstlerin gewesen sei, eine Sängerin wie Deborahs Mutter, aber weniger zart und auch nur in kleinem Kreis bekannt, weil der Vater fand, dass das Singen kein richtiger Beruf sei. Daher habe sie nach der Heirat ihren Ab-schied von der Bühne genommen und nur noch zum Hausge-brauch und für ihre Söhne gesungen. Er selbst komme in seinem Gemüt ganz nach der Mutter, singen aber könne er nicht, leider.

Albrecht aber schlage vom Charakterlichen her sehr nach dem Vater, einem preußischen Offizier mit strammem Geist und vergangenen Ansichten. »Aber keine Angst, junges Fräu-lein! Ich bemühe mich nach Kräften, meinen kleinen Herrn Bruder weiter zurechtzustutzen, damit er uns in seiner feschen Uniform nicht ganz abhebt.«

Leopold wurde zu einer echten Bereicherung ihres Lebens. Auch das Wolferl hing bald an ihm, und anstatt Albrecht Brunn-mann ersetzte nun Poldi den fehlenden Vater.

Um näher bei Elisabeth und den Kindern zu sein, übernahm Albrechts Bruder eine Kirchengemeinde in ihrem Stadtviertel, denn, so sagte er mit einem Zwinkern: »Man hat so seine Beziehungen.«

Deborah besuchte regelmäßig seine Gottesdienste. Nicht weil sie plötzlich Gott für sich entdeckt hatte, sondern weil es so herrlich war, Onkel Leopold bei seinen Predigten zuzuhören.

Er konnte zwar nicht singen, hatte dafür aber eine Stimme wie Blitz und Donner. Wie Ezechiel kam er über seine Gemeinde und scheute sich nicht, sie an ihre Christenpflichten zu erinnern, deren vorrangigste die Nächstenliebe und die Barmherzigkeit waren.

»Und ich sage euch, erkennt das Unglück und das Leid der anderen und lindert es!« Dabei war Leopold klug genug, das Naziregime niemals direkt anzugreifen.

Im Herbst 1941 erkrankte Elisabeth erneut, und wieder lautete die Diagnose Lungenentzündung. Da Elisabeth die letzten zwei Jahre oft krank gewesen war und sich doch immer wieder erholt hatte, hoffte jeder der Bewohner am Prinzregentenplatz, dass sie auch diesmal bald genesen würde. Doch ihr Zustand wurde so besorgniserregend, dass Dr. Strelitz, der auf Anordnung von Herrn Brunnmann erneut nach München gekommen war, dazu riet, sie in ein Krankenhaus zu bringen. Doch Elisabeth wehrte sich in einem Aufflackern alter Energie vehement dagegen. Dr. Strelitz wertete dies als gutes Zeichen und gab nach. Er kam jeden Tag, um nach ihr zu sehen.

Deborah verbrachte in dieser Zeit viele Stunden am Krankenbett ihrer Mutter, und Elisabeth schwelgte dann in ihren Erinnerungen. Sie erzählte Deborah, wie sie damals ihren Vater Gustav kennengelernt und sich gleich in ihn verliebt hatte und wie er schon am dritten Tag um ihre Hand angehalten hatte. Sie schwärmte von ihren Flitterwochen an der rauen Ostsee, aber vor allem von der glücklichen gemeinsamen Arche-Noah-Zeit.

Am Ende sprach sie fast ausschließlich von Gustav als ihrem Mann, als hätte sie vergessen, dass sie jetzt mit Albrecht Brunnmann verheiratet war. Abends, allein in ihrem Zimmer, hielt Deborah alles Gehörte in ihrem Tagebuch fest. Ebenso wie ihre Mutter wollte sie sich immer daran erinnern, wer ihr Vater gewesen war.

Elisabeth leistete erbitterten Widerstand, aber sie verzehrte sich zunehmend in ihrem Kampf und wurde mit den Monaten immer schwächer.

An einem Januartag, dem 19. im Jahr 1942, als zarte Schneeflocken wie Himmelsflaum zur Erde schwebten, tat sie ihren letzten Atemzug.

Deborah war bei ihr, ebenso Leopold und auch Dr. Strelitz. Nur Herr Brunnmann schaffte es nicht mehr rechtzeitig. Er weilte seit Mitte Januar wegen einer wichtigen Konferenz in Berlin am Wannsee und war dort als Protokollführer unabkömmlich.

Deborah, die ihrer Mutter nicht von der Seite gewichen war und sich am Ende Tag und Nacht um sie gekümmert hatte, blieb stumpf und verwirrt über ihre eigenen Gefühle zurück.

Bei Bienes Tod war sie eher wütend gewesen, nun fühlte sie diese grausame Kälte in sich, als hätte der Tod ihrer Mutter ihr alle Wärme entzogen. Sie wollte weinen, aber sie konnte ihre Tränen nicht finden. Ihr Herz war taub und ihre Seele erstarrt. Am Abend sperrte sich Deborah in ihrem Zimmer ein, und am nächsten Morgen verbarg ein schwarzer Pullover die vielen neuen Schnitte an ihren Armen.

Auch Wolfgang weinte nicht. Er war wieder in seiner eigenen tiefen Stille versunken wie damals, als man sie abgeholt hatte und Magda verschwunden war.

Leopold Brunnmann, dieses Geschenk des Himmels, kümmerte sich um alles, tröstete das verstörte Wolferl, das von allen zeitweilig vergessen worden war, und organisierte Elisabeths Trauerfeier.

Der Tag von Elisabeths Beisetzung brach mit klirrender Kälte an. Künstler, Dirigenten, Intendanten und glanzvolle Uniformen in pelztragender Damenbegleitung erschienen zu Elisabeths letztem Geleit.

Deborah stand an der Seite des Witwers, der erst am Morgen aus Berlin zurückgekommen war, ihren Bruder fest an ihrer rechten Hand.

Sie ließ die lange Zeremonie mit ihren Trauerreden mit starrer Würde über sich ergehen, obwohl sie eine heftige Abneigung gegen die vielen unbekannten Menschen ergriffen hatte, die alle etwas zu ihrer Mutter zu sagen hatten. Dabei wünschte sie sich nichts sehnlicher, als sich endlich in ihrem Zimmer einschließen und ihren Schmerz erneut mit dem Messer betäuben zu können. Sie wollte allein sein, so allein, wie sie sich fühlte, von allen verlassen; erst von ihrem Vater und jetzt auch von ihrer Mutter.

Aber das Defilee der Unerwünschten zog endlos an ihr vorüber. Deborah fühlte sich durch die vielen Blicke belästigt. In den Augen der Männer glomm ein seltsamer Funke, in jenen der Damen fand sich wenig Mitleid, dafür viel Neid.

Sie sah, wie die Münder belanglose Worte formten und dabei Atemwölkchen absonderten, die sich in der kalten Luft verloren. Voller Inbrunst wünschte sich Deborah, dass sich diese Menschen ebenso in der Luft auflösen würden wie ihr Atem.

Trotzdem wurde es ein schöner und ergreifender Abschied. Elisabeth trat ihre letzte Reise auf einem bunten Blumenmeer an, so, wie sie es sich gewünscht hatte. Auf ihrer Grabplatte stand eine runde Schale, die immer mit frischem Wasser gefüllt wurde.

Auf einem kleinen Schild stand da zu lesen:

Auf meinem Grab ein kleines Becken, an das die Vögelein zum Trinken und Singen kommen werden.

TEIL 4

Maria

Kapitel 32

Es ist eine Merkwürdigkeit des Lebens, dass dem Menschen fast immer bewusst ist, wenn er dem Guten begegnet, während der Instinkt dem Bösen gegenüber fast ausschließlich versagt.

Liegt die Erklärung vielleicht darin, dass sich einem die Kraft des Guten ohne Falschheit offenbart, um die Substanz der Anständigkeit mit jedem zu teilen, während sich einem das Böse heuchlerisch nähert, einen mit List und Tücke umgarnt, bis man zu spät oder gar nie bemerkt, dass man sich hoffnungslos in dessen Netz verfangen hat?

»Nun, kleiner Bruder, wie geht es jetzt weiter? Was sehen deine Pläne vor?«, erkundigte sich Leopold im Plauderton, der viel zu harmlos wirkte, um dieses Sondierungsgespräch zu eröffnen.

Die beiden Brüder hatten sich nach Elisabeths Trauerfeier in Gustavs früheres Herrenzimmer zurückgezogen, das jetzt Albrechts war. Der Geruch von Gustavs Büchern erfüllte den Raum.

Albrecht stand mit dem Rücken zu Leopold an einem Servierwagen, der als Bar diente. Er wählte aus den mit verschiedenen Flüssigkeiten gefüllten Kristallkaraffen das Gewünschte aus, schenkte sich großzügig ein und wandte sich erst dann seinem Bruder zu.

Missmutig betrachtete er Leopold. Er wusste, dass Leopolds Frage nicht darauf abzielte, den Gemütszustand eines trauernden Witwers zu erforschen, sondern dass der Ältere ihn durchschaut hatte ... *Wieder einmal.* Albrecht empfand es als sehr lästig, wie gut sein Bruder ihn kannte. Er sparte sich die Antwort und nahm stattdessen einen Schluck aus seinem Glas. Seinem Bruder bot er nichts an.

Leopold kniff die Augen zusammen und ging zum Angriff über. »Sag, wirst du nun die Mutter durch die Tochter ersetzen?«

Albrecht zuckte zusammen und vergoss einige Tropfen des kostbaren französischen Cognacs auf dem Eichenparkett.

Das war eine ungeheuerliche Behauptung, doch Leopold war klar, dass Albrecht nicht die Unterstellung selbst ärgerte, sondern wie schnell Leopold ihm auf die Schliche gekommen war.

Seit ihrer gemeinsamen Kindheit war Leopold bewusst, dass die Gefühlsregungen seines Bruders keine tieferen Ausprägungen kannten; all sein Streben war von schier unersättlichem Ehrgeiz geprägt, der an ihm nagte wie ein böser Geist. Es war Leopolds Nemesis, dass er der Mutter, die um die Defizite Albrechts gewusst hatte, auf dem Totenbett versprechen musste, über den acht Jahre Jüngeren zu wachen.

Zwar irrte sich Leopold nicht gänzlich in seiner Einschätzung, aber ein wenig schon.

Albrecht, soweit dieser Gefühle überhaupt fähig, war Elisabeth tatsächlich zugetan gewesen; sie hatte alle seine Erwartungen erfüllt. Sie zu besitzen hatte ihm mehr Befriedigung beschert, als er es sich selbst erhofft hatte. Sogar Hitlers liebste Paladine, Göring und Goebbels, hatten ihn um Elisabeth beneidet. Durch seine Frau hatte er sowohl Zugang zu der gehobenen Gesellschaft gewonnen als auch deren Anerkennung und war in den engsten Führungskreis innerhalb der Reichskanzlei aufgerückt. Erst kürzlich hatte man ihn mit einer besonderen Geheimmission beauftragt, die als kriegsentscheidend eingestuft wurde.

Elisabeth war betörend und anschmiegsam gewesen, eine zarte Kindfrau, die ihn nie infrage gestellt, ihn ohne Bedingung für sich akzeptiert hatte und ihm als Retter ihrer Kinder in grenzenloser Dankbarkeit ergeben war.

Auch zwischen den Laken war er niemals von ihr enttäuscht worden. Manchmal, besonders am Anfang, hatten ihn ihr Temperament und ihre Leidenschaft sogar überrascht und mitgerissen. Ohne Zweifel, sie war ein Verlust für ihn.

Er selbst hatte sich an den interessanten Gedanken, den Leopold ihm soeben vorweggenommen hatte, noch gar nicht richtig herangewagt.

In der Tat, Elisabeths Tochter war vielversprechend und stand ihrer Mutter an künstlerischem Talent in keiner Weise nach, wie ihm Elisabeth selbst versichert hatte. Auch ihr stand eine große Karriere bevor, die ihm nutzen konnte. Dazu kamen ihre Jugend und ihre exotische Erscheinung, auch wenn sie nicht an die Schönheit ihrer Mutter heranreichte. Aber es lag etwas in Deborahs Augen, etwas Tiefes, Provokantes, das ihn schon länger reizte. Ja, es würde bestimmt Spaß machen, das junge Fohlen für sich zuzureiten. Es lohnte auf jeden Fall, sich mit dieser Möglichkeit zu befassen. Gleichzeitig konnte er Leopold die verdiente Lektion verpassen. Zu lange hatte sein älterer Bruder ihn bevormundet.

Leopold hatte seinen Bruder, während er diese Überlegungen anstellte, nicht aus den Augen gelassen. Er begrub seine letzten Hoffnungen auf einen möglichen Irrtum seinerseits.

»Es stimmt also. Albrecht, Albrecht, du bist wahrlich ein schlimmer Junge. Du machst wirklich vor nichts halt, nicht wahr? Erst die Güter des Arztes, dann die Ehefrau und jetzt die Tochter. Ich weiß, ich kann dich nicht zähmen, also werde ich weiter über dich und deine Dämonen wachen müssen, damit sie nicht zu früh lossausen, um dich zu holen. Aber ich will dich warnen! In dem Mädchen ist nichts Sanftes, auch wenn es nach außen hin so erscheint. Sie hat sehr viel eigene Würde und ist gemessen an ihren siebzehn Jahren ihrer Entwicklung weit voraus. Sie lernt schnell, ihr Geist ist mutig und scharf wie eine

Klinge. Du wirst dich daran schneiden, glaub mir. Also lass es. Denk lieber darüber nach, dass du jetzt eine Verantwortung hast – und zwar für zwei Kinder. Ich gehe jetzt.« Er erhob sich.

»Nein, bleib!«, überraschte ihn Albrecht mit seiner Aufforderung. Ihm war soeben eine brillante Idee gekommen. »Sag, was würdest *du* mir denn wegen der Kinder raten, Leopold?«

Die Frage und insbesondere die Art, in der sie vorgetragen wurde, rief Leopolds Misstrauen auf den Plan. Er ahnte sofort, dass sein Bruder etwas gegen ihn im Schilde führte. »Nun, wie ich dich kenne, Albrecht, wirst du deine Karriere weiterverfolgen und keine Zeit darauf verschwenden wollen, dich um die angeheirateten Kinder deiner verstorbenen Frau zu kümmern. Wie du weißt, habe ich sie in den letzten beiden Jahren häufig besucht und bin vertraut mit ihnen geworden. Sie sind beide etwas Besonderes, auch der Junge: Er ist hochintelligent, aufgeweckt und vielseitig interessiert. Du solltest daher weiter in ihre Ausbildung investieren. Ich selbst stelle mich gern zur Verfügung und kümmere mich um die Wohlfahrt der zwei während deiner häufigen Abwesenheiten.«

Allein die Art, wie Albrecht sich mit lässigem Selbstvertrauen im Sessel zurücklehnte, zeigte Leopold, dass er sich nicht geirrt hatte. Sein Bruder schien tatsächlich eine bestimmte Absicht zu verfolgen.

Dieser nahm nun noch einen Schluck aus seinem Glas und erwiderte: »Ich werde mich der beiden Kinder natürlich genau so annehmen, wie du es mir rätst, Bruder. Aber nur, wenn du mir dabei hilfst, Deborah für mich zu gewinnen.«

»Ach, und wie soll ich das bitte anstellen? Ich bin Priester und kein Heiratsvermittler.« Leopold sagte dies äußerlich ruhig, fühlte jedoch, wie sich eine unterschwellige Spannung in ihm aufbaute – wie immer, wenn er glaubte, einer neuen Teufelei seines Bruders entgegenwirken zu müssen.

»Ein wunderbarer Antagonismus, Leopold. Da habe ich allerdings über den Klerus schon so einiges Gegenteiliges gehört.

Aber das ist jetzt nicht die Debatte, nicht wahr? Hast du dich nicht eben damit gebrüstet, Deborah gut zu kennen? Also, wie stelle ich es an? Ich könnte sie mir natürlich auch mit Gewalt nehmen, weißt du?« Er spielte mit dem Cognacschwenker und fuhr dabei mit dem Zeigefinger aufreizend den Glasrand entlang.

Leopold bewahrte Fassung. Es war nur ein Spiel, das sein Bruder bereits seit der Kindheit mit ihm trieb; die Frage dahinter lautete: *Wie weit würde Albrecht diesmal gehen? Und was würde er, Leopold, tun, um ihm Einhalt zu gebieten?*

Trotzdem war der Einsatz niemals so hoch wie heute gewesen. Hier ging es um einen Menschen, um ein junges Mädchen mit einer schönen und reinen Seele. Leopold war sich vollkommen darüber im Klaren, dass er seinem Bruder weder mit Anstand noch mit Moral zu kommen brauchte; diese Begriffe nahmen in Albrechts Wertesystem weder Rang noch Bedeutung ein.

Er versuchte es deshalb zunächst mit einer Taktik, die sich bisher meist zwischen ihnen bewährt hatte: Zynismus und Spott. Denn kaum etwas fürchtete sein Bruder Albrecht mehr, als sich selbst der Lächerlichkeit preiszugeben.

Leopold verließ sich bei seinen Überlegungen wie immer darauf, dass Albrecht kein echtes Selbstvertrauen hatte.

Sein energisches Auftreten war lediglich die Folge eiserner Selbstdisziplin, die er bereits als Junge gezeigt hatte – ein Resultat der Erziehung durch ihren despotischen Vater. Dazu gesellte sich eine geradezu pathologische Selbstbeherrschung, eine beachtliche Leistung, weil Albrecht es bisher stets bewerkstelligt hatte, seine gesamte Umgebung damit zu täuschen – bis auf seinen älteren Bruder.

Ohne es zu ahnen, irrte sich Leopold dieses Mal fatal in seiner Einschätzung.

Denn Albrecht hatte in der Zwischenzeit eine Methode perfektioniert, die es ihm tatsächlich erlaubte, Selbstbewusstsein

zu entwickeln. Eine Methode, die die selbst ernannte Herrenrasse in Schande kultivierte und die darin bestand, andere Menschen zu entwürdigen und bis in den Tod zu quälen. Und das
durfte man, weil man ihnen das Menschsein juristisch abge-
sprochen hatte. Morde an diesen Nichtmenschen wurden nicht
nur nicht geahndet, sondern waren erwünscht, der Massenmord in Planung.

Hier entfaltete die grausame Psychologie des Regimes ihr
ganzes verkommenes Werk: ein perfides System, in dem charakterlich defizitäre Menschen nur deshalb an Stärke gewannen, weil sie sich mit sadistischer Gewalt als die allen überle-
gene Herrenrasse aufspielen konnten.

Weil Leopold noch eine Weile benötigen würde, bis er dies
alles in seiner unendlichen Niedertracht begriffen hätte, folgte
er seinem eigenen Manuskript und sah sich gezwungen, dabei auf die ihm verhasste Naziideologie zurückzugreifen: »Albrecht, Albrecht, wie sieht denn das aus? Die Tochter deiner Frau,
mehr als zwanzig Jahre jünger und überdies die Tochter eines
Juden? Du weißt es sicherlich besser als ich, aber ist die Verbindung zwischen einem Arier und einem Menschen mit jüdischem Blut nicht gesetzlich verboten? Wird da deine Zunft
nicht aus vollem Halse *Rassenschande* plärren? Ich denke nicht,
dass du allen Ernstes vorhast, dich auf dem Höhepunkt deiner
Karriere selbst zu ächten, nicht wahr?«

»Leopold, Leopold«, äffte sein Bruder ihn süffisant nach. »Wer
hat denn behauptet, dass ich es offiziell tue und sie heiraten
werde?«

»Du willst das arme Mädchen zu deiner Geliebten machen?«
Leopold musste arg an sich halten, um nicht aus der Soutane zu
fahren. Gleichzeitig suchte er fieberhaft nach einer neuen Taktik. Es wollte ihm bloß keine einfallen, zu sehr tobten die aufgewühlten Gedanken durch sein Gehirn.

Albrecht gab sich keine Mühe zu verbergen, wie sehr es ihn
freute, seinem Bruder die Sprache verschlagen zu haben. Mit

Genuss leerte er sein Glas. »Fein, du hast es begriffen. Also, wie mache ich mir das Mädchen gefügig?«

»Vergiss es, ich werde dir nicht dabei helfen. Das musst du dir aus dem Kopf schlagen, Albrecht.« Er bemerkte selbst den beschwörenden Ton in seiner Stimme. An der Art, wie sich der lauernde Ausdruck im Gesicht seines Bruders in Zufriedenheit verwandelte, erkannte er seinen folgenschweren Fehler. Er hatte Albrecht gerade in die Hand gespielt, indem er ihm offenbart hatte, wie sehr ihm das Schicksal der beiden Kinder am Herzen lag.

»Aber natürlich wirst du mir helfen, großer Bruder. Apropos, kennst du T4?«

»Nein, was soll das sein? Ein neuer Panzer?« Leopold versuchte Gleichmut vorzutäuschen, während sich gleichzeitig alle seine Muskeln verkrampften.

»Das, mein Lieber, ist das Euthanasieprogramm unseres Führers. Es ist schon seit Oktober 1939 in Kraft. Der Beschluss sieht vor, dass unwertes Leben vernichtet werden soll, damit es sich nicht fortpflanzen kann. Er dient dazu, unser Blut rein zu erhalten und unsere Rasse zu schützen. Ich sollte vielleicht erwähnen, dass das T4-Programm nicht zwischen geistiger oder körperlicher Behinderung unterscheidet.«

Dieser Hinweis und die darin versteckte Anspielung auf das hinkende, achtjährige Wolferl waren von einer solchen Gemeinheit und gefühlskalten Abscheulichkeit, wie sie selbst Leopold, der geglaubt hatte, alle Abgründe seines Bruders zu kennen, nie von ihm erwartet hätte.

Der heilige Zorn schoss Leopold ins Gesicht. Nur mit äußerster Mühe gelang es ihm, sein Temperament zu zügeln.

Am liebsten hätte er seinem Bruder sofort eins auf die selbstgefällige Nase gegeben, um dessen reines Blut daraus hervorschießen zu sehen. Leopold vermochte zwar seine Handlungen zu kontrollieren, aber nicht seine Worte. Erbost erwiderte er: »Da habt ihr aber euren Dr. Goebbels mit seinem Klumpfuß völlig übersehen, hm? Wo er doch so viele Kinderlein produziert?«

»Leopold, welcher Hafer sticht dich denn jetzt? Gerade du, ein Mann der Kirche, hältst unser Humpelstilzchen Dr. Goebbels für lebensunwert? Ich muss schon sagen, ich erkenne dich nicht wieder.« Albrecht fand seine Replik allem Anschein nach spaßig.

»Ich folge lediglich der Infamie eurer Ideologie, Albrecht, die selbst aus dem letzten Winkel noch das hinterlistige Böse hervorkriechen lässt. Aber du hast recht, ich halte Goebbels nicht wegen seines Fußes für lebensunwert, denn Gott kennt viele Rassen und Formen. Nein, vielmehr für das, wofür er steht und was er propagiert. Vielleicht sollte man einmal seinen Geist untersuchen lassen, meinst du nicht?«

»Schluss jetzt, Leopold. Ich erkenne deine Absicht, vom eigentlichen Thema abzuschweifen. Wenn Deborah freiwillig zu mir kommt, so ist doch allen besser damit gedient, als wenn ich sie mir mit Gewalt nehmen muss. Da stimmst du mir doch zu, *Onkel Poldi*? Also, es gilt: Du spielst sie mir zu, und ich halte weiter meine schützende Hand über *beide* Kinder.« Er sah das gequälte Gesicht Leopolds, seine Abneigung und seinen Widerwillen, und warf ihm seinen letzten Trumpf entgegen. Es war wie ein Schlag ins Gesicht des Älteren: »Und bedenke auch, *Pater* Leopold, wie viel Gutes du noch bewirken kannst. *Wen* du in Zukunft noch alles retten kannst.«

Leopold erstarrte in seinem Ohrensessel, als hätte ihn der Bann Gottes getroffen. *Albrecht, er wusste es!*

Der namenlose Schrecken, der ihn erfasste, als er an die vielen Menschen dachte, die ihm halfen und ihr Leben riskierten, indem sie jüdische Mitbürger versteckten, um sie außer Landes in Sicherheit bringen zu können, war mehr, als er glaubte ertragen zu können. Und doch benötigte er nun seinen klaren Verstand. *Denk nach, Leopold!* Finde einen Weg, eine Möglichkeit, deinen Bruder zu überzeugen, dass er fehlgeleitet ist, dass er das nicht tun kann! Leopold hob den Kopf, um zu kämpfen, blickte in das Gesicht seines Bruders und erkannte die unverhüllte Häme darin.

Viel zu spät begriff Leopold, wie lange sein Bruder auf diesen perfekten Moment der Demütigung gewartet, ja, darauf hingearbeitet hatte. Welch blinder Tor war er doch gewesen, dumm und überheblich und sich seiner gerechten Sache sicher, während sein Bruder Albrecht längst alle Macht in Händen hielt …

Da stand er nun mit dem Rücken zur Wand. Und er lud die Schuld auf sich und traf eine Entscheidung, die fatal und furchtbar war, eine Entscheidung, die ihn selbst für immer verändern würde: Er ließ sich auf die Mathematik des Teufels ein.

Und so tauschte der Priester Leopold eine Seele gegen viele ein und wusste, dass er dafür seine eigene für immer verlieren würde. Lange dehnte Leopold die Stille zwischen ihnen aus, um dem Satan noch einige weitere Minuten der Unschuld abzutrotzen.

Albrecht ließ ihn gewähren. Er wusste längst, wie vollkommen sein Sieg war.

Leopolds Stimme, monoton und kraftlos, zeugte von seiner innerlichen Erschütterung, als er alles, wofür er stand, der Gier seines Bruders opfern musste.

Und während er sprach, zerbrach mit jedem Wort ein Stück seines Selbst: »Zeig ihr deine Trauer um die Mutter. Das Mädchen hat ein mitleidendes Herz; sie wird dir ihren Trost nicht versagen. Gib dazu den Einsamen und sag ihr, wie schwer es dir fällt, alleine zu bleiben. Trotzdem will ich dich noch einmal warnen, Albrecht: Das Mädchen wirkt zwar ruhig und gefasst, aber sie ist wie Musik, voller Schwingungen und glühender Hingabe für das, was sie liebt, und für das, woran sie glaubt. Darum wird sie im Zorn nicht weniger leicht entflammbar sein als in der Liebe. Wenn du sie daher verletzen solltest, so wird sie es dir mit gleicher Münze vergelten. Und Paulus sprach: *Denn was der Mensch sät, das wird er ernten.«* Leopold verbarg sein Gesicht in den Händen, und seine Schultern bebten. Er weinte um die Unschuld und wegen seines Verrats und des künftigen Leids.

»Hätte mich auch gewundert, wenn du mir nicht zum Schluss noch einen deiner Bibelsprüche vor die Füße geworfen hättest, Bruder«, erwiderte Albrecht grob. Er erhob sich zum Zeichen, dass sein Bruder seine Schuldigkeit getan hatte und nun gehen durfte.

Leopold wischte sich mit dem Ärmel übers Gesicht und erhob sich schwerfällig aus dem Sessel. Seine vor Kurzem noch schwungvollen Bewegungen glichen jetzt jenen eines Greises.

»Sag mir, warum tust du das?«, fragte er seinen Bruder.

Albrecht grinste böse und antwortete: »Weil ich es kann.«

Leopold ging, ohne sich zu verabschieden, ein gebrochener Mann mit müdem Schritt.

An diesem Tag zerbrach das Bündnis ihrer Brüderlichkeit endgültig. Leopold wusste, dass er sich Albrechts Dämonen nicht länger entgegenstellen konnte und dass dessen Weg geradewegs in der Hölle enden würde.

»Verzeih mir, Mutter«, flüsterte er.

Kapitel 33

Deborah war nach den Weihnachtsferien ans Konservatorium zurückgekehrt. Lediglich in der Welt der Musik konnte sie eine Weile Trost und Ablenkung vom Tod der Mutter erfahren.

Daher fiel es ihr nicht gleich auf, dass Leopold nur noch ins Haus kam, wenn sie selbst im Konservatorium weilte. Wie sollte sie auch ahnen, dass Leopold davor graute, ihr zu begegnen, weil er ihr dann in die Augen hätte sehen müssen?

Leopold war bewusst, dass er sich feige benahm, und er trug schwer an dem inneren Konflikt. Doch er kümmerte sich rührend um Wolfgang, als wollte er an ihm alles wiedergutmachen, was er an der Schwester gefehlt hatte und künftig noch fehlen würde.

An einem Sonntag Mitte März kam Deborah nach der Kirche zu ihm in die Sakristei. Sie beschwerte sich bei ihm, ihn seit dem Tag der Beerdigung der Mutter nicht mehr gesehen zu haben. Sie weinte und schien verwirrt und unsicher, und Leopold hielt sie im Arm und tröstete sie. Er kam sich dabei wie ein gemeiner Verräter vor.

Deborah schniefte: »Wenigstens ist Herr Brunnmann sehr verständnisvoll. Er vermisst meine Mutter auch sehr. Ich glaube, er ist einsam.« Leopold wich ihr aus, indem er ihr ein Taschentuch reichte und Deborah stattdessen fragte: »Du sagst immer noch Herr Brunnmann?«

»Ich weiß, es ist eine dumme Angewohnheit. Ich habe immer Herr Brunnmann zu ihm gesagt. Er hat mich auch schon oft gebeten, ich soll ihn Albrecht nennen, aber es fällt mir schwer.

Irgendwie komisch, nicht?« Sie hob den Kopf von seiner Schulter, an die sie sich geflüchtet hatte, und sah ihn direkt an. »Dabei fällt es mir ganz leicht, zu dir Onkel Poldi zu sagen, Onkel Poldi.«

»Fein, fein.« Ihm wurde von Sekunde zu Sekunde unbehaglicher zumute. Er räusperte sich. »Wie geht's dem Wolferl? Isst er auch schön seine Portionen auf?«

»Ja, unsere Ottilie ist da ganz hinterher. Kann ich dich um einen Rat wegen deines Bruders fragen?«

Genau dies hatte Leopold die ganze Zeit über befürchtet. Erst trieb er das Lamm dem Wolf zu, und nun kam es zu ihm zurück, um ihn um Beistand zu bitten. Er stand ziemlich hastig auf und riss an dem Überkleid, welches er bei der Messe getragen hatte, um es sich auszuziehen. In Wirklichkeit wollte er verhindern, dass Deborah sein bekümmertes Gesicht sah. Er verdammte sich für seine Feigheit.

»Was gibt es denn, meine Liebe?«, sprach er in seine Stola.

»Es ist so: Seit Mutters Tod ist Herr Brunn…, ich meine Albrecht, sehr viel zu Hause und verbringt gern Zeit mit mir. Und gestern hat er mir dann gesagt, dass er für einige Wochen verreisen muss. Er hat mich gebeten, mit ihm zu kommen. Ich habe ihm geantwortet, dass ich mitten im Studienjahr bin und dass ich auch meinen kleinen Bruder nicht allein lassen kann. Aber er hat fast geweint, Onkel Poldi, und gesagt, er weiß nicht, ob er selbst so lange allein bleiben kann. Ich hätte niemals gedacht, dass ihn Mamas Tod so sehr mitnehmen würde. Ich meine, wo er doch immer so einen stabilen Eindruck auf alle gemacht hat. Er tut mir leid. Was soll ich tun, Onkel Poldi? Er ist dein Bruder, du kennst ihn viel besser als ich. Soll ich mitfahren?«

Leopold verwünschte die Schauspielkünste seines Bruders und sehnte sich gleichzeitig danach, dieselbe Begabung sein Eigen nennen zu können. Gerade heute hatte Albrecht Deborah und Wolfgang zum sonntäglichen Gottesdienst begleitet, was er sonst nie tat.

Leopold begriff, dass sein Bruder es so eingerichtet hatte, dass Deborah nach der Messe zu ihm ging, um ihn um seinen Rat zu bitten. Er hörte die Falle förmlich in seinem Kopf zuschnappen, und das Geräusch erschien ihm ebenso höhnisch wie unheilvoll. Würde er Deborah jetzt von dieser gemeinsamen Reise abraten, würde Albrecht sofort in ihm den Drahtzieher vermuten.

Die eigentliche Überlegung war daher: Als wie geduldig würde sich sein Bruder erweisen? Wenn Deborah ihm die Mitreise verweigerte, ob mit oder ohne sein Zutun, gäbe es für ihren Bruder dann noch eine Schonfrist, oder würde Albrecht dann sofort sein wahres, grausames Gesicht offenbaren?

Doch Leopold gab sich die Antwort darauf selber. Sie erbot sich wie von allein aus seinem geheimen Wissen um die vergangenen Taten seines Bruders Albrecht. Er konnte rein gar nichts tun, um Deborah vor ihrem Schicksal zu retten. Aber Wolfgang war noch nicht verloren.

Und so empfahl er seine Seele endgültig dem Fegefeuer und sprach: »Mein armes Kind. So viele Lasten trägst du schon. Wenn du gern mit meinem Bruder verreisen willst, so tue dies ohne Sorge und Bedenken. Ich werde hier über das Wohlergehen deines kleinen Bruders wachen.«

Und indem er vorgab zu glauben, dass Deborah nur gekommen war, um seine Zustimmung zu der Reise einzuholen, hatte Leopold dem Kind mit Geschick eingeflüstert, dass es ihrem eigenen Wunsch entspreche.

So wie Albrecht durch das Böse gewachsen, so war Leopold darin geschrumpft. Er begann sein neues Leben in der Gewissheit, von nun an ein Betrogener unter Betrogenen zu sein. Gerade weil er darum wusste, empfand er seinen Betrug umfassend und beneidete jene, die dies erst Jahre später begreifen würden.

Konnte es unter Gottes Himmel eine trübseligere Gestalt geben als einen Priester, der das Vertrauen in sich selbst verloren hatte, fragte er sich. Ihm kamen die letzten Worte aus Goethes *Selige Sehnsucht* in den Sinn: *Bist du nur ein trüber Gast auf dunkler Erde.* Genauso war ihm zumute. Niemals wieder würde er der alte Leopold werden können.

Er war nur mehr der Schatten seiner eigenen Gegenwart, kaum mehr als ein Schemen seiner früheren Identität. Seine heitere Fröhlichkeit war nur noch aufgesetzt, seine Inbrunst im Gebet nichts weiter als eine verzweifelte Fürbitte für das baldige Ende der Herrschaft des Bösen. Aber er ahnte, dass bis dahin noch viele Opfer gebracht werden mussten und dass den nachfolgenden Generationen eine schmerzliche Rechnung präsentiert werden würde.

Wie viel Tod und Vernichtung sich am Ende vor den Augen der Welt auftürmen würden, entzog sich sogar seiner eigenen ausgeprägten Vorstellungskraft.

Kapitel 34

St. Gallen und Zürich, Frühjahr 1942

Zwei Wochen später, am letzten Tag des März, dessen anbrechender Morgen bereits den Duft und die Verheißung des Frühlings in sich trug, brach Deborah mit Albrecht in Richtung Schweiz auf. Inzwischen kam ihr sein Vorname leicht über die Lippen.

Albrecht erschien diesmal ohne Chauffeur. Er trug einen eleganten dunkelgrauen Anzug mit einem seidenen Schlips. Dies war das erste Mal, dass Deborah ihn ohne Uniform erlebte, und es gefiel ihr. Für sie warfen Uniformen immer den bedrohlichen Schatten von Gewalt.

Die gemeinsame Reise führte sie über Landsberg, Memmingen und Bregenz nach St. Gallen, ihrer ersten Station.

Deborah hatte die kurze Fahrt durch das schweizerische Land genossen: Die satten Farben der Wiesen und Almen sowie die schwarz-weißen Kühe, gemächlich wiederkäuend und mit sanftem Blick, gefielen ihr. Überhaupt hinterließ das Land bei ihr gleich zu Anfang einen starken, friedlichen Eindruck. Sie war schon lange nicht mehr aus München herausgekommen, und die Stadt war ihr grau geworden. Aber die Schweiz wirkte auf sie wie eine Vision der Unschuld, ruhig und irgendwie friedvoll.

Albrecht parkte seine Limousine in der St. Leonhardstraße. Er stieg aus und holte einen ledernen Aktenkoffer hinter dem Fahrersitz hervor. Die Art, wie er ihn trug, ließ Deborah vermuten, dass er über ein ziemliches Gewicht verfügen musste.

Gemeinsam steuerten sie auf das imposante Gebäude der

Credit Suisse zu, einen riesigen, klassizistischen Bau. Deborah verharrte kurz davor. Ihr gefiel die stille Vornehmheit des Gebäudes – es wirkte auf eine besondere Art zurückhaltend. Bis sie verstand, warum dem so war: Nirgendwo flatterten die ansonsten allgegenwärtigen blutroten Fahnen mit dem Hakenkreuz im Wind, wie sie überhaupt in der gesamten Stadt fehlten. Deborah war schon viel zu sehr an die schiere Masse der Hakenkreuz-Beflaggung gewöhnt, als dass sie ihr zu Hause noch auffielen. Jetzt, da sie nicht vorhanden waren, übte dies tatsächlich eine tröstliche Wirkung auf sie aus. Eine Welt zu entdecken, in der es keine Nazis gab, stimmte sie froh.

Albrecht meldete sie am Empfang an, und sie wurden mit dem Fahrstuhl in den Keller geleitet. Dort ließ er Deborah im Vorraum der Schließfachhalle in der Obhut des Bankbeamten zurück. Nach kaum zehn Minuten kehrte er zurück, und Deborah glaubte zu erkennen, dass der Koffer jetzt leer war.

Albrecht lud sie anschließend in ein Café ein. Auf der Eingangstür stand in feinen goldenen Lettern: *Confiserie & Chocolaterie.*

Beim Eintreten empfing sie ein schwerer, süßer Duft, der Deborah den Mund wässerte. Die Auslagen allein waren ein Fest fürs Auge. Die lange Theke und unzählige Vitrinen quollen über in einer verwirrenden Anzahl feinster Pralinen und Schokoladen.

Kurz darauf schwelgte Deborah in einer dicken, zartbitter schmeckenden Tasse heißer Schokolade, garniert mit einem großen Klecks fetter Sahne, und aß dazu ein turmhohes Stück Nusstorte. Albrecht, in Spendierlaune, erlaubte ihr anschließend, sich so viele Pralinen auszusuchen, wie sie nur wollte. Sicherlich nahm sie zu viel von allem, aber Albrecht hatte sie ja dazu ermuntert, und er murrte nicht beim Bezahlen in der fremdländischen Währung, dem Franken.

Als Deborah die Scheine in seinen Händen sah, überfiel sie eine jähe Traurigkeit. Sie dachte daran, wie ihre Familie damals, vor bald vier Jahren, in die Schweiz hatte flüchten wollen und ihr Vater deshalb extra einen Packen Franken besorgt hatte. Wie sie es dann im Jahr darauf nochmals gemeinsam mit ihrer Mutter versucht hatten und ihre Fahrt schon am Bahnhof in München zu Ende gewesen war.

Jetzt befand sie sich plötzlich hier, in der freien Schweiz, und kurz durchzuckte Deborah der Gedanke: Warum nicht einen günstigen Augenblick abwarten, wenn Albrecht nicht aufpasste, und weglaufen? Hier gab es keine Nazis, und Albrecht hatte hier demnach nichts zu sagen. Doch sie verwarf diese Verlockung gleich wieder. Sie dachte an ihren kleinen Bruder zu Hause, der außer ihr niemanden mehr auf der Welt hatte. Niemals würde sie das Wolferl im Stich lassen!

Um ihre Überlegungen zu überspielen, sagte sie das Erstbeste, was ihr einfiel: »Was war denn in deinem Koffer?«

Sie hatte sich eigentlich keine Antwort erhofft, doch Albrecht war heute nicht nur mit Devisen freigebig, sondern auch mit Worten. Er klopfte kurz mit dem Handknöchel auf den neben ihm am Boden stehenden Koffer und erwiderte: »Meine Versicherung.«

Deborah wusste, was Versicherungen waren, darum ergab die Antwort für sie eigentlich keinen wirklichen Sinn. »Warum musst du deine Versicherung im Keller einer Bank in der Schweiz verstecken?«

»Weil der Krieg irgendwann vorbei sein wird. Trink deine Schokolade aus, Deborah. Wir wollen gehen.«

Sie fuhren weiter nach Zürich. Erneut konnte sich Deborah kaum an der Lieblichkeit der vorbeiziehenden Landschaft sattsehen, als hätte ein Maler in ihr seine Vorstellung von einer Oase des Friedens geschaffen.

Es versetzte das junge Mädchen in eine beinahe überschwängliche Stimmung und verdrängte kurzfristig sogar ihre Trauer. Sie konnte fühlen, wie in ihr das Versprechen der Zukunft und das Sehnen der Jugend erwachten.

Im Züricher Nobelhotel Baur au Lac hatte Albrecht eine Suite mit zwei Schlafzimmern für sie reserviert. Es lag inmitten der Natur und doch in der Stadt, in einem eigenen Park am Ufer des Zürichsees.

Als Deborah den im Licht der frühen Nachmittagssonne glitzernden See vor sich sah und die Boote, die idyllisch auf ihm schaukelten, hätte sie am liebsten wie ein kleines Kind gejauchzt.

Die neuen Eindrücke waren überwältigend. Der Empfangschef des Baur hatte sie sogar mit Madame angesprochen! Nie zuvor war sie wie eine Erwachsene behandelt worden. Ihre jugendliche Begeisterung brach sich schließlich Bahn, als sie die luxuriöse Suite betraten. Aufgeregt sauste Deborah zwischen den Zimmern umher, bewunderte den Stil und die Eleganz der beiden Schlafzimmer und des Salons, um dann mit einem Jubelschrei das riesige, prunkvolle Marmorbad zu entdecken, das ebenso groß schien wie ihr Zimmer zu Hause in München.

Albrecht trat lächelnd hinter sie: »Du kannst gern ein Bad nehmen. Ich muss leider noch einmal weg. Es wird sicherlich spät werden. Am besten, du bestellst dir dein Abendessen aufs Zimmer.«

Er küsste sie auf die Stirn und ließ sie allein. Deborah wusste nicht, warum, aber sie fühlte eine leise Enttäuschung.

Albrecht kehrte erst spät in der Nacht zurück und ließ sie auch am folgenden und am darauffolgenden Tag allein im Hotel zurück. Deborah langweilte sich bald und lernte, dass man sich auch an den größten Luxus sehr schnell gewöhnen konnte.

Sie nahm jeden Morgen ein ausgiebiges Schaumbad, spazierte zweimal täglich zum See, fütterte die Enten und betrachtete sehnsüchtig die kleinen Boote, sie erforschte Park und Umgebung und kannte sich bald im Inneren des Hotels so gut aus, dass sie im Dunkeln zurück zu ihrer Suite hätte finden können.

Der einzige Ort, den sie noch nicht aufgesucht hatte, war die Hotelbar. Gleich am ersten Tag hatte sie von dort Pianospiel gehört, hatte es aber nicht gewagt, die Bar allein zu betreten.

Sie hielt den Pianisten für gar nicht so schlecht, sein Spiel klang leicht und flüssig, jedoch wenig beseelt. Aber natürlich spielte er nicht auf einem Podium für ein kunstinteressiertes Publikum, sondern produzierte Musik in Ton und Masse.

Er ist nicht so gut wie ich, urteilte sie nüchtern und ohne eine Spur von Eitelkeit. Ihr absolutes Gehör stellte vor allem fest, dass das Piano neu gestimmt werden musste.

Am vierten Tag nahm sie all ihren Mut zusammen und stolzierte mit erhobenem Kopf und vorgetäuschter Selbstsicherheit in die Bar, als entspräche es ihrer Gewohnheit, ständig allein auszugehen.

Der Pianist trug einen Frack mit Schwalbenschwänzen, war klein und schmächtig und sein Haar an den Schläfen lange ergraut.

Deborah juckte es in den Fingern, aber sie bestellte sich nur einen Mocca. Den ganzen restlichen Nachmittag hielt sie sich dann an der einen Tasse fest, weil ihre Finger ständig vor Drang zuckten, die ihr bekannten Stücke auf dem Tisch mitzuspielen.

Am nächsten Tag war sie zur gleichen Zeit wieder zur Stelle. Als der Klavierspieler in seiner ersten Pause aufstand, schnurstracks auf sie zusteuerte und sie ansprach, erschreckte er sie damit beinahe zu Tode.

Er verbeugte sich vor ihr und sagte in feinem Schwyzerdütsch: »Gestatten Sie, junge Dame? Mein Name ist Friedrich Gold. Gehe ich richtig in der Annahme, in Ihnen eine junge Kollegin erkannt zu haben?« Schon nahm er Platz, und der verwirrten Deborah fiel nichts weiter ein, als zu erwidern: »Sehr erfreut.« Sie fragte sich, wie man sich einem fremden Mann gegenüber in einer Bar verhielt, wenn man gerade erst siebzehn und das erste Mal auf großer Reise war. Wäre Albrecht böse mit ihr, wenn er jetzt zufällig hereinkäme und sie allein mit diesem Herrn Gold am Tisch anträfe?

Herr Gold war ein erfahrener Mann im Umgang mit Damen, ein Pianist hat so seine Gelegenheiten. Ihm entging ihre mädchenhafte Verlegenheit daher keineswegs. Er sagte: »Ihre Konzentration auf die Musik und Ihre unruhigen Finger haben Sie verraten. Ich wollte Sie deshalb fragen, junges Fräulein … Möchten Sie vielleicht auch einmal selbst spielen?«

Dazu brauchte es keine weitere Aufforderung, und dagegen hätte Albrecht sicherlich nichts einzuwenden. Sie setzte sich an den schwarz glänzenden Flügel, und die erste Berührung mit den Tasten war wie immer pure Magie. Sie spielte ein Stück nach dem anderen: Mozart, Chopin, Brahms, Liszt, alles, wonach sie sich sehnte. Selbstvergessen und entrückt gab sie sich der Musik hin. Sie erwachte erst wieder daraus, als zwischen zwei Stücken der Applaus einer unerwarteten Menge Publikum aufbrandete. Verwirrt sah sie sich um.

Deborah hatte ihre Umgebung vollkommen ausgeblendet und vergessen, dass sie sich an einem öffentlichen Ort befand. So sehr war sie in die Musik versunken gewesen, dass sie nicht einmal bemerkt hatte, dass sie plötzlich begonnen hatte zu singen. Ihre Stimme hatte viele Zuhörer in die Bar gelockt.

Dies war das erste Mal, dass sie außerhalb des Konservatoriums vor Publikum gesungen hatte. Die Freude und Bewunderung, die die Gesichter der anwesenden Hotelgäste widerspiegelten, hatte *sie* mit ihrer Musik hervorgebracht; selten hatte Deborah mehr Glück in ihrem Leben empfunden. Trotzdem war sie auch ein wenig traurig, weil sie an ihre Mutter dachte, die bei ihren Auftritten die gleiche Freude gefühlt haben musste. Niemals wieder würde ihre Mutter auf der Bühne stehen und ihr Licht und ihre Kunst in die Welt hinaustragen.

Ein älterer Herr in feinem Gehrock und Zylinder drängte sich nun durch die Menge und trat neben sie.

Völlig unerwartet ergriff er Deborahs Hand, tätschelte sie und schwärmte: »Welch eine Stimme, mein Kind! Dieser Schmelz und diese Lyrik der Seele! Sie erinnern mich so sehr an meine liebe Freundin, die unvergleichliche Elisabeth Malpran. Sagen Sie, wie ist Ihr Name, mein Kind?«

Deborah sah ihn mit großen Augen an. Sie benötigte immer eine Weile, um aus den Höhen der Musik, die für sie eine andere Welt mit einer universellen Sprache war, herabzusteigen und in die irdische Sprache zurückzufinden. »Vielen Dank, mein Herr. Frau Malpran war meine Mutter. Mein Name ist Deborah.«

»Oh, das ist wahrlich ein Mirakel«, freute sich der Herr und klatschte in die Hände. »Die Vorsehung allein hat Sie hierhergeführt, mein Kind. Dass ich das ein zweites Mal erleben darf! Kommen Sie, ich lade Sie auf eine Tasse Kräutertee ein. Das ist jetzt Labsal für Ihre Stimme.«

Und er führte die verblüffte Deborah hinaus in den Salon und bestellte sogleich für sie beide Tee bei einem befrackten Kellner mit vornehmem Gesicht.

Das Rätsel um den älteren Herrn löste sich dann sogleich für Deborah, als er sagte: »Oh, wo habe ich nur meinen Kopf? Verzeihen Sie einem alten Mann, liebe kleine Deborah. Mein Name ist Franz Lehár. Ich habe Ihre Mutter das erste Mal in einer Kirche zu Wien singen gehört, da war sie gerade einmal elf Jahre alt. Von ihrem Tod zu erfahren war ein großes Unglück für mich.«

Deborah blieb der Mund offen stehen. Hier und jetzt einem der größten Komponisten ihrer Zeit zu begegnen, ihm beim Tee gegenüberzusitzen und dann auch noch mit Lob überschüttet zu werden! Sie saßen noch sehr lange zusammen und schwelgten in Musik und in Erinnerungen.

Am sechsten Tag sagte Albrecht beim gemeinsamen Frühstück auf ihrer Suite: »Heute habe ich Zeit für dich, Deborah. Ich muss nur einige Telefonate nach Paris führen. Danach gehen wir ein Abendkleid für dich kaufen. Zur Belohnung für deine Geduld werde ich dich am Abend in das berühmte Feinschmeckerrestaurant Français ausführen.«

Albrecht telefonierte nebenan fließend in Französisch. Deborah war erstaunt, dass er diese Sprache beherrschte, aber ihr eigenes Studium darin war ebenfalls sehr gründlich gewesen. Sie liebte den Klang und den weichen Rhythmus. Albrecht schien irgendwelche Zugfahrten von der französischen Stadt Compiègne nach Belzec zu organisieren, es ging dabei um Selektion und Auslastung.

Dies war das erste Mal, dass Deborah Einblick in die geheimnisvolle Tätigkeit ihres Stiefvaters erhielt. Als sie ihn später fragte, ob ihre Reise sie auch nach Frankreich, nach Compiègne, führen würde, hatte sie den Eindruck, dass er über ihre Frage nicht besonders erfreut schien.

Danach telefonierte er nie wieder in ihrer Gegenwart, in keiner Sprache.

Albrecht und Deborah verbrachten fast den ganzen Tag auf der noblen Züricher Bahnhofstraße mit ihren eleganten Geschäften und Cafés. Das Wetter war trüb und der Himmel fahl, und zwischendurch setzte immer wieder ein leichter Nieselregen ein, aber die Straße selbst summte vor Betriebsamkeit. Deborah glaubte nicht, schon einmal so viele Damen in feinen Pelzen an einem einzigen Tag getroffen zu haben.

Albrecht erwies sich als ein Mann erlesenen Geschmacks. In der besten und teuersten Boutique am Platze suchte er für Deborah zwei wunderschöne Abendkleider aus: Das eine schimmerte in cremefarbenem Satin und wirkte allein durch seine schlanke und schlichte Silhouette, das andere hingegen war aus tiefviolettem Samt – ein Ton, der genau die Farbe ihrer Augen traf, und es war skandalös schulterfrei geschnitten. Dazu gehörten jeweils ein Paar ellenbogenlange weiße Handschuhe. Deborah war insgeheim froh darüber, da sie ihre Narben an den Unterarmen verdecken würden.

Albrecht pochte auf eine vollständige Ausstattung und erstand noch die passenden Sandaletten und Abendtäschchen in der jeweiligen Farbe des Kleides.

Zum Schluss führte er sie in ein edles Juweliergeschäft. Der Besitzer bediente sie persönlich. Trotz Deborahs verlegener Gegenwehr insistierte Albrecht, ihr eine einreihige echte Perlenkette und passende Perlenohrstecker zu schenken. Die Kette lag kühl und leicht um ihren schlanken Hals und vermittelte Deborah ein Gefühl von Kostbarkeit und Erwachsensein.

Sie behielt sie gleich an, und immer wieder tasteten ihre Finger danach, wie um sich zu vergewissern, dass sie sie nicht verloren hatte. Zwischen ihren Einkäufen nahmen sie ein leichtes Mittagsmahl zu sich, in einem winzigen Feinschmeckerrestaurant mit nur sechs Tischen.

Am späten Nachmittag kehrten sie in angeregter Stimmung in das Baur au Lac zurück. Albrecht brachte die Idee vor, dass Deborah den hoteleigenen Friseur aufsuchen könnte, um ihrem langen Haar etwas Façon zu geben.

Kapitel 35

Erinnerungen haben ihre eigene Sicht der Dinge. Wenn Deborah Jahre später an den Zauber jener ersten Tage mit Albrecht zurückdachte, dann bewahrte sie sie in ihrer Erinnerung als Tage mit strahlendblauem Himmel und hellem Sonnenschein, die nicht eine Wolke getrübt hatte. Sie war jung und unerfahren gewesen und hatte noch nicht durchschaut, dass es nur ein flüchtiger und vorübergehender Traum sein würde.

Gerade darum hatte sie die wenigen vollkommenen Augenblicke des Glücks auf das Intensivste auskosten können; erlebtes Glück war sicheres Eigentum, das einem niemand mehr fortnehmen konnte, und lange noch zehrte Deborah davon.

An Albrechts Arm betrat Deborah an diesem Abend das Restaurant Français. Sie wusste, dass sie schön war, noch bevor sich die Köpfe der Gäste mit einer einzigen fließenden Bewegung dem eleganten Paar am Eingang zuwandten.

Der ganz im imperialistischen Stil gehaltene Saal mit seinen funkelnden Kronleuchtern, den blattgoldverzierten Stuckdecken und dem spiegelnden Eichenparkett bildete einen perfekten Rahmen für ihren Auftritt.

Deborah hatte sich für das violette, schulterfreie Kleid entschieden. Eine absolut richtige Wahl – keine andere Farbe hätte es vermocht, den warmen Honigton ihrer Haut mehr zur Geltung zu bringen. Ebenso instinktiv hatte sie erfasst, dass diese Farbe sie älter wirken ließ als das mädchenhaft Cremefarbene mit den Puffärmeln.

In kaum erwachter Weiblichkeit hatte sie den Friseur gebeten, ihr eine Hochfrisur zu stecken, damit Albrechts kostbare Geschenke, die Perlenohrringe und die Kette, volle Beachtung erlangen würden. Die Frisur entblößte zudem die rührend zarte Linie ihres Halses und die Verletzlichkeit ihres Nackens.

Albrecht trug einen maßgeschneiderten Smoking und war auf seine männliche Art ungemein attraktiv. Er erregte kaum weniger Aufsehen bei den anwesenden Damen im Saal als Deborah bei den Herren. Albrecht erwies sich ihr gegenüber als vollendeter Kavalier und behandelte sie wie eine erwachsene Frau.

Er hob alle für das Mädchen Deborah geltenden Verbote für diesen Abend auf und bestellte französischen Champagner, dazu Kaviar und später einen leichten Weißwein zu ihrem Loup de Mer mit mediterranem Gemüse.

Zum Nachtisch wurde eine Käseplatte mit sage und schreibe acht verschiedenen Sorten Brie serviert. Deborah hatte sie aus einer Laune heraus bestellt. Sonderbarerweise verspürte sie heute keine Lust auf Süßspeisen, sondern war in der Stimmung, Neues zu versuchen.

Zum Schluss tranken sie noch einen Mokka und Deborah ihren ersten Sherry – wie überhaupt vieles an diesem Abend für sie das erste Mal war. Albrecht unterhielt sich prächtig mit ihr, und ihr bezauberndes Lachen perlte über den Tisch und fand das Echo in seinen Augen. Er erzählte ihr von den vielen europäischen Fürsten wie der österreichischen Kaiserin Elisabeth und einem richtigen ägyptischen Kalifen, die beide schon als Gäste in diesem Hotel logiert hatten.

Er wusste der Musikbegeisterten überdies zu berichten, dass Richard Wagner anlässlich des Geburtstagsfestes seines Schwiegervaters, Franz Liszt, einst im Baur au Lac am Klavier musiziert und gesungen hatte. An jenem Tag hatte hier der erste Akt der *Walküre* vor Publikum Premiere gefeiert – vielleicht sogar an demselben Flügel, an dem der Pianist des Kammermusik-Ensembles saß, das die Gäste des heutigen Abends unterhielt.

Deborah war von dieser Geschichte fasziniert und auch schon ein wenig angeheitert von dem ungewohnten Alkohol. Er löste ihre Zunge, und sie erzählte Albrecht, wie sie vor zwei Tagen hier im Hotel Franz Lehár kennengelernt hatte. Und dieser stand dann plötzlich wie herbeigerufen vor ihrem Tisch.

Der Komponist küsste Deborah galant die Hand und verneigte sich vor Albrecht, um ihm nach gegenseitiger Bekanntmachung zu dieser begabten Tochter zu gratulieren, *die mit ihrem wunderbaren Talent eine glorreiche Karriere als Sängerin vor sich habe.* Dann bat er Deborah, für die gesamte vornehme Abendgesellschaft zu singen.

Deborah suchte erst die Erlaubnis in Albrechts Augen, obwohl sie darauf brannte, der Bitte von Herrn Lehár nachzukommen. Ziererei oder Koketterie waren ihr für ihre Kunst fremd. Dennoch zögerte sie, weil sie bei ihrem Begleiter Unmut entdeckt zu haben glaubte, als Herr Lehár ihm zu seiner begabten Tochter gratuliert hatte. Aber Albrecht erwiderte, er freue sich sehr darauf, sie singen zu hören.

Herr Lehár war schon zu dem kleinen Musikensemble vorausgeeilt. Er dirigierte dann persönlich für Deborah, die sich für ihren ersten Auftritt vor Publikum die Lieblingsarie ihrer Mutter, die der Violetta aus *La Traviata*, ausgesucht hatte.

Nach Deborahs Darbietung empfing Albrecht voller Stolz die Glückwünsche der Gäste zu seiner zauberhaften Begleitung. Er schien den Applaus kaum weniger zu genießen als Deborah. Später am Abend tanzten sie zusammen. Albrecht erwies sich als ausgezeichneter Tänzer und führte die noch unsichere Deborah mit fester Hand. Deborah fragte ihn erstaunt, woher er so gut tanzen könne – insgeheim hatte sie diese Fertigkeit nie mit ihm in Verbindung gebracht. Albrecht verriet ihr, dass seine Mutter seine Lehrerin gewesen und gestorben sei, als er sechzehn war. Seine Stimme klang belegt und verriet immer noch Trauer über ihren Verlust. Deborahs Herz schmolz, und sie fühlte sich ihm durch ihren eigenen Verlust noch näher.

Später, da waren sie schon zurück in ihrer Suite, lobte er Deborah, dass sie heute Abend in allem eine hervorragende Figur gemacht habe. Und dass die Arie, ergreifend und gut gewählt, auch ausgezeichnet zu ihrem Kleid gepasst habe.

Deborah, berauscht vom Champagner und ihrem Erfolg, fing an zu kichern und wollte minutenlang gar nicht mehr damit aufhören. Nicht, weil die Bemerkung so geistreich gewesen wäre. Sie fand einfach die Tatsache, dass sich der ansonsten todernste Albrecht tatsächlich an einem Scherz versucht hatte, überaus komisch.

Noch immer hatte sie sich nicht beruhigt und wurde von leichtem Glucksen geschüttelt, als Albrecht unvermittelt von hinten an sie herantrat und seine großen braunen Hände auf ihre entblößten Mädchenschultern legte. Dann tat er etwas völlig Unerwartetes: Er neigte den Kopf und küsste sie behutsam auf den empfindsamen Nacken. Deborah erschauerte unter der ungewohnt süßen Empfindung, die ihren ganzen Körper erfasste. Das Lachen in ihr erstickte, und sie wurde mit einem Mal ganz still. Langsam drehte sie sich zu Albrecht herum. Ihr Blick war klar und ruhig wie die See bei Nacht. Ihre Augen suchten die seinen, und sie las in ihnen den Wunsch nach ihr.

Eine plötzliche Einsicht überkam sie. Sie wusste jetzt, worauf sie gewartet hatte: Hierher sollte die gemeinsame Reise mit Albrecht sie führen, nur darauf waren sie die ganze Zeit über zugesteuert.

Ihr junger Körper wurde völlig von diesem unbekannten Sehnen erfüllt, dem drängenden Wunsch nach den Wundern des Lebens: Champagner in einem vornehmen Restaurant mit einem gut aussehenden Mann zu trinken, ein sündhaftes Abendkleid und kostbaren Schmuck zu tragen und dabei die bewundernden Blicke der anderen Gäste auf sich gerichtet zu spüren. All dies erfüllte Deborahs kindliche Vorstellung von Romantik und Liebe. Nicht eine Sekunde verschwendete das junge Mädchen daran, dass der Mann ihr gegenüber derselbe war, der mit ihrer Mutter verheiratet gewesen war.

Wenn überhaupt, steigerte dies nur ihr Verlangen, weil ihrem Tun der Hauch des Verbotenen anhing. Sie war Künstlerin, und daher galten bürgerliche Konventionen nicht für sie; sie verglich sich nicht mit dem normalen Maß. Sie hatte mehrere klassische Dramen studiert, in denen die Liebe zwischen Mann und Frau das war, wofür sich jedes Risiko, jede Lüge und jede Schandtat lohnten. Liebe war das Maß allen menschlichen Sehnens. Allein die Liebe vermochte die Grenzen zwischen Arm und Reich, zwischen Adel und Bürgertum zu verwischen und die Schranken zwischen den Rassen aufzuheben – bis über den Tod hinaus …

Darum bog sie nun ihren Hals nach hinten und bot ihm ohne Scheu ihre frischen, niemals geküssten Lippen dar. Doch der erfahrene Albrecht zögerte den Moment bewusst hinaus. Er fasste Deborah leicht unter ihren Ellenbogen und widmete sich zunächst mit kleinen leichten Küssen ihrem Hals. Ihre Haut schmeckte süß und verlockend wie Honig. Albrechts warmer Atem jagte köstliche Schauer durch Deborahs unerfahrenen Körper. Er ließ sich Zeit und wanderte langsam weiter zu ihrem Ohr und wieder zurück zu ihren Schultern, bis zu ihrem kleinen Dekolleté, wo er in dem sanft angedeuteten Tal eine feuchte Spur mit seiner Zunge zog.

Deborah erschauerte bei der ersten Berührung von männlichen Lippen. Es war ganz anders und doch viel schöner, als sie es sich jemals erträumt hatte. Ihre Haut prickelte von den unbekannten Empfindungen, und sie spürte ein angenehmes Ziehen in ihrem Unterleib. Ihr junger Körper war das erste Mal erregt, und längst verlangte es Deborah nach mehr als nur Küssen.

Voller Ungeduld tat sie daher etwas, womit Albrecht, der sich ganz als Herr der Lage fühlte, niemals gerechnet hätte: Sie, die Siebzehnjährige, die nie zuvor einem Mann so nahegekommen war, ergriff die Initiative, packte Albrechts Kopf an den Haaren und zog ihn mit aller Kraft ihres zierlichen Körpers an ihren Mund. Und sie war nicht sanft, sondern wild und fordernd. Deborah prallte mit einer Leidenschaft auf ihn, die ihn so sehr überraschte, dass Albrecht beinahe getaumelt wäre.

Deborah drückte sich an ihn, hielt ihn mit beiden Armen umklammert und presste ihren schmalen Unterleib an seinen. Sie führte sich auf wie eine erfahrene Kurtisane und nicht wie die Jungfrau, die sie war. Als sie seine Begierde zwischen sich spürte, da fasste sie ihn ohne jede Scheu an, und er stöhnte und wand sich, und Deborah fühlte ihre Macht über ihn.

Ohne Rücksicht auf Stoff und Naht rissen sie sich die Kleider vom Leib und stürzten ineinander verkeilt aufs Bett. Albrecht, der sich in Beherrschung hatte üben wollen, um die zarte Jungfrau nicht allzu grob anzufassen, wurde von Deborahs wilder Leidenschaft ungestüm mitgerissen. Er fiel über sie her wie eine hungrige Bestie. Dies bescherte ihm die nächste Überraschung. Sie vergalt ihm jede Grobheit auf der Stelle, übertraf ihn, indem sie ihn heftig in den Hals biss und ihm stöhnend den Rücken zerkratzte – wobei der Schmerz der Defloration ihre Wildheit nur weiter anfachte.

Wie sollte Albrecht auch ahnen, dass Deborah den Schmerz liebte und ihn begrüßte, weil sie vor Langem ein Bündnis mit ihm eingegangen war?

In dieser Nacht entdeckte Deborah eine neue Möglichkeit, den Hass zu besiegen: den körperlichen Kampf der Liebe. Sie forderte Albrecht die ganze weitere Nacht, konnte nicht genug von ihm und von der Liebe bekommen, und sie waren beide nicht sanft in ihren Methoden. Albrecht vergalt Deborah ebenso jeden Biss, und die Art, wie das Mädchen den Schmerz geradezu ekstatisch genoss, steigerte seine eigene Erregung um ein Maß, das er selbst bisher nicht gekannt hatte. Deborah schien niemals satt, und es war schließlich Albrecht, der erschöpft um eine Pause bat.

So hatte er sich die Verführung der Jungfer Deborah sicher nicht vorgestellt, als er sich müde und erschlagen wie nach einer durchzechten Nacht und wund an delikaten Stellen wiederfand.

Deborah weckte ihn gegen zehn Uhr, sie hatte bereits ein Bad genommen, roch frisch wie eine Rose und summte vor Geschäftigkeit wie eine Biene. Sie hatte ein reichhaltiges Frühstück aufs Zimmer bestellt, und beide machten sich hungrig darüber her.

Dann ließ Deborah auch für Albrecht ein Bad ein und gab ihm ganze zehn Minuten Zeit, darin zu entspannen, bevor sie nackt und schamlos zu ihm in die große Marmorwanne stieg und ein da capo einforderte.

Später saß Deborah mit dem Rücken zu Albrecht zwischen seinen Beinen, und ihr Kopf ruhte mit geschlossenen Augen an seiner Brust. Die Morgensonne schien durchs Fenster und wärmte ihre Gesichter.

Albrecht hielt seine Augen ebenfalls geschlossen, doch er träumte nicht wie Deborah vor sich hin, sondern dachte nach. Über sich selbst. Das tat er selten, meist widmete er sich der Betrachtung der anderen, denn nur so ließ sich die Kunst der Manipulation ständig verfeinern.

Es überraschte ihn immer noch, wie sehr ihn dieses Zaubergeschöpf überwältigt hatte. Nie zuvor war ihm so viel Leidenschaft und Temperament begegnet, noch dazu bei einem so jungen Ding. Unter ihrem scheinbar sanften Wesen hatte sich ein ungezähmter Tiger verborgen gehalten. Er staunte über sich selbst, denn er fühlte tatsächlich Zärtlichkeit für sie, eine Unzulänglichkeit, die ihm bisher nicht zuteilgeworden war, da er Zärtlichkeit immer als ein Gefühl der Schwäche empfunden hatte.

Aber hier saß er nun mit ihr, streichelte ihre Schultern und Arme, genoss die geschmeidige Zartheit ihrer Haut und fühlte zugleich ein Gefühl in sich aufkeimen, das er stets auf Abstand hatte halten wollen. Plötzlich stutzte er – seine Finger hatten Unregelmäßigkeiten erspürt, und er drehte Deborahs Unterarm dem Licht entgegen.

»Was hast du da? Wer war das?«, rief er, als er die vielen kleinen, kreuz und quer verlaufenden Narben entdeckte, die beinahe wie ein Karomuster anmuteten. Kurz ergriff ihn der Verdacht, dass man sie in Stuttgart – entgegen seiner strikten Anweisung – gefoltert hatte, was sofort seinen Zorn erweckte.

Deborah reckte sich träge der Sonne entgegen und betrachtete scheinbar emotionslos ihre Arme. Doch sie antwortete ihm, ohne zu zögern – nichts Unstimmiges sollte zwischen ihren Körpern oder ihren Gedanken herrschen:

»Das? Niemand. Das war ich selbst. Es hat angefangen, nachdem die SS-Männer Wolferl, mich und Magda in dieser schrecklichen Nacht abgeholt haben. Seitdem bin ich manchmal so mit Hass und rasender Wut angefüllt, dass es mich innerlich zerreißt. Ich schneide mich dann selbst, weil der Schmerz mir dann für eine Weile Linderung verschafft. Ich mag Schmerz, er hilft mir, mich besser zu fühlen. Stört es dich?«

»Nein, ich finde es faszinierend, dass du den Schmerz magst. Es hat etwas Erregendes.«

»Das, mein Herr, spüre ich.« Und sie rieb ihre Pobacken an ihm, als hätte sie die Erfahrung vieler Jahre und nicht die einer einzigen Nacht.

»Und du, meine Dame, die du dich anscheinend nicht wie eine solche benehmen kannst, bist frivol. Da, wo ich ein Lamm erwartet habe, habe ich tatsächlich eine Wildkatze mit scharfen Krallen und scharfen Zähnen gefunden.« Er tastete nach einer geschwollenen Bisswunde an seinem Hals und war froh, dass sein Uniformkragen diese später verdecken würde.

Kurz musste er an seinen Bruder Leopold und ihr Gespräch in der Bibliothek nach Elisabeths Beisetzung denken. Wie hatte er sich ausgedrückt? Ach ja. Leopold hatte ihn davor gewarnt, dass Deborah eine scharfe Klinge sei und er sich daran schneiden würde. Nun, befand er, zumindest war sie nicht zimperlich, wenn es ums Kratzen und Beißen ging. Ein Jammer, dass Leopold ihn jetzt nicht so sehen konnte. Ein selbstgefälliger Ausdruck kroch ihm über das Gesicht.

Deborah genoss den süßen wunden Schmerz der ersten Nacht zwischen ihren Beinen. Sie fand, dass sie Albrecht genug Regenerationszeit eingeräumt hatte, und drehte sich in der Wanne um, sodass sie auf ihm zu liegen kam. Aufreizend bewegte sie ihre Hüften, aber Albrecht hielt sie mit beiden Armen lachend von sich: »Tut mir leid, Kleines. So gern ich wollte, aber ich habe gleich einen Termin und muss mich ohnehin beeilen.« Er presste sie kurz an sich und küsste sie hart, so, wie sie es mochte. Deborah versuchte sofort, ihn in seine ohnehin mitgenommene Lippe zu beißen, aber er entzog sich ihr und entkam gerade rechtzeitig aus der Wanne.

»Schluss, du Unersättliche. Ich werde mir heute ohnehin einiges von den Kameraden anhören müssen. Wir sehen uns zum Abendessen. Wenn du Geld brauchst, nimm es dir aus der Schublade im Schreibtisch.«

Er war schon zur Badezimmertür hinaus, als er nochmals zurückkehrte. Mit einer Beiläufigkeit, die zu aufgesetzt war, um echt zu wirken, sagte er: »Da wäre noch etwas. Dein Name. Ich finde Deborah nicht passend für dich. Darum werde ich dich ab sofort Maria nennen.«

Er machte kehrt und ließ eine sprachlose Deborah zurück. Sie fühlte sich derart überrumpelt, dass sie zunächst überhaupt nicht wusste, wie sie darauf reagieren sollte. Doch dann wurde sie wütend, und in Ermangelung von etwas Besserem schleuderte sie den mit Wasser vollgesogenen Schwamm gegen die Tür, die Albrecht klugerweise hinter sich geschlossen hatte. Der erzielte Effekt war lahm, der Schwamm kam über ein leises *Plopp* nicht hinaus.

Was sollte das für ein Unsinn sein? Was passte Albrecht an ihrem Namen nicht? Deborah holte Luft, sank in die Wanne und tauchte unter. Wolfgang und sie hatten früher oft gespielt, wer länger die Luft unter Wasser anhalten konnte. Plötzlich sehnte sie sich nach ihrem kleinen Bruder wie nie zuvor auf dieser Reise. Sie nahm sich vor, ihn gleich heute nach seinem täglichen Unterricht anzurufen.

Prustend kam sie wieder hoch und pumpte Luft in ihre Lungen. Sie lag noch eine ganze weitere Stunde in dem erkaltenden Wasser und ließ ihre Gedanken wandern. Dann erhob sie sich mit einem abschließenden Seufzer. Deborah war trotz ihrer Jugend scharfsinnig genug, um zu begreifen, dass sie heute Nacht nicht nur ihre Unschuld, sondern auch ihren Namen verloren hatte – weil er für den SS-Obersturmbannführer Albrecht Brunnmann zu jüdisch klang.

Dabei hatte der Name Deborah im Alten Testament eine besondere Bedeutung. Ihr Vater Gustav hatte ihr erzählt, dass er dort für *Richterin* oder *Prophetin* stand. Auf Hebräisch bedeutete ihr Name auch *Biene*.

Doch für die nächste Zeit sollte sich Deborah nicht am Verlust ihres Namens stören, denn sie hatte in Albrecht einen Geliebten gewonnen, mit dem sie die mächtigen Gefühle von Hass und Zorn in sich betäuben konnte.

Sie fügte sich von nun an eine Weile selbst keine Narben mehr zu, denn ihr Streben nach Schmerz wurde nun von Albrecht befriedigt.

Kapitel 36

Wien, Ostmark

Drei Tage später reisten sie sehr früh am Morgen aus Zürich ab. Ein schläfriger Portier half ihnen mit dem Gepäck. Als der Wagen anfuhr, warf Deborah einen sehnsüchtigen Blick zurück auf den Park. Der See war noch in dichten Dunst gehüllt, und die Stille wirkte beinahe gespenstisch. Sie wäre gern noch länger geblieben.

Albrecht trug zu Deborahs Missfallen erneut seine SS-Uniform. Die mehrstündige Fahrt ging in die Ostmark, wie Österreich seit dem Anschluss hieß, in die Hauptstadt Wien. Sie würden dort im Hotel Imperial logieren, einem Haus mit ebenso viel Geschichte und Eleganz wie das Zürcher Baur au Lac, wie Albrecht ihr erklärt hatte.

Wien, die alte Kaiserstadt und Geburtsstätte ihrer Mutter, empfing sie mit strahlendem Frühlingswetter.

Die Stadt selbst war vollkommen in der Hand der nationalsozialistischen Folklore, aber Deborah gewöhnte sich schnell wieder daran und nahm sie wie in München bald kaum mehr zur Kenntnis.

Deborah kannte Wien noch von früher. Bevor ihr kleiner Bruder geboren wurde, war sie einige Male mit ihren Eltern hier gewesen, zuletzt Anfang 1933. Die Stadt und ihre Sehenswürdigkeiten hatten bei ihr einen bleibenden Eindruck hinterlassen, sie konnte sich an vieles noch erinnern. Trotzdem ließ sie sich am zweiten Tag ihres Aufenthalts willig von Albrecht umherkutschieren, um sich von ihm die Stadt zeigen zu lassen; sie lebte jetzt nur für die Nächte mit ihm.

Ihr Geliebter schien sich in Wien hervorragend auszukennen. Auf ihre diesbezügliche Frage gab er immerhin so viel preis, dass er fast das ganze Jahr 1938 beruflich in Wien abgestellt gewesen war. Auf seine nähere Tätigkeit ging er aber nicht ein. Die Art und Weise, wie er das Thema wechselte, signalisierte Deborah, dass er dies auch nicht vorhatte. Seine ständige Geheimniskrämerei fing an, sie zu ärgern. Ihr Vater hatte sich nicht nur jeder ihrer Fragen gestellt, sondern sie sogar immer dazu ermuntert zu fragen.

Als sie an der Wiener Akademie für bildende Künste vorbeifuhren, fiel Deborah ein, wie ihr Vater sie ihr gezeigt und erzählt hatte, dass man den Hitler dort gleich zweimal durch die Aufnahmeprüfung hatte fallen lassen. Es mochte daran liegen, dass sie gerade an ihren Vater gedacht hatte, jedenfalls erwachte Deborah kurz aus ihrem Liebesrausch und verspürte Lust, Albrecht zu reizen. Es war die erste Kostprobe dessen, was Leopold seinem Bruder Albrecht als Deborahs *mutigen Geist mit scharfer Klinge* prognostiziert hatte.

»Das ist wirklich schade ... findest du nicht auch, Albrecht?«

»Was findest du schade, Maria?«, ging Albrecht willig darauf ein.

»Dass euer Führer nicht etwas mehr Talent mitbekommen hat. Dann hätten wir jetzt vielleicht gar keinen Krieg. Wer weiß, vielleicht säße er dann gerade irgendwo friedlich vor seiner Staffelei und malte hübsche Bilder von den Sehenswürdigkeiten Wiens.«

»Maria, mein Schatz, erstens ist er nun auch *dein* Führer, und zweitens war das vielleicht genau die ihm bestimmte Vorsehung: dass er eben kein Künstler wurde, sondern dass sein Schicksal das des deutschen Volkes ist.« Sein Ton barg keinen Tadel, vielmehr ähnelte er dem eines Lehrers, der milde versuchte, einem unwissenden Schüler etwas beizubringen. Weil er diesen überlegenen Ton schon bei anderen Gelegenheiten herausgekehrt hatte, forderte er Deborah damit erst recht heraus.

»Aha. Was ist eigentlich aus den Mitgliedern des Komitees geworden, das damals *euren* Führer abgelehnt hat?« Deborah war jetzt hellwach, Albrechts Belehrung ignorierte sie.

Albrecht wunderte sich über den Hintersinn in ihrer Frage, deshalb verzichtete er, sie erneut deswegen zu tadeln: »Wie ist das denn gemeint?«, fragte er gedehnt.

Deborah freute sich diebisch, Albrechts Argwohn geweckt zu haben. Das neue Spiel fing an, ihr Spaß zu bereiten. »Ach, nur so eine Idee. Eigentlich bin ich nur darauf gekommen, weil mein Vater einmal diesen Dr. Forster erwähnt hat. Ich glaube, sie waren zusammen an der Front.«

»So. Und wer bitte soll dieser Dr. Forster sein?« Etwas in seiner Stimme warnte Deborah, besser auf ihre weiteren Worte zu achten.

»Möchtest du es denn wissen?«, reagierte sie deshalb mit einer Gegenfrage, nun doch etwas verunsichert. Sie hatte spontan gehandelt. Zu spät war ihr eingefallen, dass sie damit womöglich Albrechts Zorn auf ihren Vater lenken würde. An Konsequenzen für sich selbst dachte sie nicht. Sie hatte keine Angst vor Albrecht.

»Nur zu! Ich würde wirklich allzu gern hören, was in deinem kleinen Kopf vor sich geht.« Es klang gönnerhaft und herablassend, als bräuchte es bei einer Frau keine Klugheiten.

Damit forderte er Deborahs Widerspruchsgeist erneut heraus.

»Wie du wünschst, mein Gebieter«, erwiderte sie schnippisch und erzählte ihm, was sie von ihrem Vater Gustav erfahren hatte: »*Euer* Führer wurde 1918 mit Senfgas vergiftet und kam in ein Lazarett. Ich glaube, der Ort hieß Pasewalk. Dort ist er dann von Dr. Forster behandelt worden. Weil aber Dr. Forster damals nicht ahnen konnte, dass er den künftigen Führer des Deutschen Reiches vor sich hatte, vermerkte er in seiner Krankenakte, er sei ein ›Psychopath mit hysterischen Symptomen und nicht zum Vorgesetzten geeignet‹. Ich glaube, genau das waren die Worte. Dr. Forster hat übrigens 1934 auf Druck eurer Geheimen Staatspolizei Selbstmord begangen.«

Deborah sah, wie Albrecht das Gesicht verzog, als litte er Schmerzen. Er ließ sich mit seiner Antwort Zeit. »Aha, ich verstehe. Du denkst also, Maria, *unser* Führer könnte sich an dem Komitee der Kunstschule gerächt haben? Du unterstellst ihm Rachsucht? Muss ich daher annehmen, du denkst, unser Führer handelte billig?« Albrecht hatte sich wieder gefangen, aber in seiner Stimme schwang etwas mit, das Deborah glauben ließ, er wisse mehr, als er sagte. Sie vermutete, dass sie womöglich gerade des Pudels Kern getroffen hatte und das unglückliche Komitee keine guten Zeiten verlebt hatte.

Deborahs Stimmung schwang aber schon wieder um. Ihr Kampfgeist erlosch so schnell, wie er aufgeflackert war. Plötzlich hatte sie keine Lust mehr, weiter wegen dieses grässlichen Hitler nachzubohren. Darum antwortete sie leichthin: »Ach nein, es hat mich nur so am Rande interessiert. Außerdem wolltest du es ja unbedingt wissen. Können wir ins Sacher fahren? Dort gibt es die besten Torten. Mir ist gerade danach.«

Deborahs Gedankengang verdient eine nähere Betrachtung, das heißt, eigentlich war es ihr Vater Gustav, der den Anstoß dazu gegeben hatte, denn er hatte als Erster, gemeinsam mit seinem Freund Fritz Gerlich, über die Bedeutung von Hitlers Scheitern in der Aufnahmeprüfung nachgedacht.

Selten hatte sich das Prinzip von Ursache und Wirkung in solch katastrophaler und folgenschwerer Weise auf die gesamte Weltgeschichte ausgewirkt: Weil mehrere Komitee-Mitglieder eines Kunstausschusses einem jungen Österreicher namens Adolf Hitler in den Jahren 1907 und 1908 mangelndes Talent bescheinigt, ihm die Aufnahme verweigert und somit seinen Lebenstraum vereitelt hatten, musste er in sein altes Leben zurückkehren.

Der junge Hitler verdingte sich zunächst mehr schlecht als recht als Postkarten- und Anzeigenmaler, dessen Karriere in einer Werbung für Fußschweißpuder gipfelte.

Bis er dann eines Tages eher zufällig sein Talent als demagogischer Redner entdeckte und sich seiner fatalen politischen Karriere zuwandte. Im Übrigen sandte er später seine Schergen aus, um einige seiner frühen Wiener Werke aufzuspüren und zu beschlagnahmen, für den Fall, dass sie ihm peinlich werden konnten …

Wie wäre das weitere Schicksal Europas verlaufen, hätte man Hitler an der Wiener Akademie der bildenden Künste angenommen? Hätte es je einen Zweiten Weltkrieg und den Abwurf der ersten Atombombe gegeben? Wäre die Ausbreitung des Kommunismus weniger expansiv verlaufen, ebenso wie der daraus resultierende Kalte Krieg? Wären Deutschland und Berlin je geteilt und die Mauer erbaut worden?

Deborah und Albrecht blieben zwei Wochen in Wien. Albrecht war viel beschäftigt, eilte zu Besprechungen und Konferenzen und kehrte meist erst spät am Abend ins Hotel zurück. Dann wurde er von der ungeduldig auf ihn wartenden Deborah hart gefordert.

So hatte es sich Albrecht wahrlich nicht ausgerechnet. Er benötigte dringend Ruhe und Schlaf nach den anstrengenden Tagen voller ermüdender Sitzungen und langwieriger Entscheidungsprozesse.

Dabei erlag er selbst einer unstillbaren Gier nach diesem außergewöhnlichen, unersättlichen Geschöpf. Er musste all seine Reserven mobilisieren, während das Mädchen an seiner Seite erblühte wie eine Pfingstrose im Frühling.

Und trotzdem konnte Albrecht nicht anders, es schien ihm unmöglich, ihr zu widerstehen, nicht einmal in Gedanken. Immer häufiger ertappte er sich während der Besprechungen dabei, wie er unaufmerksam wurde und die lauten Stimmen und

Forderungen um ihn herum in den Hintergrund rückten. Dann sehnte er sich danach, in ihre Arme zurückzukehren und ihren berauschenden Honigduft zu atmen. So sehr verlangte er nach ihr, dass er häufig nach seiner Aktentasche greifen und diese über seinen Schenkeln lagern musste, um Augenscheinliches zu verbergen …

Diese sonderbare Eigenart blieb den anderen Teilnehmern der Konferenzen auf Dauer nicht verborgen. Und weil Neugierde eine zwanghafte Eigenschaft der menschlichen Natur ist, waren bald allerlei Gerüchte und Spekulationen über seine Tasche im Umlauf.

Was mochte sie Geheimnisvolles enthalten, das so wichtig war, dass Albrecht Brunnmann, Sonderbeauftragter des Reichssicherheitshauptamtes und dessen Chef, Reinhard Heydrich, direkt unterstellt, seine Aktentasche weder aus den Augen ließ noch aus der Hand gab, ja, sie selbst noch in Sitzungen an sich presste? Anweisungen, die erst im allerletzten Moment auf den Tisch kommen sollten? Geheime Befehle des Führers?

Neben der körperlichen Liebe entdeckte Deborah noch eine weitere Ersatzbefriedigung, die sie in der Folge bis zum Exzess ausleben würde. Albrecht schien über schier unerschöpfliche Geldmittel zu verfügen, und seine Großzügigkeit ihr gegenüber kannte keine Grenzen. Daher zog Deborah jeden Morgen los, um in den vielen eleganten Geschäften der berühmten Wiener Prachtstraße einzukaufen. Ihre Garderobe füllte bald unzählige Koffer.

Am späten Nachmittag aber war sie stets im Kaminzimmer des Hotel Imperial anzutreffen, wo sie an dem kostbaren Konzertflügel übte und das ein oder andere Privatkonzert gab.

Deborah erlebte jene ersten gemeinsamen Wochen mit Albrecht wie in einem surrealen Traum. Bedingungslos folgte sie ihren Wünschen und Begierden. Es war, als wäre bei ihr ein Damm gebrochen, aus dem Unersättlichkeit und Gier unaufhörlich hervorquollen. Sie wollte leben, lieben und singen und forderte alles – jetzt und gleich und sofort!

Es war die absolute Hingabe an das Leben, wie sie nur wenige Menschen erfahren, die Maßlosigkeit einer absoluten Seele. Darin glich Deborah ihrer Mutter. Während aber Elisabeth im bestmöglichen Moment ihrem Retter Gustav begegnet war, hatte Deborah einen Pakt mit dem Teufel geschlossen.

An ihren Bruder dachte Deborah kein einziges Mal mehr. Sie hatte auch vergessen, ihn von Zürich aus anzurufen. Ihr früheres Dasein schien in einer anderen Zeit versunken. Die Musik wurde zum letzten Bindeglied zwischen ihrem alten und ihrem neuen Leben.

Kapitel 37

Krakau, Generalgouvernement Polen

Von Wien aus setzten Albrecht und Deborah ihre Reise nach Krakau in Polen fort. Polen galt jetzt als »Nebenland«.

Seit Oktober 1939 war es von den Deutschen besetzt, jedoch nicht ins Reich eingegliedert worden. Das Gebiet wurde als Generalgouvernement bezeichnet und bestand aus den fünf Distrikten Krakau, Lublin, Lemberg, Radom und Warschau. Ungefähr zwölf Millionen Menschen lebten dort im Jahr der Besetzung. Bis 1945 würde sich die Bevölkerung auf ungefähr die Hälfte reduziert haben.

Für die Fahrt nach Krakau hatte Albrecht seinen Chauffeur aus Berlin nach Wien beordert.

Dieser war nicht sehr groß und leicht massig. Er hatte ein weiches, rundes Gesicht und einen kahlen, wie poliert aussehenden Schädel. Sein Name war Osman, und er war stumm.

Während der Fahrt erfuhr Deborah von Albrecht Osmans Geschichte. Bevor Albrechts Mutter seinen Vater heiratete, hatte sie einige Monate als hoffnungsvolle Sängerin auf der Bühne gestanden. Dort hatte ein geheimnisvoller morgenländischer Fürst sie gehört und sich unsterblich in die junge Sängerin verliebt. Während er voller Glut um sie warb, wartete er jeden Tag mit einem fürstlichen Geschenk für sie auf: exotische Früchte und exotische Tiere, lupenreine Perlen und funkelnde Diamanten und zuletzt das kostbarste Geschenk von allen: Osman, damals ein kleiner verschreckter Junge mit wild rollenden Augen.

Albrecht erklärte Maria, Osman sei Kastrat und habe einst eine wunderhübsche Singstimme besessen.

»Osman kann singen?«, fragte Deborah aufgeregt. Ihre Augen leuchteten vor Freude.

»Früher schon. Jetzt nicht mehr.«

»Aber warum nicht? Wir könnten ein Duett versuchen. Bitte, darf ich?« Sie klang eifrig wie ein kleines Mädchen.

»Osman kann nicht mehr singen, Maria. Ihm fehlt dazu die Zunge.«

»Die Zunge? Aber wie kann ihm denn die Zunge fehlen?«

»Weil mein Vater sie ihm herausgeschnitten hat.«

»Er hat was? Das ist ja grauenvoll!« Deborahs Miene drückte absolute Fassungslosigkeit aus. »Aber … warum in Gottes Namen sollte er so etwas Grausames getan haben?«

»Weil er *zu viel* gesungen hat.« Albrecht sagte es beiläufig, als wäre eine solche Reaktion völlig normal.

Osman gab dazu einen Laut von sich – einen Hauch eigentlich nur, und das so leise, dass allein Deborahs empfindsames Gehör ihn wahrnahm –, doch lag darin sämtlicher Schmerz und alle Sehnsucht einer betrogenen Seele.

Deborahs Herz flog ihm zu, und sie litt mit ihm.

»Vielleicht hätte deine Mutter diesen fremdländischen Fürsten heiraten sollen. Anstatt deinen Vater«, sagte sie jetzt böse.

»Das hätte sie sogar beinahe. Aber dann hat sie herausgefunden, dass dieser Kalif bereits über drei Ehefrauen und eine nicht unbeträchtliche Anzahl an Nebenfrauen verfügte.«

Deborah begriff, dass Albrecht diese Geschichte schon des Öfteren und immer mit gutem Erfolg zum Besten gegeben hatte. Albrecht streckte sich jetzt, so gut es im Wagen ging, und gähnte ausgiebig. Dank Deborahs Eifer im Bett mangelte es ihm in den letzten Wochen an Schlaf.

Auch Deborah spürte, wie Müdigkeit sie überkam. Lange Autofahrten hatten schon immer diese Wirkung auf sie ausgeübt. Gerade noch wütend, unterlag sie erneut einem ihrer jähen Stimmungswechsel. Sie fühlte sich plötzlich zu träge, um zu streiten, und schloss die Augen.

In den Fond des Wagens gekuschelt, verschlief sie die lieblichen grünen Felder der vorbeiziehenden Landschaft und den ruhigen Rhythmus des Regens, der kurze Zeit später eingesetzt hatte. Sie erwachte erst wieder, als sie in Krakau vor dem imposanten Grand Hotel in der Slawkowska vorfuhren. Es lag mitten im Herzen der historischen Altstadt Krakaus, von der viele sagten, sie sei die schönste Europas.

Deborah hatte ihre Rolle als Dame von Welt inzwischen verinnerlicht und nahm den neuerlichen Luxus des Fünf-Sterne-Hotels mit größter Selbstverständlichkeit hin. Dass das Grand Hotel in früheren Zeiten einmal ein mittelalterlicher Palast gewesen war, davon zeugten bis heute die eindrucksvollen meterdicken Mauern, die historische Einrichtung sowie unzählige Kamine.

Während zwei Dienstmädchen des Hotels Deborahs umfangreiche Garderobe auspackten und Albrecht Telefonate erledigte, spazierte Deborah nach kurzer Erkundung ihrer Suite allein durchs Hotel. Im sogenannten Spiegelsaal fand sie das Gesuchte: den Konzertflügel, der in keinem gehobenen Hotel fehlen durfte. Es gab auch ein Wiener Café und eine Cafébar Strauss, und Deborah fühlte sich fast schon heimisch.

Gleich am ersten Abend fand im Spiegelsaal des Hotels ein opulentes Galaessen statt. Zum ersten Mal begegneten Deborah SS-Kameraden von Albrecht, unter anderem Richard Wendler, den ihr Albrecht als den neu ernannten Gouverneur von Krakau vorstellte, und der große, massige Kommandant von Plaszow, Amon Göth, ein gebürtiger Österreicher aus Wien. Albrecht stellte sie ihnen als die Sängerin Maria Malpran vor.

Deborah wunderte sich im Laufe des Abends, wie trinkfest die männlichen Teilnehmer waren, ebenso wie die wenigen anwesenden Damen, die bald kicherten und sich ziemlich albern benahmen. Sie selbst nippte nur am Champagner. Alkohol bekam ihr leider nicht besonders, sie büßte den kurzen Genuss jedes Mal mit Kopfschmerzen. Sie hielt dies für keinen guten Tausch und verzichtete daher lieber darauf.

Je später die Stunde, umso lauter wurde der Tisch und umso unwohler fühlte Deborah sich. Sie verspürte daher mehr als nur Erleichterung, als sich Albrecht mit der Entschuldigung der langen Anreise als Erster von der fidelen Gruppe verabschiedete.

In der Nacht stillten sie ihren Hunger aneinander. Deborah biss Albrecht heftig in die Zunge, bis sie sein Blut warm und metallisch schmecken konnte. Ihr Geliebter lachte nur, drehte sie auf den Bauch und rächte sich dann ohne Rücksicht.

Zwei Abende darauf nahmen sie an einem Empfang bei Hans Frank, dem Generalgouverneur von Polen, auf der Wawelburg teil.

Die Burg aus dem 13. Jahrhundert thronte auf einem kleinen Hügel über der Weichsel und bot im Licht von Hunderten brennender Fackeln einen eindrucksvollen Anblick. Der Wawel war seit jeher der Stammsitz der polnischen Könige gewesen, und Hans Frank und seine Frau Brigitte residierten auf ihm denn auch wie ein feudales Herrscherpaar. Standesbewusst beschäftigten die Eheleute ein ganzes Heer an Bediensteten, die sie als ihre »Gefolgschaft« bezeichneten.

Albrecht, der Deborah gegenüber in letzter Zeit nicht mit Anekdoten geizte, raunte ihr zu, dass man Hans Franks Einflussgebiet in internen Kreisen als »Frank-Reich« tituliere.

Albrecht verriet ihr weiter, dass der Generalgouverneur bis vor wenigen Jahren Reichsminister in Bayern gewesen war und als persönlicher Jurist des Führers diesen in über vierzig Prozessen vertreten hatte. Deborah dachte in einem neuerlichen Anfall von Sarkasmus, dass Frank seine Sache dabei gut gemacht haben musste, sonst würde er heute sicherlich nicht gesund und munter auf seiner geschmückten Burg Hof halten können.

Das zweite, das gemeine Gesicht Franks blieb Deborah verborgen. Für sie war er zunächst nichts als ein charmanter Gastgeber und versierter Klavierspieler, ein Opernliebhaber und Philosoph, der gerne Nietzsche zitierte, so wie ihr Vater früher.

Die Franks nahmen die begabte Tochter der berühmten Künstlerin Elisabeth Malpran gern in ihren erlauchten Kreis auf. Frau Brigitte ließ es sich nicht nehmen, damit anzugeben, wie sie vor zwei Jahren in der Berliner Staatsoper in der Loge des Führers gesessen und dieser dem Auftritt von Elisabeth Malpran zugejubelt hatte.

Wenn man die mit weißem Damast und funkelndem Silber gedeckte Tafel und die Unmengen raffinierter Speisen sah, die von Bediensteten auf polierten Platten serviert wurden, und die vornehme Gesellschaft in Smoking und Abendkleid betrachtete, die schmauste und sich amüsierte, als gebe es kein Morgen, mochte einem kaum in den Sinn kommen, dass sich Deutschland seit bald drei Jahren im Krieg mit halb Europa befand.

Immer wenn Deborah zufällig dem Blick Hans Franks begegnete, überlief sie ein leiser Schauer, als spüre sie den Atem der Gefahr in ihrem Nacken. Sie konnte die Erregung, ähnlich dem Prickeln von Champagner, fast auf der Zunge schmecken. Ihr gefiel dieses unbekannte Gefühl, weil sie glaubte, dass es ihr Macht über diesen fremden Mann verlieh, der sie begehrte, aber sie ihn nicht.

Da Deborah aber absolut unerfahren in diesem neuen Spiel war, kannte sie auch dessen wichtigste Regel nicht: dass die Macht stets dem Gesetz des Stärkeren gehorchte.

»Nun, *Obersturmbannführer* Brunnmann«, Hans Frank betonte den Rang seines Tischnachbarn, als läge ihm daran, den Unterschied zu seinem eigenen, höheren Rang herauszustellen, »Sie waren ja in den letzten Monaten seit Wannsee äußerst umtriebig, was man aus Berlin so hört. Erst gestern habe ich eine Depesche aus dem Reichssicherheitshauptamt mit weiteren zu ergreifenden Maßnahmen erhalten. Ich nehme an, Sie sind unterwegs, um sich persönlich vom Fortschritt unserer Arbeit zu überzeugen? Wer hat Sie geschickt? Kamerad Reichsführer-SS oder der *Chef*?«

Frank und der oberste SS-Mann im Deutschen Reich, Heinrich Himmler, waren sich seit jeher spinnefeind und lieferten sich einen andauernden und zähen Privatkrieg um die Zuständigkeiten im Generalgouvernement Polen. Reinhard Heydrich hingegen, als Leiter des Reichssicherheitshauptamtes Albrecht Brunnmanns direkter Vorgesetzter, schien Frank das kleinere Übel zu sein. Er wurde von all seinen Mitarbeitern nur »Chef« genannt, daher Franks Anspielung.

Deborahs sensibles Gehör hatte registriert, dass der Frage etwas Lauerndes zugrunde lag. Warum, entzog sich ihrer Kenntnis, denn sie hatte keine Ahnung, worauf Frank anspielte. Aber ihr fiel auf, dass auch einige andere Gäste die Köpfe in ihre Richtung gewandt hatten. Die Tischgespräche verstummten mehr und mehr, bis der Saal vollkommen von einer gespannten Stille erfüllt wurde.

Albrecht blieb die Gelassenheit in Person. Mit Bedacht wählte er eine Zigarre aus dem soeben herumgereichten Humidor und entzündete sie mit ruhiger Hand. Er zog mehrmals genüsslich daran, bis die Spitze gelb aufglühte, und antwortete dann: »Ich bin hier als Leiter des Referats IV und mache tatsächlich nur meine Arbeit. Nicht mehr und auch nicht weniger, *Herr Generalgouverneur.*«

»Nun ja, Sie scheinen dabei aber nicht Ihr Vergnügen vergessen zu haben, Obersturmbannführer.« Frank lehnte sich lässig in seinem Stuhl zurück, faltete die Hände über seinem beginnenden Bauch und fixierte dabei Deborah.

»Nun, das gehört zu den Privilegien unserer Herrschaft, nicht wahr, Herr Generalgouverneur?« Albrechts Blick umfasste die Burg, den Tisch und die Bediensteten.

»Sehr schön. Wie wäre es, wenn uns Ihre reizende Begleitung eine Kostprobe ihres Könnens gewährt, von dem Sie uns so lobend berichtet haben?« Frank war offensichtlich zu dem Schluss gekommen, dass es sich nicht lohnte, am heutigen Abend eine politische Diskussion loszubrechen. Deborah kam Franks Aufforderung gern nach und begab sich zum Flügel, der am Ende des Saals auf einem kleinen Podium stand. Sie sang und musizierte über eine Stunde lang und avancierte damit zum strahlenden Mittelpunkt des Abends.

Für ein nicht einmal achtzehnjähriges Mädchen an der Schwelle zur Frau war dies eine vollkommen neue Welt, eine wunderbare Parallelwelt voller Schein und Glanz, und für eine Weile versank Deborah völlig in ihr und ließ sich von ihr blenden.

Kapitel 38

Die Hölle ist leer

An jenem Abend auf der Wawelburg lernte Deborah auch Marlene Kalten kennen. Sie war die Geliebte eines hohen Wehrmachtsoffiziers und bezeichnete sich selbst als Schauspielerin. Sie war nur wenige Jahre älter als Deborah, und auf Anregung Albrechts, der es guthieß, dass Deborah Anschluss gefunden hatte, verabredeten sich die beiden jungen Frauen für den kommenden Vormittag in der Lobby des Grand Hotel.

Deborah wartete bereits auf sie, als Marlene die riesige Eingangshalle betrat, von der eine herrschaftliche Treppe in den ersten Stock hinaufführte.

Marlene Kalten war eine kapriziöse kleine Person mit Stupsnase und einer zierlichen Figur. Sie war nicht eigentlich schön im klassischen Sinne, glich dies aber durch ihr Lachen und ihre Fröhlichkeit aus, die so ansteckend wirkte wie ein Schnupfen.

Deborah mochte sie sofort. Besonders gefiel ihr Marlenes drollige Art, sich betont französisch zu geben, wobei ihr französischer Wortschatz mit *alors*, *chérie* und *très chic* aber bereits erschöpft war.

Marlene weilte bereits seit über einem Jahr in Krakau und kannte sich ausgezeichnet in der Stadt aus. Die beiden jungen Frauen wollten – natürlich – einkaufen gehen, wofür Marlene, wie sich herausstellte, eine nicht minder große Leidenschaft hegte wie ihre junge Begleiterin.

Marlene hatte einen eigenen Fahrer zur Verfügung. Nachdem sie dem Mann ihre Anweisungen übermittelt hatte, sagte sie an Deborah gewandt: »Es ist wirklich eine Schande, aber das jüdische Viertel gibt es nicht mehr. Dort konnte man nämlich absolut *très chic* einkaufen, ganz besonders, was Schmuck und Pelze anbetraf. Die Frau unseres Generalgouverneurs war dort häufig anzutreffen. Sie besitzt einige einzigartige, kostbare Stücke.« Marlene schloss die Augen und seufzte voller Inbrunst, als würden ihre Finger in Gedanken über samtweiches Fell streicheln.

Marlene wollte Deborah Krakau zeigen, daher begannen sie ihren Ausflug zunächst mit einer Stadtrundfahrt. Deborah gefielen die eng aneinandergebauten Bürgerhäuser und die mittelalterliche Prägung der kopfsteingepflasterten Gassen.

In den frühen Morgenstunden hatte es eine Weile geregnet, und so war der Tag relativ frisch heraufgedämmert, doch der Großteil der Wolken hatte sich inzwischen verzogen. Die Frühlingssonne kämpfte sich tapfer zwischen den verbliebenen Wolkenformationen hindurch und mühte sich, die Straßen zu trocknen. In den Gassen hing ein zarter, dunstiger Schleier, der die Stadt in ein unwirkliches Licht tauchte. *Als hüte sie verborgene Geheimnisse*, überlegte Deborah.

Vielleicht lag es an den bequemen Polstern und dem gleichmäßigen Summen des Fahrzeugs, vielleicht an der fremden Stadt oder einfach nur dem permanenten Schlafmangel, der von Deborah schließlich seinen Tribut forderte. Jedenfalls rückte Marlenes Stimme immer weiter in den Hintergrund, und Deborah überkam ein merkwürdiges Gefühl der Losgelöstheit, als würde sie nicht in diese Gegenwart gehören. Sie wollte weglaufen, sah, wie sich ihre Beine bewegten, aber sosehr sie auch kämpfte, sie kam nicht von der Stelle, als liefe sie unter Wasser. Ein unsanftes Rütteln riss sie aus ihrem absurden Tagtraum.

Ein Stau in der Gegenrichtung hatte den Chauffeur in ein waghalsiges Manöver gezwungen. Er konnte den Zusammenstoß nur vermeiden, indem er auf den engen Bürgersteig auswich. Deborah wartete auf das unangenehme Geräusch, das entsteht, wenn Wagenblech an einer Hausmauer entlangschrammt, doch es blieb erstaunlicherweise aus. Zwischen Wagen und Hauswand hatte jedoch kein Notenblatt mehr Platz.

Aus Richtung des Stadtteils Podgórze kamen ihnen mehrere offene Lastwagen entgegen, vollbeladen mit zusammengepferchten Menschen – ausschließlich Frauen und Kinder. Eskortiert wurden sie von schwer bewaffneten Männern, vornehmlich SS-Polizei-Einheiten, und zusätzlich einem kleinen Trupp polnischer Polizisten.

Deborah war sofort hellwach, und ihr Herzschlag beschleunigte sich, als die Verzweiflung und Mutlosigkeit dieser armen Menschen wie eine Welle über ihr zusammenschlugen. Sie hatte ihre gelben Armbinden mit dem Davidstern entdeckt und wusste, was sie zu bedeuten hatten. Ihre Mutter hatte es ihr einst erklärt.

Sie richtete sich auf, um besser sehen zu können. Auf ihrer Seite konnte sie wegen der nahen Hausmauer nicht aussteigen. »Wohin werden alle diese Leute gebracht?«, fragte sie Marlene aufgeregt. Bei sich dachte sie: *Vielleicht kann Albrecht später etwas für diese armen Menschen ausrichten.*

»Oh, die kommen in ein Arbeitslager. Das sind alles Verbrecher, *ma chérie*«, erwiderte Marlene leichthin und zückte ihren silbernen Taschenspiegel. Für die Abtransportierten hatte sie nicht einen Blick übrig. Stattdessen feuchtete sie ihren Zeigefinger an und strich damit über ihre perfekt gezupften Brauen. »Wirklich lästig, dass uns niemand Bescheid gesagt hat, dass heute auf den Straßen so viel los sein würde. Hugo, bitte bringen Sie uns auf dem schnellsten Weg zurück in die Altstadt, ins Café Cyganeria. Nach dem Anblick so vieler schmutziger Menschen benötige ich ein Glas Champagner.«

»Wie Sie wünschen, gnädige Frau.«

Das Cyganeria in der Szpitalna-Straße, nicht weit vom Stadtteil Kazimierz, lag inmitten einer langen Reihe von Häusern, die größtenteils im 19. Jahrhundert oder noch früher erbaut worden waren. Die Szpitalna war einmal eine belebte jüdische

Straße gewesen, hauptsächlich bevölkert von Schülern und Studenten, die in den ansässigen Antiquariaten ihre Schulbücher umgetauscht hatten, aber auch Handwerksläden wie Schusterwerkstätten hatten hier ihre Heimat.

Das Café befand sich im Erdgeschoss des *Roten Hauses*. Allerdings wurde es nicht wegen einer etwaigen politischen Gesinnung so genannt, sondern wegen seiner rot gestrichenen Fassade. Der Zutritt zum Café war ausschließlich der deutschen Elite und ihren Verbündeten vorbehalten. Es herrschte dort das übliche, rauchgeschwängerte Gedränge, und alle Plätze waren belegt.

Bei ihrer Ankunft räumten jedoch zwei Wehrmachtsoffiziere für die beiden schönen Damen bereitwillig ihren Tisch im hinteren Bereich des Lokals. Ohne Deborah nach ihren Wünschen zu fragen, bestellte Marlene zwei Glas Champagner. Dann ließ sie sich von ihrem Tischnachbarn, einem langweiligen Nichts in grauer Uniform, mit großer Geste eine Zigarettenspitze anzünden und paffte blaue Rauchkringel in die Luft.

Marlenes kapriziöse Erscheinung mit dem kleinen Hut, der schief auf ihrem blonden Pagenkopf thronte, und dem taillierten Kostüm nach neuester Pariser Mode von Mademoiselle Chanel erregte Aufsehen. Sie sonnte sich in den Blicken der anwesenden Herren, bemerkte aber schnell, dass die exotische Schönheit ihrer Begleitung kaum weniger, wenn nicht sogar mehr Aufmerksamkeit auf sich zog.

Munter plauderte Marlene drauflos: über die Vorzüge ihres Geliebten Ernst, mit denen sie sich aber nur kurz aufhielt, über die besten Modegeschäfte in Krakau – was eine viel längere Liste ergab –, wie sehr sie die unvergleichliche Mademoiselle Chanel verehrte, die sie schon einmal persönlich in Paris getroffen hatte, und dass sie – selbstverständlich nach dem Endsieg – ein großer Filmstar werden würde. Für eine Weile genoss Deborah das Interesse, das sie und Marlene ringsherum bei den zumeist männlichen Gästen hervorriefen. Das ging so weit, dass sie anfing, das gezierte Gebaren Marlenes unbewusst zu übernehmen und zu imitieren.

Die meisten der Anwesenden waren natürlich Offiziere in Uniform, aber es waren auch einige Männer in gut sitzenden Anzügen und eine ganze Reihe nach neuester Mode gekleideter Damen da. Marlene, die hier anscheinend als Stammgast verkehrte, wusste über jede der Frauen eine Geschichte zu erzählen. So sei die falsche Blondine am Nebentisch, die sich ebenfalls gerade eine Zigarettenspitze anzünden ließ, der bekannteste Wanderpokal Krakaus, der schon durch so viele Betten gegangen sei, dass sich die Dame bald eine neue Stadt würde suchen müssen, weil ihr hier die Offiziere ausgingen, und das kleine dürre Männchen in dem schwarzen Anzug in der Ecke sei ein hohes Tier in der Textilindustrie, der hauptsächlich mit Haaren für Matratzenfüllungen handelte, und der feiste schwitzende Mann mit Halbglatze, der ihm gegenübersitze, werde von allen nur »der Organisator« genannt, weil es nichts gab, was er nicht beschaffen könne.

»Natürlich nur, wenn man über entsprechend Bares verfügt«, ergänzte Marlene verschwörerisch. Und so weiter und so fort.

Die Oberflächlichkeiten Marlenes plätscherten weiter vor sich hin und begannen Deborah bald zu langweilen. Lustlos nippte sie an ihrem Champagner, zupfte ihre Pelzstola zurecht und überlegte, ob sie sie nicht besser ganz abnehmen sollte, weil ihr in dem überfüllten Café allmählich zu warm wurde, als ihre Hände mitten in der Bewegung erstarrten.

Vor dem Fenster hatte sie die Gestalt einer jungen Frau entdeckt, die über den Platz rannte, als würde sie verfolgt werden. Mehrmals warf sie gehetzte Blicke über ihre Schulter. Ihre Kleidung war zerrissen. Dann war sie aus ihrem Blickfeld verschwunden. Wieder dachte Deborah an die zerlumpten Frauen und Kinder auf dem Lastwagen, die zweifelsohne in der kühlen Frühlingsluft gefroren hatten, während sie hier saß und mit ihrem Pelz herumspielte. Sie hatte versucht, diese armen Menschen zu vergessen, um nicht mit ihren eigenen traurigen Erfahrungen konfrontiert zu werden – der Nacht, als Magda, ihre einzige Freundin, verschwunden und Biene gestorben war. Sie ahnte schon lange, dass auch ihre Freundin tot war.

Deborahs Wall aus Verdrängung und Schmerz begann in diesem Augenblick zu bröckeln. Sie hatte diese Menschen gesehen, und sie fühlte für sie sowohl Mitleid als auch Verantwortung.

»Sag, Marlene«, unterbrach Deborah den Redefluss der jungen Schauspielerin abrupt. »Was waren das für Menschen vorhin auf den Lastwagen? Doch sicherlich nicht alles Verbrecher, wie du gesagt hast? Oder sperrt man in dieser Stadt ganze Familien ein?«

In Marlenes Augen blitzte es kurz auf, und über ihr Gesicht huschte ein merkwürdiger Ausdruck zwischen Erschrecken und Warnung. Aber er verflog so schnell, dass Deborah glaubte, sich darin getäuscht zu haben. Marlenes Stimme klang absolut gleichmütig, als sie antwortete: »Lass gut sein, *chérie*. Das ist Politik. Sie geht uns nichts an.«

»Das mag sein. Aber machst du dir denn gar keine Gedanken über diese Menschen?«

»Warum sollte ich? Ich kenne sie doch gar nicht«, erwiderte Marlene achselzuckend und schenkte über Deborah hinweg einem gut gebauten blonden Offizier der Waffen-SS ein strahlendes Lächeln.

»Da befanden sich auch kleine Kinder darunter, sogar Säuglinge. Was bitte hat ihr Abtransport mit Politik zu tun?« Deborah ließ nicht locker, und ihr Ton hatte beträchtlich an Schärfe gewonnen.

Marlene beugte sich zu ihr hinüber und legte ihr beschwichtigend die Hand auf den Arm. »Das hier ist nicht der richtige Ort, um über Politik zu sprechen. Glaub mir das. Ich für meinen Teil will die Welt genießen und sie nicht verstehen! Und das solltest du auch, *ma chérie*. Lass die Männer nur machen, die werden schon wissen, was sie tun.« Wie um das Thema abzuschließen, schnippte sie nach der Kellnerin, einem verhuschten Ding, das ständig aufdringliche Männerhände abzuwehren hatte und dienstbeflissen heraneilte.

Marlene orderte ein weiteres Glas Champagner für sich, nachdem sie kopfschüttelnd festgestellt hatte, dass Deborah ihr Glas bisher kaum angerührt hatte: »Lass uns lieber über etwas Erfreulicheres reden, *ma petite*. Zum Beispiel über deinen Albrecht. *Alors*, du hast echtes Glück! Er sieht wirklich gut aus. Absolut *très joli*! Den hätte ich mir auch gern an Land gezogen, ehrlich«, seufzte sie. »Und das Beste ist, er ist nicht einmal verheiratet, was man so hört. Wenn ich da an meinen Ernst denke, na ja …« Marlene unterbrach sich und schwieg ausnahmsweise. Offensichtlich war sie zu dem Schluss gekommen, dass es über *ihren* Ernst tatsächlich nicht viel zu sagen gab. Deborah pflichtete ihr im Stillen bei. Sie erinnerte sich an diesen Ernst als kleinen, korpulenten Mann mit gut durchblutetem Gesicht und Doppelkinn, dessen unangenehm lautes Lachen immer noch einen Takt länger im Raum nachhallte, wenn alle anderen bereits verstummt waren. Und er *war* verheiratet.

Als Deborah aufblickte, glaubte sie zu bemerken, dass Marlene sie prüfend angesehen hatte, als hätte die Ware vor ihr auf dem Ladentisch plötzlich an Wert gewonnen. Sie schien einen Entschluss gefasst zu haben: »Ich möchte dir einen Rat geben, *chérie*. Besser, du stellst keine solchen Fragen. Männer mögen es nicht, wenn wir Frauen uns Gedanken über sie machen. Verstehst du?«

Deborah spürte Zorn in sich aufwallen. Sie wollte sich nicht von jemandem belehren lassen, der kaum älter war als sie und den sie erst seit Kurzem kannte. Deshalb antwortete sie jetzt schärfer als beabsichtigt: »Aha. Du willst wohl eher damit sagen, dass ich meinen Mund halten und mir keine dummen Gedanken machen soll?«

»Nein, *chérie*. Ich spreche davon, dass du dir keine *gefährlichen* Gedanken machen sollst. Komm! Besser, wir gehen.« Sie griff nach ihrer Handtasche, warf einen Schein auf den Tisch und wandte sich in Richtung Ausgang. Deborah blieb nichts anderes übrig, als ihr zu folgen.

Während der Rückfahrt zum Hotel bestritt Marlene die gesamte Konversation allein. Deborah schwieg auf betont herablassende Weise, indem sie so demonstrativ aus dem Fenster blickte, als gäbe es draußen Sensationen zu bewundern.

Marlene störte sich nicht daran, sondern plapperte unbeirrt weiter. Als sie vor dem Grand Hotel hielten, der Portier heranstürmte und die Tür für Deborah aufriss, berührte Marlene Deborah leicht an der Schulter und hielt sie dadurch zurück. In ihrer Stimme, die gerade noch oberflächlich geklungen hatte, schwang plötzlich ein unerwartet ernster Unterton mit: »Maria! Auf ein Wort! Weißt du, was Coco Chanel einmal gesagt hat? Sie meinte, dass die meisten Frauen ihr Nachthemd mit mehr Verstand und Sorgfalt auswählen als ihre Männer. Das bedeutet, so, wie man sich bettet, so liegt man. Vergiss das nie! Ich hole dich morgen wieder ab. Gleiche Zeit. *Au revoir, chérie.*«

Und weg war sie und ließ eine einigermaßen verblüffte Deborah zurück. Sie starrte Marlene hinterher. Eigentlich wollte sie auf Marlene wütend sein, aber nun fühlte sie sich, als hätte man ihr allen Wind aus den Segeln genommen. Bis zu diesem Augenblick hatte sie geglaubt, Marlene zu kennen.

Was hatte dieser plötzliche Stimmungswechsel ihrer schwatzhaften Begleiterin zu bedeuten? Eine weitere Warnung?

Kapitel 39

Bis zum Abend und Albrechts Rückkehr waren es noch mehrere Stunden. Deborah blieb genügend Zeit, um nachzudenken. Marlene gab ihr Rätsel auf. Deborah gestand sich ein, dass von Marlene eine gewisse Faszination ausging, die sich einem erst nach und nach erschloss. Auf jeden Fall schien sie klüger zu sein, als sie nach außen hin zu erkennen gab. In gewisser Weise erinnerte sie Marlene an ihre Freundin Magda. In ihr hatte auch viel mehr gesteckt, als man zunächst vermutet hätte.

Weit mehr als Marlene Kalten beschäftigte Deborah aber das Schicksal der Menschen, die sie heute auf der offenen Ladefläche gesehen hatte. Sie waren wie Vieh abtransportiert worden – weil sie Juden waren!

Der Anblick hatte etwas in ihr ausgelöst. Nie zuvor hatte sie sich jüdisch gefühlt. Heute jedoch waren ihr zum ersten Mal ihre jüdischen Wurzeln bewusst geworden, die sie mit ihrem Vater teilte. Sie kannte sich mit dem jüdischen Glauben nicht allzu gut aus, ihr Vater hatte seine Religion nicht praktiziert, aber sie wusste durch ihn um die Leidensgeschichte ihres Volkes, und er hatte sie schließlich die hebräische Sprache gelehrt. Sie gehörte zu diesen Menschen, sie war eine von ihnen!

Sie begriff jäh, warum sie den Gedanken an sie nicht hatte zulassen wollen, sich tatsächlich einen Augenblick lang gewünscht hatte, ihnen niemals begegnet zu sein. Sie und ihr Bruder waren in letzter Minute von Albrecht gerettet worden. Wer aber würde kommen, um diese armen Menschen zu retten?

Deborah hatte sich eingebildet, den Schrecken jener Nacht in München unwiderruflich in ihrer Seele verschnürt und begraben zu haben, indem sie ihn mit selbst zugefügten Schmerzen überlagerte.

Aber der Schrecken war nicht verschwunden, er lauerte tief in ihr, allzu bereit, sie zurück in ihre ganz private Hölle zu schleudern und mit den Qualen ihrer Erinnerung zu peinigen. Erneut durchlitt Deborah das namenlose Entsetzen und die qualvolle Ungewissheit, fühlte die Enge, hörte das Wehklagen, roch den Gestank der Angst.

All dies entlud sich in einer jähen Panik. Sie bekam keine Luft mehr und glaubte, ersticken zu müssen. Sie riss sich die Kleider vom Leib und stürzte ins Bad. Dort ergriff sie die Bürste und schrubbte ihre blanke Haut mit hektischen Bewegungen so lange, bis ihr Körper an vielen Stellen zu bluten begann.

Doch der Schmerz, sonst ihr verlässlichster Verbündeter, wollte sich nicht einstellen. Der Schrecken ließ sich nicht einfach abbürsten. Völlig erschöpft sank Deborah auf den Boden und kühlte ihre heiße Stirn auf den nackten Marmorfliesen. Sie wusste nicht, wie lange sie reglos so dagelegen hatte. Endlich kroch sie auf allen vieren aus dem Bad zum Bett und hinterließ dabei auf dem weißen Läufer blutige Spuren.

Im Bett rollte sie sich wie ein Embryo zusammen und wartete auf die erlösenden Schmerzen. Sie kamen nicht. Nur ihre Gedanken waren scharf und klar geworden. Plötzlich konnte sie sich selbst wie in einem Spiegel sehen, vielleicht so, wie ihr Vater sie sehen würde, wenn er jetzt das Zimmer betreten würde.

Sie richtete sich auf und musterte den überbordenden Luxus, der sie umgab, die erlesene Einrichtung und den dicken Teppich, den prall gefüllten Obstkorb und die Seidenbettwäsche, die nach Lavendel duftete. Schließlich traf ihr Blick auf den Schrank, an dem das silbern schimmernde Abendkleid hing, das der hoteleigene Reinigungsdienst am Morgen zurückgebracht hatte.

Mit einem Mal überkam Deborah tiefe Scham, sie durchflutete sie wie eine heilende Welle. Und mit der Scham kamen endlich auch die Schmerzen. Aber dieses Mal waren sie nicht Erlösung, sondern nur bloße Pein.

Deborah war aufgewacht aus einem Rausch der Sinne und in der Realität angekommen.

Nach einer Weile stand sie ruhig auf und putzte das Bad. Danach entfernte sie die blutigen Flecken auf dem Teppich so gut es ging mit kaltem Wasser.

Als Albrecht am Abend zurückkehrte, fand er Deborah am Schreibtisch vor. Barfuß und im Bademantel verfasste sie einen langen Brief an ihren Bruder, den ersten überhaupt seit Beginn ihrer Reise mit Albrecht.

»Guten Abend, Liebes. Hast du einen schönen Tag mit dieser Marlene verbracht?« Albrecht durchquerte den Raum und küsste Deborah auf den Nacken. Er bemerkte sogleich, dass etwas anders an ihr war, wusste jedoch nicht auf Anhieb zu sagen, was.

Deborah drehte sich zu ihm um und ignorierte gleich mit dem ersten Satz Marlenes Rat: »Nein. Mein Tag war nicht schön. Ich musste mit ansehen, wie mehrere Lastzüge voller verängstigter Frauen und Kinder abtransportiert wurden. Jüdische Gefangene. Es waren deine Kameraden von der SS, die das getan haben. Wusstest du davon?« Jetzt begriff Albrecht, was an Maria anders war: Sie wirkte irgendwie ernster, älter. Was zum Teufel war mit dem Mädchen passiert? Noch am Morgen hatte er eine verspielte, genusssüchtige Göre zurückgelassen, und heute Abend sollte er sich vor ihr rechtfertigen? Misstrauisch registrierte er ihren nachlässigen Aufzug, das ungemachte Haar.

»Was soll das jetzt? Hat etwa diese Schauspielerin dir diese Flausen in den Kopf gesetzt?«, erwiderte er böse.

Deborah erkannte ihren Fehler sofort. Genau davor hatte Marlene sie gewarnt. Es wäre nicht fair, sie jetzt dafür büßen zu lassen. »Nein. Sie hat nichts damit zu tun, Albrecht. Im Gegenteil, sie findet, das gehe mich nichts an, und hat behauptet, das seien alles nur Kriminelle gewesen«, antwortete sie deshalb hastig. »Aber Albrecht! Sie trugen die Armbinden mit dem Davidstern! Die Kinder können doch unmöglich alles Verbrecher sein? Darum dachte ich, das hier ist vielleicht ein ähnliches Versehen wie damals, als die SS-Männer in unsere Wohnung gekommen sind und das Wolferl und mich verschleppt haben.« Es lag etwas Anrührendes in ihrer Stimme, und ihr Körper hatte sich ihm in stummem Flehen zugewandt.

Albrecht musterte sie einige Sekunden, als müsse er die Situation neu einschätzen. Dann sagte er ruhig: »Zerbrich dir darüber nicht dein hübsches Köpfchen, Maria. Das sind politische Angelegenheiten, wohldurchdacht vom Führer. Zieh dich jetzt an und mach dich für mich schön. Amon und seine Begleitung kommen gleich hierher und bringen noch einen Freund mit. Wir wollen in der Stadt zusammen essen.«

»Hast du denn nicht verstanden, was ich gerade gesagt habe, Albrecht? Das waren ausschließlich Frauen und Kinder. Kannst du nicht etwas für sie tun? Bitte … mir zuliebe?«

Albrecht sah ihr erhitztes Gesicht, das kindliche Flehen in ihren Augen und begriff, dass das Mädchen nicht eher Ruhe geben würde, bis er sagte, was sie hören wollte. Er tat ihr den Gefallen.

»Also gut. Wenn dir das Schicksal dieser Unbekannten so sehr am Herzen liegt, werde ich mich morgen erkundigen und sehen, was ich tun kann. Aber jetzt will ich nichts mehr davon hören, verstanden? Beeil dich jetzt und zieh dir endlich was an, Maria. Wir wollen nicht zu spät kommen.« Sein Ton war unmissverständlich. Er zog sie vom Stuhl hoch, presste sie fest an sich und küsste sie so lange, bis er spürte, wie sich Deborah in seinen Armen endlich entspannte.

Es wurde dann noch ein angenehmer Abend. Amon Göth konnte, wenn er wollte, sehr charmant plaudern. Seine junge Freundin Ingrid hing den ganzen Abend über anbetungsvoll an seinen Lippen. Sie schien ihm in geradezu blinder Liebe ergeben zu sein. Deborah amüsierte sich insgeheim über sie.

Interessant fand sie den Freund, den Amon Göth mitgebracht hatte. Er hatte sich als Oskar Schindler vorgestellt. Er war ein großer Mann mit ernstem Blick und hatte einen klugen, bissigen Humor, der Deborah an ihren Vater erinnerte.

Sie unterhielten sich lange und angeregt über die Oper und die Musik. Bald stießen noch weitere Bekannte dazu, es wurden wieder ungeheure Mengen an Alkohol konsumiert, und je schneller sich die Flaschen auf dem Tisch leerten, umso lauter tönte die Gesellschaft.

Am Ende war Deborah wieder die einzig Nüchterne. Je betrunkener die anderen im Laufe des Abends wurden – wobei sich Albrecht noch am meisten von allen zurückhielt –, umso fremder fühlte sie sich unter ihnen und umso geschärfter wurde ihr Blick. Kurz streifte sie der Gedanke, was sie eigentlich unter all diesen Leuten hier wollte. Was hatte sie mit ihnen zu schaffen?

Zum ersten Mal seit Beginn ihrer Reise verspürte Deborah Heimweh – und ein schlechtes Gewissen, weil sie ihren kleinen Bruder allein zurückgelassen hatte. Auch wenn Onkel Poldi ihr versprochen hatte, sich um ihn zu kümmern – es war nicht dasselbe. Sie sehnte sich nach dem Wolferl und seiner überschwänglichen Bewunderung und Liebe für sie. Besonders aber sehnte sie sich gerade in dieser Umgebung nach seiner Unschuld.

In der Nacht stillte sie ihren Hunger in der gewohnten Weise an Albrecht, aber zum ersten Mal wurde sie nicht mehr richtig satt dabei.

Am nächsten Tag verschaffte sie sich Erleichterung, indem sie ihre Arme mit dem Obstmesser ritzte. Es war das erste Mal seit München.

Kapitel 40

Gegen elf Uhr am nächsten Morgen meldete ihr die Rezeption den Besuch von Marlene Kalten. Deborah war sich nicht sicher gewesen, ob sie tatsächlich kommen würde, gestand sich aber ein, dass sie es gehofft hatte. Sie hatte sich schon früh zum Ausgehen bereitgemacht. Der Brief an ihren Bruder war geschrieben und bereits von ihr beim Portier abgegeben.

Albrecht war in aller Frühe aufgebrochen. Bevor er ging, hatte Deborah von ihm nochmals die Zusicherung verlangt, sich nach dem Schicksal der jüdischen Familien zu erkundigen. Tatsächlich war es wegen Deborahs Hartnäckigkeit zu einer ersten hässlichen Szene zwischen ihnen gekommen. Daraufhin war Albrecht grußlos verschwunden.

Deborah blieb mit dem beunruhigenden Gefühl zurück, vielleicht zu weit gegangen zu sein und durch ihre Einmischung letztendlich rein gar nichts erreicht zu haben.

Marlene gab sich aufgekratzt und fröhlich wie immer, zwitscherte ein paar Takte über das ungewöhnlich milde Aprilwetter und schlug einen Ausflug zum Planty Park vor, der die Altstadt Stare Miasto wie ein Gürtel umgab – dort, wo einst mittelalterliche Mauern die Stadt geschützt hatten.

Deborah hatte nichts dagegen einzuwenden. Ihr war nach der Episode mit Albrecht sehr nach Weite und frischer Luft. Marlene dirigierte den Chauffeur zum Florianstor, dem letzten Überbleibsel der alten Wawel-Burganlage und nun einer der Eingänge zum Park. Sie trug ein hellblaues Frühlingsensemble mit passendem Hut und einer kecken Feder daran.

»Du siehst blass aus, *chérie*. Schlecht geschlafen?«, eröffnete Marlene die Unterhaltung, als sie den Park betraten. Eine harmlose Frage, nicht mehr als höfliche Konversation. Hätte Deborah aufgeblickt, wäre ihr der angespannte Ausdruck in Marlenes Gesicht aufgefallen.

»Nun ja, es ist gestern spät geworden«, murmelte sie stattdessen. Ihr stand nicht der Sinn danach, zuzugeben, dass sie Marlenes Rat nicht beherzigt hatte, zumal der Ausgang ihrer Intervention noch im Ungewissen lag.

Marlene hatte längst ihre eigenen Schlüsse gezogen. Sie nickte wissend, aber auch das bemerkte Deborah nicht, deren Blick starr nach unten gerichtet war und nun Marlenes Schuhe streifte, ein Paar Schnallenpumps, Mary Janes, wie sie auch Deborahs Mutter so oft getragen hatte. Mit einer Heftigkeit, die sie selbst überraschte, überkam Deborah eine solch schmerzliche Sehnsucht nach Elisabeth, dass ihr Augen und Seele überquollen und sie ihre Tränen nicht mehr zurückhalten konnte.

»Aber, aber, *chérie* … was ist denn los?«, rief Marlene. Sie legte Deborah einen Arm um die Schulter und lenkte ihre Schritte zu einer nahe gelegenen Bank. Sie stand unter einer riesigen alten Eiche mit tief hängenden Ästen, sodass die grünen Blätter sie wie ein schützender Vorhang umgaben.

Marlene setzte die schluchzende Deborah auf die Bank, suchte in ihrer Tasche nach einem Schnupftuch und drückte es ihr in die Hand. Dann nahm sie neben ihr Platz, zog Deborah in ihre Arme und wartete – ganz gegen ihre Gewohnheit – still ab, bis Deborahs Tränenstrom versiegte.

Deborah weinte und weinte. Endlich löste sich ihr Schwall an Tränen in einem Schwall von Worten auf.

Deborah erzählte Marlene alles: vom spurlosen Verschwinden ihres Vaters, dem nächtlichen Abtransport, dem Tod der Mutter und dass ihr Stiefvater jetzt ihr Liebhaber war. Nur eines erzählte sie ihr nicht, dass ihr Vater Jude und sie somit Halbjüdin war. Eine letzte mahnende Stimme hielt sie zurück.

Marlene hörte ihr ruhig zu, drückte ihren Kopf an sich und streichelte ihr beruhigend übers Haar. Alles, was sie sagte, war: »Arme Kleine.« Keine weiteren Worte des Bedauerns, keine Bewertung von Deborahs Status als Geliebter ihres Stiefvaters.

Deborah war ihr dafür dankbar. Weder erwartete sie Mitleid noch eine Bestätigung ihrer eigenen Scham. Es war ein spontaner Ausbruch gewesen, der ihr kaum Erleichterung verschafft hatte. Trotzdem tat es gut, hier mit Marlene auf der Bank zu sitzen, zu schweigen und dem Gezwitscher der Vögel zu lauschen. Der Gedanke, dass die Natur stets ihren eigenen Gesetzen folgt, unberührt davon, dass die Welt der Menschen um sie herum aus den Fugen gerät, hatte etwas Tröstliches.

Die beiden jungen Frauen blieben noch eine Weile sitzen und setzten dann ihren Spaziergang gemächlich fort.

Marlene erzählte nun selbst ein wenig aus ihrem Leben. Sie schwärmte von ihrer Begegnung mit Mademoiselle Chanel in Paris an deren Wohnsitz, dem Hotel Ritz. »*Alors*, das ist mal eine richtig unabhängige Person. Sie hat nie geheiratet und nimmt sich die Liebhaber, die sie will, und lebt dann mit ihnen zusammen. Zurzeit ist sie mit dem deutschen Baron von Dincklage zusammen, einem Sonderbeauftragten des Reichspropagandaministeriums. Er ist dreizehn Jahre jünger als sie«, ergänzte sie mit aufrichtiger Bewunderung, um daraufhin zu seufzen, als dächte sie gerade an einen für sie unerreichbaren Traum. Marlene selbst war zu jung, um Erfahrungen mit jüngeren Männern gesammelt zu haben wie Mademoiselle Chanel. Aber Deborah vermutete stark, dass sie sich gerade gewünscht hatte, ihr Ernst wäre dreizehn Jahre jünger, als er war …

Deborah hörte Marlene zwar zu, aber es fiel ihr schwer, sich auf deren Worte zu konzentrieren. Ihre derzeitige Gefühlslage war mehr als widersprüchlich. Von innerer Unruhe erfüllt, konnte sie es kaum erwarten, dass es Abend wurde, empfand gleichzeitig aber Furcht davor. Dabei galt ihre Sorge nicht nur den jüdischen Deportierten, sondern auch der Frage, wie es um ihre Beziehung zu Albrecht stand. Zum ersten Mal war seine Beherrschung von ihm abgefallen, er hatte sie scharf zurechtgewiesen und so grob gepackt, dass an ihren Armen davon dunkle Abdrücke zurückgeblieben waren.

Die Erkenntnis, einen ersten Eindruck von Albrechts dunkler Seite bekommen zu haben, ließ Deborah in der warmen Frühlingssonne frösteln. Albrecht hatte sich zwar schnell wieder in der Gewalt gehabt, aber die Angst war Deborah bis ins Mark gefahren.

Nun hatte sie am eigenen Leib erfahren, dass ihr Handeln stets auch Konsequenzen nach sich zog. *Ursache und Wirkung*, so hatte es ihr Vater sie einst gelehrt. Sie hatte es ignoriert, war sich ihrer Macht über Albrecht bisher sicher gewesen – und war nun eines Besseren belehrt worden. Was, wenn Albrecht ihr heute sagte, dass er nichts hatte erreichen können? *Was kann ich dann überhaupt tun?*, fragte sie sich und gab sich die Antwort darauf gleich selbst: *Nichts …*

Sie hatte kein eigenes Geld, war minderjährig und befand sich in einem fremden Land. Sie war absolut abhängig von Albrecht, das war ihr heute erst richtig zu Bewusstsein gekommen. Die Gewissheit der eigenen Machtlosigkeit schlug heftig über ihr zusammen. Fast wäre Deborah erneut in Tränen ausgebrochen. Sie fühlte sich einsam und allein.

»Du hast nicht auf mich gehört, nicht wahr? Du hast deinem Albrecht wegen der Judentransporte Vorwürfe gemacht«, unterbrach Marlene Deborahs Grübeleien.

Erschrocken fuhr Deborah auf. Es war ihr nicht bewusst gewesen, dass sie bereits eine ganze Weile schweigend nebeneinander hergeschritten waren und Marlene sie in dieser Zeit nachdenklich beobachtet hatte.

Es war sinnlos, das Offensichtliche zu leugnen.

»Ja, es stimmt«, gab Deborah widerstrebend zu.

»*Alors*, und ihr habt natürlich gestritten.« Das war keine Frage. Daher sparte sich Deborah eine Antwort und zog nur eine widerwillige Grimasse, während sie mit der Schuhspitze ein paar Kiesel vor sich herschubste.

»Und? Wie schlimm ist es?« Das *war* eine Frage.

Marlene war stehen geblieben und zwang Deborah dadurch, es ihr gleichzutun. Trotzig hob die Jüngere den Kopf und begegnete endlich Marlenes offenem und klarem Blick. Zu ihrer Überraschung fand Deborah darin keinen Vorwurf à la *Habe ich dich nicht gewarnt?*, vielmehr las sie in Marlenes Augen den aufrichtigen Wunsch zu helfen.

Eine Biene umsummte sie, angelockt von Marlenes Hutfeder. Ein kurzes Fühlen, dann flog sie weiter, um sich eine richtige Blume zu suchen.

Deborahs Anspannung lockerte sich und wurde von der Erkenntnis abgelöst, in Marlene womöglich eine echte Freundin gefunden zu haben. Vielleicht war sie doch nicht ganz so allein, wie sie angenommen hatte. Ein zögerliches Lächeln breitete sich von ihren Mundwinkeln her aus, als traue sie ihrer eigenen Hoffnung nicht über den Weg.

Marlene erwiderte ihr Lächeln zwar, zog aber gleichzeitig die Augenbrauen hoch bis unter ihren Pony, um ihr damit zu signalisieren, dass Deborah noch nicht ihre Frage beantwortet hatte. Unsicher zuckte Deborah mit den Achseln: »Ich fürchte, das wird sich erst heute Abend herausstellen.«

»Hat er dich geschlagen, *chérie*?« Marlenes Stimme klang so neutral, als würde sie sich nach dem Wetter erkundigen, darum empfand Deborah die Frage nicht als aufdringlich. Vielmehr schoss ihr durch den Kopf, ob Marlene selbst Erfahrungen damit hatte. Umfasste der Status der Geliebten neben Pelzen, Kleidern und Schmuck auch Prügel?

»Nein, geschlagen hat er mich nicht. Er ist ziemlich grob geworden. Aber das ist nicht das Problem. Ich meine …« Deborah rang vergeblich nach Worten.

»Sondern?«, hakte Marlene vorsichtig nach, als Deborah keine Anstalten machte weiterzusprechen.

»Er … er war irgendwie … anders als sonst«, stotterte Deborah weiter. Mit einer hilflosen Geste hob sie die Arme, als versuchte sie, die richtigen Worte direkt aus der Luft zu pflücken.

Marlene schien sie trotzdem verstanden zu haben. Sie nickte wissend und fragte: »Wie alt bist du eigentlich, *ma petite?*«

»Siebzehn, bald achtzehn, im Juni.«

»Meine Fresse aber auch«, entfuhr es Marlene völlig unfranzösisch. Vor Überraschung wechselte sie prompt ins Berlinerische. »Und ick dachte, du musst mindestens zwanzig, wenn nicht sogar älter sein, Kleene. Alle Achtung, du hältst dich gut, aber das erklärt so einiges. Albrecht ist dein erster Mann, nicht wahr?« Erneut war es keine Frage, sondern eine Feststellung. Sie fuhr fort: »Ich weiß nicht genau, wie euer Verhältnis ist, aber ich kann es mir vorstellen. Dein Albrecht ist ein einflussreicher Mann, er ist vermögend und gut aussehend und mindestens zwanzig Jahre älter als du. Kein Wunder, dass er dein Interesse geweckt hat. In jeder Beziehung trägt man am Anfang Scheuklappen, Maria, und sieht den anderen so, wie man ihn gerne sehen will. Bis der Tag kommt, an dem man ihn dann so sieht, wie er wirklich ist. Das heute Morgen war deine Lektion. Du musst sie möglichst rasch lernen, sonst wird sie sich wiederholen. Besser, du bist darauf vorbereitet.«

»Findest du nicht, dass das ein wenig zu simpel klingt?«, begehrte Deborah auf. Sie fand, dass ihr Problem doch ein wenig mehr Originalität besaß. Marlenes Erklärung gefiel ihr nicht, vor allem fühlte sie sich von ihr nicht richtig ernst genommen.

Marlene schien auch gar nicht erwartet zu haben, dass Deborah ihr beipflichtete. Im Gegenteil: Sie vermittelte den Eindruck, als ob sie sich über Deborahs Reaktion freute. Schon gab sie wieder die französische Grande Dame: »*Alors*, du hast natürlich recht, *chérie*. Ganz so einfach ist es tatsächlich nicht. Wir leben in schlimmen Zeiten. Es ist Krieg. Und wir führen ihn nicht nur gegen fremde Länder, sondern auch im eigenen Land.« Marlene hielt kurz inne und sah sich aufmerksam um, als fürchte sie ungebetene Lauscher, aber es befand sich niemand in ihrer unmittelbaren Nähe. Die nächsten Spaziergänger waren ihnen mindestens fünfzig Meter voraus, und hinter ihnen auf dem Weg war ebenfalls weit und breit niemand zu sehen. Trotzdem zögerte sie, weiterzusprechen, als müsse sie sich zu einem Entschluss durchringen.

Schließlich griff sie nach Deborahs Arm und steuerte neuerlich eine Bank an. »Komm, setzen wir uns noch mal. Zunächst … stimmt es, dass du jüdischer Abstammung bist?« Die Frage traf Deborah völlig unvorbereitet. Ihr beredter Gesichtsausdruck war Marlene Antwort genug.

»Also doch. Keine Angst, diese Information ist bei mir gut aufgehoben.«

»Aber woher weißt du …?«, war alles, was Deborah hervorbrachte. Albrecht hatte sie beim Leben ihres kleinen Bruders Wolfgang schwören lassen, es niemandem zu verraten.

»Brigitte Frank erzählt es herum, dann weiß es bald die ganze Stadt. Sie ist eine dumme Gans, und sie ist eifersüchtig auf dich. Ihr sind die Blicke, die ihr Mann dir zugeworfen hat, nicht entgangen. Du musst aufpassen. Am besten, du gehst auf keine ihrer Einladungen mehr, dann vergisst sie dich vielleicht. Aber auf was ich eigentlich hinauswill, ist, wie gefährlich es ist, in diesen Zeiten als Jude geboren zu sein. Wenn du heute Jude bist, dann ist das dein Todesurteil, nicht mehr und nicht weniger. Daher musst du besonders vorsichtig sein. Provoziere deinen Geliebten nicht.«

»Ich bin im Grunde gar keine Jüdin. Um in den Augen meines Volkes eine richtige Jüdin zu sein, hätte meine Mutter Jüdin sein müssen. Aber nur mein Vater war Jude. Die Nazis haben keine Ahnung von der Genealogie der Juden«, wehrte sich Deborah, die die Wendung des Gesprächs sichtlich ängstigte. Deshalb fiel ihr nicht auf, dass sie von ihrem Vater erstmalig in der Vergangenheit gesprochen hatte. Dabei hatte sie sich geschworen, dies niemals zu tun.

»Ich denke nicht, dass unsere Regierung solche Spitzfindig-
keiten interessieren. Für die bist du Halbjüdin, gemischtrassig,
die gemäß den Nürnberger Rassengesetzen als volljüdisch behandelt wird. Albrecht ist der Einzige, der zwischen dir und dem
Gesetz steht. Er ist dein einziger Schutz. Verstehst du, was das
für dich bedeutet?« Marlenes Stimme klang mehr und mehr be-
schwörend. Sie hielt jetzt inne. Ihr waren die widersprüchlichen
Emotionen, die sich auf Deborahs Gesicht abzeichneten, nicht
entgangen. Sie reichten von Ungläubigkeit über Wut bis hin zur
Erkenntnis, dass Marlene womöglich recht hatte – und welche
Folgen sich für sie daraus ergaben.

Deborah hatte sich von ihrer Freundin abgewandt, vielleicht,
weil sie deren prüfendem Blick nicht länger standhalten konnte.
Mit geballten Fäusten starrte sie den Baum neben sich an, als
wolle sie auf ihn einschlagen. Tatsächlich sehnte sich Deborah
nach körperlichen Schmerzen, um von ihren seelischen Qualen
abgelenkt zu werden. »Das bedeutet, ich bin Albrecht mit Haut
und Haaren ausgeliefert«, sagte sie jetzt dumpf. Sie hatte zwar
bereits zuvor ähnliche Überlegungen gewälzt, aber immer in
dem Glauben, noch eine Wahl zu haben. Die brutale Wirklichkeit hatte sie eingeholt und traf sie wie ein Schlag. Sie war im
Grunde nicht mehr wert als eine Sklavin. Rechtlos und schutz-
los. Sie war für Albrecht wie Osman: Wenn er wollte, konnte er
ihr die Zunge herausschneiden.

Marlene berührte sie sanft am Kinn. »Ich weiß, es ist schwer.
Es sind gefährliche Zeiten, und wir zwei haben uns mit gefährlichen Männern eingelassen. Und gefährliche Zeiten sind
immer auch böse Zeiten, weil sie von bösen Männern regiert
werden. Wir müssen versuchen, irgendwie darin zu überleben – so lange es dauert. Ich werde dir dabei helfen. Einverstanden, *ma petite*?«

Deborah nickte und unternahm einen tapferen Versuch,
nicht schon wieder in Tränen auszubrechen. Sie schaffte es
nur knapp. »Übrigens, Marlene«, brach es aus ihr heraus, »mein

Name ist gar nicht Maria. Nur Albrecht nennt mich so. Ich heiße Deborah.«

Marlene sah sie lange an und sagte dann: »Ich danke dir für den Vertrauensbeweis, Deborah.« Die jungen Frauen umarmten sich kurz, da gellte der Schrei eines Mädchens in höchster Not durch den Park.

Sie blickten sich an, und noch unter dem Eindruck ihrer neu entstandenen Vertrautheit sprangen beide gleichzeitig hoch und rannten, ohne zu überlegen, in die Richtung, aus der der Schrei gekommen war. Sie liefen querfeldein über eine frisch gemähte Wiese. Prompt blieb Deborah mit einem ihrer Absätze stecken und fiel der Länge nach hin. Marlene war ihr beinahe dreißig Meter voraus, bis Deborah sich wieder aufgerappelt hatte.

In panischer Hast kam ihnen ein junges Mädchen entgegengelaufen. Schluchzend warf sie sich in Marlenes Arme und riss sie dabei zu Boden, während sie herzzerreißend rief: »Helfen Sie mir, meine Dame. Oh, bitte, bitte, helfen Sie mir …«

Marlene sah auf und entdeckte ihre Verfolger: Zwei Männer, die aus dem die Wiese begrenzenden Gebüsch gegenüber brachen und nun im Laufschritt auf sie zuhielten. Einen davon kannte sie!

Ein Freund, Jakob, hatte ihr den Mann einmal gezeigt und sie vor ihm gewarnt. Er gehörte zu den berüchtigten *Szmalcowniks*, Polen, die versteckte Juden ausmachten und sie erpressten; konnten sie nicht zahlen, verrieten sie sie gegen Bezahlung an die Deutschen. So oder so machten sie ihr Geschäft.

Blitzschnell erfasste Marlene die Situation, registrierte die zerfetzte Kleidung des jungen Mädchens, das beinahe noch ein Kind war, erkannte ihre ungewöhnliche Schönheit und den Davidstern an ihrem Arm, vor allem aber sprach der Ausdruck auf den Gesichtern der Männer Bände. Neben der Auslieferung hatten die Männer vorher noch ihr Vergnügen im Sinn. Marlene war sofort bewusst, dass sie das Mädchen niemals vor ihnen würde retten können, ohne sich selbst und Deborah damit in große Gefahr zu bringen. Vor allem Marlene konnte nicht riskieren, ins Visier der *Szmalcowniks* zu geraten, die überall ihre Spione hatten.

So sanft wie möglich versuchte sie sich daher von dem Mädchen zu lösen, das sich dadurch nur umso mehr an sie klammerte und in ihrer Angst enorme Kräfte mobilisierte.

Die Männer erreichten sie im gleichen Augenblick wie Deborah, die sich sofort neben Marlene warf. »Was ist hier los? Was fehlt dem Mädchen?«, rief sie atemlos. Marlene kniff sie fest in den Arm und versuchte dabei, ihr einen warnenden Blick zuzuwerfen.

»Gar nichts ist hier los, meine Damen«, sagte der ältere der beiden Ankömmlinge in gebrochenem Deutsch. Ihm missfiel ihre Einmischung sichtlich. »Wir kümmern uns um sie. Sie ist ein flüchtiges Judenbalg.« Er packte das wimmernde Mädchen an den langen schwarzen Haaren und zerrte grob daran. Das Mädchen schrie auf vor Schmerzen. Empört fiel Deborah dem Mann in den Arm. »Was machen Sie denn da? Lassen Sie sie los! Sie tun ihr doch weh.«

Der Mann, dem klar war, dass er zwei deutsche Damen vor sich hatte, war für einen Moment verunsichert, wie er reagieren sollte. Den jüngeren der beiden plagten in dieser Hinsicht weniger Skrupel. Er packte Deborah, zerrte sie weg und schleuderte sie von sich ins Gras. »Sie sollten sich zurückhalten, meine Damen. Sie behindern uns bei der Festnahme einer flüchtigen Kriminellen. Es ist besser, Sie verschwinden jetzt«, knurrte er drohend. Er hatte sich breitbeinig über Deborah aufgebaut, die Hand bedrohlich an seine Waffe gelegt.

Marlene spürte seine Gewaltbereitschaft, sah den leicht glasigen Blick und roch den Alkohol. Gleichzeitig registrierte sie die Zornesröte und Empörung Deborahs. Sie wusste, dass sie spätestens jetzt eingreifen musste, um die Situation noch zu retten. Diesen Männern das Spiel im letzten Moment zu verderben war lebensgefährlich. Mit viel Mühe hatte sie es inzwischen geschafft, sich von dem verängstigten Mädchen zu befreien, und warf sich tapfer ins Gefecht:

»Aber, meine Herren. Warum denn gleich so ungemütlich? Verzeihen Sie meiner jungen, impulsiven Freundin. Es war einfach nur der Schreck. Natürlich lassen wir Sie Ihre Pflicht tun.« Sie beugte sich zu Deborah hinunter, als wolle sie ihr aufhelfen, und zischte: »Verdammt, hast du den Verstand verloren? Hast du vorhin überhaupt nichts begriffen? Versteh doch … *Du kannst ihr nicht helfen!* Sie ist Jüdin. Willst du mit ihr sterben? Was wird dann aus deinem Bruder?«

Einzig die Erwähnung ihres Bruders brachte Deborah zur Vernunft. Marlene zog sie unsanft hoch und schleifte Deborah bis zum Florianstor hinter sich her. Erst dann hielt sie inne. Mehrere Spaziergänger beäugten sie neugierig, darunter auch zwei Offiziere, die Marlene offensichtlich erkannten. Mit einer unmissverständlichen Geste gab sie ihnen zu verstehen, dass ihr derangierter Zustand nichts zu bedeuten hatte.

Das Letzte, was Marlene jetzt gebrauchen konnte, waren neugierige Fragen, während ihre junge Freundin noch immer um Fassung rang. So richtig vorzeigbar sahen sie nicht mehr aus: Ihre Frisuren waren zerzaust, ihre Seidenstrümpfe zerrissen und ihre Frühlingskostüme mit frischen Grasflecken übersät, die vermutlich jeder Reinigung trotzen würden.

Marlenes weitere Bestandsaufnahme ergab, dass sie ihren Hut und Deborah ihren linken Schuh verloren hatte. Eigentlich hatte es in ihrer Absicht gelegen, dem jungen Mädchen eine weitere Standpauke zu halten, aber der Anblick ihres tränenüberströmten Gesichts hielt sie davon ab.

Mein Gott. Das Kind besteht ja nur aus Wasser, dachte Marlene. »Komm. Ich bring dich zurück ins Hotel«, forderte sie Deborah auf.

Marlene hatte ihren Chauffeur entdeckt, der am steinernen Tor lehnte und eine Zigarette rauchte. Sie hätte jetzt selbst auch gut eine gebrauchen können.

Der Fahrer hatte ihren sehnsüchtigen Blick richtig gedeutet und bot ihr eine an, aber sie winkte tapfer ab. Außerdem war es ein fürchterliches Kraut, das einem die Lunge verätzte, wenn man nicht aufpasste. Zu ihrer Überraschung griff ausgerechnet Deborah, die Sängerin, zu. Es war ein Akt puren Trotzes, Resultat ihrer Ohnmacht.

Marlene kannte dieses Gefühl gut, sie hatte es oft genug am eigenen Leib erfahren. Missbilligend zog sie eine Augenbraue hoch. Deborah zahlte es ihr mit bockigem Starren zurück. Marlene ergab sich und warf dem wolkenlosen Himmel einen genervten Blick zu.

Der Chauffeur gab Deborah Feuer. Er quittierte ihre nach dem ersten Zug unweigerlich einsetzende Hustenattacke mit einer amüsierten Grimasse. Marlene, nicht nachtragend, klopfte Deborah hilfsbereit mehrmals auf den Rücken und entwand ihr mit sanftem Griff die glimmende Zigarette. Sie reichte sie dem Chauffeur zurück, der sie sorgsam löschte und in seine Brusttasche zurücksteckte. Die Zigarette war viel zu kostbar, um sie zu verschwenden.

Marlene führte die nach Luft japsende Deborah zum Wagen und wartete geduldig ab, bis sich deren Lungen wieder mit frischer, atembarer Luft gefüllt hatten.

»Na? Geht es wieder?«, war alles, was Marlene zu ihr sagte, bis sie vor dem Grand Hotel hielten. Deborah strafte sie mit beleidigtem Schweigen und stieg grußlos aus.

Zu Deborahs Erstaunen fuhr Marlene nicht davon. Stattdessen hieß die junge Schauspielerin ihren Chauffeur zu warten und kletterte ebenfalls aus der Limousine. Deborah wandte sich brüsk von ihr ab, zog ihren verbliebenen Schuh aus und tapste auf Strümpfen durch die Lobby. Marlene folgte ihr unaufgefordert.

Auf ihrem Weg zum Fahrstuhl ernteten die beiden jungen Frauen eine Vielzahl erstaunter Blicke. An der Tür zur Suite unternahm Deborah einen halbherzigen Versuch, Marlene abzudrängen, aber die ließ sich nicht abwimmeln, sondern betrat hinter ihr den Raum.

Deborah war in einer merkwürdigen Stimmung. Obwohl sehr aufgebracht, fühlte sie sich gleichzeitig auch zu erschöpft, um sich weiter mit ihrer hartnäckigen Freundin zu befassen. Schmutzig, wie sie war, legte sie sich aufs Bett, rollte sich zur Seite und wandte Marlene demonstrativ den Rücken zu. Alles, was sie wollte, war, jetzt allein zu sein. Sie baute darauf, dass Marlene es bald leid sein würde, von ihr ignoriert zu werden, und dann von selbst verschwände.

Marlene wiederum ignorierte Deborahs unhöfliches Verhalten und sah sich in der luxuriösen Suite um. Nach einer gründlichen Inspektion goss sie sich einen Cognac aus der bereitstehenden Karaffe ein, nahm sich einen rosigen Pfirsich aus der Obstschale und machte es sich auf dem Sofa bequem. Marlene wartete ab. Sie beherrschte das Schweigespiel ebenso perfekt, wie sie bei Bedarf stundenlang oberflächliche Konversation betreiben konnte. Deborah würde reden, *Deborah musste reden.*

Es dauerte zwanzig Minuten, bis Deborah aus dem Bett schoss wie ein Schachtelteufel und fauchte: »Was ist? Was willst du noch von mir? Verschwinde endlich! Lass mich allein.«

Wenigstens weinte sie nicht, stellte Marlene mit beinahe wissenschaftlichem Interesse fest. Das Mädchen war jung, impulsiv, idealistisch, aber auch voll angestauter Wut. So gesehen eine gefährliche, geradezu explosive Mischung. Aber es fehlte ihr nicht an Mut, wie sie heute gezeigt hatte, als sie sich ohne zu zögern auf den *Szmalcownik* gestürzt hatte.

Marlene verfolgte einen Plan, von dem sie nicht wusste, ob er gelingen konnte. Ginge er aber nicht auf, dann hätte sie damit ihr Leben in Deborahs Hände gelegt.

Doch ihr Leben zählte nichts im Vergleich dazu, was sie gewinnen konnte. Trotzdem wünschte sie sich, ihr bliebe mehr Zeit für ihr Vorhaben. Doch der Krieg gestand ihr diese nicht zu. Tag für Tag verschlang er zu viele Leben. Noch zögerte sie.

Sie wusste, dass sie sich äußerst behutsam an die Sache herantasten musste. Zunächst würde sie Deborah auf die Probe stellen.

»Ich weiß, dass das heute furchtbar für dich gewesen sein muss, *ma petite*. Glaub mir, ich verstehe dich, sehr gut sogar. Aber wir hätten rein gar nichts für das Mädchen ausrichten können. Das arme Ding wäre so oder so nicht mehr zu retten gewesen. Diese Männer wollten sie unbedingt haben.« Marlene erntete dafür nicht mehr als ein verächtliches Schnauben.

»Das Mädchen war *ihre Beute*. Lass es dir gesagt sein, *chérie*: Stell dich niemals zwischen Jäger und Beute, sonst wirst du ebenfalls zum Opfer. Wir hatten keine Möglichkeit, ihr zu helfen. Der Mann hatte bereits seine Hand an der Waffe. Und er war angetrunken.«

»Natürlich hätten wir etwas tun können! Man kann immer etwas tun! Und hör endlich auf mit deinem ewigen *chérie*, ich kann es nicht mehr hören«, blaffte Deborah.

Marlene erkannte, dass das keine Widerrede war, sondern lediglich Ausdruck rhetorischer Hilflosigkeit. »Also schön.« Graziös schlug sie ihre Beine übereinander. »Dann erklär mir doch mal, was wir deiner Meinung nach hätten tun können? Um Hilfe schreien und noch mehr dieser Nazikollaborateure anlocken? Oder uns auf sie stürzen, ihnen die Waffen entwinden, um sie dann in Schach zu halten, bis das Mädchen geflohen wäre? Noch besser, die Männer gleich erschießen und gemeinsam mit dem Mädchen fliehen? Wohin?«

Als Antwort baute sich Deborah mit in die Hüften gestemmten Händen vor ihr auf und funkelte sie an. Es folgte minutenlanges, hilfloses Herumstampfen, bis Deborah schließlich keuchend innehielt. Dann drehte sie sich mit einem letzten wütenden Schnauben um, sauste ins Badezimmer und schlug die Tür hinter sich zu.

Gleich darauf erklang das Rauschen von Badewasser. Marlene hielt sehr viel von Deborahs Idee, ein Bad zu nehmen. Sie zog ihre schmutzigen Kleider samt Unterwäsche aus, ließ sie

achtlos an Ort und Stelle liegen, goss sich noch mal ein großzügig bemessenes Glas Cognac ein und trank es in einem Zug.
Dann folgte sie Deborah nackt und ungeniert ins Bad und stieg
zu der Verdutzten in die große Wanne. Zeit für ein intimes
Gespräch.

»Einmalig, dein Schaumbad«, sagte Marlene und machte es
sich wohlig seufzend im heißen Wasser bequem.

»Aha. Schön, dass es dir gefällt«, kommentierte Deborah
schnippisch, sichtlich erbost über Marlenes dreisten Überfall.

»So viel Schaum.« Marlene kicherte und pustete eine große,
flauschige Wolke in Deborahs Richtung. Deborah wich dem
Schaumball aus. Aber ihre verärgerte Miene war einer vorsichtigen Neugierde gewichen, was es mit Marlenes absurd auf-
dringlichem Verhalten auf sich hatte.

Marlene bemerkte ihren Stimmungswechsel und startete
ihren ersten Versuchsballon: »Du hast doch vorhin behauptet,
dass man immer etwas tun kann. Ich bin neugierig. Was stellst
du dir darunter so vor?«

Deborah schwieg. Dafür widmete sie sich mit Hingabe dem
Badeschaum. Aufmerksam, als gäbe es für sie nichts Interes-
santeres auf der Welt, beobachtete sie die kleinen Bläschen, die
nach und nach in ihren Händen zerplatzten. Endlich sagte sie
leise: »Man muss doch wenigstens versuchen, den Juden zu helfen, oder?« Aller Trotz war von ihr gewichen, und sie wirkte
plötzlich sehr jung und verletzlich, aber Marlene ließ sie nicht
so leicht vom Haken. »Das ist gut gemeint und leicht gesagt,
aber es ist naiv. Vor allem ist es kein Vorschlag. Was würdest du
konkret machen? Einfach so in die Lager spazieren und Lebensmittel und Kleider an die Juden verteilen?«

»Welche Lager?«, erwiderte Deborah verwirrt und sah von
den Bläschen auf.

Ungläubig schüttelte Marlene den Kopf. »Herr, lass Wissen
regnen«, rief sie in Richtung Zimmerdecke. »Das darf ja wohl
nicht wahr sein. Von welchem Stern bist du?« Offenbar stand es

schlimmer um Deborah, als sie zunächst angenommen hatte. Das Mädchen war so unbedarft wie das Gretel aus dem Kasperletheater. Wo hatte sie ihre Ohren, wenn sie bei den Männern am Bankettisch saß? Worüber unterhielten sie sich denn die Hälfte der Zeit?

Erneut kamen Marlene Zweifel an ihrem Vorhaben. Trotzdem wollte und konnte sie nicht aufgeben, das Mädchen könnte sich als äußerst wertvoll für ihre Sache erweisen. Sie musste es einfach nur richtig angehen.

»Du scheinst tatsächlich keine Ahnung zu haben, was um dich herum so vor sich geht, oder? Eigentlich erstaunlich bei dem, was du und deine Familie bereits mitgemacht habt. Dass wir uns im Krieg befinden, wirst ja wohl selbst du inzwischen bemerkt haben. Bei all den Uniformen, die im Umlauf sind. Dein Albrecht trägt ja auch so eine, die schwarze mit dem Totenkopf. Sag mir, *ma petite*: Weißt du eigentlich, was *er* macht? Er kämpft nicht an der Front. Also: *Was genau tut Albrecht in diesem Krieg*? Was ist seine Aufgabe? Was macht er hier im Generalgouvernement?«, griff Marlene an. Sie musste es jetzt wissen.

Deborah reagierte, indem sie mit beiden Händen den Schaum aufwirbelte und mit ihm spielte. Plötzlich rutschte sie tiefer und tauchte mit dem Kopf unter Wasser. Marlene blieb ungerührt, wartete und zählte die Sekunden. Sie kam bis sechzig, dann schoss Deborahs Kopf hoch. Sie schnappte nach Luft. Marlene sagte nichts. Die Art, wie Deborah die Augen zusammengekniffen hatte, deutete an, dass sie unter Wasser neue Inspiration gewonnen hatte.

Und richtig. Deborah parierte: »*Dein* Ernst trägt doch auch eine Uniform. Was macht eigentlich *er* in diesem Krieg?« Ihre Stimme äffte Marlenes erstaunlich gut nach und traf dabei genau die richtige Nuance von Sarkasmus.

Alle Achtung, dachte Marlene und quittierte die giftige Replik mit einem beifälligen Nicken. Dass das Mädchen seinerseits angriff, gefiel ihr. Sie hatte sie provoziert, und die kleine Sängerin hatte dabei einen kühlen Kopf bewahrt. Sie hatte es ihr zurück-gezahlt, indem sie ihr bedeutete, dass sie selbst im Glashaus saß. Die Würfel waren gefallen. Sie würde das Mädchen für ihre Sache rekrutieren. Albrecht Brunnmann kam eine wichtige Schlüsselrolle in diesem Krieg zu, und sie musste ihre Chance nutzen, um an ihn heranzukommen.

Fast lächelte sie. »Fein. Du hast recht. Das ist der Punkt. Wenn es dir wirklich ernst damit ist, der jüdischen Bevölkerung zu helfen, dann verrate ich dir, was Ernst macht, und du verrätst mir im Gegenzug, was Albrecht tut. Einverstanden?«

»Einverstanden«, stimmte Deborah zu, um dann mit ent-waffnender Ehrlichkeit zu ergänzen: »Ich fürchte nur, dass dies eine ziemlich einseitige Abmachung ist. Ich weiß tatsächlich nicht, was Albrechts Arbeit ist, außer kreuz und quer zu verrei-sen. Wir sprechen nie darüber. Das Einzige, was er diesbezüg-lich einmal zu mir gesagt hat, war, dass ein Krieg nur durch die Logistik zu gewinnen sei. Vermutlich ist er so etwas wie ein Or-ganisator. Aber was das genau bedeuten soll, weiß ich wirklich nicht.« Die Art, wie sie es sagte, hätte Marlene fast ein Schmun-zeln entlockt. Es klang so liebenswert erstaunt, als hätte sich das Mädchen diese Frage selbst vorher nie gestellt und wäre gerade über ihre eigene Unwissenheit gestolpert.

»Dem ist leicht Abhilfe zu schaffen. Erkundige dich nach sei-ner Arbeit. Aber sei vorsichtig. Stelle sie nicht infrage, sondern schmeichele ihm durch dein Interesse. Männer mögen es, wenn man ihre Arbeit bewundert. Mein Ernst gleicht in dieser Hin-sicht einem übersprudelnden Quell.«

»Albrecht ist da, fürchte ich, anders gestrickt … glaube ich zumindest«, entgegnete Deborah. Sie versuchte sich an meh-rere Begebenheiten zu erinnern, bei denen Albrecht die Gele-genheit gehabt hätte, mit ihr über seine Tätigkeit zu sprechen, es aber stets unterlassen hatte. Tatsächlich hatte er ihr gegen-über immer den Eindruck vermittelt, ungern über seine Arbeit zu sprechen. Darum hatte sie ja bei ihm auch nie nachgehakt.

»Er hat doch diese Aktentasche, die er andauernd mit sich herumträgt. Warum wirfst du nicht einmal einen Blick hinein und siehst nach?« Marlene bemühte sich um einen beiläufigen Ton – zu viele Hoffnungen knüpfte ihre Gruppe an diese Tasche.

»Unmöglich. Wenn er kommt, nimmt er die Papiere sofort heraus und sperrt sie in den Hotelsafe.«

»Das Zimmer hat einen Safe?« Marlenes Puls hatte sich kaum merklich beschleunigt.

»Ja, einen richtigen Schrank. Er ist hinter dem Spiegel im Schlafzimmer.«

»Zeig ihn mir«, forderte sie sie auf und erhob sich bereits halb aus der Badewanne.

»Warte«, bremste Deborah sie aus. Marlene verharrte mitten in der Bewegung, den Fuß bereits auf dem Wannenrand. Sie bemühte sich, sich ihren jähen Anflug von Sorge nicht anmerken zu lassen. War sie zu schnell vorgeprescht?

Deborah musterte Marlene. Ihren feinen Antennen war deren jähe Erregung nicht entgangen, obwohl sich die Schauspielerin sofort wieder im Griff hatte und sich jetzt betont langsam in die Wanne zurückgleiten ließ. Marlene baute nun selbst eine Schaumpyramide, während sie auf Deborahs weitere Reaktion wartete.

Deborahs Frage erfolgte dann nicht völlig überraschend, doch zu diesem frühen Zeitpunkt hatte Marlene eigentlich nicht damit gerechnet. Sie empfand jedoch leise Genugtuung, weil es ihre ursprüngliche Einschätzung über die Qualitäten des Mädchens bestätigte.

»Sag, Marlene«, Deborah pustete mit spitzen Lippen ein wenig Schaum in die Luft, »du bist irgendwie ganz schön neugierig, finde ich. Wenn ich es nicht besser wüsste, könnte man fast auf die Idee kommen, du wärst so was Ähnliches wie eine Spionin.« Auch wenn Deborah bisher kaum auf die Tischgespräche der Männer geachtet hatte, so hatte sie doch so viel aufgeschnappt, dass die Männer anscheinend nichts mehr fürchteten als Spione und Sabotageakte. Deborah versuchte ein gleichmütiges Gesicht zu wahren, doch Marlenes geschultem Ohr entging nicht der Ton gespannter Erwartung in ihrer Stimme.

Marlene atmete selbst hörbar aus. Sie hatte nicht bemerkt, dass sie zwischenzeitlich die Luft angehalten hatte. Langsam ließ sie ihre Finger durchs Wasser gleiten. »Ich für meinen Teil bevorzuge statt Spionin den Ausdruck Widerstandskämpferin, *chérie*«, erwiderte Marlene. Sie betonte das Kosewort extra, um die Atmosphäre, die sich plötzlich zwischen ihnen verdichtet hatte, wieder etwas aufzulockern.

Deborah bedachte sie mit einem schrägen Seitenblick, um danach enervierend lange auf ihrer Unterlippe herumzukauen. Das Schweigen stand zwischen ihnen, dehnte sich weiter aus, und Marlene widerstand nur knapp der Versuchung, selbst auf ihrer Lippe zu kauen.

Ohne Vorwarnung rief Deborah plötzlich: »Dann komm.« Voller Übermut hüpfte sie aus der Wanne, begleitet von einem Schwall Wasser.

Deborahs kindlicher Eifer versetzte Marlenes momentanem Triumphgefühl einen herben Dämpfer. Eine lang vergessene Empfindung regte sich in ihr: der Anflug eines schlechten Gewissens. Sie war nicht glücklich darüber, weil es sie damit konfrontierte, dass sie aufrichtige Sympathie für das Mädchen entwickelt hatte. Und das, obwohl sie gerade im Begriff stand, ihr unschuldiges Vertrauen auszunutzen. Deborah wusste nicht, auf welche Gefahren sie sich einließ. Für sie war es ein neues, aufregendes Spiel. Doch dieses Spiel war bitterer Ernst, der Einsatz das eigene Leben.

Marlene, bereits erfahren in diesem Spiel, wusste, dass sie Deborah als Erstes beibringen musste, Respekt vor der Gefahr zu entwickeln. Spionage war vor allem eines: die Kunst des Überlebens.

Deborah war nackt und tropfnass ins angrenzende Schlafzimmer vorangeeilt. Marlene folgte ihr. Deborah stand schon vor dem mannshohen Spiegel und hatte ihn an zwei versteckten Scharnieren zur Seite geklappt. Dahinter kam eine Nische zum Vorschein, in der ein ungefähr hundertvierzig Zentimeter hoher Schrank aus poliertem Kirschholz stand. Er war mit Intarsien verziert und sah aus wie ein Sekretär. Deborah öffnete die äußere Tür, die den Tresor verdeckte. Da erst offenbarte der Schrank sein stählernes Innenleben. »Königlicher Hoflieferant J. Ostertag, Aalen – Kassenschrank Fabrik«, war darauf zu lesen.

Marlene trat näher und begutachtete das Vorkriegsmodell, ein – Ironie des Schicksals – deutsches Markenfabrikat. Sie war keine Safe-Expertin, aber ihn zu öffnen würde sicherlich einige Zeit in Anspruch nehmen. Der Einsatz von Sprengstoff oder ein Aufhebeln standen völlig außer Frage. Beides würde Spuren hinterlassen. Der eigentliche Sinn jedweder Spionage bestand darin, dass niemand bemerken durfte, dass sie überhaupt am Werk war, rief sich Marlene Jakobs Worte zum wiederholten Male in den Sinn.

Welche Geheimnisse birgst du, Safe?, fragte sie sich jetzt. *Welche Teufeleien? Wozu hat man ein so hohes Tier des Reichssicherheitshauptamtes wie Brunnmann – Heydrich und Himmler direkt unterstellt – in das Generalgouvernement gesandt?* Marlene war Hans Franks Unbehagen bei der Unterhaltung mit Brunnmann auf der Wawelburg nicht entgangen. Fürchtete dieser, Brunnmann könne ihm in Polen den Rang ablaufen? Hatte er besondere Befehle aus dem Führerhauptquartier mitgebracht? Was sollte weiter mit Polen geschehen? Waren die Juden-Ghettos erst der Anfang?

Mit einer überaus sanften Geste legte Marlene die Hand an den Safe, als wolle sie seinen Herzschlag fühlen. Dann setzte ihr eigener beinahe aus: Nebenan in der Eingangstür zur Suite drehte sich deutlich ein Schlüssel. Marlene und Deborah erstarrten und wechselten einen entsetzten Blick.

Ob Zimmermädchen oder Albrecht Brunnmann – Marlene

blieb keine Zeit, es herauszufinden. Sie hatte nur wenige Sekunden, und sie traf ihre Entscheidung blitzschnell. In einer einzigen fließenden Bewegung schloss sie den Schrank und schwenkte den Spiegel wieder an seinen Platz zurück. Dann packte sie die gelähmte Deborah an den Schultern und schob sie mehrere Meter vom Spiegel weg in Richtung Bett. Sie presste ihren nackten Körper an den ihren, als wären sie beide Liebende, und küsste sie auf die weichen Lippen.

Das war das Bild, das sich Albrecht bot, als er durch die Tür trat: zwei splitternackte Frauen, deren Haar vor Nässe glänzte und die sich leidenschaftlich umschlungen hielten. Er verharrte schockgefroren und war für einen unsterblichen Augenblick desorientiert.

Marlene, die ihn durch ihre halb geschlossenen Lider beobachtete, schoss durch den Kopf, dass sie Brunnmann gerade eine Momentaufnahme fürs Leben beschert hatte – eine, an die er sich bis an sein Lebensende sicher gern erinnern würde.

Marlene ließ dem Mann einige Sekunden, um sich zu sammeln, aber auch, um Deborah die Zeit zu geben, sich in die neue Situation einzufinden. Deborah hatte eine Sekunde lang in ihren Armen gezögert, völlig überrumpelt von der Wendung des Geschehens, sich aber nicht gegen ihre Umklammerung gesträubt.

Marlene löste sich nun langsam von Deborah und warf ihr einen prüfenden Blick zu. Plötzlich erregte eine kleine Spiegelung auf dem Boden ihre Aufmerksamkeit, und ihr Blut verwandelte sich augenblicklich in Eis: Direkt unter dem Spiegel hatten ihre beiden nassen Körper eine kleine Pfütze hinterlassen. Brunnmann durfte sie nicht bemerken, sonst würde er womöglich die richtigen Schlüsse daraus ziehen.

Marlene sah nur einen Ausweg, Brunnmann abzulenken. Sie musste versuchen, ihn zu verführen, obgleich ihr sofort schmerzlich bewusst war, dass sie sich damit in die Abhängigkeit gleich zweier Unbekannter begab: Wie würde Brunnmann auf ihre

Verführungskünste reagieren? Und das Mädchen? Würde sie eifersüchtig werden und alles verraten?

Marlene traf ihre Entscheidung. Für sie gab es kein Zurück, sie musste jetzt alles auf eine Karte setzen. Sie verließ sich dabei ganz auf ihre Erfahrung und das Wissen, dass sie nackt, im Gegensatz zu den meisten Menschen, die angezogen zwar eine gewisse Attraktivität besaßen, aber ohne ihre Kleider dann oft eine Enttäuschung darstellten, atemberaubend anzusehen war.

Im Evakostüm offenbarte ihr Körper eine verwirrende Perfektion, und die Lockung ihres Ganges und die Harmonie ihrer Bewegungen hatten schon so manchen Mann um den Verstand gebracht. Langsam ging sie auf Albrecht zu. Auch er schien nicht immun dagegen zu sein. Marlene konnte beinahe sehen, wie das heiße Blut des Verlangens in ihm hochkochte.

Trotzdem zögerte er. Er sah an Marlene vorbei, die nun nackt und verführerisch direkt vor ihm verharrte. Seine Augen suchten voller Interesse die Deborahs. Was er sah, schien seinen Beifall zu finden. Deborahs Lippen waren leicht geöffnet, ihre Wangen mit zarter Röte überzogen und ihre Pupillen geweitet. Ihr gesamter Körper drückte überraschte Erwartung aus.

Albrecht wandte sich nun Marlene zu. Anerkennend musterte er ihre Nacktheit. Dann griff er nach ihrer Hand und dirigierte sie zum Bett. Er nahm darauf Platz, während Marlene abwartend vor ihm stehen blieb. Sie spürte, dass Albrecht die Führung übernehmen wollte. Und richtig.

Er winkte Deborah heran und wackelte dabei unmissverständlich mit seinen schwarz glänzenden Stiefeln – die beiden jungen Frauen sollten sie ihm ausziehen. Sie taten es und entkleideten Albrecht vollständig. Marlene verschwand kurz im Bad und kam mit einer Schüssel heißen Wassers und einem Schwamm zurück. Sie wuschen ihn gemeinsam mit langsamen, lockenden Bewegungen. Albrecht küsste dabei jeden Flecken nackter Haut, der sich ihm bot, und seine Liebkosungen wurden rasch kühner.

Bald waren sie nur noch ein wildes Knäuel stöhnender, ineinander verschlungener Körper. Im Gegensatz zu Albrecht und Deborah genoss Marlene die wechselseitig ausgetauschten Bisse und Grobheiten nicht, teilte dafür aber nicht weniger aus. Was für Albrecht ein Akt purer Leidenschaft war, verlangte Marlene ihre ganze Selbstbeherrschung ab, um ihre Abneigung zu überwinden und ihren Hass zu zügeln.

Kapitel 41

Marlene lag eng am Bettrand und verzog das Gesicht zu einer angeekelten Grimasse. Ihre letzte Ménage-à-trois war über zwei Jahre her. Damals hatte sie es aus Liebe getan, für Jakob. Wegen Jakob hatte sie sich auch dem polnischen Widerstand angeschlossen. Er war einer ihrer Anführer. Sie und Jakob waren einmal ein Paar gewesen, aber das war lange her, noch vor dem Krieg. Er hatte ihr einst gesagt, dass er sie liebe, und trotzdem hatte er sie verlassen.

Sentimentale Bindungen im Krieg behinderten ihre Sache nur, hatte er behauptet. Seither sahen sie sich nur noch sporadisch. Jakob benutzte sie und ihren Körper ab und zu wie ein gutes Essen. Weil sie ihn immer noch liebte, gab sie sich damit zufrieden. Der Krieg würde nicht ewig dauern, und sie hatte sich fest vorgenommen, ihn zu überleben.

Jakob hatte sie am Anfang gefragt, wie weit sie gehen würde, um die Nazis aus dem Land zu jagen, und sie hatte ohne zu zögern geantwortet: »Bis zum Ende.« *Na, wenn das nicht gerade der schlagende Beweis dafür war*, dachte sie grimmig. Sie wünschte sich sehnsüchtig in die Badewanne zurück, um den widerlichen Nazigestank von sich abzuwaschen, und unterdrückte ein Schaudern.

Albrecht wälzte sich im Halbschlaf schwerfällig zu ihr herum. Er packte Marlene um die Taille und zog sie mit festem Griff an sich. Er wirkte satt und zufrieden. Sein selbstgefälliger Gesichtsausdruck erinnerte Marlene fatal an den alten, fetten Kater ihrer Kindheit, der eines Tages und mehr aus Versehen noch einmal eine Maus gefangen hatte.

Trotz ihres Ekels und des drängenden Wunsches, aus dem Bett zu springen und sich zu waschen, zwang sich Marlene, ruhig liegen zu bleiben. Hasserfüllt starrte sie dabei an die Decke, während das Böse ruhig neben ihr auf den seidenen Laken schlief. Sie konnte es einfach nicht verstehen. Europa brannte, und jene, die dafür verantwortlich waren, gaben sich ihrem entspannten Schlaf hin.

Während sie Albrechts regelmäßigen Atemzügen lauschte, fragte sie sich, wie es jetzt weitergehen würde. Normalerweise durchdachte sie ihr Vorgehen und die möglichen Konsequenzen sorgfältig und legte sich erst dann einen genauen Ablaufplan zurecht.

Heute aber hatte sich die Situation rasend schnell entwickelt, sie war gezwungen gewesen, intuitiv zu handeln. Alles hing nun von Deborah ab. Marlene spürte, dass das Mädchen ebenso wach wie sie im Bett lag. Worüber dachte sie nach? Dass es ein Fehler gewesen war, sich auf Marlenes Spiel einzulassen?

Marlenes Herzschlag beschleunigte sich zunehmend, je länger die Stille andauerte. Hatte sie sich in ihrer Einschätzung des Mädchens geirrt? Immerhin war sie von Deborahs animalischen Instinkten beim Liebesspiel völlig überfahren worden. Das junge Mädchen hatte die Maßlosigkeit einer erfahrenen Kurtisane an den Tag gelegt. Und was sollte dieses Beißen und Kratzen? Marlene wusste, dass nicht wenige Männer im Bett ihre sadistischen und masochistischen Gefühle auslebten, aber bei Deborah empfand sie es als verstörend. Zwar hatte sie bereits geahnt, dass das Mädchen von einem maßlosen Lebenshunger angetrieben wurde, doch die primitive, instinktgetriebene Leidenschaft, die sie ihr heute offenbart hatte, hatte sie trotzdem verblüfft. Nie zuvor war ihr Ähnliches bei einem so jungen Menschen begegnet.

Darüber hinaus hatte Marlene noch einen weiteren wichtigen Eindruck von Deborah gewonnen: Sie schien durchaus ihren eigenen Kopf zu haben und ihn dann und wann auch einzusetzen. So hatte sie sich zum Beispiel nicht dem herrschenden Gruppenzwang ergeben, den alkoholischen Getränken mehr zuzusprechen, als ihr guttat. Sie kannte Grenzen. Das Mädchen war so facettenreich wie ein Diamant, aber sie bedurfte noch eines ausführlichen Schliffs.

»Bist du wach?«, flüsterte Deborah und brach damit das Schweigen.

»Ja«, flüsterte Marlene zurück. »Was denkst du jetzt?«

»Dass du ganz schön *ausgschamt* bist, wie man bei uns in Bayern sagen würde«, kicherte Deborah leise und streckte sich wohlig wie eine Katze auf der Fensterbank – das weibliche Pendant zu Albrechts schläfrigem Behagen.

»Aha. Und was bedeutet das genau?«, raunte Marlene, weiterhin auf der Hut.

»Dass du nicht feige bist.«

»Oh, danke. Was meinst du? Kann ich aufstehen und ins Bad gehen? Oder wacht Albrecht dann auf?«

»Und wenn schon, wir gehören ihm nicht«, erwiderte Deborah mit neu erwachtem Selbstvertrauen. Sie ging über das Gewesene mit einer Lässigkeit hinweg, die an Kaltschnäuzigkeit grenzte. Marlene fragte sich jetzt, ob eine kaum Achtzehnjährige tatsächlich derart abgebrüht sein konnte. Vorsichtig ließ sie sich aus dem Bett gleiten. Albrecht gab ein kurzes Grunzen von sich, wachte aber nicht auf.

Marlene sammelte ihre im Raum verstreuten Kleider ein, näherte sich dem Spiegel, als prüfe sie ihre Erscheinung, und ließ dabei wie zufällig ihre hellblaue Kostümjacke auf die kleine, stehende Pfütze fallen. Beim Aufheben wischte sie kurz darüber und vergewisserte sich mit einem versteckten Seitenblick zum Bett, dass Albrecht sie nicht dabei beobachtet hatte. Deborah hingegen schon. Sie nickte beifällig, kletterte ebenfalls aus dem Bett und tappte barfuß hinter ihr her ins Badezimmer.

»Oje«, meinte sie beim Anblick der ruinierten Kleider auf Marlenes Arm. »Mit denen kannst du dich ja wohl nicht mehr blicken lassen. Ich hol dir was von meinen Sachen.« Sie verschwand kurz im Schlafzimmer und kehrte mit einem grauen Tageskleid und der dazugehörigen Jacke zurück. »Hier, das müsste dir passen.«

»Danke.« Marlene war hurtig zurück in die Wanne geklettert. Sie hasste es, gutes Wasser zu verschwenden. Es war inzwischen nur noch lauwarm und fühlte sich auf ihrer erhitzten Haut beinahe kühl an.

Deborah blieb unschlüssig neben ihr stehen, als überlege sie, nun ihrerseits zu Marlene in die Wanne zu steigen. Doch Marlene nahm ihr die Entscheidung ab, indem sie sich bereits wieder daraus erhob. Dankbar nahm sie das Handtuch an, das ihr Deborah, selbst immer noch nackt, reichte.

Während sich Marlene abtrocknete, hatte sie zum ersten Mal die Muße, Deborahs nackten Körper zu bewundern. Sie musste zugeben, dass alles an dem Mädchen vollkommen war: die jungen hohen Brüste, von kleinen rosa Spitzen gekrönt, die zarte Taille, die Beine wohlgeformt und lang. Dazu eine ebenmäßige Haut, die schimmerte wie frische Sahne. Kein Wunder, dass dieser Brunnmann ihr derart verfallen war. Deborahs junger Körper stand zwar erst am Anfang seiner fraulichen Entwicklung, doch hatte sie eine natürliche Begabung für die hohe Kunst der Verführung. Deborah hatte die Musterung bemerkt. Selbstbewusst und ohne jegliche Spur von Scham hob sie den Kopf, als wollte sie fragen: *Gefalle ich dir?*

Marlene lächelte sie beinahe zärtlich an. »Du solltest dir entweder ein frisches Bad gönnen oder wenigstens einen Morgenmantel anziehen. Du frierst nämlich.« Sie tippte Deborah auf den Arm, der komplett mit Gänsehaut überzogen war. Plötzlich runzelte sie die Stirn, packte diesen fester und drehte ihren Unterarm nach oben. »Was ist das?«, fragte sie scharf. Wie Albrecht vor ihr hatte sie die vielen, zum Teil parallel verlaufenden, blassen Narben entdeckt. Deborahs andere Wunden, die Abschürfungen und blauen Flecke, hatte sie dem groben Liebesspiel zugeschrieben. Doch diese hier waren älter und von anderer Art. Sie war sich beinahe sicher, dass es Schnitte waren, die von einem Messer herrührten. Es alarmierte sie, denn etwas Ähnliches hatte sie bereits einmal bei einem anderen jungen Mädchen gesehen – als Ausdruck ihrer Seelenqualen.

»Nichts.« Deborah, plötzlich verschämt, entzog ihr hastig die Arme.

Marlene hielt es für klüger, sie nicht weiter zu bedrängen, vielleicht ein anderes Mal. Dringlichere Angelegenheiten erforderten nun ihre Aufmerksamkeit. Zum Beispiel, wie sie an Brunnmanns Unterlagen in dem Tresor herankommen konnte und ob Deborah ihr immer noch dabei helfen wollte.

Alle ihre Sinne waren jetzt darauf gerichtet, dass Deborah etwas sagte, der Impuls musste von ihr ausgehen. Andernfalls würde sie sich jetzt verabschieden und erst bei ihrer nächsten Verabredung einen weiteren, vorsichtigen Vorstoß wagen. Um die Zeit noch etwas auszudehnen, zog sie sich betont langsam an. Deborahs Kleider passten beinahe wie angegossen, nur an den Schultern und in der Taille saßen die Nähte etwas straffer.

Deborah hatte sich inzwischen in den Bademantel mit den Initialen des Hotels gehüllt und auf den Wannenrand gesetzt. Ihre schmale Hand fuhr durch das kalte Wasser und rührte spielerisch darin herum. Marlene hatte sich fertig angekleidet und schlüpfte strumpflos in ihre Schuhe. Sie bückte sich und schloss die Schnallen. Dann erhob sie sich, trat vor den Spiegel und fuhr sich mit den Fingern durch die Haare. Plötzlich sagte Deborah nicht besonders leise: »Ich möchte auch eine Widerstandskämpferin werden.«

»Schsch«, entfuhr es Marlene. Hastig wandte sie den Kopf zur Badezimmertür. Es war eine massive Tür, und sie war verschlossen, trotzdem … das kleinste Wort konnte Misstrauen wecken, der kleinste Fehler konnte tödlich für sie enden.

Marlene hatte sich neben Deborah auf den Wannenrand gesetzt und flüsterte eindringlich: »Hier können wir nicht reden.

Ich hole dich morgen Vormittag wieder ab, um die gleiche Zeit. Dann können wir alles besprechen. Eines vorab: Ich weiß, wie schwer es dir fallen wird, aber sprich Albrecht keinesfalls mehr auf die Judentransporte an, hörst du? Du darfst unter keinen Umständen Solidarität mit den Juden oder auch den Polen zeigen. Benimm dich ganz normal und frag ihn niemals nach seiner Tasche, geschweige denn nach dem Tresor. Du hast es bisher nicht getan und solltest es auch in Zukunft nicht tun. Es würde sofort sein Misstrauen wecken. Unser beider Leben hängt davon ab, dass er dir weiter vertraut. Ansonsten sind wir schneller tot, als ich *chérie* sagen kann. Hast du das verstanden?«

»Natürlich.« Deborah blinzelte, wirkte aber keineswegs eingeschüchtert. »Darf ich dir noch eine Frage stellen?«

Marlene hatte sich bereits aufgerichtet, um einen letzten kritischen Blick in den Spiegel zu werfen. »Natürlich«, sagte sie zu ihrem Spiegelbild und tupfte mit dem Zeigefinger etwas Rouge auf Wangen und Lippen.

»Warum bist du im Widerstand? Ich dachte, du wärst Schauspielerin?«

Langsam drehte sich Marlene zu ihr um. Ihre Augen blitzten, während sie sich in Positur stellte. Leise deklamierte sie dann:

»Die Hölle ist leer. Alle Teufel sind hier.« Um anschließend mit normaler Stimme zu sagen: »Das ist aus Shakespeares *Sturm*, *chérie*. Die Welt ist jetzt meine Bühne.«

Kapitel 42

Pünktlich am nächsten Tag war Marlene zur Stelle. Die beiden jungen Frauen fuhren erneut in den Planty Park und setzten sich auf eine einsame Bank abseits des Weges. Dort saßen sie zwei Stunden, die Köpfe eng beieinander, und Deborah erhielt ihren ersten Unterricht in der Kunst der Spionage.

Marlene hütete sich, ihr etwas über die Gruppe zu erzählen, weder wie groß sie war noch wer ihr angehörte, noch nicht einmal, dass der Anführer Jakob hieß. Marlene nannte ihn stattdessen Pavel.

Deborah musste lernen, auf alles zu achten, was um sie herum gesagt wurde. Sie kam mit vielen wichtigen Funktionären zusammen, und die kleinste Information konnte von immenser Wichtigkeit sein, auch wenn es für sie selbst nicht den Anschein hatte. Doch weder durfte sie sich anmerken lassen, dass sie genau zuhörte, noch sich das kleinste Wort dazu notieren. Sie musste sich stattdessen so viel wie möglich davon merken und es Marlene bei ihren täglichen Treffen mündlich übermitteln.

Allerdings würde dies nicht immer möglich sein. Manchmal bestand Ernst darauf, dass Marlene ihn bei seinen kurzen Reisen begleitete. Er war Offizier des Ersatzheeres und für Nachschub und Logistik zuständig und aus diesem Grund häufig unterwegs. Dann würde Deborah auf Marlenes Rückkehr warten müssen. Albrecht hatte sie erst kürzlich darüber informiert, dass seine Arbeit es erforderlich machte, ihren Aufenthalt im Generalgouvernement um einige Wochen zu verlängern. Vor Juni würden sie also nicht nach München zurückkehren.

Jakobs Befehle lauteten, dass ein Außenstehender niemals einen weiteren Kontakt aus der Gruppe zugeteilt bekam. Wenn Deborah versagte, würde sie nur Marlene mit sich reißen. Selbst Marlene kannte außer Jakob nur wenige aus der Gruppe und auch die nur unter falschem Namen. Nur bei Jakob konnte sie sich sicher sein, dass er auch Jakob war.

Deborah hörte Marlene aufmerksam zu und stellte auch einige Fragen, die Marlene umsichtig beantwortete, ohne jedoch ihre Grundsätze der Verschwiegenheit zu verletzen. Dabei konnte sie nicht umhin, sich selbst zu beglückwünschen. Deborah erwies sich als gelehrige Schülerin, verfügte über eine rasche Auffassungsgabe und stellte die richtigen Fragen. Deborahs nächste Frage allerdings traf sie völlig unvorbereitet und löste sofort Unbehagen in ihr aus: »Bist du in diesen Pavel verliebt?«

Und als Marlene nicht sofort antwortete: »Ach komm schon, ich habe dich genau beobachtet, als du über ihn gesprochen hast. So siehst du nicht aus, wenn du über Ernst sprichst«, verkündete sie triumphierend.

Marlene zwang sich zu einem Lächeln und verfluchte einen Moment lang die erstaunlich gute Beobachtungsgabe des Mädchens. Sie entschied sich für die halbe Wahrheit: »Früher einmal. Aber das ist lange her. Jetzt sind wir nur noch gute Freunde.« *Jakob*. Für ihn schlief sie mit hohen Nazitieren, durchwühlte deren Taschen und Gepäck und horchte sie aus. Sie hätte alles für ihn getan. Und manchmal hasste sie ihn dafür, weil er es zuließ.

Deborahs nächster Satz riss Marlene aus ihren Grübeleien: »Ich würde diesen Pavel gern kennenlernen. Wie ist er so? Sieht er gut aus?«

»Sag mal, hast du mir gerade nicht zugehört?«, schnaubte Marlene empört. »Niemand, wirklich niemand hat Kontakt zu anderen aus der Gruppe. Ich bin und werde dein einziger Ansprechpartner sein. Es dient zu unser aller Schutz. Und hör auf,

Pavel zu verklären, als wäre er ein romantischer Held. Ich weiß, du bist erst siebzehn, aber jetzt ist nicht die Zeit für Schwärmereien. Überleg dir gut, ob du das wirklich machen willst. Du riskierst beim kleinsten Fehler dein Leben. Dann wird man dich einsperren, schlagen und so lange foltern, bis du alles preisgibst, was du weißt. Noch kannst du aussteigen. Du hast nichts getan. Ich verschwinde dann sofort aus deinem Leben.« Marlene erhob sich halb von der Bank, als wolle sie ihre Ankündigung sogleich umsetzen.

»Warum regst du dich so auf? Ich habe ja nur gefragt. Außerdem werde ich in wenigen Wochen achtzehn.« Deborah schmollte wie ein Kätzchen und sah plötzlich so jung aus, dass Marlene erneut Zweifel überkamen, ob es die richtige Entscheidung gewesen war, Deborah anzuwerben. Das Risiko erschien ihr plötzlich unverhältnismäßig hoch. Das Mädchen hatte sicherlich beste Anlagen, war aber auch sehr unausgeglichen und sprunghaft.

Dann seufzte sie ergeben. Es war zu spät für Bedenken. Alles, was sie tun konnte, war, Deborah fest an die Hand zu nehmen und das Beste zu hoffen. Der Krieg ging in eine entscheidende Phase. Marlene wusste, dass sie viel zu wenige waren und kaum Möglichkeiten hatten.

Schon vor dem Krieg hatte es eine antisemitische Bewegung in Polen gegeben. Manche Polen kollaborierten mit den Deutschen und tolerierten, was mit den Juden geschah. Die wenigen Stimmen der Vernunft waren verstummt, die gesamte geistige Elite Krakaus war längst geflohen oder von den Nazis ermordet worden. Schon im November 1939 hatte man alle Professoren der berühmten, im 14. Jahrhundert gegründeten Jagiellonen-Universität, eine der ältesten Europas, zusammengetrieben und ermordet.

Ihre Widerstandsgruppe war klein, verfügte über wenig Unterstützung und hatte vor allem kein Geld. Und kein Geld bedeutete keine Waffen. Daher war jede noch so kleine Information über ihre Feinde so wichtig. Wichtiger als ihr Leben und das Leben Deborahs. Aber das sprach Marlene nicht laut aus. Im Grunde hatte sie immer noch Angst, dass Deborah einen Rückzieher machen könnte. Laut Jakob war Albrecht Brunnmann ein wichtiger Faktor in diesem Krieg. Jakob hatte aus verschiedenen anderen Quellen bereits einiges über Brunnmann in Erfahrung bringen können. Wenn nur ein Teil davon stimmte, kam Deborahs Freund eine zentrale Rolle im zweiten großen Krieg der Nazis zu: der Vernichtung alles jüdischen Lebens und ihrer Kultur in Europa.

Das war einer der Gründe, warum sie sich der jüdischen Kampforganisation *Żydowska Organizacja Bojowa*, kurz ŻOB, angeschlossen hatte. Sie war Halbjüdin. Marlene hieß eigentlich Anna von Dürkheim.

Annas Mutter war eine galizische Jüdin aus Krakau, ihr Vater ein junger deutscher Adeliger. Es war die typische Mesalliance jener Zeit. Sie, das arme slawische Dienstmädchen, und er, der Sohn des Hauses. Der alte Baron hatte seinen einzigen Sohn daraufhin enterbt, da er weit unter Stand gewählt hatte. Annas Vater hatte im Ersten Weltkrieg als Offizier gekämpft und war in den letzten Kriegstagen 1918 in Frankreich gefallen, ohne je erfahren zu haben, dass er ein Kind haben würde. Ihre Mutter wurde wenige Monate später, kurz nach Annas Geburt, von der Spanischen Grippe dahingerafft.

Anna wuchs in Berlin in der Obhut der Großeltern auf, die nach dem Verlust des einzigen Sohnes ihr Enkelkind doch noch angenommen hatten. Anna hatte gerade ihr Abitur bestanden, als die Nazis begannen, die ersten Juden zu deportieren. Sofort hatte sie sich einer Studentenorganisation angeschlossen, die vor allem mittellosen Juden half, aus Deutschland zu flüchten. Anfang 1939 war sie von der Gestapo gefasst worden und in die Hände des Sadisten Hubertus von Greiff geraten. Ihr Großvater hatte alle Hebel in Bewegung gesetzt, um sie aus dem Gefängnis zu holen; es hatte ihn eine Menge Gefälligkeiten und ein halbes Vermögen gekostet.

Ein Monat in den Händen der Gestapo hatte Annas Willen nicht brechen können. Im Gegenteil, die Erfahrung hatte sie nur umso mehr darin bestärkt, weiter für die Sache der Juden zu kämpfen. Gegen den Willen ihrer Großeltern war sie deshalb im Frühjahr 1939 nach Krakau gereist, um die Familie ihrer Mutter zu suchen und ihre Wurzeln zu finden. Und sie hatte sie gefunden: Die Familie, zwei ältere Schwestern mit ihren Männern, nahm sie mit offenen Armen auf.

In Krakau war sie dann Jakob begegnet, hatte sich Hals über Kopf in ihn verliebt und beschlossen, für immer zu bleiben.

Doch die Nazis waren schließlich auch nach Polen und nach Krakau gekommen. Anna schloss sich wie Jakob der ŻOB an, änderte ihr Aussehen und nahm den Namen Marlene Kalten an. Seit zwei Jahren führte sie ein gefährliches Doppelleben.

Marlenes Befürchtungen waren umsonst.

Deborah war nach wie vor fest dazu entschlossen, sich in dieses neue, aufregende Abenteuer zu stürzen. Sie fühlte sich dadurch freier und vor allem erwachsen. Besonders gefiel ihr, dass sie dadurch Teil von etwas Großem und Sinnvollem geworden war – etwas, wovon Albrecht nichts wusste und ausgeschlossen war.

Marlene kam erneut auf die Papiere in Albrechts Tasche zu sprechen. »Aber wenn wir sie entwenden, weiß Albrecht doch sofort Bescheid, oder?«, wandte Deborah ein.

»Natürlich nehme ich sie nicht an mich, du Schaf. Ich würde sie nur sichten und fotografieren. Er wird nicht merken, dass sich jemand daran zu schaffen gemacht hat. Aber zunächst sollten wir überlegen, wie wir überhaupt an sie herankommen können.«

»Ich könnte versuchen, die Zahlenkombination des Safes herauszubekommen«, bot Deborah mit dem Eifer der neu Rekrutierten an.

»Wie willst du das anstellen? Dich hinter Albrecht stellen und ihm beim Öffnen zusehen? Nein, das wäre viel zu offensichtlich.« Marlene schüttelte den Kopf. »Albrecht Brunnmann gilt als extrem misstrauisch. Er könnte Verdacht schöpfen. Unnötig, dich auf diese Weise in Gefahr zu bringen. Tja, wir können wohl kaum darauf hoffen, dass er versehentlich einmal vergisst, die Unterlagen im Tresor zu hinterlegen. Das wäre das Einfachste. Warum sollte er es uns auch leicht machen«, schloss Marlene verdrießlich.

Deborah hatte bei ihren letzten Worten aufgehorcht.

»Im Gegenteil! Das ist sogar schon ein paar Mal passiert. Aber nicht, seit wir hier in Krakau sind. Tut mir leid, Marlene, aber ich habe bisher nicht sonderlich darauf geachtet.« Deborah schien ehrlich betrübt zu sein, etwas von solch essenzieller Bedeutung bisher kaum Beachtung geschenkt zu haben.

Angestrengt versuchte sich Deborah an die wenigen Gelegenheiten zu erinnern, an denen Albrecht die Tasche lediglich auf Tisch oder Sofa deponiert und deren Inhalt erst später im Tresor untergebracht hatte. Eigentlich war dies immer nur dann geschehen, wenn sie ihn ungeduldig an der Tür abgefangen und ihm keine Luft für etwas anderes gelassen hatte, außer ihn begierig ins Bett zu zerren.

So konnte es funktionieren: Sie würde Albrecht ablenken und derart durcheinanderbringen, dass er seine ominöse Aktentasche für einen Moment vergessen würde. Danach müsste sie ihn zu einem Besuch in der Hotelbar überreden. Deborah besaß einen zweiten Schlüssel für die Suite, den sie Marlene geben würde. Albrecht trug seinen Schlüssel immer bei sich. Marlene konnte sich so lange in der Hauswirtschaftskammer, die direkt auf dem Flur an die Suite anschloss, verstecken. Sobald sie die Unterlagen fotografiert hätte, könnte sie das Zimmer wieder absperren und den Schlüssel anschließend in der Kammer deponieren, wo Deborah ihn sich bei nächster Gelegenheit holen würde. Hastig sprudelte sie ihren Plan hervor.

Marlene schien nicht abgeneigt. »Da müssten wir aber großes Glück haben, dass es gleich beim ersten Mal funktioniert.

Hier im Hotel logieren ausschließlich deutsche Offiziere, Funktionäre und zivile Kriegsgewinnler, die mit den Nazis ihre Geschäfte tätigen. Ich kann mich schlecht stundenlang auf gut Glück nebenan in der Hauswirtschaftskammer verschanzen. Wenn mich jemand zufällig entdeckt, dürfte ich mich mit einer Erklärung schwertun.«

Marlene machte noch einen Gegenvorschlag, der sich dann allerdings noch riskanter anhörte: Abzuwarten, bis Albrecht mit Deborah ausging, und dann mit Deborahs Schlüssel und einem handwerklich begabten Helfer einzudringen, um den Safe zu öffnen. Der Haken daran war, dass sie nicht wusste, ob es in ihrer Gruppe jemanden gab, der sich mit Tresoren auskannte. Jakob würde sich umhören müssen – was das Risiko um einen weiteren Mitwisser erhöhte. Problematisch war auch, dass dies sicherlich Spuren am Schloss hinterlassen würde. Und sie wollten ja unbedingt vermeiden, dass Brunnmann Verdacht schöpfte.

Am simpelsten, überlegte Marlene, wäre ein Schlafmittel, aber daran zu kommen war schwer. Jakob hatte es bereits mehrmals erfolglos versucht. Außerdem könnten die am nächsten Morgen zwangsläufig auftretenden Nachwirkungen einen so misstrauischen Mann wie Brunnmann womöglich auf den Plan rufen. Eine Weile diskutierten die beiden jungen Frauen und wogen die Risiken gegeneinander ab.

Nach einigem Hin und Her stimmte Marlene schließlich Deborahs Vorschlag zu, obwohl ihr jetzt schon davor graute, womöglich Abend für Abend umsonst in der Kammer auszuharren, vor Ungeduld fiebernd und ständig der Angst ausgesetzt, von einer Hotelangestellten entdeckt zu werden. Jedes Geräusch und jeder Schritt würden sie alarmieren, bis sie den erlösenden Code hören würde, den sie mit Deborah vereinbart hatte. Wenn Deborah auf dem Weg in die Bar sagte: »Jetzt freue ich mich auf ein Glas Champagner, Albrecht«, würde dies bedeuten, dass die Tasche sicher verstaut im Safe lag und Marlene unverrichteter Dinge wieder abziehen müsste. Erwähnte Deborah aber, »dass es ein schöner Abend sei«, dann läge die Tasche unbeaufsichtigt im Zimmer.

Dann gälte es also, ungesehen ins Zimmer zu schlüpfen, die Unterlagen abzufotografieren und möglichst unbemerkt aus dem Hotel zu verschwinden. Marlene müsste um jeden Preis verhindern, dass sie jemand ansprach oder auf einen Drink in die Bar einlud, wo sie unweigerlich auf Albrecht und Deborah treffen würde. Dass einer der männlichen Hotelgäste sie als die Geliebte von Ernst erkannte, konnte durchaus geschehen.

Nach vier Anläufen innerhalb von neun Tagen – Marlene musste zwischendurch mit Ernst verreisen, und Albrecht kehrte einige Male erst spätnachts von seiner geheimnisvollen Tätigkeit zurück – hatten sie ihren Plan noch immer nicht umgesetzt. Es waren Tage und Nächte, in denen Deborah vor Anspannung fast verging; nicht einmal das Singen konnte ihr die ersehnte Linderung verschaffen.

Zum ersten Mal erlebte Deborah, wie etwas, das man sonst aus eigenem Antrieb und mit Wonne tat, plötzlich zur lästigen Pflichterfüllung wurde. So war sie, als Marlene erstmals abends in der Kammer nebenan kauerte, so nervös und fahrig in ihrem Liebesspiel gewesen, dass es Albrecht aufgefallen war und sie sich mit plötzlichen Kopfschmerzen bei ihm hatte entschuldigen müssen.

Kapitel 43

Die fortdauernde Anspannung forderte bald ihren Tribut. Die Stimmung unter den Freundinnen wurde von Tag zu Tag gereizter. Schon eine Lappalie reichte aus, um sich in die Haare zu geraten. Dabei war es kaum förderlich, dass die beiden ihre Stimme nicht erheben konnten, aus Angst vor unerwünschten Lauschern.

Aber sie vertrugen sich auch sehr schnell wieder, dafür sorgte meist Marlene, die stets auf Harmonie und Ausgleich bedacht war. Es waren Deborahs kleine Unvorsichtigkeiten, die Marlene aber immer wieder in Aufregung versetzten.

»Du hast was?«, rief sie wieder einmal entsetzt, dämpfte aber sofort ihre Stimme. Es war später Vormittag, und sie saßen auf dem Sofa der Suite. Deborah hatte Marlene gerade gestanden, dass sie Albrecht am Abend zuvor vorgeworfen hatte, seine dämliche Aktentasche sei ihm wichtiger als sie.

Es frustrierte Deborah zunehmend, dass, egal wie raffiniert sie sich für Albrecht zurechtmachte und ihn zu verführen suchte, er im Gegensatz zu den ersten Tagen ihrer Liaison jetzt immer einen kühlen Kopf bewahrte und sie zunächst, wenn auch lachend, abwimmelte, um seine kostbaren Papiere sicher im Safe zu verstauen.

»Verdammt, ich habe dir doch gesagt, dass du so tun musst, als wäre diese Tasche für dich nicht existent!« In Ermangelung der Möglichkeit, laut zu werden, brachte Marlene ihre Wut damit zum Ausdruck, dass sie ins Sofakissen boxte. *Dieses verflixte Kind würde noch alles ruinieren!*

Später am Nachmittag traf Marlene mit Jakob zusammen und berichtete ihm davon. Doch er zuckte nur mit den breiten Schultern: »Na und? Sie benimmt sich eben wie jedes junge Mädchen. Sie ist eifersüchtig auf diese Tasche. Vermutlich war es nicht einmal falsch von ihr, sondern eher natürlich, auf diese Weise zu reagieren. Vielleicht braucht ihr einfach nur einen neuen Plan. Die Zeit zerrinnt uns allmählich zwischen den Fingern. Die Ermordung der polnischen Juden ist längst beschlossene Sache. Immer mehr werden in die Ghettos gepfercht. Auch aus Warschau haben mich heute beunruhigende Nachrichten erreicht. Wir planen demnächst einen großen Schlag gegen die Nazis. Wenn er uns gelingt, wird unsere Lage hier noch prekärer werden. Die Deutschen werden dann jeden verdammten Kieselstein umdrehen. Wir müssen uns deshalb unbedingt vorher der Informationen von Brunnmann versichern. Denk dir also was aus, Marlene, aber rasch.«

Zwei Tage und einen weiteren Streit mit Marlene später war Deborah zutiefst frustriert. In der Sache mit der Aktentasche waren sie keinen Schritt weitergekommen. Außerdem haderte sie mit ihrer Spionagetätigkeit. Sie hatte sich weit mehr davon für sich erhofft. Sie wollte sich als richtige Spionin fühlen und etwas Großes und Wichtiges zur Sache beitragen. Aber bis dato hatte sie noch so gut wie gar nichts ausspioniert, außer ein paar Tischgespräche belauscht und deren Inhalt an Marlene weitergegeben. Ob davon etwas für den Widerstand verwertbar war, würde sie sowieso nie erfahren. Wenn sie bisher nur eine verhinderte Spionin war, so wollte sie wenigstens ausprobieren, wie es sich anfühlte, als einfache Polin durch Krakau zu wandern. Zwar genoss es Deborah bei ihren Spaziergängen, in ihrer schicken Kleidung aufzufallen, aber jetzt wollte sie endlich herausfinden, wie es war, unbeachtet zu sein und mit der Menge zu verschmelzen, quasi in ihr unterzutauchen und ein Niemand zu sein. Außerdem gehörte es zu ihrer Bühnenausbildung, in andere Rollen zu schlüpfen. Schon als kleines Mädchen hatte sie ihre Mutter zu Hause bei ihren Rollenstudien beobachtet und imitiert.

Also überlegte sie nicht lange und zog einen einfachen dunklen Kittel und ein Kopftuch aus dem Schrank hervor. Beides hatte sie erst kürzlich auf dem Markt erworben. Die meisten Frauen auf Krakaus Straßen kleideten sich auf diese unauffällige Art. Sie probte lange vor dem Spiegel, auch eine andere Haltung, die Schultern etwas hochgezogen. Ja, Deborah nickte ihrem Spiegelbild zufrieden zu: In diesem Aufzug, ihr Haar unter dem Kopftuch verborgen und in dem unförmigen Kittel, wirkte sie wie eine völlig andere Person. Nicht einmal Marlene würde sie so erkennen! Um im Hotel nicht unnötig aufzufallen, streifte sie beides wieder ab und zog die einfachen Kleidungsstücke erst in einer ruhigen Nebengasse über.

Der Hauptmarkt Krakaus, Rynek Glówny im Polnischen, unterschied sich in vielerlei Hinsicht vom Marienplatz oder Viktualienmarkt in München und doch eigentlich wieder nicht. Deborah hätte nicht beschreiben können, warum, aber sie fühlte sich dort seltsam zu Hause. Der Platz war ein zweihundert mal zweihundert Meter messendes Geviert und hatte im Mittelalter als der größte europäische Markt gegolten. Zahlreiche Bürgerhäuser, die meisten zweistöckig und mit schmalen Fronten und tiefen Höfen, rahmten ihn ein. Verschiedene Baumeister hatten sich im Laufe der Jahrhunderte an ihnen versucht und sie mit Barock- und Renaissancemerkmalen reich verziert.

Auf einer Seite wurde der Markt von der berühmten, einhundert Meter langen Tuchhalle Sukiennice eingerahmt, dem größten Bürgerbau der Stadt. Ein italienischer Architekt, Santi Gucci, hatte sie Mitte des 16. Jahrhunderts im Renaissancestil erbaut. Vom alten Rathaus war nur noch der Turm erhalten.

Das Einzige, was Deborah an dem Treiben vor dieser prächtigen Kulisse störte, war, dass es den Menschen hier irgendwie an Unbeschwertheit mangelte. Der Viktualienmarkt ihrer Kindheit war bunt und laut gewesen, ein Gedränge und ein Rufen, selbst dann noch, als die feilgebotenen Waren in den letzten Jahren nicht mehr üppig vorhanden waren, aber trotzdem war die Freude am Verkaufen und Feilschen bei den Münchnern immer spürbar gewesen.

Die polnischen Verkäufer und Marktbesucher hingegen wirkten merkwürdig gezwungen, als stünden sie unter permanenter Anspannung. Viele der Käufer strahlten Hektik aus, sie huschten von Stand zu Stand, als wollten sie ihre Einkäufe so schnell wie möglich hinter sich bringen, um nach Hause zurückzukehren. Diesen Eindruck hatte Deborah allerdings erst gewonnen, seit Marlene ihre Beobachtungsgabe dafür geschärft hatte. Deborah korrigierte ihre Haltung nochmals und ahmte eine Bäuerin nach, die in der einen Hand einen Korb trug und mit der anderen ihr Kopftuch unter dem Kinn festhielt. Sie musste sich unbedingt noch so einen Korb besorgen!

Wie schon oft zuvor suchten Deborahs Augen auf dem Platz das Denkmal von Adam Mickiewicz, das stets von einem Schwarm Tauben umlagert wurde. Marlene hatte ihr erzählt, dass die Vögel der Legende nach alle verwunschene Ritter seien. Am besten gefiel Deborah die Marienkirche mit ihren zwei mächtigen Türmen. Sie hatte sie schon oft besucht. Sie konnte nicht genau sagen, warum es so war, aber merkwürdigerweise fühlte sie sich in der Kirche ihren Lieben zu Hause besonders nahe, als verfüge das Gotteshaus über eine direkte Verbindung nach München. Lag es am leisen Murmeln der wenigen alten Frauen, die schwarz gewandet die sonst leeren Bänke besetzten, während sich ihre Hoffnung auf Gott mit dem Duft des Weihrauchs vermengte? Jedenfalls linderte die Kirche Deborahs Heimweh. Auch jetzt steuerte sie darauf zu.

Plötzlich hörte sie laute Rufe ganz in ihrer Nähe. Sie wandte sich automatisch in die Richtung, aus der sie das »Halt, stehen bleiben!« gehört hatte, und sah einen Mann in vollem Lauf direkt auf sich zurennen.

Sie wich nach rechts aus.

Leider hatte der Mann die gleiche Idee, prallte voll gegen Deborah und riss sie dabei um. Deborah stürzte und stieß sich dabei schmerzhaft am Kopfsteinpflaster. Instinktiv hatte sie versucht, sich mit den Händen abzustützen. Am Boden sitzend, inspizierte sie ihre zerschundenen Handflächen, Blut sickerte aus einigen Rissen. Mit den Augen suchte Deborah jetzt nach ihrer Handtasche, als ihr einfiel, dass sie heute ja keine mitgenommen hatte. Das elegante Krokoleder hätte nicht zu ihrer Verkleidung gepasst. Also kein Taschentuch.

Neben sich hörte sie jetzt den Mann stöhnen, der sie umgerissen hatte. Er war schon etwas älter und trug einen fadenscheinigen Anzug. Eine zerbrochene Brille lag nicht weit von ihm. Offenbar hatte er sich bei dem Sturz mehr getan als sie, er lag zusammengekrümmt da wie ein Embryo und hielt seine Schulter umklammert. Deborah rutschte zu ihm. »Hallo, können Sie mich verstehen?«

Bevor der Mann ihr noch antworten konnte, waren zwei weitere Männer herangeeilt. Offenbar seine Verfolger. Sie trugen die Uniform von Angehörigen der SS. Von Marlene wusste Deborah, dass es hauptsächlich diese Männer waren, die die Konzentrationslager im Generalgouvernement bewachten und für die meisten Morde und Gräueltaten verantwortlich waren. Der eine stieß Deborah nun mit der Stiefelspitze grob zur Seite, sodass sie umkippte und hart auf ihren Ellenbogen fiel, dann packten die Polizisten den Mann gemeinsam an den Armen und zogen ihn auf die Beine. Der Verletzte wimmerte vor Schmerz.

»Was fällt Ihnen ein!«, rief Deborah empört, sowohl, weil sie selbst eine solch grobe Behandlung nicht gewohnt war, aber vor allem wegen des Verletzten. Er ähnelte einem der Professoren ihrer Münchner Musikschule und tat ihr leid.

»Halt's Maul, Weib. Die Judensau geht dich nichts an«, blaffte sie der eine an. Der Geruch von abgestandenem Alkohol schlug

Deborah entgegen. Angewidert verzog sie den Mund. Der Mann war groß, hatte ein blasses Gesicht und gemeine Augen.

»Los, Adi«, rief dieser jetzt seinem Kameraden zu. »Zieh dem Kerl die Hosen runter.«

Inzwischen hatte sich eine kleine Menge Schaulustiger um sie herum versammelt. Deborah traute ihren Augen und Ohren nicht. Der zweite Soldat riss dem älteren Herrn tatsächlich vor aller Augen die Hosen herunter und entblößte seine Genitalien! Dann packte er dessen Penis, zerrte heftig daran und schrie: »Wusste ich es doch. Beschnitten!« Er zog seine Waffe und hielt sie dem Gequälten, der, gelähmt vor Scham und Entsetzen, die Augen geschlossen hatte, an die Schläfe. »Jetzt stirbst du, Judensau!«

Eben noch fassungslos, kochte jetzt rasende Wut in Deborah hoch. Marlenes Rat in den Wind schlagend, sich niemals zwischen Jäger und Beute zu stellen, warf sie sich mit ihrem ganzen bescheidenen Gewicht dazwischen: »Hören Sie sofort auf! Der Mann hat nichts getan. Er ist doch nur …«

Weiter kam sie nicht. Der Blasse packte sie und schleuderte sie unsanft zu Boden. »Du Judenflittchen hast mir gar nichts zu sagen!« Er packte Deborah, deren Kopftuch sich gelöst hatte, roh an den Haaren und zerrte sie wieder auf die Beine. Deborah schrie und schlug wild um sich. Der Mann, der sie um zwei Köpfe überragte und dessen Uniform vor Kraft an den Schultern spannte, hob daraufhin die rechte Faust und hieb sie ihr beinahe spielerisch in den Bauch.

Deborah glaubte, in zwei Hälften gerissen zu werden. Stöhnend sackte sie auf das harte Kopfsteinpflaster, rote Schleier wehten durch ihr Sichtfeld. Sekundenlang rang sie um Luft. Während sie darum kämpfte, nicht das Bewusstsein zu verlieren, bekam sie am Rande mit, wie jemand ihr zu Hilfe eilen wollte. Dabei wurde dieser selbst von einem wuchtigen Faustschlag niedergestreckt. Der Blasse baute sich über dem Retter auf und brüllte ihn Speichel sprühend an: »Was? Noch ein Judensack? Hier muss ein Nest sein. Los, aufstehen, und dann die Hosen runter.«

Deborah, die nun endlich wieder etwas Luft bekam, aber noch immer kein Wort herausbrachte, erkannte verblüfft Osman in ihrem Verteidiger. Er trug keine Uniform, sondern die einfache Kleidung eines polnischen Bauern. *Wie kam Osman hierher?* Und warum trug er keine Uniform, sondern hatte sich ähnlich verkleidet wie sie, wunderte sie sich. Als Osman keine Anstalten machte aufzustehen, zog der SS-Mann seine Pistole und zielte auf die am Boden kniende Deborah. »Ich zähle jetzt bis drei, und wenn du mir dann immer noch nicht deinen dreckigen Schwanz gezeigt hast, dann hat die Hure ein Loch im Pelz! Eins … zwei …«

Osman rappelte sich auf und blickte stumm zu Deborah. Sie tauschten einen langen Blick. In seinen Augen lag alles Leid der Welt. Dann löste er seinen Gürtel, ließ die Hose fallen und zog die Unterhose herunter. Deborah wandte den Kopf ab. Tränen des Schmerzes und Mitleids traten ihr in die Augen. Der Blasse starrte, runzelte die Stirn, kniff die Augen zusammen und trat näher an Osman heran.

Unvermittelt brach er in schallendes Gelächter aus und zeigte mit dem Finger auf Osmans entblößte Genitalien. »Sieh dir das an, Adi! Diese Kreatur ist nicht nur beschnitten, sie hat noch nicht einmal mehr ihre Eier! Das ist wahrlich eine Missgeburt. Vielleicht sollten wir mal nachsehen, ob er statt Füßen ein Paar Hufe hat? Was meinst du?« Er bog sich vor Lachen.

Zwischenzeitlich hatte das Schauspiel noch mehr Zuschauer herbeigelockt, darunter auch einige Wehrmachtssoldaten, aber außer dem Grölen der beiden SSler kam nur hier und da vereinzeltes und eher verhaltenes Lachen auf. Ob aus Angst oder Abscheu oder einfach nur aus simpler Abgestumpftheit, weil sich bereits zu viele ähnliche Szenen in der Stadt ereignet hatten, war nicht klar.

Der zweite SS-Mann trat näher, ließ aber den älteren Verletzten nicht los, sondern zerrte ihn mit sich. Dann lachte er ebenfalls meckernd. »Du hast recht, Rudi. Ich glaube nicht, dass mir je ein hässlicheres Exemplar untergekommen ist. Wie ist dein Name, Judenschwein?«, brüllte er Osman zu.

Und als Osman seiner Meinung nach nicht schnell genug antwortete, schlug er ihm sofort hart ins Gesicht.

»Was geht hier vor?«, erklang unvermittelt eine autoritäre Stimme, die zu einem SS-Offizier gehörte. Sofort teilte sich die Menge pflichtschuldigst vor ihm.

Die beiden SS-Polizisten nahmen Haltung an.

»Wir haben zwei Judenschweine und ihr Flittchen geschnappt, Hauptsturmführer«, schnarrte der Blasse namens Adi und reckte das Kinn.

Der Hauptsturmführer streifte Osmans Blöße mit einem geringschätzigen Blick und blieb dann auf Deborah haften, die immer noch auf dem Boden kniete. Er stutzte, eilte zu ihr und half ihr dann behutsam auf die Beine. Schwankend lehnte sich Deborah an ihn.

»Herrgott, Fräulein Malpran«, rief er erschrocken aus. »Sie sind das! Was ist Ihnen denn geschehen? Soll ich einen Arzt rufen?« Er wandte sich hilfesuchend um und rief in die Runde: »Ist hier ein Arzt in der Nähe?« Adi und Fritz tauschten einen verständnislosen Blick. Osman zog sich blitzschnell an und eilte an Deborahs andere Seite. Der Offizier wollte ihn davon abhalten, aber Deborah, die noch immer kaum sprechen konnte, flüsterte: »Nein ... das ist Osman ... der Chauffeur ... des Obersturmbannführers.«

Ein winziger alter Pole mit schlohweißem Haar meldete sich: »Ich Arzt, bitta schön. Kommen Sie, Praxis ist sich hier ganz nahe«, sagte er in gebrochenem Deutsch. Geschäftig bahnte er sich einen Weg durch die Zuschauer, gefolgt von dem SS-Offizier und Osman, die Deborah stützten.

Bevor sie sich entfernten, wandte sich der Offizier kurz den SS-Polizisten zu: »Sie beide kehren auf der Stelle in Ihr Quartier zurück und halten sich bis auf Weiteres bereit! Das wird ein Nachspiel für Sie haben! Verlassen Sie sich darauf!«, drohte er ihnen.

Deborah saß auf einer harten Pritsche in einer kargen Praxis mit erschreckend leerer Vitrine. Nichts erinnerte auch nur im Entferntesten an die gut ausgestattete, anheimelnde Praxis ihres Vaters, in der es an nichts gefehlt und deren angenehme Atmosphäre einem jeden Kranken das Gefühl vermittelt hatte, sehr bald wieder gesund zu werden.

»Bitte, es geht schon wieder«, flüsterte Deborah. Sie verspürte den unwiderstehlichen Drang, sofort ins Hotel zurückzukehren, sich einzuschließen und ihre Scham und Wut mit dem Messer zu betäuben.

Der Arzt hatte leichte und flinke Hände und dazu einen pfiffigen Humor. »Kleine Frau, nix schlimm passiert. Dafür lange schöne Farben auf Bauch blühen. Wie Blume, ja?«, sagte er und lächelte sie an. Er verabreichte Deborah eine trübe Flüssigkeit: »Gut trinken. Nix schlecht, nix übel, ja?« Er ermahnte sie weiter, sich eine Weile auszuruhen. Und ergänzte: »Falls Sie doch schlimme Schmerzen oder rotes Blut in Toilettenstuhl, dann schnell Doktor suchen, bitta schön, ja?«

Dann durfte sie gehen. Der Hauptsturmführer, der sie als häufiger Gast in der Bar des Grand Hotel als Albrecht Brunnmanns Begleitung wiedererkannt hatte, begleitete sie und Osman zum Hotel zurück. Er entschuldigte sich beinahe den ganzen Weg über bei Deborah für dieses furchtbare Missgeschick. Bei Osman entschuldigte er sich nicht. Vor dem Hotel verabschiedete er sich dann ziemlich hastig von ihr und stob davon.

Erst danach fiel Deborah auf, dass er sich ihr nicht namentlich vorgestellt hatte. Osman schickte sich ebenfalls an, unauffällig in sein Quartier zu verschwinden. Deborah legte ihm leicht die Finger auf die Hand und hielt ihn zurück: »Osman, auf ein Wort. Ich möchte dir danken, und ich muss mich bei dir entschuldigen. Das, was heute geschehen ist, war furchtbar.

Die Menschen sind furchtbar. Nimmst du meine Entschuldigung an?«

Osmans Antwort bestand darin, dass er vor ihr auf ein Knie sank. Verwirrt starrte Deborah auf ihn hinunter. Er beugte den Kopf, nahm mit beiden Händen ihre rechte Hand und presste seine Stirn sekundenlang darauf. Dann rappelte er sich auf und hetzte davon. Eigentlich hatte Deborah ihn noch fragen wollen, was er ohne seine Uniform auf dem Hauptmarkt zu suchen hatte. Der Gedanke ließ sie stutzen. War das Tragen der Uniform für Angehörige der SS, zu der Osman als Chauffeur Albrechts gehörte, nicht sogar Pflicht? Aber Osman hätte ihr sowieso nicht auf ihre Fragen antworten können.

Sie nahm sich aber vor, ihn bei nächster Gelegenheit darauf anzusprechen. Das Rätsel interessierte sie, auch, ob er Albrecht davon erzählen würde. Sollte sie es ihm selbst erzählen? Nein, beschloss sie. Lieber wollte sie warten, ob Albrecht sie darauf ansprach. Dann konnte sie immer noch improvisieren. Irgendwie merkwürdig, überlegte sie weiter. Sie und Osman hatten sich heute beide »verkleidet« und waren prompt in eine böse Situation geraten. Sie begriff, dass die Uniform einen Schutz für Osman darstellte, der tatsächlich etwas Fremdländisches an sich hatte, ebenso wie ihre schicken Kostüme sie als deutsche Dame auswiesen. Kleider machten nicht nur Leute, sie schützten auch! Kein Wunder, dass die Besucher auf dem Hauptmarkt sich so klein und unauffällig gaben wie möglich. Niemand wollte die Aufmerksamkeit der Deutschen und ihrer Helfer auf sich lenken.

Kapitel 44

Deborah hatte im Anschluss an das hässliche Abenteuer ein ausgiebiges Bad genommen. Mit dem handlichen Stilett, das Albrecht ihr kürzlich feierlich überreicht hatte und das sie immer bei sich trug, hatte sie ausgiebig ihre Arme geritzt und dabei zugesehen, wie ihr Blut ins Badewasser tropfte und es rosa färbte. Danach hatte sie sich, wie von dem kleinen Arzt angeordnet, ausgeruht. Ihre vitale Konstitution tat ihr Werk, und als gegen siebzehn Uhr Marlene erschien, fühlte sie sich beinahe wieder vollkommen hergestellt.

Zehn Minuten später ging ihre Freundin schon wieder. Angeblich, weil sie eine Verabredung mit Ernst hatte, aber sie war wohl immer noch verstimmt wegen dieser blöden Meinungsverschiedenheit. Deborah fühlte sich von Marlene nebensächlich abgehandelt und fasste einen spontanen Entschluss: Sie würde Marlene folgen! Schnell schnappte sie sich Mantel, Hut und Handschuhe und trat auf den Flur. Marlene war nicht mehr zu sehen.

Wie es ihrer Gewohnheit entsprach, hatte Marlene nicht den Aufzug, sondern die Treppe gewählt, denn sie fühlte sich in kleinen Räumen nicht wohl. Umso mehr zählte ihre Bereitschaft, stundenlang in der Wäschekammer auszuharren.

Deborah bevorzugte es da bequemer. Sie entdeckte den Aufzug einladend und leer auf ihrem Stockwerk. Wie so oft war von dem kleinen Liftboy weit und breit nichts zu sehen. Deborah fuhr die drei Stockwerke hinab und hoffte, noch vor Marlene unten anzulangen.

Als sie den Aufzug verließ, sah sie sich aufmerksam um und verbarg sich augenblicklich hinter einer der hohen Stechpalmen, die den Aufzug rechts und links säumten. Nicht zu früh. Kaum zwei Sekunden später tauchte Marlene auf den letzten Stufen der Treppe auf und durchquerte die Hotelhalle. Deborah folgte ihr.

Jetzt, am späten Nachmittag, waren Straßen und Plätze belebt, sodass es Deborah nicht schwerfiel, Marlene unauffällig zu folgen, die zügig ausschritt und den Weg in Richtung Hauptmarkt einschlug. Sie folgte Marlene quer über den Marktplatz. Zweimal hätte sie sie beinahe in der Menge verloren, doch sie ahnte bereits, wohin es ihre Freundin zog: auf den kleineren Markt Maly Rynek, der hinter der Marienkirche lag.

In der Gegend gab es einige gute Bekleidungsgeschäfte und Schneidereien sowie eine Reihe kleinerer Lokale und Cafés. Tatsächlich steuerte Marlene jetzt auf eine der besten Schneidereien Krakaus zu, die sich auf Abendmode spezialisiert hatte. Scheinbar interessiert betrachtete ihre Freundin die Auslage im Fenster.

Gerade noch rechtzeitig fiel Deborah eine von Marlenes Lektionen ein, und so huschte sie hinter eine Hausecke. Marlene begutachtete nicht die Auslage, sondern beobachtete durch das spiegelnde Glas, ob ihr jemand gefolgt war. Dann erst betrat sie das Geschäft.

Deborah überquerte nun die schmale Straße und blieb unschlüssig vor dem Laden stehen. Mechanisch warf sie gleichfalls einen Blick in das einzige Schaufenster, schenkte aber dem schwarzen, raffiniert drapierten Abendkleid keine Beachtung. Sie zögerte, den Laden zu betreten. Sollte sie Marlene zur Rede stellen, weshalb sie vorgab, sich mit Ernst zu treffen, dann aber alleine einkaufen ging? Oder sollte sie so tun, als hätte sie ebenfalls beschlossen, einkaufen zu gehen, und man sich nun aus purem Zufall hier traf? Sie verwarf beides. Marlene würde sofort wissen, dass Deborah ihr heimlich gefolgt war.

Zwei gut gekleidete junge Damen in älterer Herrenbegleitung schlenderten heran, blieben vor dem Fenster stehen und widmeten sich mit großem Palaver den Vorzügen des ausgestellten Kleides. Die Herren widmeten sich den Vorzügen Deborahs.

Deborah fand ihre unverhohlenen Blicke unangenehm und fühlte sich plötzlich reichlich fehl am Platz. Ihr Elan erlosch. Wie albern von ihr, Marlene einfach so nachzulaufen!

Sie verspürte allerdings auch wenig Lust, ins Hotel zurückzugehen. Unentschlossen blickte sie sich um und erinnerte sich an ein kleines Café, das sich um die Ecke in einer schmalen Gasse hinter der Schneiderei befand.

Sie hatte es zusammen mit Marlene schon ein paar Mal besucht und mochte die beiden freundlichen Schwestern, die dort das Regiment führten und den köstlichsten Kuchen weit und breit servierten. Im selben Augenblick, als sie um die Ecke bog, entdeckte Deborah etwas Unerwartetes: Ihre Freundin Marlene, die die Schneiderei soeben durch den Hintereingang verließ und eilig nach links in die nächste Gasse einschwenkte.

Ohne groß nachzudenken, hastete Deborah ihr auf Zehenspitzen hinterher. Sie sah gerade noch, wie Marlene in einem Hauseingang verschwand. Die Häuser dieser schmalen Gasse waren ineinander verschachtelt, schienen sich in der Ferne zu verengen, während sie in der Höhe zusammenwuchsen. Die Fenster waren klein und die Türstöcke niedrig, und als Deborah das Haus erreichte, in das Marlene ihrer Meinung nach entschwunden war, bemerkte sie, dass drei ausgetretene Stufen zu der Haustür hinabführten. Ein verrostetes Emailleschild hing an einem eisernen Gestänge neben der Tür und bewegte sich leise knarzend im Wind. Die Schrift darauf war polnisch, aber darunter prangte deutlich erkennbar das Abbild eines Stiefels.

Eine Schuhmacherwerkstatt? Deborah überkam der Anflug eines schlechten Gewissens. Sie wusste nicht, was sie erwartet hatte, aber sicherlich nicht, dass sich ihre Freundin lediglich ein Paar neue Schuhe anfertigen ließ!

Erst jetzt gestand sie sich ein, dass sie insgeheim gehofft hatte, Marlene zu überlisten, indem sie ihr zu dem geheimnisvollen Pavel folgte.

Deborah versuchte durch das fast blinde, verschmutzte Fenster ins Haus zu spähen, doch sie konnte rein gar nichts im Inneren erkennen. Auch kein Laut drang nach draußen.

Dann ging alles sehr schnell – Deborah blieb nicht einmal mehr die Zeit, zu schreien. Sie wurde von hinten gepackt, eine grobe, stark nach Tabak riechende Hand schloss sich um ihren Mund, eine zweite um ihre Hüfte. Ohne viel Federlesens wurde sie durch die Eingangstür bugsiert. Der Fremde zerrte sie mit sich in den Raum hinein. Im Halbdunkel des Zimmers waren die wenigen Einrichtungsgegenstände nur schemenhaft zu erkennen. Es roch nach Leder und Gerbsäure.

Der Mann stieß mit dem Fuß eine weitere Tür auf und schleppte sie mit eisernem Griff durch einen langen schmalen Gang weiter in die Dunkelheit hinein. Deborah glaubte, unter seinem Griff ersticken zu müssen. Dann ging es durch eine dritte Tür, die in einen kleinen, fensterlosen Raum mündete, in dem ein Tisch und vier Stühle standen. Sonst nichts. Das einzige Licht spendete eine Kerze. Zwei Personen saßen an dem Tisch und starrten im trüben Dunkel die Neuankömmlinge an.

»Die hat draußen rumgeschnüffelt«, knurrte der kräftige Mann. Er ließ Deborah nicht los, obwohl sie jetzt heftig strampelte und um sich schlug – mit ungefähr dem gleichen Effekt, als würde sie gegen einen Felsen treten. Eines musste man Marlene lassen, sie verzog keine Miene. »Du bist das«, sagte sie nur, und an Jakob alias Pavel gewandt: »Darf ich vorstellen? Das ist Deborah, Brunnmanns kleine Freundin.«

»Hast du den Verstand verloren, einem deutschen Naziliebchen zu vertrauen?«, brüllte Jakob, und seine mächtige Faust

347

sauste mit einem Donnerschlag auf den Tisch nieder, dass dieser einen Satz machte und die Kerze darauf tanzte.

Marlene lächelte ihn honigsüß an: »Nun, das bin ich schließlich auch, nicht wahr, mein Lieber?« Sie zog ihre feinen Augenbrauen in einer bestimmten Weise hoch – offenbar eine unterschwellige Botschaft, deren Bedeutung Jakob sofort den Wind aus den Segeln nahm. Ein Kopfnicken von ihm, und der Mann ließ Deborah so unvermittelt los, dass sie taumelte und sich am Tisch festhalten musste, um nicht zu fallen.

Jakob lehnte sich lässig im Stuhl zurück und streckte die langen Beine aus, die in schwarzen Lederstiefeln steckten. Die Arme vor der Brust verschränkt, musterte er Deborah aus schmalen Augen. Deborah reckte den Kopf und erwiderte trotzig seinen Blick. Marlene schwieg.

»Entschuldige mein Benehmen«, brach Jakob als Erster das Schweigen. Er duzte Deborah ungeniert. »Ich bin unhöflich. Setz dich, bitte. Möchtest du etwas zu trinken? Ich habe Wasser, Wein und sogar deutschen Kaffee.« Ohne eine Antwort abzuwarten, stand er auf und ging zusammen mit dem zweiten Mann hinaus.

Deborah sah Jakob nach.

»Er gefällt dir«, stellte Marlene ruhig fest. »Besser, du lässt die Finger von ihm. Er ist gefährlich.«

»Na und? Das ist Albrecht auch.«

»Ich meine nicht diese Art von gefährlich. Dieser Mann verbrennt dein Herz und lässt nichts als Asche zurück.«

Davon wollte Deborah nichts hören. Außerdem kam die Warnung zu spät. Wie jeder, der Jakob zum ersten Mal begegnete, war auch sie sofort seinem Magnetismus erlegen. Jakob hatte etwas Kraftvolles, Bezwingendes an sich – er wirkte auf Deborah, als könne er die Welt erobern.

Es war Jakobs Stärke, dass sich seine Zuversicht beinahe auf jeden, den er traf, übertrug; er war der geborene Anführer. Deborah war von der ersten Sekunde an von ihm fasziniert. Er erschien ihr wie die großen tapferen Helden der Oper, er war Tristan und Siegfried, Alfredo und Romeo. Das, was sie anfänglich für Albrecht in Zürich und Wien empfunden hatte oder glaubte empfunden zu haben, war ein Nichts gegen das, was sie jetzt für Jakob fühlte. Jakob war der Mann, der für sie bestimmt war. Auf ihn hatte sie gewartet.

»Deine Neugier bringt dich irgendwann um«, sagte Marlene schroff und konzentrierte sich dann scheinbar auf die zerschrammte Tischplatte. Deborah hatte die Kerze zu sich herangezogen und spielte an dem weichen Wachs herum. Keine von ihnen sprach mehr ein Wort, bis Jakob zurückkehrte.

Hinter ihm trippelte ein winziges Mütterchen in einem langen schwarzen Kleid herein. Die Alte trug ein Tablett mit einem irdenen Krug Wein und drei Gläsern. Sie stellte es auf dem Tisch ab, strahlte Deborah zahnlos an und verschwand dann wie ein Schatten.

Jakob setzte sich und tat so, als würde er die im Raum herrschende Feindseligkeit nicht bemerken.

»Warum bist du Marlene gefolgt?«, fragte er beinahe beiläufig.

So konkret zur Rede gestellt, fiel Deborah keine passende Replik ein. Sie konnte schlecht zugeben, dass sie sich über Marlene geärgert und ihr lediglich eins hatte auswischen wollen. Jetzt schämte sie sich für ihr Verhalten und war sich darüber im Klaren, dass sie damit alle in Gefahr gebracht hatte.

Aber Jakob schien die Antwort entweder auf ihrem Gesicht abzulesen, oder er hatte nur ihre Reaktion auf seine Frage testen wollen. Jedenfalls winkte er ab. »Wie ich höre, habt ihr Probleme bei der Ausführung eures Plans?« Er fixierte Deborah, die daraufhin prompt errötete. Jakob wusste natürlich, dass dieser Plan ihren vollen körperlichen Einsatz erforderte.

»Vielleicht solltet ihr euren Plan ändern?« Er lächelte wie ein Wolf.

»Wenn du eine Idee hast, bin ich gespannt, sie zu hören«, mischte sich Marlene gereizt ein. Sie ärgerte sich über Jakob, der sie seit Deborahs Erscheinen vollkommen ignorierte.

»Warum feiert ihr mit Brunnmann nicht einfach noch mal eine kleine Privatorgie zu dritt? Lockt ihn in die Honigfalle und gebt ihm eine Droge ins Getränk, die ihn mehrere Stunden schlafen lässt. Und während er schläft, schmuggeln wir unseren Mann herein, der den Safe öffnet. Wir fotografieren den Inhalt, und wenn der SS-Mann am Morgen aufwacht, ist alles wie vorher. Außer dass er sich inmitten einer Batterie leerer Flaschen und mit zwei Frauen und fürchterlichen Kopfschmerzen im Bett wiederfindet. Das wird ihm als Erklärung für seine Gedächtnislücke hoffentlich reichen.«

»Klingt ziemlich einfach, wie du das sagst. Du musst dich ja nicht selbst bemühen«, erwiderte Marlene verdrossen. Gleichzeitig dachte sie, dass es zu schön wäre, um wahr zu sein. Sie hatte es gründlich satt, Tag für Tag stundenlang in der Putzkammer zu hocken und Desinfektionsmittel einzuatmen. »Hättest du denn eine Droge parat?«, erkundigte sie sich jetzt hoffnungsvoll. Alle Medikamente waren für die Deutschen reserviert, die Apotheken wurden streng überwacht.

»Darum habe ich dich heute benachrichtigt. Ich habe tatsächlich endlich etwas beschaffen können. Es ist ein Barbiturat, ein starkes Schlafmittel. Panckiewicz aus der Ghetto-Apotheke hat es mir heute verschafft. Was haltet ihr davon? Seid ihr dabei?« Wieder konzentrierte sich Jakob nur auf Deborah.

Dieses Mal hatte Marlene nichts dagegen einzuwenden. Ebenso wie ihr war auch Jakob klar, dass nun alles von Deborahs Bereitschaft abhing, Albrecht erneut mit Marlene zu teilen. Sobald Eifersucht ins Spiel käme, hätten sie verloren. Ihre Beziehungen untereinander waren ziemlich kompliziert, und Marlene hatte noch nicht alle Zusammenhänge durchschaut. Deborah schien ihre Sache wirklich zu unterstützen, gleichzeitig aber hatte sie Albrecht ihr gegenüber bei mehreren Gelegenheiten heftig verteidigt.

Als Marlene zum Beispiel einmal vorsichtig anzudeuten versucht hatte, dass eventuell Albrecht hinter dem Verschwinden ihres Vaters stecken könnte, hatte sie ihr blaues Wunder erlebt. Deborah war wie eine Furie auf sie losgegangen. Marlene hegte allerdings schon länger den Verdacht, dass Deborah diesem Brunnmann ein Stück weit hörig war. Ob dies auf Gegenseitigkeit beruhte, konnte sie nicht sagen. Brunnmann war kaum einschätzbar, aber Tatsache war, dass beide den Schmerz mochten. Schmerz konnte eine ebenso enge Bindung schaffen wie Liebe. Deborah jedenfalls schien Albrecht vollkommen zu vertrauen, und trotzdem hinterging sie ihn. Sie war ein Widerspruch in sich, und Marlene wusste nie im Voraus, wie Deborah reagieren würde. Ganz davon abgesehen war sie selbst nicht sonderlich begeistert von Jakobs Plan.

Nicht weil der Plan so schlecht gewesen wäre, sondern weil Jakob sie ohne jeden Skrupel erneut in Albrechts Bett schickte. Es würde Marlene einiges an Überwindung kosten, sich erneut mit diesem Naziteufel im Bett zu suhlen. Komischerweise fiel ihr das bei Ernst viel leichter.

Das mochte daran liegen, dass Ernst kein richtiger Nazi war. Er war schon vor 1933 Berufssoldat gewesen und machte einfach nur seine Arbeit beim Ersatzheer. Im Grunde war er harmlos. Und er liebte sie tatsächlich. Plötzlich wurde Marlene wütend auf Jakob. Jakob, der aus ihr eine Nazihure gemacht hatte. *Das wirst du mir büßen*, dachte sie aufgebracht. Gleichzeitig wusste sie, dass ihr Streit wie stets damit enden würde, dass sie wie wilde Tiere übereinander herfallen und sich auf dem Boden wälzen würden – und Jakob wie immer seinen Willen bekam.

Sie, Marlene, würde die erneute Ménage-à-trois mit der gewohnten Routine abwickeln. Deborah hingegen fehlte diese Routine, sie musste es wirklich wollen, wenn es funktionieren

sollte. Beim ersten Mal war sie einfach von der Situation überrumpelt worden, aber ihre natürliche Leidenschaft und ihre
Lust an der Improvisation hatten schnell die Oberhand gewonnen. Das nächste Mal würde das Überraschungsmoment fehlen. Wie würde sich Deborah verhalten, wenn alles zuvor geplant war und der Ausgang bereits feststand?

Deborah ließ sich mit ihrer Antwort Zeit. Sie hielt ihren Hut
in der Hand und rupfte die darauf drapierten Federn einzeln
aus. Marlene versuchte, unauffällig im Gesicht ihrer jungen
Freundin zu forschen. Anders als sonst gelang ihr das diesmal
nicht. Deborah sah einfach nur nachdenklich aus.

Eine weitere Minute verstrich, bis Deborah den Kopf hob
und sprach: »Heute Vormittag war ich allein in der Stadt spazieren. Es war irgendwie seltsam, wisst ihr, die ganze Atmosphäre
und Stimmung. Seit du mir beigebracht hast, Marlene, die Augen offen zu halten, sehe ich plötzlich Dinge, die mir vorher nie
richtig bewusst waren. Ich bin sehr vielen Menschen begegnet,
aber kaum einer hat es gewagt, mich auch nur anzusehen, außer
natürlich die deutschen Offiziere und ihre Begleitung. Die polnischen Bürger laufen mit gesenktem Kopf herum, als wären sie
ständig auf der Hut. Sobald sie SS-Männer erspähen, wechseln
sie scheinbar unauffällig die Richtung. Sie haben alle Angst. Mein
Vater würde sagen, dass so ein Verhalten nicht gesund ist. Männer wie Albrecht sind daran schuld. Das ist mir heute klar geworden. Es ist gut, ich bin dabei. Aber lasst es uns schnell tun.«

Jakob nickte anerkennend.

Marlene atmete auf. Mochten sie und Deborah heute auch
Rivalinnen um denselben Mann geworden sein, so hatte Deborah endlich einen wichtigen Schritt in die richtige Richtung
getan. Außerdem kannte sie Jakob. Dieser Mann würde keiner
Frau je ganz gehören. Fast empfand sie Mitleid für Deborah,
weil sie schon sehr bald unter dem giftigen Stachel der Liebe
würde leiden müssen. Der Gedanke versöhnte sie vollends. Sie
stand auf und küsste Deborah auf den Mund. Es war ein zärt-

licher, schwesterlicher Kuss, der das Versprechen auf mehr in sich trug.

So war es beschlossen. Am nächsten Abend würden sie Albrecht gemeinsam verführen.

»Ich denke, wie ihr das im Detail anstellt, bleibt euch überlassen«, sagte Jakob sachlich. »Ich werde euch jetzt erklären, wie ihr das Schlafmittel zu dosieren habt. Zu wenig ist genauso gefährlich wie zu viel. Passt gut auf.«

Am Ende der Besprechung sagte Jakob ohne weitere Erklärung zu Deborah: »Nun, dann werde ich mal Maß nehmen. Zieh sie aus.«

Damit brachte er das junge Mädchen vollends aus dem Konzept. »Wie …?« Hilfesuchend blickte Deborah zu Marlene. Aber da hatte sich Jakob bereits vor sie hingekniet und streifte ihr den rechten Schuh ab.

Verblüfft hielt er inne und starrte auf ihren nackten Fuß. »Keine Strümpfe?«, fragte er mit einem schiefen Lächeln und genoss dabei die Wärme ihrer Haut.

»Es … ist zu heiß«, stotterte Deborah. Draußen waren ungefähr 15 Grad. In der Eile, Marlene nachzufolgen, hatte sie an Strümpfe keinen Gedanken verschwendet. Die unerwartete Berührung durch Jakobs Hand hatte sie erregt, und das Blut schoss ihr jetzt unkontrolliert in die Wangen.

Marlene, die alles beobachtet hatte, konnte die jäh erotisch aufgeheizte Stimmung im Raum nicht ertragen. Angewidert wandte sie sich ab. »Tut euch keinen Zwang an, ihr zwei. Ich warte dann draußen.« Sie nahm ihre Tasche und Handschuhe und ging zur Tür.

»Marlene!« Jakobs Ruf war scharf wie ein Pfiff. Marlene blieb stehen, drehte sich aber nicht um. Sie konnte ihm jetzt nicht in die Augen blicken.

»Du vergisst hoffentlich nicht deinen Schwur?«

»Solange du ihn nicht vergisst«, konterte sie spitz und schloss die Tür hinter sich.

Jakobs ganze Aufmerksamkeit galt nun Deborah. Langsam fuhr seine Hand ihre zarte Wade bis zum Knie hinauf. Deborah hielt den Atem an. Doch zu ihrer Enttäuschung zog er die Hand unvermittelt zurück. »Jetzt ist nicht die Zeit. Ich muss Maß nehmen. Du möchtest doch ein Paar neue Schuhe, oder? Was sonst hätte dich wohl hierhergeführt, wenn nicht mein Ruf, der beste Schuster von Krakau zu sein?« Wieder lächelte er sein unwiderstehlich schiefes Lächeln.

Er zog Deborah auch den zweiten Schuh aus, fasste blind hinter sich und zog eine große, zerschrammte Holzkiste heran. Er griff hinein und holte ein Maßband und zwei Holzmuster hervor, die wie Füße geformt waren.

Was danach folgte war das Intensivste, was Deborah je in ihrem jungen Leben widerfahren war. Bisher hatte ihr Körper weniger auf Zärtlichkeiten als vielmehr auf Härte und Rücksichtslosigkeit reagiert; der Schmerz hatte sie erregt und herausgefordert.

Jakob indessen nahm ihren kleinen Fuß mit großer Sanftheit auf und legte ihn in seinen Schoß. Dabei schien es ihn nicht im Geringsten zu stören, dass sie die Härte seiner Erregung ohne Weiteres fühlen konnte.

Mit dem Zeigefinger fuhr er langsam die Linie ihres hohen Spanns entlang und zeichnete mit ihm die feinen blauen Adern nach, die ihre beinahe durchsichtige Haut preisgaben. Als wolle er in ihre Haut hineinhorchen und jeden Knochen und jede Sehne einzeln erspüren, glitt seine Hand weiter um den Fuß herum und erkundete mit der gleichen Sorgfalt Ferse und Knöchel. Seine Berührung hinterließ auf Deborahs Haut eine brennende Spur.

»Der Fuß ist das sensibelste Organ des Menschen«, erklärte Jakob leise. »Alle wichtigen Nervenstränge laufen hier zusammen. Für jedes innere Organ gibt es einen Kontrapunkt. Hier zum Beispiel«, Jakob drückte fest auf eine Stelle unterhalb ihres Ballens, und Deborah durchfuhr ein jäher Schmerz, der sich bis in ihren Schoß fortpflanzte, »sitzt die Leber. Durch eine spezielle Massage kann diese stimuliert werden. Schon die alten Chinesen wussten darüber Bescheid.« Er knetete ihren Fuß nun mit beiden Händen, und Flammen aus Schmerz und Erregung schossen durch ihren Körper. Deborah stöhnte auf, krallte beide Hände in Jakobs Haare und bäumte sich ihm auf dem Stuhl entgegen.

Selbst Jakob wurde davon überrascht, wie schamlos sich das Mädchen ihm darbot. Zwar hatte ihm Marlene davon berichtet, dass das Mädchen in dieser Hinsicht exzessiv war und keine Hemmungen kannte, aber er hatte es für übertrieben gehalten. Genau genommen wollte Marlene mit ihm wetten, dass es ungefähr zehn Minuten dauern würde, bis Deborah und er nichts anderes mehr im Sinn haben würden, als sich gegenseitig ins Bett zu zerren. Nun, wenn er ehrlich mit sich war, musste er zugeben, dass er die Wette verloren hätte. Es waren wohl weniger als zwei Minuten gewesen.

Mit Bedauern ließ er Deborahs Fuß los. Ihm war bewusst, dass Marlene draußen wartete, er konnte ihre Präsenz nebenan beinahe körperlich spüren. Es war äußerst geschickt von ihr gewesen, Deborah mit ihm allein zu lassen. So war Marlene, klug und gerissen. Wenn er sich jetzt nicht zügelte, würde er sich ihr gegenüber wie ein Schweinehund fühlen.

Er bewunderte Marlene, ihren Mut und ihre Unerschrockenheit. Vor dem Krieg hatte er geglaubt, sie zu lieben. Und genau aus diesem Grund hatte er sie verlassen. Er brauchte alle seine Sinne für den Feind. Gefühle potenzierten jede Gefahr; man musste Rücksichten nehmen und zögerte vielleicht im falschen Augenblick, und dann war man tot. Darum hatte er getan, was er tun musste. Es war Krieg. Er war ein anderer Jakob.

Vielleicht, wenn sie beide den Krieg überlebten, konnten sie noch einmal von vorne beginnen … Doch darüber machte er sich wenig Illusionen. Er ging zu viele Risiken ein, sein Glück konnte nicht ewig währen. Er konnte förmlich fühlen, wie die

Nazijäger näher kamen und sich die Schlinge um seinen Hals langsam, aber sicher enger zog. Ihre Kampforganisation ŻOB wurde von Woche zu Woche schwächer, und es gab zu wenig guten Nachwuchs. Nicht jeder war für diese Art von Aufgabe geeignet. Sabotage erforderte mehr als nur Mut und guten Willen.

Erst heute wieder hatte er mit Justyna eine seiner besten weiblichen Kämpferinnen verloren. Eine niederschmetternde Neuigkeit. Er wusste noch nicht, wohin man sie gebracht hatte, vermutlich ins Montelupich-Gefängnis, wo man sie unweigerlich foltern würde, um die Namen ihrer Komplizen zu erfahren. Er litt mit Justyna. Bisher hatte keine der gefassten Frauen auch nur einen Mitkämpfer verraten. Er dachte an die vielen anderen tapferen Frauen im Widerstand, Frauen, die täglich ihr Leben und die Folter riskierten, indem sie durch das Land reisten, Waffen schmuggelten und Nachrichten zwischen den einzelnen Gruppen beförderten. Die Jüngste, Zelma, war gerade einmal vierzehn.

Kürzlich hatten zwei seiner Kuriere, Havka und Frumka, unbeschadet die Strecke Warschau-Hrubieszów und zurück absolviert. Von dort hatte ein weiterer Kurier ihre Informationen nach Krakau weitergeleitet. Die beiden hatten den ersten Augenzeugenbericht vom Vernichtungslager Belzec abgeliefert. Doch der Ältestenrat der Juden von Krakau, mit den bitteren Nachrichten von Massenexekutionen konfrontiert, wollte nichts davon wissen. Es war einfacher, den Deutschen zu glauben, die behaupteten, alle Juden würden in den Osten umgesiedelt. Stattdessen wanderten die Männer, Frauen und Kinder direkt in den Tod nach Belzec, Auschwitz und Treblinka.

Vor dem Krieg waren diese heroischen Frauen einfache Hausfrauen oder Arbeiterinnen gewesen. Auch einige Studentinnen hatten sich ihnen angeschlossen. Fast alle waren sie jung und hübsch und sprachen fließend Deutsch. Sie hatten gelernt, mit der Waffe umzugehen und zu kämpfen, wussten, wie man ein Funkgerät bediente und eine Sprengladung anbrachte. Sie nahmen eine zweite Identität als Deutsche an und lächelten dem Feind freundlich ins Gesicht, wann immer er ihnen begegnete.

Frauen hatten im Widerstand einen entscheidenden Vorteil gegenüber den Männern: Männern konnte man bei Verdacht einfach die Hosen ausziehen, um zu überprüfen, ob sie nach jüdischem Ritus beschnitten waren. Oft wurden die auf diese Weise Aufgegriffenen sofort an Ort und Stelle exekutiert. Das war noch das Beste, worauf er selbst hoffen konnte, sollte er den Nazis in die Hände fallen.

Er selbst war Pole und Katholik. Seine jüdische Abstammung beschränkte sich auf eine jüdische Urgroßmutter. Seine Eingeweide verkrampften sich. So viele Aufgaben, so viele Sorgen … Ein Plan, Justyna zur Flucht zu verhelfen, musste entworfen werden, dann ein Überfall auf einen Nachschubkonvoi organisiert, die Nachrichten, die er heute aus Warschau erhalten hatte, mussten vervielfältigt und verteilt und schließlich die geschmuggelten Waffen und Lebensmittel ins Ghetto geschafft werden. Und er musste sich nach einem neuen Versteck für Jan und Jozef umsehen. Die tschechoslowakische Exilregierung unter Beneš in London plante in Krakau oder Prag einen großen Schlag gegen eine Nazigröße. Jakob ahnte, um wen es hierbei ging. Die beiden polnischen Soldaten hatten sich freiwillig dafür gemeldet, waren schon Ende 1941 mit dem Fallschirm über Böhmen abgesprungen und hatten sich bis zu ihm durchgeschlagen.

Am Abend stand ihm dann noch ein anstrengendes Treffen mit Vertretern der polnischen Partisanen bevor. Seit Monaten bemühte er sich, die Aktionen des jüdischen und polnischen Widerstands zu koordinieren, um ihre Schlagkraft zu erhöhen. Aber beide Gruppen sträubten sich bisher hartnäckig. Sie verstanden einfach nicht, dass sie den gemeinsamen Feind auch gemeinsam bekämpfen mussten.

Alles zu seiner Zeit, dachte er und zwang sich, sich auf die Erfordernisse des Augenblicks zu konzentrieren. Er spürte Deborahs Enttäuschung, auch seine Lenden glühten. Widerwillig sagte er: »Heute nicht. Komm morgen wieder. Um dieselbe Zeit. Allein. Und pass auf, dass dir niemand folgt. Geh jetzt.«

Er sah ihr nach und bereute in derselben Sekunde, dass er sie aufgefordert hatte wiederzukommen. Es war nicht recht. Er nahm sich deshalb vor, am nächsten Tag nicht da zu sein.

Marlene wartete im Vorraum auf Deborah. Prüfend musterte sie deren Erscheinung und fand ihre schlimmste Befürchtung nicht bestätigt. Jakob hatte nicht mit Deborah geschlafen. Im Gegensatz zu ihr wirkte Deborah darüber nicht sehr zufrieden. Schweigend verließen sie die Schusterwerkstätte, und schweigend erreichten sie zu Fuß das Hotel. Marlene war gezwungenermaßen mit ihr mitgekommen, weil sie noch die Einzelheiten der geplanten Aktion mit Albrecht besprechen mussten. Eigentlich hätte sie es vorgezogen, in ihr bescheidenes Logis am Rande der Altstadt in Stare Miasto zurückzukehren, um ihre Wunden zu lecken.

Ihr derzeitiger Geliebter Ernst konnte sich nicht wie Albrecht Brunnmann das beste Hotel am Platze leisten und hatte sie daher dauerhaft in einer kleinen, aber gemütlichen Pension untergebracht.

Im Hotel erwartete Deborah eine schriftliche Nachricht von Albrecht. Osman überbrachte sie ihr. Der Obersturmbannführer war zu einer fünftägigen Inspektionsreise aufgebrochen, aber er ließ ihr Osman zu ihrer Verfügung da. Deborah gab Osman zu verstehen, dass sie ihn rufen werde, wenn sie ihn brauche, aber heute sicher nicht mehr. Erleichtert ging er davon. Nach wie vor mied Osman den Augenkontakt mit ihr.

Die Besprechung mit Marlene dauerte kaum eine halbe Stunde, obwohl sie jetzt fünf Tage Zeit dafür gehabt hätten. Beide Frauen gingen behutsam miteinander um und mieden das Thema Jakob. Marlene wollte ihre Eifersucht verbergen und Deborah ihre Ungeduld, mit der sie dem Wiedersehen am nächsten Tag mit Jakob entgegenfieberte, der für sie noch immer Pavel war.

Marlene verabschiedete sich mit dem Hinweis, dass sie sich zu gegebener Zeit wieder bei ihr melden werde.

Kapitel 45

Deborahs Herz raste, als sie sich am nächsten Tag auf den Weg zu Jakob machte. Das laue Frühlingswetter war einem Dauerregen gewichen, und sie hatte ihren Schirm vergessen. Sie bemerkte es nicht einmal.

Sie nahm dieselbe Strecke wie am Vortag, betrat wie Marlene die Boutique, verließ sie durch die Hintertür, achtete auf etwaige Verfolger und stand schließlich mit weichen Knien vor dem Eingang zur Schusterwerkstätte. Niemand war ihr gefolgt, sie war sich dessen sicher. Sie wollte eben anklopfen, als die Tür sich öffnete, ein kräftiger Arm sie packte und rasch hineinzog. Starke Arme hoben sie auf und trugen sie durch mehrere dunkle Flure und Treppen hoch in eine kleine Kammer, in der nicht mehr als ein Bett, ein kleiner Tisch und ein Stuhl Platz hatten. Durch die geschlossenen Läden sickerte spärliches Licht herein. Der Mann legte Deborah wortlos aufs Bett, entkleidete zuerst sich und dann sie.

Dann erst entzündete er mehrere Kerzen in einem Leuchter auf dem Tisch und betrachtete Deborahs Körper. Das junge Mädchen bot sich seinen Blicken ohne Scheu dar. Jakob ergab sich. Viel zu lange balancierte er schon auf dem schmalen Grat zwischen Leben und Tod. Noch einmal wollte er vom Paradies kosten.

Was danach folgte, waren fünf unwirkliche und rauschhafte Tage, in denen sie die Realität aussperrten und aus der Zeit fielen. Sie trotzten dem Schicksal nur wenige Stunden ab, die ihnen selbst wie Minuten vorkamen, ihren Herzen aber die Ewigkeit bedeuteten.

Jakob war sich von Anfang an im Klaren darüber, dass er eine Verrücktheit beging, dass seine Verbindung mit Deborah vergänglich und die Zukunft nicht ihr Verbündeter war. Umso mehr ließ er sich in die flüchtige Illusion fallen, gab sich einer Liebe hin, wie sie nur unter extremen Bedingungen, in Krieg und Gefahr, fernab von Alltag und Normalität existieren konnte.

Deborah und er benahmen sich nicht wie andere Liebende, die beisammenliegen, sich unterhalten und ihre Nähe genießen; ihre Liebe musste keine Fragen beantworten oder Entscheidungen treffen, sie lebte den Moment. Sie schmeckten und kosteten sich, versanken ineinander und ließen keine Sekunde voneinander ab, Haut an Haut, Hände und Lippen verbunden – zwei Körper, die sich wie Ertrinkende verzweifelt aneinanderklammerten, weil sie bereits die Ahnung in sich trugen, dass ihre Zeit knapp bemessen war.

Für Deborah war die Liebe zu Jakob real, sie liebte ihn mit ihrem ganzen Sein, ungestüm und hingebungsvoll. Für sie war Jakob ihr Herz, ihre Seele und ihr Atem – das ersehnte Versprechen der Liebe, für sie hatte es sich erfüllt. Deborah ergab sich ganz und gar diesem neuen und nie erfahrenen Schmerz, dem süßen Schmerz der Liebe.

Deborah erfuhr nun auch, dass Pavel eigentlich Jakob hieß. Er wollte, dass es sein Name war, den sie in ihrer Ekstase herausschrie.

Marlene ließ sich während dieser Tage nicht blicken. Weder bei Jakob noch bei Deborah. Sie tauchte erst am Tag von Albrechts bevorstehender Rückkehr wieder in der Suite auf. Wenn sie über Jakobs und Deborahs Treiben Bescheid wusste, so ließ sie es sich jedenfalls nicht anmerken.

»Bonjour, chérie«, begrüßte sie Deborah mit aufgesetzter Fröhlichkeit und drückte ihr einen Kuss auf die Wange. »Es ist so weit. Heute steigt die Party.« Sie zog die Nadeln aus ihrem schwarzen Hut, warf alles zusammen auf den Tisch und ließ sich beschwingt aufs Sofa plumpsen. Sie hatte eine neue Frisur. Das Haar war noch blonder, dafür kürzer. Es stand ihr gut.

»Ich weiß nicht … ich habe seit Tagen nichts von Albrecht gehört«, wich Deborah aus. »Vielleicht kommt er heute noch gar nicht zurück.« Sie hatte gerade zwei Stunden gebadet, sich dabei selbst berührt und sich jede einzelne Zärtlichkeit Jakobs in Erinnerung gebracht.

»Du wirst doch jetzt wohl keinen Rückzieher machen wollen«, konterte Marlene. Insgeheim genoss sie Deborahs Unbehagen. Das hast du nun davon, meine Kleine, dachte sie. *Willkommen in meiner Welt.* Ab sofort ist Sex nicht mehr Kür, sondern Pflicht.

»Natürlich kehrt er heute Abend zurück. Er hat harte Tage hinter sich und keine Frau gehabt. Frag nicht, woher ich das weiß, man hat so seine Kanäle. Es ist also die beste Gelegenheit. Der Mann wird nach dir ausgehungert sein. Wir sollten nochmals alles zusammen durchgehen. Setz dich.«

Als es vorüber war, wunderten sich beide, wie leicht alles gegangen war. Sie hatten sich für die einfachste und natürlichste Variante entschieden.

Bei Albrechts Eintreten umfing ihn das sanfte Licht unzähliger Kerzen, die Marlene im Raum verteilt hatte. Als Nächstes gewahrte er zwei nackte, ineinander verschlungene Körper, deren Haut wie ein sinnliches Versprechen schimmerte. Auf dem Tisch unter silbernen Deckeln erwartete ihn ein raffiniertes, leichtes Abendmahl, der Champagner perlte im Sektkühler.

Marlene und Deborah ließen ihren begehrenswerten Anblick einige Sekunden lang auf Albrecht wirken. Dann erhoben sie sich mit langsamen, katzengleichen Bewegungen. Ihr lockender Gang, ihre jungen Körper verwirrten augenblicklich seine Sinne. Sie entkleideten Albrecht und führten ihn ins Bad, wo sie ihn in der Badewanne gemeinsam wuschen, mit Leckerbissen fütterten und ihm Champagner einflößten. Albrecht schlief in weniger als einer halben Stunde tief und fest.

»Ist das zu fassen«, rief Marlene kopfschüttelnd und betrachtete den schlafenden Albrecht in der Wanne, nachdem sie sich vergewissert hatte, dass er auch wirklich tief schlief. Aber Albrecht hatte noch nicht einmal auf ihre Fingernägel reagiert, die sie ihm als blutende Spur quer über die Brust gezogen hatte. »Er hat tatsächlich vergessen, seine verdammte Aktentasche wegzusperren. Wir brauchen noch nicht einmal mehr den Safeknacker.« Marlene fischte eine Kamera und weiße Fingerhandschuhe aus ihrer Handtasche.

»Wozu sind die denn gut?«, fragte Deborah verwundert und zeigte auf die Handschuhe.

»Weil es neuerdings gute Methoden gibt, Personen allein anhand ihrer Fingerabdrücke zu identifizieren.« Marlene konnte sich noch gut an den geschwätzigen SS-Wächter erinnern, der ihr während ihrer einmonatigen Gefangenschaft stolz von diesbezüglichen Versuchen berichtet hatte. Angeblich gab es eine ganze Abteilung junger Wissenschaftler im Reichssicherheitshauptamt, die sich allein mit den Methoden der modernen Kriminalistik beschäftigten.

Marlene merkte sich die genaue Position der Aktentasche auf dem Sofa, bevor sie sie an sich nahm. Vorsichtig legte sie die Tasche auf dem niedrigen Sofatisch ab und öffnete sie. Eine dicke, verschnürte Dokumentenmappe aus abgegriffenem Leder kam zum Vorschein. Marlene widerstand der Versuchung, irgendetwas zu lesen, und griff sofort nach der Kamera. Es handelte sich um das neueste Karat-Modell von Agfa mit speziellen Patronen, die das Filmeeinlegen im Gegensatz zum Vorgängermodell stark vereinfachte.

Ihr Besitz war ein seltener Glücksfall und der Gruppe zusammen mit einem Dutzend Ersatzpatronen erst kürzlich bei einem der wenigen gelungenen Überfälle auf einen deutschen Nachschubkonvoi in die Hände gefallen. Marlene hatte die Informationen hierfür geliefert, an die sie durch Ernst gekommen war.

Geschickt zog sie nun das Objektiv heraus und begann sofort, Seite für Seite abzufotografieren. Dazwischen legte sie einmal eine neue Patrone nach. Schließlich war die letzte Seite fotografiert. Marlene packte alle Papiere wieder sorgfältig zurück in die Aktentasche und vergewisserte sich, dass die Tasche genau so wieder an ihrem Platz lag, obwohl sich Albrecht, wenn er aufwachte, kaum daran erinnern würde.

Deborah hatte inzwischen bei Albrecht im Bad Wache gehalten, für den Fall, dass er früher als geplant das Bewusstsein wiedererlangen würde. Doch er schlief wie ein Stein.

»So, jetzt kommt der schwierigste Teil«, sagte Marlene zu Deborah. »Wir müssen ihn ins Bett schaffen. Nimm du den Kopf, ich die Beine.« Mit vereinten Kräften wuchteten sie Albrecht aus der vollen Wanne. Deborah hatte nicht gewagt, das Wasser vorher ablaufen zu lassen. Sie hoben ihn hoch und schleppten den nassen, schlaffen Körper ins Schlafzimmer.

Deborah schauderte. Ihr kam es vor, als würden sie einen Toten tragen. Auf halbem Weg klopfte es an der Tür. Marlene und Deborah wechselten einen panischen Blick. Das Klopfsignal wiederholte sich in einem bestimmten Rhythmus, und Marlene entspannte sich.

»Scheiße«, entfuhr es ihr undamenhaft. »Das ist der Safeknacker. Den hatte ich völlig vergessen.«

Rasch warf sie sich Deborahs Bademantel über, ging zur Tür und öffnete. Einige wenige geflüsterte Worte, und sie schloss sie wieder.

»Warum hast du ihm die Kamera nicht gleich mitgegeben?«, wollte Deborah von ihr wissen.

»Weil ich niemandem außer mir traue. Komm jetzt, rein mit ihm ins Bett.«

Früh am Morgen erwachte Albrecht mit einem fürchterlichen Brummschädel. Auch sein gesamter Körper fühlte sich völlig zerschlagen an. Rechts und links fand er Deborah und Marlene an sich geschmiegt und friedlich schlafend vor.

Zumindest taten sie so. Die beiden Frauen hatten den Raum einer Orgie entsprechend präpariert. Schmutzige Gläser, Teller mit Essensresten und mehrere leere Champagnerflaschen standen oder lagen im Raum verteilt und vermischten sich mit Teilen von Albrechts Uniform. Ebenso wie den Raum hatten sie auch Albrecht präpariert. Sein Körper wies frische Kratz- und Bissspuren auf und als Krönung einige herrliche Striemen quer über den Rücken. Die dazugehörige Hundepeitsche lag sichtbar auf dem Nachttisch. Marlene war es ein besonderes Vergnügen gewesen. Dass Albrecht alles hatte über sich ergehen lassen, ohne sich auch nur zu regen, hatte Marlene allerdings beunruhigt, und sie hatte sich nervös gefragt, was mit ihnen geschehen würde, wenn Brunnmann überhaupt nicht mehr aufwachen würde. War die Dosis Schlafmittel doch zu hoch gewesen? Als er sich nun bewegte, hätte sie vor Erleichterung beinahe aufgeseufzt.

Wie verabredet regten sich nun auch die beiden Frauen neben ihm. Um Albrechts Argwohn nicht zu wecken, setzte sich Marlene auf und hielt sich den Kopf, als wolle sie verhindern, dass er davonrollte. »Oh weh, habe ich einen Durst«, stöhnte sie. Sie tastete nach einem halb vollen Glas Champagner auf dem Nachttisch und leerte den Rest in einem Zug. Er schmeckte schal.

»Besser«, sagte sie trotzdem. Sie ließ sich wieder zurücksinken und strich Albrecht dabei genussvoll über die Brust. Dann ließ sie ihre Hand tiefer zwischen seine Beine gleiten. Dort regte sich nichts. *Gut,* dachte sie erleichtert, *der letzte Akt der Scheußlichkeit bleibt mir wohl erspart.* Sie schloss die Augen und gönnte sich scheinbar noch einige Minuten friedvollen Dahindämmerns, doch alle ihre Sinne waren durch die Gefahr geschärft. Das

Wichtigste und Gefährlichste stand ihr noch bevor: die Kamera wohlbehalten aus dem Hotel hinaus zu Jakob zu schmuggeln.

»Wie spät ist es?«, brummte Albrecht unter Mobilisierung all seiner Kräfte.

»Erst kurz nach sechs. Schlaf noch ein bisschen«, erwiderte Marlene und tat so, als würde sie sich weiter genussvoll an ihn kuscheln. Die Rolle der befriedigten Geliebten beherrschte sie in Vollendung.

Albrecht gab nur ein unwilliges Knurren von sich und wälzte sich schwerfällig aus dem Bett. Marlene machte ihm bereitwillig Platz. Albrecht ließ die Tür offen, seine Toilettengeräusche drangen deutlich herüber. Marlene wurde übel.

Während Albrecht im Anschluss duschte, bestellten sie besonders starken Kaffee und ein kräftiges Frühstück auf die Suite.

Deborah und Marlene hüllten sich beide in ein Nichts von Negligé und kümmerten sich hingebungsvoll wie Ehefrauen um den leidenden Albrecht, vergaßen dabei aber keinesfalls ihre eigene Rolle als übernächtigte, Champagner-geschädigte Gespielinnen. Sobald Albrecht aus dem Bad kam, empfing ihn Deborah mit einer heißen Tasse Kaffee und einem Honigbrötchen, das er heißhungrig mit zwei Bissen verschlang. Ebenso, wie sie ihn entkleidet hatten, halfen sie ihm nun beim Anlegen seiner Uniform.

Marlenes Finger zitterten beim Versuch, die Knöpfe seiner Uniformjacke zu schließen. Der Totenkopf am Kragen von Albrechts Uniform schien sie zu verhöhnen. Sie verscheuchte das böse Omen aus ihren Gedanken. Nur mit Mühe konnte sie ihre Ungeduld vor dem SS-Mann verbergen. Brunnmann sollte endlich von der Bildfläche verschwinden!

Zuvor gab es noch einen kritischen Moment. Albrecht mochte zwar angeschlagen sein, aber nicht so sehr, dass er nicht seine eigene Dummheit bemerkte – nämlich seine wertvolle Aktentasche die ganze Nacht über unbeaufsichtigt auf dem

Sofa liegen gelassen zu haben. Er musterte Deborah und Marlene durchdringend. Beide Frauen erwiderten seinen Blick offen und taten so, als würden sie nicht verstehen, was sein Blick zu bedeuten hatte. Brunnmann stieß einen unwilligen Laut aus, nahm seine Tasche an sich und marschierte hinaus.

Marlene kleidete sich nun in Windeseile an und tat es ihm kaum eine Viertelstunde später gleich. Es verlangte sie danach zu erfahren, was sie auf dem Film vorfinden würde.

Kapitel 46

Fünf Minuten später war Marlene zurück – totenbleich und mit einem gehetzten Ausdruck im Gesicht, der Deborah alarmierte.

»Was ist denn los?«, fragte sie erschrocken.

»Mein Erzfeind ist unten, das ist los. Verdammt! Dass dieser Mistkerl Greiff gerade jetzt auftauchen muss.«

Wie es ihrer Gewohnheit entsprach, hatte Marlene nicht den Aufzug genommen, sondern die Treppe benutzt. Vom ersten Stock führte eine herrschaftliche Freitreppe in die Halle hinab. Ihr Fuß hatte kaum die letzte Stufe der mit karmesinrotem Teppich ausgelegten Treppe berührt, als sich eine Gruppe Männer, teils in Uniform, teils in Zivil, durch die Drehtür in die Lobby ergoss. In ihrer Mitte schwamm ein hochgewachsener Mann, der eine Augenklappe und einen schwarzen Ledermantel trug.

Marlene hatte ihn mit einem Blick erkannt: Hubertus von Greiff! *Du Bastard! Was machst du hier?*, knurrte sie leise, und ihr nächster Gedanke war: Flucht! Der Wunsch wurde beinahe übermächtig, sodass sie all ihre Willenskraft aufwenden musste, um ihm nicht nachzugeben.

Wie immer war *das Auge*, wie ihn alle Welt nannte, egal ob es sich um Bewunderer oder Feinde handelte, von einer Rotte junger hübscher Männer umgeben, seinen persönlichen Bluthunden. Einige verteilten sich sofort in der Hotelhalle, und zwei von ihnen lümmelten nun in den beiden Ohrensesseln vor dem Kamin. Die Lässigkeit war nur vorgetäuscht. Ihre vorrangige Aufgabe lautete, die Umgebung zu sondieren.

In Berlin hatte es einige böse Gerüchte um Greiffs sexuelle

Vorlieben gegeben; sie schienen jedoch seiner Karriere bisher in keiner Weise geschadet zu haben.

Greiff war SS-Mann und die Nummer zwei der Geheimen Staatspolizei. Und er war ein alter Bekannter Marlenes, im schlechtesten Sinne. Das Einzige, was noch größer war als sein Ehrgeiz, war seine Grausamkeit – wie Marlene schon am eigenen Leib erfahren hatte.

Reflexartig war sie bei Greiffs Auftauchen hinter derselben Stechpalme verschwunden, hinter der schon Deborah Zuflucht gesucht hatte. Völlig ausgeschlossen, dass sie jetzt das Hotel verlassen könnte. Es gab zwar einen Hinterausgang, aber dazu musste sie hinter ihrem Versteck hervorkommen und mit dem Aufzug einen Stock tiefer fahren. Zwar hatte sie ihr Aussehen verändert und extra ein paar Pfunde zugelegt. Ihr vormals langes dunkles Haar trug sie jetzt blond und kurz, ihre ebenfalls blond gefärbten Augenbrauen waren gezupft, und sie hatte ihre Lippen geschminkt. Trotzdem traute sie Greiff durchaus zu, sie zu erkennen. Sie durfte darum nicht das geringste Risiko eingehen und musste die Kamera und die beiden kostbaren Filme sofort loswerden.

Auch konnte sie nicht ewig hinter einer Pflanze kauern, allein das würde Verdacht erregen. Der Nächste, der den Aufzug oder die Treppe benutzte, würde sie bemerken. Schon näherte sich eine ältere Dame mit Fuchsstola, dicht gefolgt von einem uniformierten Chauffeur, der einen Berg Schachteln unters Kinn geklemmt hatte.

Ihr fiel nichts Besseres ein, als Kamera und Filme mehr schlecht als recht in die Erde der Stechpalme zu stopfen, in der Hoffnung, dass sie keinen Schaden nehmen würden. Wenigstens war die Erde locker und trocken.

Lieber Gott, bitte mach, dass die Pflanze in nächster Zeit nicht gegossen wird, betete Marlene voller Inbrunst und nahm einen tiefen Atemzug, der Mut aus ihrem Inneren schöpfen sollte. Sie erhob sich, glättete ihren Rock und tat einen Schritt. Sie kehrte der Lobby den Rücken und setzte soeben ihren Fuß auf die zweite Stufe, als eine Stimme hinter ihr sagte: »Entschuldigen Sie, meine Dame. Ich glaube, das gehört Ihnen.«

Marlene brachte das Kunststück fertig, nicht zusammenzuzucken, sondern sich langsam und damenhaft umzudrehen. Am Fuß der Treppe stand einer von Greiffs jungen Bluthunden und hielt ihr einen blütenweißen Fingerhandschuh entgegen. Er musste ihrer Handtasche entglitten sein, als sie die Kamera herausgeholt hatte. »Vielen Dank, junger Mann«, erwiderte sie artig und wandte sich neuerlich der Treppe zu, als wiederum eine Stimme in ihrem Rücken erklang.

Die Kälte darin jagte ihr augenblicklich Schauer über denselben: »Entschuldigen Sie, meine Dame. Kenne ich Sie vielleicht?«

Blitzschnell rekapitulierte Marlene ihre Chancen. Knapp vier Jahre waren seit ihrer letzten Begegnung in Berlin vergangen. Im Gegensatz zu damals, als sie schmutzig, blutig und nackt in der Zelle gelegen hatte, glich sie heute dem Ebenbild einer deutschen Dame. Hatte er sie trotzdem wiedererkannt?

»Ich glaube kaum, dass ich schon das Vergnügen hatte, Herr …?«, sagte sie mit der genau richtigen Nuance von Tadel in der Stimme, weil ihr Gegenüber es einer deutschen Dame an der gebührenden Höflichkeit hatte mangeln lassen.

Er verbeugte sich knapp und pflichtschuldigst: »Hubertus von Greiff. Zu Ihren Diensten.« Dann wanderte sein Blick ungeniert langsam von unten nach oben und prägte sich dabei jedes Detail ihrer Erscheinung ein. Er taxierte ihre eleganten französischen Schuhe, die Seidenstrümpfe, das blaue Kostüm mit der Pfauenbrosche, ihren Hut und den dezenten Schmuck. Mit Sicherheit kannte er jetzt ihren Preis. Schließlich blieb Greiff an ihrem Gesicht haften. Sein verbliebenes Auge bohrte sich in ihres, teilte Netzhaut und Augenmuskel, drang direkt in ihr Gehirn ein und forschte dort nach unlauteren Gedanken.

Marlene hielt ihm stand und legte eine perfekte Mischung aus Verwunderung und Befremden in ihren Ton: »Ich muss doch sehr bitten, Herr von Greiff«, sagte sie mit mehr Mut, als sie hatte. »Wenn Sie mich nun bitte entschuldigen würden.« Sie zwang sich, die Stufen langsam hinaufzusteigen, die Hand am Geländer, als hätte sie keinerlei Eile. Die ganze Zeit über spürte sie, wie sein Blick ihr ein Loch in den Rücken brannte.

»Uns bleibt nicht viel Zeit«, sprudelte Marlene jetzt hastig hervor. »Ich weiß nicht, ob Greiff mich erkannt hat. Wenn ja, wird er mich bald suchen, oder er ist schon dabei. Ich werde hinten über den Lieferanteneingang verschwinden. Hör mir jetzt genau zu, Deborah! Ich musste die Kamera und die Filme loswerden. Sie befinden sich in der rechten Stechpalme, wenn du vor dem Aufzug stehst. Du musst sie unauffällig herausholen. Wir treffen uns später im Café Cyganeria. Ich werde dort den ganzen Tag auf dich warten. Bring sie mir dorthin. Wenn ich nicht dort sein sollte, dann heißt das, dass mir etwas passiert ist. Dann bring die Kamera zu Pavel. Hast du alles verstanden?«

»Ja, ja, natürlich. Aber wieso glaubst du, dass es für mich einfacher sein wird als für dich?

»Weil Greiff die Freundin Albrecht Brunnmanns ohne Weiteres passieren lassen wird.«

»Aber er kennt mich doch gar nicht!«

»Oh doch. Glaub mir, er kennt jede einzelne Geliebte der hohen Tiere. Er arbeitet so. Jede Information ist für ihn eine nützliche Information. Deine Fotografie liegt schon längst in seiner Schublade. Ich muss jetzt los. Warte ungefähr eine Stunde, dann folge mir nach. Viel Glück.« Marlene küsste sie zum Abschied auf die Wange und öffnete dann langsam die Tür. Auf dem Gang war niemand zu sehen. Lautlos schlüpfte sie hinaus.

Angespannt lauschte Deborah auf ungewohnte Geräusche wie schwere Stiefel oder laute Rufe, aber im Hotel lief alles weiter seinen gewohnten Gang. Marlenes Flucht schien vorerst gelungen zu sein.

Sorgfältig kleidete sich Deborah an. Sie entschied sich für ein schwarzes, enges Kleid mit einer weißen fedrigen Blume auf dem Revers. Nachdem ihre nervösen Finger das erste Paar Seidenstrümpfe auf dem Gewissen hatten, verzichtete sie bewusst darauf. Ihr war sowieso zu warm. Die Morgensonne schien durch die hohen Bogenfenster und hatte das Zimmer inzwischen ordentlich aufgeheizt.

Während Deborah Schuhe mit halbhohen Absätzen überstreifte, dachte sie über ihr weiteres Vorgehen nach. *Wie konnte sie sich, ohne dass es jemandem auffiel, neben die Palme knien und die Kamera aus dem Topf nehmen?* Sie hatte den Satz kaum zu Ende gedacht, da schleuderte sie ihre Schuhe von den Füßen und zog ein paar Halbschuhe mit Schnürsenkeln aus dem Schrank. Mit einem offenen Schnürsenkel hatte sie einen Vorwand, sich bei den Palmen niederzuknien. Dazu ihre große schwarze Klapphandtasche. Aufzug oder Treppe, überlegte sie als Nächstes und entschied sich für die Treppe. Von dort aus würde sie eine bessere Übersicht über die Lobby haben.

Dann war die Stunde um, und sie machte sich auf den Weg.

Manchmal muss man einfach Glück haben, dachte Deborah kaum fünf Minuten später, als sie sich erleichtert in die weichen Polster eines Taxis sinken ließ.

Alles war furchtbar einfach verlaufen. Die Halle war bis auf zwei zivile Neuankömmlinge, die am Tresen ihre Papiere ausfüllten, ausnahmsweise leer gewesen, und niemand hatte ihr Beachtung geschenkt. Sie hatte die Kamera und die Patronen fast sofort zu fassen bekommen und ebenso geschickt wie unbemerkt in ihre Tasche gleiten lassen.

Im Café Cyganeria angekommen, sah sie sich gründlich um, konnte aber Marlene zu ihrer Bestürzung nirgends entdecken.

Wie immer war das Lokal überfüllt, der Geräuschpegel für ihr empfindliches Gehör unerträglich, und die Ausdünstungen der Menschen, zusammen mit dem Zigaretten- und Zigarrenrauch, betäubten sie beinahe. Sie kam nicht gern hierher. Aber Marlene hatte gesagt, dass die Höhle des Löwen der sicherste Ort für sie sei.

Bei ihrem Eintreten waren sofort mehrere Gruppen Offiziere auf Deborah aufmerksam geworden und winkten sie an ihre Tische. Sie schüttelte lächelnd den Kopf und bat stattdessen eine der Kellnerinnen, den nächsten leeren Zweiertisch für sie zu reservieren. Kaum hatte sie einige Minuten später in der linken hinteren Ecke Platz genommen, als Marlene das Café betrat.

Deborah war derart erleichtert, sie zu sehen, dass sie Mühe hatte, nicht aufzuspringen und ihr entgegenzulaufen. Da ein solches Verhalten sowohl undamenhaft als auch unvorsichtig gewesen wäre, begnügte sie sich mit einem unauffälligen Winken.

Marlene durchquerte das Lokal, erwiderte freundlich mehrere Grüße und lachte über eine scherzhafte Bemerkung eines der Männer. Sie erreichte Deborahs Tisch, küsste sie auf die Wange und bestellte sofort zwei Glas Champagner und einen Mokka. Deborah hatte bereits eine leere Tasse vor sich stehen. Die beiden Frauen steckten kichernd die Köpfe zusammen, als tauschten sie Frauentratsch aus, und Deborah sagte: »Ich habe sie. Wann soll ich sie dir geben?«

»Nicht hier. Zu viele Augen. Wir gehen nachher gemeinsam zur Damentoilette. Ist dir auch niemand gefolgt?«

»Nein. Ich habe das Taxi extra einen Umweg fahren lassen.«

Marlene lachte zwitschernd auf, als hätte Deborah soeben etwas äußerst Lustiges von sich gegeben. Der Champagner kam, und sie prosteten sich zu. Für einen etwaigen Beobachter tauschten die beiden Damen nichts weiter als Albernheiten aus.

»Warum hast du dich eigentlich so verspätet?«, wollte Deborah wissen und nippte dabei nur an ihrem Glas.

»Weil ich im Gegensatz zu dir verfolgt wurde. Der Kerl war gut. Ich konnte ihn einfach nicht abschütteln.«

»Und wie bist du ihn schließlich doch losgeworden?«

»Gar nicht. Ich habe ihn getötet.«

Deborah hätte beinahe ihr Glas fallen gelassen. Völlig entgeistert starrte sie ihre Freundin an.

»Darum muss ich noch in dieser Stunde verschwinden. Wir sehen uns heute zum letzten Mal. Nun sieh mich nicht so an. Reiß dich zusammen. Jemand von Ernsts Freunden sieht zu uns herüber.« Marlene prostete ihm lächelnd zu, und Deborah hob mechanisch ihr Glas.

Mit einem Mal veränderte sich Marlenes Ausdruck. Das Lächeln rutschte ihr aus dem Gesicht, als hätte es jemand mit einer Bewegung ausgelöscht.

Langsam stand sie auf, und das, was sie sah, schien sie mit tiefem Entsetzen zu erfüllen. Erschrocken blickte Deborah zu ihr hoch. Urplötzlich stürzte Marlene den Tisch um, zerrte Deborah dahinter in Deckung und warf sich mit ihrem gesamten Körper der Länge nach auf sie. Das alles spielte sich in wenigen Sekunden ab. Deborahs Verstand blieb kaum Zeit, Marlenes merkwürdiges Gebaren zu verarbeiten, als eine gewaltige Explosion das Café in seinen Grundfesten erschütterte. Deborah glaubte, ihr Körper würde von Schmerz zerrissen, und verlor augenblicklich das Bewusstsein.

Kapitel 47

Das Universum stand still. Deborah fühlte sich merkwürdig losgelöst, als atmete sie außerhalb ihres Körpers, auf der Suche nach der Welt.

Als sie erwachte, wusste sie nicht, wie viel Zeit vergangen war. Sie hörte Schreie und Stöhnen, aber alles klang gedämpft, die Töne wie in Watte getaucht. Der Geruch nach Feuer und verbranntem Fleisch löste Übelkeit in ihr aus.

Deborah würgte und glaubte, sich übergeben zu müssen. Dabei bekam sie kaum Luft, da etwas Schweres auf ihrem Brustkorb lastete – etwas, an das sie sich erinnern musste. Doch noch war sie unfähig, einen klaren Gedanken zu fassen.

Ein Gegenstand mit harten Konturen lag unter ihrer Hüfte und drückte schmerzhaft dagegen. Sie versuchte, sich vorsichtig zu bewegen. Unmöglich. Das schwere Gewicht auf ihrer Brust nagelte sie förmlich auf dem Boden fest. Dann spürte sie etwas Weiches, das ihr Gesicht kitzelte, etwas Vertrautes, das trotzdem irgendwie nicht hierhergehörte. Unter all den furchtbaren Gerüchen, die sich um sie herum weiter verbreiteten, stieg ihr der kaum wahrnehmbare Hauch von etwas Frischem in die Nase.

Etwas Verstörendes zündete jäh in ihrem Kopf. Erschrocken krächzte Deborah: »Marlene!«

Zögerlich wie ein stotternder Motor setzte ihr Verstand wieder ein, und mit ihm kamen die Fragen. Wie kam sie hierher? Was war passiert?

»Hier sind tatsächlich noch zwei Frauen. Da, hinter dem

Tisch! Helft mir«, rief eine Stimme ganz in ihrer Nähe, und dann versank Deborah erneut in der Schwärze.

Das Licht schmerzte. Sie konnte es sogar durch die geschlossenen Lider sehen. Sie wollte die Augen nicht öffnen. Aber da war diese aufdringliche Stimme, die sie unbedingt dazu bringen wollte. Warum ließ man sie nicht noch ein Weilchen in Frieden schlafen? Sie sehnte sich nach Ruhe und Stille. Jemand griff nach ihrer Hand und fühlte ihren Puls. »Sie wacht auf«, sagte eine zweite Stimme.

Nein, dachte Deborah. *Ich wache nicht auf. Lasst mich. Ich will nicht in die Schule gehen. Ich bin krank.*

»Maria? Kannst du mich hören? Wach auf.« Wieder diese aufdringliche Stimme.

Widerwillig öffnete sie die Augen, alles um sie herum war verschwommen, wie im Nebel versunken. Auch die Stimmen klangen irgendwie komisch. Ob das am Summen in ihrem Kopf lag?, fragte sie sich. Trotzdem stimmte etwas nicht mit ihnen. Die Leute klangen, als würden sie unter Wasser sprechen. Ihre Ohren schmerzten auch. Was war mit ihren Ohren los? Unbewusst tastete sie mit den Händen nach ihrem Kopf.

Sie wurden auf halbem Weg abgefangen.

»Es ist gut«, sagte die zweite Stimme. Sie war weiblich und sprach mit starkem polnischem Akzent. »Das wird sich wieder geben. Es kommt von der Wucht der Explosion. Ihre Trommelfelle sind beschädigt, aber ansonsten haben Sie sehr viel Glück gehabt. Eine Gehirnerschütterung und ein paar geprellte Rippen. Mehr haben Sie nicht abbekommen. Sie können bald wieder aufstehen.«

Deborah hatte nur halb hingehört. Kann ich jetzt weiterschlafen?, dachte sie und schloss erneut die Augen. Sie schwebte und wollte das Gefühl noch eine Weile länger auskosten. Doch ihr Verstand schüttelte die Taubheit ihres Geistes ab, schob das Wort »Explosion« in ihr Bewusstsein, und die Erinnerung traf sie mit voller Wucht. »Marlene?«, wollte sie fragen und brachte lediglich ein heiseres Keuchen zustande. Ihre Kehle brannte wie Feuer.

»Das kommt von der Rauchvergiftung«, erklärte die eine der beiden Stimmen und setzte ihr ein Glas mit wunderbar kühlem Wasser an die Lippen. Deborah nahm einige Schlucke und nickte der Spenderin dankbar zu. Es war eine kräftige, ältliche Matrone mit einer riesigen Warze am Kinn, die direkt über Deborahs Gesicht zu pendeln schien. Deborah konnte deutlich die drei borstigen schwarzen Haare erkennen, die daraus hervorsprossen.

»Marlene … meine Freundin. Was ist mit ihr?«, flüsterte sie. Von der anderen Seite des Bettes antwortete ihr Albrecht:

»Sie liegt hier gleich nebenan. Sie hat es bei dem Anschlag auf das Café weit schwerer getroffen als dich. Als man euch gefunden hat, lag sie der Länge nach auf dir. Vermutlich hat sie dich damit vor dem Schlimmsten bewahrt. Sie hat einen großen Glassplitter in den Rücken bekommen. Die Ärzte glauben nicht, dass sie jemals wieder wird laufen können. Es tut mir leid. Schlaf jetzt noch ein bisschen. Ich komme heute Abend wieder.« Albrecht stand auf. Zum Abschied strich er ihr eine lange schwarze Haarsträhne aus dem Gesicht und ging.

»Wie lange bin ich schon hier?«, fragte Deborah mit seltsam krächzender Stimme, die nicht die ihre zu sein schien.

»Seit gestern.«

»Kann ich meine Freundin sehen?«

»Natürlich. Aber erst morgen. Schlafen Sie jetzt.« Sie erhielt ein paar weitere Schlucke zu trinken. Das Wasser schmeckte bitter. Die Schwester steckte mit energischen Bewegungen die Bettdecke rechts und links von ihr fest und ließ sie allein.

Deborahs Augen füllten sich mit Tränen. Arme Marlene. Erneut überkam sie bleierne Müdigkeit. Vermutlich hatte das bittere Wasser ein Schlafmittel enthalten.

Deborah schlief mehrere Stunden tief und traumlos, bis Albrecht am Abend zurückkehrte. Er brachte einen Korb mit frischem Obst, Pralinen und die gute Nachricht mit, dass der Arzt Deborah erlaubt hatte, das Krankenhaus schon am nächsten Tag wieder zu verlassen – vorausgesetzt, sie schonte sich danach noch eine Zeit lang. Albrecht verabschiedete sich bald mit der Bemerkung, dass ihm Krankenhaus und Krankheiten ein Gräuel seien und er sie morgen gegen Mittag abholen werde.

Die Schwester mit der Warze betrat ihr Zimmer, und Deborah entgingen ihre sehnsüchtigen Blicke auf das Obst und die Pralinen nicht.

»Sie können gern alles haben, wenn Sie mich jetzt gleich zu meiner Freundin bringen«, sagte Deborah. Die Frau strahlte sie voller Freude und Dankbarkeit an, als hätte sie ihr einen Beutel Gold versprochen, und half ihr aus dem Eisenbett.

Deborah fühlte sich ziemlich wackelig auf den Beinen, und ihr war schwindelig, doch die Schwester hielt sie mit geübtem Griff. Nach einer Weile hörte der graue Linoleumboden auf, unter ihren Füßen zu schwanken. Geführt von der Schwester, betrat sie Marlenes Zimmer oder vielmehr den Krankensaal. Der Geruch von Erbrochenem, Urin und Schlimmerem schlug ihr entgegen.

Deborah begriff, welche Privilegien sie durch Albrechts hohe Stellung genoss. Marlene teilte den Raum mit mindestens zwanzig Frauen. In manchen Betten lagen sich sogar zwei Frauen gegenüber, ihre nicht besonders sauberen Füße auf dem dünnen Kopfkissen der anderen platziert. Marlene hatte immerhin das beste Bett ganz hinten in der Nähe des Fensters erhalten. Deborah widerstand nur schwer dem Impuls, es zu öffnen, um frische Luft hereinzulassen.

Marlenes Anblick drängte dann alles andere in den Hintergrund; er erschütterte Deborah bis ins Mark. Ihre lebenslustige Freundin lag lang ausgestreckt und bewegungslos wie eine Madonna auf einer fadenscheinigen Matratze, die diese Bezeichnung kaum verdiente. Man hatte ihren Hals komplett eingegipst und ihren restlichen Körper ans Bett geschnallt. Ihr Gesicht wirkte spitz und eingefallen. Marlene lächelte ein trauriges Lächeln, als Deborah in ihr Gesichtsfeld trat.

»Tja«, sagte sie mit ähnlich rauer Stimme wie Deborah. »Mit der Bettakrobatik ist es wohl vorbei für mich. Ich bin ganz schön im Eimer.«

»Sag das nicht«, erwiderte Deborah hilflos und suchte nach einem Stuhl. Es gab keinen. Sie beugte sich daher zu Marlene hinunter und fasste nach ihrer Hand. Marlene kam flüsternd gleich auf das Wesentliche zu sprechen: »Was ist mit der Kamera? Hast du sie?«

Erschrocken riss Deborah die Augen auf. *Die Kamera!* Im Zuge der Geschehnisse hatte sie die völlig vergessen.

Marlene wurde noch eine Nuance blasser. »Geh! Mach dir um mich keine Sorgen. Erkundige dich nach deinen Sachen. Wenn die Tasche weg ist, können wir nur hoffen, dass sie nicht in die falschen Hände geraten ist. Komm später wieder.«

So schnell es ihr Zustand zuließ, eilte Deborah zurück in ihr Zimmer. Der Korb mit den Leckereien war verschwunden. Sie durchsuchte das gesamte Zimmer, fand aber weder die Kleider, die sie gestern getragen hatte, noch ihre Handtasche.

Sie rief nach der Schwester und fragte sie danach, aber diese wusste nur zu berichten, dass der feine Herr mit den Pralinen Anweisung gegeben habe, ihre schmutzige Kleidung zu verbrennen. Ansonsten habe die gnädige Frau nichts bei sich gehabt. Sie ging und ließ Deborah in tiefer Sorge um den Verbleib ihrer Tasche zurück. Entweder hatte man sie ihr noch an Ort und Stelle gestohlen oder erst hier im Krankenhaus – was vermutlich noch das Beste wäre. Denn hätte irgendein Dieb die Kamera genommen, ginge es ihm nur um ihren Sachwert, und er würde sich wohl kaum darum scheren, die Filme entwickeln zu lassen.

Es konnte aber auch Albrecht gewesen sein, der sie von hier mitgenommen hatte, oder sie war ihm als ihr Eigentum übergeben worden. Aber dann hätte er sie sicherlich vorhin gefragt, woher sie die Kamera hatte. Oder nicht? Oder waren alle Dinge, die man im Café gefunden hatte, konfisziert worden? Es gab doch sicherlich Ermittlungen? Die beste Möglichkeit von allen war, dass die Kamera bei der Explosion vernichtet worden war oder zumindest durch die Hitze verdorben. Wie viel Hitze vertrug eine Kamera, vertrug das Fotomaterial? Deborah hatte keine Ahnung.

Plötzlich fiel ihr das schmerzende Objekt unter ihrer Hüfte ein. Sie war sich beinahe sicher, dass es ihre Handtasche gewesen sein musste. Wo auch immer die Kamera und die zweite Filmpatrone sich jetzt befanden: Wenn sie noch intakt, aber in die falschen Hände geraten waren, dann würde ihr Spiel bald auffliegen.

So oder so waren alle ihre Mühen umsonst gewesen. Sie standen wieder am Anfang, und Marlene war vermutlich für den Rest ihres Lebens gelähmt. Jakob fiel ihr ein. Sie musste unbedingt mit ihm Kontakt aufnehmen! Jakob würde sicherlich Rat wissen!

Sie kehrte zu der ungeduldig wartenden Marlene zurück und überbrachte ihr die niederschmetternde Nachricht. Doch ihre Freundin hatte längst damit gerechnet.

»Tja. Da können wir nichts tun, außer abwarten, wie sich alles weiterentwickelt«, sagte sie so leise, dass nur Deborah sie verstehen konnte. »Wenn Albrecht oder die Gestapo deine Tasche hat, werden wir es bald erfahren. Hör zu! Wenn dich jemand deshalb zur Rede stellt, musst du absolut erstaunt tun und vorgeben, nichts davon zu wissen. Stell dich dumm und spiel ihnen das junge, naive Mädchen vor. Die Nazis möchten die Frauen gern für dumm halten, also sei es auch. Hörst du? Unnötig, dass wir beide dabei draufgehen. Von mir ist sowieso nicht mehr viel übrig, und dir werden sie vermutlich sogar glauben. Pass genau auf, was ich dir jetzt sage, und merk es dir, denn dein Leben hängt davon ab!

Wenn es zum Schlimmsten kommt, werde ich aussagen, dass ich Albrecht und dich gestern betäubt habe, anschließend seine Aktentasche durchsucht und seine Unterlagen fotografiert habe. Wegen Greiffs Ankunft habe ich dir die Kamera und die Patrone beim Verlassen des Hotels heimlich in die Tasche gesteckt und jemanden angestiftet, sie dir später im Café zu stehlen. Durch den Anschlag kam es dann nicht mehr dazu. Das würde erklären, warum sich die Kamera in deiner Tasche befand. Du musst absolut ahnungslos und vor allem empört tun, Deborah. Schließlich wurdest du von deiner angeblichen Freundin ausgenutzt und getäuscht. Es ist überlebensnotwendig, dass du dich so verhältst. Kann ich mich auf dich verlassen?«

»Aber … das ist feige. Ich kann dich doch nicht die ganze Schuld auf dich nehmen lassen!«, antwortete Deborah aufgeregt.

»Schhh«, machte Marlene. »Nicht so laut. Das hat nichts mit Feigheit zu tun, *chérie*«, sagte sie sanft. »Im Gegenteil. Es verlangt sehr viel Mut von dir. Es ist wichtig, dass du dich Albrecht gegenüber weiterhin ganz normal benimmst. Aber sei auf der Hut! Wenn sich die Lage etwas beruhigt hat, musst du es noch einmal versuchen. Geh zu Pavel«, flüsterte sie weiter. »Er wird dir eine neue Kamera besorgen.« Erschöpft hielt Marlene inne.

Deborah staunte über ihren ungebrochenen Willen. Ihre Freundin lag mit zerschmetterten Gliedern im Bett, im Ungewissen darüber, ob sie je wieder würde laufen können, und plante bereits die nächste Aktion.

»Du bist unglaublich. Weißt du das?«

»Das hilft mir zwar jetzt auch nicht, aber trotzdem *merci*. Geh jetzt zurück und komm morgen früh wieder. Ich muss jetzt schlafen.«

Kapitel 48

Mitten in der Nacht erwachte Deborah aus unruhigem Halbschlaf. Ein Geräusch hatte sie geweckt. Jemand hatte die Tür
geöffnet und wieder geschlossen. Im Zimmer herrschte stock-
finstere Nacht, kein Licht brannte. Die Schwester hatte die Vorhänge am Abend zugezogen, um auch noch das letzte Mond-
licht auszusperren. Deborah konnte absolut nichts erkennen,
aber sie fühlte deutlich die Präsenz eines anderen menschlichen
Wesens im Raum.

»Wer ist da?«, rief sie. Eine große schwere Hand legte sich
jäh auf ihren Mund. Sie erkannte sie sofort an dem vertrauten
Geruch nach Leder. »Jakob«, flüsterte sie erleichtert. »Du bist
gekommen.« Er nahm ihre Hand und küsste sie zärtlich. »Wie
geht es dir, meine Kleine?«

»Gut, aber Marlene … es ist schrecklich, sie …« Ihre Stimme
stockte, und sie musste die aufsteigenden Tränen gewaltsam
zurückdrängen. Keinesfalls wollte sie vor Jakob weinen, selbst
wenn er es im Dunkel der Nacht gar nicht hätte sehen können.

»Ich weiß«, sagte er und strich ihr eine lange dunkle Strähne
aus dem Gesicht. Seine Geste barg so viel mehr Zärtlichkeit in
sich als die von Albrecht am Morgen.

»Wir hatten es geschafft, Jakob. Marlene hat alles fotografiert. Ich hatte sie bei mir in der Handtasche. Und dann ist das
Café in die Luft geflogen, und meine Tasche und die Filme sind
jetzt weg«, sprudelte sie leise hervor.

Wieder antwortete Jakob nur: »Ich weiß.«

»Es war alles umsonst, und Marlene …« Sie hielt inne. Hatte

sie ihn gerade richtig verstanden? »Wie …? Du weißt es? Hast du Marlene schon gesprochen?«

»Nein. Zu viele Augen und Ohren. Osman hat mich informiert.«

»Osman?« Deborah glaubte, sich verhört zu haben, und wiederholte deshalb: »Albrechts Osman?«

»Genau der. Er hat mir die Kamera und die beiden Filme gebracht. Sorge dich nicht«, sagte Jakob beruhigend. Dabei war er innerlich gar nicht ruhig, sondern bebte vor aufgestautem Zorn. Dieser verdammte Zlatko! Der Anschlag der ŻOB auf das Cyganeria war erst für morgen geplant gewesen. So hatte er auch Marlene informiert, damit sie sich an diesem Tag vom Café fernhielt. Aber Zlatko hatte die Nerven verloren und auf eigene Faust gehandelt. Nur deshalb hatte es Marlene und Deborah erwischt.

»Wie … Aber ich verstehe nicht …?«, stotterte Deborah jetzt.

»Osman ist dir zum Café gefolgt. Brunnmann hatte ihn beauftragt, dich zu überwachen. Er war darum einer der ersten Helfer vor Ort. Er war es, der Marlene und dich gefunden hat. In dem ganzen Chaos gelang es ihm, die Kamera und den Film aus deiner Tasche zu entwenden und zu mir zu bringen.«

»Aber woher wusste er, wo er dich findet?«

»Das habe ich dir doch gerade erklärt. Er hat dich in Brunnmanns Auftrag überwacht. Offensichtlich hasst er aber seinen Arbeitgeber und hat eine besondere Schwäche für dich. Er hat Brunnmann nichts von uns erzählt. Dazu kommt sein Erlebnis, als man ihn irrtümlich für einen Juden hielt, obwohl er Mohammedaner ist. Ihn öffentlich zu entblößen, ist die schlimmste Demütigung, die man einem Mann seines Volkes zufügen kann. Die Nazis haben ihn sich dadurch unwiderruflich zum Feind gemacht.«

Na so was, dachte Deborah. *Osman?* Sie versuchte sich zu erinnern, womit sie Osmans Sympathie errungen haben könnte. Im Grunde hatte sie ihn kaum je wahrgenommen. Ein- oder zweimal hatte sie ihn dabei ertappt, wie er sie mit einem merkwürdigen Ausdruck in den Augen angesehen hatte. Sie hatte sich keinen Reim darauf machen können und es rasch vergessen. Erst jetzt ging ihr ein Licht auf. Osman hatte Mitgefühl mit ihr gezeigt! Aber natürlich!

Beide waren sie Albrecht auf Gedeih und Verderben ausgeliefert. Sie, eine eltern- und mittellose Halbjüdin, und er, ein von Albrechts Vater verstümmelter, älterer Mann ohne Heimat und Zukunft. Erneut musste sie daran denken, was ihr Vater ihr über das Prinzip von Ursache und Wirkung beigebracht hatte: Dass eine jede Tat, ob gut oder böse, eine weitere nach sich zog. Osman hatte sich für den Verlust seiner Zunge gerächt.

»Hör zu, Deborah. Ich habe nicht viel Zeit. Die Deutschen stellen die ganze Stadt auf den Kopf. Ich muss verschwinden. Es geht um die …«

»Wie …? Du musst verschwinden? Aber wohin? Sehe ich dich wieder?«, unterbrach ihn Deborah aufgewühlt und klammerte sich an seinen Arm.

»Sicher.« Er lächelte und legte eine Zuversicht in seine Stimme, die er nicht empfand. »Hör mir jetzt zu. Die Unterlagen, die ihr fotografiert habt … Es scheint, dass am 20. Januar dieses Jahres eine wichtige Konferenz am Berliner Wannsee stattgefunden hat. Das Protokoll hierzu befand sich in Brunnmanns Aktentasche. Es ist der erste schriftliche Beweis, dass die Deutschen die Vernichtung allen jüdischen Lebens in Europa planen. Wir sprechen hier von Millionen Leben! Sie haben sogar die britischen Juden mit darin aufgelistet! Die Nazis bezeichnen das als *Endlösung,* und sie haben längst mit ihrem furchtbaren Werk begonnen! Überall errichten und erweitern sie Massenvernichtungslager. Sie vergasen die Juden und verbrennen sie anschließend. Ich habe Berichte gelesen, in denen sich die umliegenden Bewohner über den permanenten Geruch von verbranntem Fleisch beschweren. Wir brauchen daher unbedingt das Originalprotokoll von Brunnmann. Bildabzüge allein genügen nicht. Wir müssen das echte Protokoll an uns bringen, nach London schaffen und es der polnischen Exilregierung zukommen lassen. Das Ausland wird uns sonst niemals glauben. Osman hat angeboten, Brunnmanns Aktentasche für uns zu stehlen. Aber dazu wird er deine Unterstützung brauchen. Hilfst du ihm?«

»Natürlich. Was soll ich tun?«

Mit raschen Worten setzte er ihr seinen Plan auseinander. Anschließend küsste er sie lange und hielt ihren zarten Körper an sich gepresst.

Dann passierte alles rasend schnell: Die Tür wurde aufgerissen, Licht flammte auf, und mehrere Männer, die Waffen im Anschlag, stürmten in den Raum. Ihnen auf dem Fuß folgte ein hochgewachsener Mann mit Augenklappe.

Er war es, der mit schneidender Stimme rief: »Ich will ihn lebend!« Jakob hatte sich beim ersten Licht blitzschnell auf Deborah geworfen und ihr die Hände an die Kehle gelegt, als versuche er, sie zu erwürgen. Die Zeit reichte gerade aus für ein gezischtes »Du musst die Protokolle retten. Versprich es. Rette dein Volk. Rette dich. Nur das zählt. Vergiss mich«. Schon rissen ihn grobe Hände von Deborah weg und schleppten ihn nach draußen. Jakob wehrte sich nicht gegen sie.

Indessen rang Deborah keuchend nach Luft; ihre ganze Umgebung schien aus einem Kreisel von Millionen tanzender Lichtpunkte zu bestehen. Jakob hatte fest zugepackt, um die Attacke möglichst echt wirken zu lassen. Deborahs Hand tastete nach ihrem Hals. Mehr jedoch als ihr Hals schmerzte ihr Herz. *Jakob*, schrie es stumm und verzweifelt.

Der Mann mit der Augenklappe trat näher und blieb direkt vor ihrem Bett stehen. In seinem langen Ledermantel überragte er sie wie ein bedrohlicher, schwarzer Turm. Sein einziges Auge heftete sich lauernd auf ihr Gesicht und tastete darüber, als wollte er in ihren Verstand eindringen. Der Mann weckte eine Erinnerung in ihr, doch sie vermochte sie nicht zu greifen. Der Gedanke entglitt ihr wie ein flüchtiges Gespinst.

Sie wusste nur eines: Dass er ihr furchtbare Angst einflößte, obwohl sie ihm nie zuvor begegnet war. Sie setzte sich seinem forschenden Starren keine Sekunde länger aus, sondern warf sich heftig zur Seite und vergrub das Gesicht in ihrem Kissen. Sie biss hinein, um ihre stummen Schreie zu ersticken, während sich Jakobs letzte Worte wie ein schreckliches Mantra in ihrem Kopf wiederholten: *Vergiss mich. Vergiss mich. Vergiss mich …*

Wie aus weiter Ferne hörte sie, dass der Fremde einem Mann aus seiner Entourage einen Befehl gab: »Ruf einen Arzt. Und dann schaff mir Brunnmann her.«

Der Arzt erschien kurz darauf. Er war ein kleiner runder Mann mit ängstlichem Gesicht und dicken Brillengläsern, die seine Augen um ein Vielfaches vergrößerten. Flink tastete er Deborahs Hals ab und fühlte ihren Puls.

»Na, kleines Fräulein. Da haben Sie aber noch mal Glück gehabt«, sagte er dann und versuchte sich an einem aufmunternden Lächeln, das gänzlich verunglückte. Deborah konnte seine Ungeduld fühlen. Vermutlich konnte er es kaum erwarten, den Raum wieder zu verlassen. Ihr erging es nicht anders. Die Gegenwart des Einäugigen strahlte eine kalte Boshaftigkeit aus, die sie am ganzen Körper frösteln und sich an einen anderen Ort wünschen ließ, nur um ihm zu entkommen.

»Ich gebe Ihnen jetzt etwas, damit Sie schön schlafen können, kleines Fräulein.« Er zog eine Spritze auf. Deborah wollte jetzt keinesfalls schlafen, sondern sofort nachdem die Männer verschwunden wären, zu Marlene laufen. Sie musste ihr unbedingt erzählen, was eben geschehen war, sie warnen. Sie öffnete den Mund, um zu protestieren, doch die Augenklappe kam ihr überraschend zuvor: »Warten Sie!«, herrschte er den Arzt an. Er trat näher an Deborah heran und schickte den Mann mit einer gebieterischen Kopfbewegung hinaus. Dessen hastiger Abgang glich einer Flucht.

Deborah wünschte sich nichts sehnlicher, als allein gelassen zu werden. Wann ging die Augenklappe? Sie hasste ihn, weil er ihr Jakob entrissen hatte. Sie wollte ihre Lippen berühren, auf denen sie noch Jakobs Kuss schmecken konnte. Wohin brachte man ihn? Was würde mit ihm geschehen? Sie hielt den Gedanken mitten in der Entstehung auf, weil sie ihn nicht zu Ende führen konnte. Sie brauchte jetzt all ihre Sinne, denn wieder spürte sie das grausame Auge auf sich gerichtet.

Ohne hinzusehen, ließ der Mann mit einer lässigen Geste seinen langen schwarzen Ledermantel von den Schultern gleiten. Einer seiner jungen Begleiter fing ihn sofort geschickt auf, ein zweiter beeilte sich, ihm den Stuhl zurechtzurücken. Das klapprige Teil ächzte unter seinem Gewicht. Es nahm der nonchalanten Dreier-Choreografie, die oftmaliges Zusammenspiel verriet, etwas von ihrer Eleganz.

Wer war dieser Mann?, fragte sich Deborah nicht zum ersten Mal. Er verursachte ihr mehr als nur Angst, der schale Geschmack der Furcht drohte sie zu überwältigen. Worauf wartete er? Warum sagte er nichts und starrte sie lediglich an, als wisse er alles über sie? *Reiß dich jetzt zusammen*, ermahnte sie sich. *Spiel das Dummchen, so, wie Marlene gesagt hat. Das ist deine einzige Chance.* Sie tat ihren ersten Zug.

»Danke«, flüsterte sie und musste nicht leidender klingen, als sie sich sowieso fühlte.

Eine Augenbraue fuhr kaum merklich nach oben. Ansonsten zeigte das fahle Gesicht des Mannes nicht die Spur einer Regung.

Eine lange Pause folgte. *Du bist dran*, dachte Deborah und schenkte dem Mann ein zaghaftes Lächeln. Aus ihrer Sicht war er schließlich ihr Retter, also musste sie sich auch entsprechend verhalten.

»Was wollte Jakob Wanda von Ihnen?«, schoss er endlich die erste Frage auf sie ab. Nur mit äußerster Bühnendisziplin gelang es ihr, ihr Erschrecken darüber zu verbergen, dass er Jakobs richtigen Namen kannte.

»Bitte?«, fragte sie mit verwirrter Miene. »Er hat sich nicht die

Mühe gemacht, sich vorzustellen, ehe er versucht hat, mich umzubringen. Sind Sie von der Polizei?« Ihre Hand glitt an ihren Hals, um ihr Gegenüber daran zu erinnern, dass sie eben erst einem Mordanschlag entronnen war. Ihre Kehle brannte wie Feuer.

»Sie geben also zu, dass Sie seinen Namen kennen?«

»Nein, das habe ich doch gerade gesagt! Der Mann war mir völlig unbekannt. Sie haben doch den Namen genannt!«

»Sie behaupten also, Sie hätten ihn nie zuvor gesehen?«

Warum behandelt der Mann mich wie eine Täterin und nicht wie ein Opfer?, fragte sich Deborah. Zu ihrer Angst gesellte sich Verunsicherung. Plötzlich glaubte sie Marlenes mahnende Stimme in ihrem Hinterkopf zu hören, die ihr zuraunte: *Niemals richtig festlegen!*

Sie antwortete daher: »Ich denke nicht, dass ich ihn vorher schon mal gesehen habe. Es war dunkel im Zimmer, bis Sie kamen, und dann haben Sie ihn gleich von mir weggerissen.« Sie fasste sich abermals an den Hals und verzog schmerzhaft das Gesicht. »Könnte ich etwas Wasser haben, bitte?«

Ein kaum wahrnehmbares Nicken des Einäugigen, und der junge Mann, der den Stuhl herangerückt hatte, reichte Deborah sofort ein Glas Wasser.

Sie unterstrich ihre Hilfsbedürftigkeit, indem sie sich von ihm den Kopf stützen ließ, während er das Glas an ihre Lippen führte. Deborah bedankte sich mit matter Stimme und sank in das Kissen zurück. Dabei ließ sie ihre Decke gerade so weit zurückgleiten, dass sie einen Blick auf ihre wohlgeformten Schultern freigab. Der junge Mann stellte das Glas unbeeindruckt zurück und trat mit ausdruckslosem Gesicht zur Seite.

Dabei stieß er mit seinem Stiefel versehentlich an den blechernen Nachttopf neben dem Bett. Das scheppernde Geräusch hallte laut durch die Stille des nächtlichen Krankenhauses und ließ Deborah erschreckt zusammenzucken, während die Männer keine Regung zeigten.

Irgendetwas stimmt nicht mit diesen Männern, dachte Deborah. Sie setzte alle ihre weiblichen Signale ein, aber es war, als sendete sie auf einer falschen Frequenz. Die Männer sprachen überhaupt nicht darauf an, ja, schienen sie nicht einmal zu bemerken.

Ein weiterer Mann betrat mit wehendem Mantel den Raum. Rasch näherte er sich seinem Anführer und flüsterte ihm einige wenige Worte ins Ohr. Deborah glaubte, das kurze Aufflammen von Befriedigung in dessen ansonsten ausdruckslosen Zügen erkannt zu haben. Sie bedauerte, dass ihre empfindlichen Ohren durch die Explosion noch beeinträchtigt waren, sonst hätte sie sicher verstehen können, was der Mann zu ihm gesagt hatte.

Augenklappe lehnte sich vor, und sein hartes Gesicht war direkt über ihrem, als er beinahe sanft zu ihr sagte: »Jemand vom Krankenhauspersonal hat gesehen, wie sich Wanda in Ihr Zimmer geschlichen hat. Den Angaben nach hat sich der Mann mindestens fünfzehn Minuten in Ihrem Zimmer aufgehalten. Wenn Sie den Mann nicht kannten, wie Sie behaupten, würde mich interessieren, was Sie dann so lange hier drinnen mit ihm getrieben haben, hm? Raus jetzt mit der Sprache!«

Deborahs Herz setzte einen Takt aus. Fieberhaft suchte ihr Verstand nach einer plausiblen Antwort. Schließlich antwortete sie in ihrem besten Kleinmädchenton: »Aber … wie soll ich denn wissen, wie Mörder denken? Ich weiß nur, dass er versucht hat, mich zu töten, und dass Sie gerade noch rechtzeitig zu meiner Rettung gekommen sind. Dafür schulde ich Ihnen Dank. Bitte, mir ist nicht wohl, ich würde mich jetzt gern etwas ausruhen.« Demonstrativ zog sich Deborah ihre Decke bis unters Kinn und wandte sich von dem sengenden Blick ab. *So geh doch endlich*, dachte sie.

Doch der Mann tat ihr den Gefallen nicht. Mit eisernem Griff packte er ihr Kinn und zwang sie damit, ihn erneut anzusehen. »So nicht, junge Dame. Ich habe Sie durchschaut. Sie verbergen etwas, und das werden Sie mir jetzt sagen. Ansonsten zerre ich Sie aus Ihrem warmen Bett, und Sie verbringen den Rest der Nacht in einer kalten, feuchten Zelle. Also, ich höre!«

»Lassen Sie sie sofort los, Sturmbannführer Greiff!« Breitbeinig stand Albrecht im Türrahmen. In der Hand hielt er seine Hundepeitsche.

Deborah, die sich eingestand, Todesangst verspürt zu haben, schossen vor Erleichterung beinahe Tränen in die Augen.

Ohne Hast richtete sich Greiff auf und drehte sich langsam um. »Ah, der Obersturmbannführer ist endlich eingetroffen. Und gerade zum rechten Zeitpunkt, wie mir scheint. Die jüdische Metze wollte mir soeben ihre Geheimnisse verraten.«

»Ich würde es sehr begrüßen, wenn Sie meine Stieftochter nicht als Metze bezeichnen würden. Darf ich erfahren, was hier vor sich geht?«

Während er sprach, hatte Albrecht den Raum betreten und sich Greiff genähert, wobei er ihn nicht eine Sekunde aus den Augen ließ, als würde er ihm alles zutrauen. Wie Duellanten standen sich die Männer nun gegenüber, die Blicke ineinander verkeilt, als würden sie gleich aufeinander losgehen. Beide waren in etwa gleich groß, und die offensichtliche, gegenseitige Feindseligkeit, die sie ausstrahlten, ließ für Deborah nur einen Rückschluss zu: Sie kannten sich schon länger. Der Hass stand wie eine Wand zwischen ihnen.

Verwirrt sah Deborah von einem zum anderen. Was ging hier vor?

»Ihre Stieftochter, soso. Da habe ich aber etwas anderes gehört.« Greiffs Stimme troff vor Süffisanz.

»Was Sie gehört haben, interessiert mich nicht. Ich warne Sie, Sturmbannführer. Muss ich Sie an meinen Rang erinnern? Also, warum verhören Sie meine Stieftochter?« Albrecht spielte dabei mit der Peitsche. Klatschend traf sie auf seinen ledernen Stiefelschaft, während seine Miene signalisierte, dass er sie sein Gegenüber nur zu gern spüren lassen würde.

Greiff zeigte sich weder von der Drohgebärde noch von der Anspielung auf seinen niedrigeren Rang beeindruckt.

»Diese Metze«, Greiff spie die Worte geradezu aus und zeigte mit ausgestreckter Hand auf Deborah, »wurde soeben mit einem der gefährlichsten Subjekte Polens, einem Feind des Deutschen Reiches, erwischt. Ich war dabei herauszufinden, was die beiden zu bereden hatten. Meine Ermittlungen gelten vorrangig dem gestrigen feigen Anschlag auf Obergruppenführer und Reichsprotektor Heydrich in Prag und nicht diesem Café. Jakob Wanda ist einer der Drahtzieher. Aus zuverlässiger Quelle weiß ich, dass er die Attentäter Jozef Gabčík und Jan Kubiš zeitweise versteckt hat. Und dieser Mann, Wanda, war hier in diesem Zimmer. Entweder, um Ihre Stieftochter zu besuchen, oder um sie zu töten. In beiden Fällen stellt sich die Frage nach dem Warum. Das Mädchen weiß etwas. Kommen Sie mir also nicht in die Quere, Obersturmbannführer.«

Von dem Attentat auf Reinhard Heydrich hörte Deborah gerade zum ersten Mal. Sie hoffte, dass er tot war. Aber sie musste zugeben, dass dieser Greiff mit seinen Behauptungen im Grunde ins Schwarze getroffen hatte. Sie fand es an der Zeit, etwas zu unternehmen, bevor ihr die Felle davonschwammen.

Schon sah sie, wie dessen Worte wie Gift in Albrechts Gedanken einsickerten und er die Stirn runzelte. Sie griff ein: »Ich weiß nicht, wovon dieser Mann redet, Albrecht. Die Wahrheit ist, dass jemand in mein Zimmer geschlichen ist und versucht hat, mich zu erwürgen. Dann kamen diese Männer und haben mich gerettet, und jetzt behauptet dieser Mensch auf einmal, ich hätte mit dem Einbrecher irgendetwas zu tun. Bitte, Albrecht, der Schreck sitzt mir noch in allen Knochen, mein Hals schmerzt, und mir ist furchtbar übel.« Flehentlich, die tränenfeuchten Augen auf ihn gerichtet, streckte sie die Hand nach ihm aus. Albrecht sah ihre Blässe und die blauen Würgemale an ihrem Hals.

Er maß Greiff mit einem letzten, herausfordernden Blick, bevor er zu ihr eilte. Er schlang den Arm um ihre Schultern und drückte sie an sich. Schutzsuchend klammerte sich Deborah an ihn.

Verächtlich beobachtete Greiff die Szene und spuckte dabei aus. »Wie überaus rührend«, kommentierte er in ätzendem Tonfall. »Wenn Sie Ihren Schwanz irgendwann wieder im Griff haben, können Sie vielleicht auch wieder klar denken, Obersturmbannführer«, sagte er böse.

Albrecht wandte sich halb um und erwiderte über die Schulter hinweg: »Wie interessant. Wo Sie doch ansonsten gegen einen jungen *jüdischen* Hintern nichts einzuwenden haben, was man so hört.«

»Ich hätte nicht gedacht, dass Sie jedem ekelhaften Gerücht Glauben schenken.«

»Nur, wenn sie wahr sind, Genosse Sturmbannführer. Gehen Sie jetzt, Greiff, und wagen Sie es nicht, Ihre Anschuldigungen zu wiederholen oder sich Fräulein Malpran nochmals zu nähern. Ich warne Sie, treiben Sie es nicht zu weit.«

Aus den Augenwinkeln beobachtete Deborah, wie der Mann einige Sekunden lang zögerte, während der Hass sein Gesicht zu einer absurden Maske verzerrte. Dann entspannte er sich plötzlich, als wäre ihm ein neuer Gedanke gekommen. Ein teuflisches Grinsen kroch über sein Gesicht und ließ sein verbliebenes Auge wie eine schwarze Flamme aufblitzen. Eine böse Vorahnung erfasste Deborah und ließ sie erschauern.

Mit schmerzlicher Sicherheit wusste sie, was ihr Gegenüber jetzt unternehmen würde: Er würde sich ein neues Opfer vornehmen. *Er würde zu Jakob gehen und ihn quälen!* Herrisch winkte Greiff seinen Männern und marschierte ohne ein weiteres Wort aus dem Raum.

Kaum war er verschwunden, steckte der kleine Arzt seinen Kopf vorsichtig herein, wagte es jedoch nicht, das Zimmer vollends zu betreten. Albrecht entdeckte ihn und forderte ihn auf, näher zu treten.

Als er sah, wie sich Deborah weiter zitternd an Albrecht klammerte, lamentierte er: »Ach, das arme Fräulein, so ein Schreck. Jetzt können Sie sich endlich ausruhen.« Er hob die bereits aufgezogene Spritze, wartete jedoch fragend ab, ob ihm Albrecht, der ihm kaum minder Respekt einzuflößen schien als Greiff, die Erlaubnis dazu erteilen würde. Albrecht nickte kaum merklich, und der Arzt setzte die Spritze so flink an, dass Deborah keine Zeit zur Gegenwehr blieb.

Er hatte es sicherlich nur gut gemeint, leider aber gleichzeitig Deborahs Plan durchkreuzt, Marlene noch in der Nacht aufzusuchen.

Nach wenigen Augenblicken setzte die Entspannung ein, und Deborah versank in gnädigem Vergessen. Albrecht blieb noch ein paar Minuten, betrachtete ihr schlafendes Gesicht und studierte die blauen Male an ihrem Hals. Dann eilte er in sein Hotel zurück und vergewisserte sich, dass die wertvollen Dokumente seiner Aktentasche wohlverwahrt im Safe seines Zimmers ruhten.

Kapitel 49

Deborah erwachte am Morgen aus den grauen Schleiern wirrer Träume. Sie war allein. Alles tat ihr weh, und einige Minuten lang versuchte sie vergeblich, ihre vernebelten Gedanken in die richtige Reihenfolge zu bringen. Es war, als widerstrebe es ihr, sich überhaupt zu besinnen.

Doch sie konnte dem Erlebten nicht entrinnen. Die Wucht der Erinnerung traf sie umso heftiger, da sie versucht hatte, sie zu verdrängen.

Jakob, schluchzte sie hemmungslos. Nun gab sie sich ganz ihrem Kummer hin. Sein Bild, wie er hilflos und gefesselt diesem schwarzen SS-Teufel ausgeliefert war, stieg vor ihrem inneren Auge auf, und die Verzweiflung schnürte ihr die Kehle zu.

Der Gedanke an Rache formte sich in ihr. Sie richtete sich auf und trocknete ihre Tränen. Sie würden Jakob nichts nutzen, doch sie selbst fühlte sich gestärkt. Sie stand auf und ignorierte die Schwächesignale ihres Körpers. Sie wollte zu Marlene. Sie klammerte sich an den Gedanken, dass Marlene, die sich niemals unterkriegen ließ, Rat wüsste und dass sie gemeinsam einen Plan entwerfen würden.

Das Krankenhaus war längst erwacht, und auf den Fluren herrschte Betriebsamkeit. Überall an den Wänden standen behelfsmäßige Betten, in denen meist gleich zwei Kranke auf einmal untergebracht waren oder zu mehreren darauf saßen. Stöhnen und Wehklagen begleiteten Deborah auf ihrem Weg zu Marlene.

Wie ferngesteuert schritt Deborah an den Elenden vorüber,

deren Mienen leer oder von Schmerzen verzerrt waren, ihr ganzes Sein war allein auf Jakob und seine Rettung gerichtet. Sie betrat den Krankensaal und erstarrte: Das Bett, in dem gestern noch Marlene gelegen hatte, war von zwei fremden Frauen belegt, die beide im Delirium schienen. Keine der beiden reagierte auf Deborahs Frage nach der blonden deutschen Dame. Ihre Augen irrten verzweifelt umher auf der vergeblichen Suche nach Marlene.

»Sie haben sie in der Nacht abgeholt, Fräulein«, raunte eine Stimme in ihrem Rücken. Deborah wandte sich um. Eine alte Frau mit grauem, strähnigem Haar richtete sich mühsam in ihrem Bett auf. Sie hatte eine riesige, violett schimmernde Geschwulst auf der Wange, und ihre Augen glänzten vom Fieber.

In der Hoffnung, etwas über den Verbleib von Marlene zu erfahren, näherte sich ihr Deborah. »Was sagen Sie da? Abgeholt? Wer hat sie abgeholt?«

Wie eine Klaue klammerte sich ihre gichtgekrümmte Hand an Deborahs Arm: »Der schwarze Mann hat sie geholt, es war der schwarze Mann, und er hatte nur ein Auge!« Sie kicherte wie irre.

Von Panik erfasst, rannte Deborah zurück in ihr Zimmer. Schlagartig hatte sie begriffen, wovon sich ihre unerklärliche Angst gegen den Mann mit der Augenklappe von der ersten Sekunde an genährt hatte: Natürlich, der Name! Albrecht hatte ihn Greiff genannt! Marlene hatte ihr gestern im Hotel den gleichen Namen genannt. Er war es, Hubertus von Greiff, Marlenes Todfeind! Und jetzt hatte er ihre Freundin erneut in seine Gewalt gebracht.

Wie ein kopfloses Huhn lief Deborah durchs Krankenzimmer. *Denk nach, denk nach!* Sie umklammerte mit beiden Händen ihre Schläfen, als könne sie den Denkprozess dadurch beschleunigen. Dann blieb sie abrupt stehen. Kämpferisch hob sie ihr Kinn. *Albrecht!* Sie musste mit Albrecht sprechen. Er war Greiffs Feind. Vielleicht konnte sie daraus Kapital schlagen. Ungeduldig läutete sie nach der Schwester, damit sie ihr ein Taxi rief.

Die Tür öffnete sich, doch es war nicht die Schwester, sondern Osman, der im Türrahmen erschien. Er hatte eine von Deborahs Reisetaschen dabei. Mit ausgestreckten Händen ging sie ihm entgegen. »Osman, du ahnst nicht, wie ich mich freue, dich zu sehen.«

Der Chauffeur sank vor ihr auf ein Knie, nahm ihre rechte Hand und drückte sie erneut mit einer unnachahmlich ergebenen Geste an seine Stirn. Deborah fasste ihn an den Schultern und hob ihn auf. »Nicht doch, Osman, du machst mich ganz verlegen. Komm, unterhalten wir uns.«

Mit einer Geste bedeutete sie ihm, auf dem einzigen Stuhl Platz zu nehmen. Sie selbst setzte sich aufs Bett. »Osman, ich …«

Doch Osman unterbrach sie, indem er den Zeigefinger an seine Lippen legte und zur Tür zurückflitzte. Er vergewisserte sich, dass diese fest verschlossen war. Dann erst setzte er sich zu ihr. Er zog einige Grimassen und untermalte sie mit verschiedenen Handbewegungen.

Deborah verstand, dass Osman sich erkundigte, wie es ihr ging. »Danke, Osman, mir geht es gut. Nur ein paar blaue Flecken und eine geschundene Kehle. Nichts Ernstes.« Deborah beugte sich zu Osman vor und senkte ihre Stimme zu einem Flüstern herab: »Zunächst muss ich dir danken, dass du die Kamera gerettet und in Sicherheit gebracht hast. Leider ist gestern Nacht etwas Schlimmes passiert. Unser Freund«, Deborah mied absichtlich Jakobs Namen, »wurde verhaftet und Marlene auch. Wenn es irgendetwas gibt, womit man dich mit den beiden in Verbindung bringen kann, dann solltest du sofort von hier verschwinden, um dich zu retten.« Osman verneinte, indem er bestimmt den Kopf schüttelte.

Ob dies bedeutete, dass es nichts gab, was Greiff auf seine Spur bringen könnte, oder dass er sich schlichtweg weigerte, sie zu verlassen, wusste Deborah nicht zu deuten. Auf jeden Fall war sie erleichtert darüber und drang nicht weiter in ihn.

»Unser Freund hat mir von eurem Plan erzählt, die Originaldokumente zu stehlen. Ich werde dir dabei helfen. Allerdings werde ich es selbst versuchen. Deine Aufgabe ist es dann, sie sicher an den von unserem Freund genannten Bestimmungsort zu bringen. Danach musst du untertauchen. Ich gebe dir dafür alles Geld, das ich auftreiben kann.«

Osman protestierte mit stummen Gesten dagegen. Deborah verstand, dass er das Risiko für sie für zu hoch hielt. »Lass das meine Sorge sein, Osman. Versuch in meiner Nähe zu bleiben. Ich werde es dich wissen lassen, sobald ich die Dokumente an mich gebracht habe. Es kann allerdings einige Tage dauern. So, und jetzt bring mich bitte ins Hotel zurück. Ich muss hier raus, sonst werde ich in diesem Krankenhaus tatsächlich noch krank.«

Sie wollte sich erheben und nach der Tasche mit den frischen Kleidern greifen, doch Osman hielt sie zurück. Er zog einen kleinen Brief aus seiner Uniform, den er ihr mit betrübter Geste überreichte. Albrecht unterrichtete sie darin kurz, dass er für zwei Tage hatte verreisen müssen, dass aber das Hotelpersonal und Osman die Anweisung hätten, sich um alle ihre Bedürfnisse zu kümmern.

»Verdammt«, entfuhr es Deborah, die ihre Enttäuschung nur mühsam bezähmen konnte. Ausgerechnet jetzt ließ Albrecht sie allein. Wer außer ihm konnte ihr sonst bei den Nachforschungen nach Marlenes Verbleib behilflich sein? Niemals würde sie die zwei Tage in Ungewissheit überstehen können.

Ihr Verstand arbeitete auf Hochtouren. Vielleicht konnte sie sich an Ernst, Marlenes Offiziersfreund, wenden? Sie wusste sicher, dass er in Marlene verliebt war und an Marlenes Unglück zumindest Anteil nehmen würde. Vielleicht wusste er sogar, wohin sie gebracht worden war, und konnte für sie einen Besuch bei ihrer Freundin erwirken? Deborah konnte das Gefühl plötzlicher Schwäche, das ihr in die Beine fuhr, nicht unterdrücken, als sie daran dachte, dass sie dann erneut diesem furchtbaren Greiff begegnen würde.

Verflixt, wohin sie sich auch wandte, taten sich Sackgassen auf und lauerten Gefahren. Ohne Albrecht würde sie nichts in Marlenes Angelegenheit ausrichten können. Tatsächlich hatte sie gar keine andere Wahl, als zu warten. Bis zu seiner Rückkehr waren ihr die Hände gebunden. Dabei war Deborah nicht so naiv zu glauben, dass Albrecht so viel an Marlenes Schicksal lag, dass er ihrer Bitte nachkommen würde, sie aus ihrer misslichen Lage zu befreien. Doch er konnte sich wenigstens für sie nach ihr erkundigen.

Gemeinsam mit Osman kehrte sie ins Hotel zurück. Die beiden Tage bis zu Albrechts Rückkehr verliefen quälend langsam. Einem von Natur aus impulsiven und ungeduldigen Wesen wie Deborah erschien das Warten wie Folter. Niemals war ihr die Zeit so zäh erschienen.

Sie vertrieb sich die Stunden mit dem Schmieden von Plänen und dem Entwerfen von Rachefeldzügen gegen Greiff. Völlig rasend machte sie, dass es für sie absolut keine Möglichkeit gab, Jakob zu helfen. Sie war zur Untätigkeit verurteilt. Sie wusste ja noch nicht einmal, ob er noch lebte! Letztlich konzentrierte sie sich auf ihr vollmundig angekündigtes Vorhaben, wie sie Albrecht das Wannsee-Protokoll entwenden konnte. Das Protokoll war der Schlüssel zu ihrer Rache. Ohne es wären alle vorangegangenen Opfer jeden Sinns beraubt. Stunde um Stunde schlich sie um den Tresorschrank und wog dabei die verschiedenen Optionen ab. Für einen zufälligen Beobachter hätte es ausgesehen, als wolle sie den Schrank beschwören, sich von selbst für sie zu öffnen. Auch jetzt stand sie wieder sinnierend davor.

Die Untätigkeit hatte Deborah ausgehöhlt. Sie fühlte sich töricht und nutzlos, ein Niemand. Von plötzlicher Wut gepackt, stieß sie die Spiegeltür an und knallte sie zu. Dabei blitzte etwas im Spiegel kurz auf. Sie hielt inne, packte die Tür und schwang sie langsam wieder zurück, bis sie erneut auf das merkwürdige

Blitzen stieß. Es entpuppte sich als eine zurückgeworfene Spiegelung durch den auf der Kommode stehenden Sektkühler. Das brachte sie auf eine Idee.

Sie holte ihren Kosmetikkoffer und schob den Sektkühler beiseite. Auf der Innenseite des Kofferdeckels war ein Spiegel angebracht. Er maß nicht mehr als fünfzehn Zentimeter im Quadrat. Mehrere Minuten probierte sie herum, lief vom Tresorschrank zur Kommode und zurück zum Bett und richtete den Standort des Koffers mehrmals neu aus. Endlich hatte sie die richtige Position gefunden. Vom Bett aus konnte sie nun im Spiegelbild des Koffers das Zahlenschloss des Tresors gut erkennen. Da das Schloss in Bauchhöhe angebracht war, hatte Albrecht aufgrund seiner Größe die Angewohnheit, sich hinzuknien, während er die Kombination eingab. Nun musste sie nur noch darauf warten, bis Albrecht das nächste Mal den Tresor öffnete, und sich die Zahlen einprägen.

Den ganzen restlichen Nachmittag und Abend übte Deborah, spiegelverkehrte Zahlen aufzumalen, bis sie sie in- und auswendig beherrschte. Danach zerriss sie die Blätter in winzig kleine Fetzen und spülte sie die Toilette hinunter. Sie lächelte. Manchmal tat Wut einfach gut.

Kurz vor Mitternacht des dritten Tages kehrte Albrecht endlich zurück. Deborah hatte sich immer für mutig gehalten. Doch jetzt hatte sie Angst und war längst zum Nervenbündel geworden. Doch für Jakob und Marlene riss sie sich zusammen und spielte ihre Rolle. Sie glitt nackt aus dem Bett, lief ihm entgegen und presste sich an ihn. Dass er endlich da war und sie nicht mehr allein, hatte etwas Tröstliches. Beinahe hätte sie vor Erleichterung geweint.

Trotzdem zwang sie sich, ihn nicht gleich mit ihren Fragen zu Marlene zu bestürmen. Albrecht legte einen Arm um sie und führte sie zum Bett zurück. Er roch nach Alkohol und Zigarrenrauch, aber da war noch ein weiterer Geruch an ihm. Er war ihr weder angenehm noch unangenehm, vielmehr wirkte er auf

Deborah vertraut, und doch war er für sie im Augenblick nicht greifbar.

»Wie ich sehe, geht es dir schon besser. Ich brauche dringend ein Bad«, sagte Albrecht jetzt. »Schlaf du weiter.«

Er streifte seine Uniformjacke ab und warf sie achtlos über seine Aktentasche, die er beim Eintreten auf einem Stuhl deponiert hatte.

Kurz darauf hörte sie im Bad das Wasser rauschen. Deborah kämpfte mit sich. Da lag die Aktentasche. Sollte sie es riskieren und hineinsehen? Immer noch unschlüssig glitt sie aus dem Bett und griff zuerst nach der Uniformjacke. Sie war feucht. Vorsichtig rieb sie darüber und betrachtete dann ihre Finger. Sie waren rot. Sie roch daran. Blut! Das war der undefinierbare Geruch gewesen! Albrecht hatte nach Blut gerochen! Übelkeit stieg in ihr auf.

»Was tust du da?« Albrecht war nackt in der Badezimmertür aufgetaucht.

»Ich wollte nur deine Uniformjacke aufhängen«, erwiderte sie geistesgegenwärtig. »Aber sie muss wohl in die Reinigung. Da ist Blut dran, oder?«

»Darüber sprechen wir morgen. Geh zurück ins Bett, Maria.« Albrecht kam nackt auf sie zu und sah sie durchdringend an, während er nach der Aktentasche griff. Er entnahm ihr die Dokumentenmappe und sperrte sie in den Tresor.

Leider hatte Albrecht bei seiner Rückkehr nicht das Deckenlicht eingeschaltet. Deborah hatte lediglich die Nachttischlampe brennen lassen, deshalb war es nicht hell genug, um die Zahlenkombination ablesen zu können. Sie ärgerte sich, dass sie daran nicht gedacht hatte. Allerdings hatte sie auch Glück gehabt. Beinahe hätte Albrecht sie erwischt, wie sie in seiner Aktentasche schnüffelte. »Soll ich dir im Bad Gesellschaft leisten?«, zwang sie sich nun mit einem Lächeln zu sagen.

»Nein, ich brauche dringend ein paar Stunden Schlaf. Später.«

Deborahs Ungeduld siegte nun doch über ihre Vernunft. Sie ließ sie alle Vorsicht vergessen. »Weißt du, was mit Marlene passiert ist, Albrecht? Dieser einäugige Gestapomann hat sie noch in derselben Nacht aus dem Krankenhaus geholt. Was sollte das? Warum hat er das getan? Marlene ist doch schwer verletzt.«

»Woher weißt du, dass er von der Gestapo war?« Es lag etwas Lauerndes in Albrechts Frage.

»Der Arzt im Krankenhaus hat es erwähnt. Woher kennst du ihn? Und was wollte er von mir? Er hat mir Angst gemacht«, sagte Deborah und musste dabei ihre Angst nicht spielen.

»Ich sagte doch, wir reden morgen. Und jetzt gib Ruhe und schlaf. Ich komme gleich.«

Kapitel 50

Auch am nächsten Morgen hielt Albrecht Deborah weiter hin. Er wälzte sich auf sie und befriedigte sich zunächst hemmungslos an ihr.

Deborah ahnte, dass er sie absichtlich auf die Folter spannte. Erst nach einem ausgiebigen Frühstück, das sie sich auf die Suite bestellt hatten, war er bereit, über Marlene zu sprechen. »Sie ist eine jüdische Spionin. Ihr Name ist Anna von Dürkheim. Ihre Mutter war Jüdin und als Dienstmädchen bei den von Dürkheims angestellt. Sie hat den Sohn des Hauses verführt. Greiff hatte Marlene alias Anna schon einmal wegen staatsfeindlicher Umtriebe in Berlin in Gewahrsam. Sie hat Juden versteckt und geholfen, sie aus der Stadt zu schmuggeln. Er hat sie wiedererkannt. Der arme Ernst, ich fürchte, er erlebt gerade wenig vergnügliche Stunden. Greiff hat ihn in der Mangel.«

»Marlene, eine jüdische Spionin? Aber das ist völlig verrückt, Albrecht. Sie wurde bei dem Anschlag doch selbst fast getötet! Das allein beweist, dass sie damit nicht das Geringste zu haben kann!«, rief Deborah.

»Nein, das zeigt höchstens, wie unorganisiert und unkoordiniert der polnische Widerstand vorgeht. Ein selten dämlicher Haufen, der sogar seine eigenen Leute umbringt«, sagte Albrecht verächtlich.

»Trotzdem, Albrecht, ihr liegt falsch. Glaub mir, dieser Greiff ist ein Wahnsinniger, schon wie der mich behandelt hat! Der sieht doch Spione hinter jeder Ecke.« Deborah musste ihre Entrüstung nicht spielen. »Du musst sofort etwas für Marlene tun!

Sprich mit Greiff und sag ihm, dass er sich irrt. Wo ist Marlene überhaupt, weißt du, wie es ihr geht? Kann ich sie sehen?«

»Sie ist da, wo sie hingehört, im Montelupich-Gefängnis. Wie es ihr geht? Nun, da sie bisher nicht gestanden hat, was Greiff wissen will, nicht besonders, fürchte ich. Aber es ging ihr ja schon vorher nicht gut«, fügte Albrecht mit einem gemeinen Grinsen an. »So, wie ich das sehe, wird Greiff ihr vermutlich vergeblich zusetzen. Die Frau ist nicht dumm. Erstens ist ihr Rückgrat gebrochen, und zweitens ist ihr bewusst, dass Greiff sie so oder so töten wird. Deine vermeintliche Freundin wird in ihrem Zustand den Tod herbeisehnen. Aber du könntest ihr vielleicht helfen. Greiff hat sich etwas ausgedacht.«

»Greiff? Was will er von mir?«, fragte Deborah misstrauisch. Allein der Gedanke an diesen Mann löste einen Schauder bei ihr aus.

»Du sollst zu der Kalten gehen und sie aushorchen. Wenn sie dir verrät, wo Heydrichs Attentäter versteckt sind, dann lässt er einen Arzt zu Marlene.«

»Das heißt, du glaubst, dass sie auch etwas mit dem Attentat auf deinen Chef zu tun hat?«, fragte Deborah, während sie blitzschnell überlegte, ob Albrecht ihr eine Falle stellte, weil er sie im Verdacht hatte. Inzwischen wusste sie, dass Reinhard Heydrich bei dem Attentat am 27. Mai zwar schwer verletzt worden war, laut seinen Ärzten aber überleben würde.

»Ich glaube grundsätzlich nichts ohne Beweise. Sturmbannführer von Greiff mag zwar nicht mein bester Freund sein, aber er versteht seine Arbeit und gehört wie ich zur Elite der SS. Wenn einer die Wahrheit herausfinden kann, dann er. Auch ich will wissen, wer die Hintermänner sind. Sprich mit der Frau und finde heraus, was sie weiß.«

Deborah suchte in Albrechts Miene zu lesen. Glaubte Albrecht Greiffs Anschuldigung gegen sie? Doch Albrecht sah sie nur unergründlich an. Immerhin bedeutete es, dass sie zu Marlene durfte. Mit ihr konnte sie über Jakobs Verhaftung reden.

Vielleicht konnte Marlene ihr sagen, an wen in der Gruppe sie sich wenden konnte. Alles andere war unwichtig. »Gut«, sagte sie jetzt, »ich spreche mit ihr.«

»Braves Mädchen.« Albrecht warf seine Serviette auf den Tisch und stand auf. »Zieh dich an. Wir können sofort los.«

Die Fahrt in den Krakauer Norden zum Montelupich-Gefängnis verlief schweigend. Als der Wagen vor dem Gebäudekomplex in der Ulica Montelupich-Kamienna hielt und Albrecht keine Anstalten machte auszusteigen, fragte ihn Deborah nervös: »Was ist, kommst du nicht mit?«

»Nein, ich habe noch zu tun. Ich schicke dir aber Osman mit dem Wagen. Er wird hier in einer Stunde auf dich warten.«

»Du lässt mich allein mit diesem Greiff?« Deborah hatte Mühe, ihre Stimme unter Kontrolle zu halten.

Albrecht lächelte selbstsicher. »Du musst keine Angst vor ihm haben, Maria, er kann und wird dir nichts tun. Ich habe ihm strikte Anweisung erteilt. Er kann sich keinen Ärger mit mir und schon gar nicht mit Heydrich leisten. Und jetzt ab mit dir und sieh zu, dass du erfolgreich bist. Dann habe ich eine Belohnung für dich.«

Osman hatte die Tür für sie geöffnet. Deborah blieb nichts anderes übrig, als auszusteigen.

»Da wäre noch etwas«, rief Albrecht ihr nach, und Deborah drehte sich fragend zu ihm um. »Marlene hat viel an früherer Eleganz eingebüßt.« Er lächelte sie an.

Zum ersten Mal hasste Deborah ihn.

Der Wärter ging vor ihr her. Er machte sich nicht die Mühe, mit Deborah zu sprechen oder darauf zu achten, ob sie ihm folgen konnte, sondern schritt zügig voran, eine Reihe von schmalen Treppen hinab und weiter durch endlose dunkle Gänge, die zum Teil so niedrig waren, dass er den Kopf einziehen musste. Es stank nach Moder und Kanalisation. Der Mann schloss schweigsam eine schwere Tür auf und ließ Deborah eintreten.

»Ich warte hier draußen auf Sie. Rufen Sie mich, wenn Sie mich brauchen.« Deborah zwang sich zu einem freundlichen Nicken. Schon fiel die Tür hinter ihr zu, und der Schlüssel im Schloss knirschte.

»Ich habe mich schon gefragt, wann du auftauchen würdest. Wer schickt dich? Greiff oder Brunnmann?« Marlene lag ausgestreckt auf einer Pritsche.

Auch wenn Deborah durch Albrecht vorgewarnt war, so schockierte sie Marlenes Anblick zutiefst. Sie lag in ihrem eigenen Schmutz. Da sie sich nicht bewegen konnte, konnte sie auch den Blecheimer in der Ecke nicht erreichen.

Hilflos sah sich Deborah um. Es gab kein Wasser, kein Papier, kein Tuch, nichts. Nur Schmutz, Gestank und Ungeziefer.

»Ja, das ist nicht gerade das Adlon«, sagte Marlene leise, als Deborah näher trat. »Beug dich zu mir herab. Die Wände sind zwar dick, aber ich will kein Risiko eingehen. Hör zu, Deborah, ich weiß nicht, wie viel Zeit wir haben. Ich komme hier nicht mehr lebend raus. Du musst unseren Auftrag allein zu Ende führen und Brunnmann das Protokoll stehlen. Sonst war alles umsonst. Wir brauchen das Original. Gib es Osman. Er weiß, was er zu tun hat. Versprich mir, dass du dich darum kümmerst.« Deborah sagte nichts, sondern sah sie nur stumm an. Sie begriff, dass nur Marlenes Körper gebrochen war, aber nicht ihr Wille.

»Versprich es mir. Los, sag es!«

»Ich verspreche es«, sagte Deborah widerstrebend.

»Gut. Du musst mir noch einen Gefallen tun. Ich konnte meine Zyankalikapsel aus augenscheinlichen Gründen«, Marlene versuchte sich an einem Lächeln, »nicht nehmen. Greiff hat sie mir abgenommen. Aber ich habe bei dir im Bad eine zweite Kapsel versteckt. Sie klebt unter dem Handtuchschrank. Du musst sie mir bringen und geben. In den Mund geben«, ergänzte sie nachdrücklich.

»Was?«

»Du hast mich schon verstanden. Sieh mich an, ich bin total im Arsch! Kein Gefühl mehr unterhalb des Halses. Nichts! Nicht mal Ein-Auge hat noch Spaß daran, mich zu quälen. Bring sie mir, hörst du?«

»Ich soll sie dir bringen, damit du dich damit umbringen kannst?«, sagte Deborah schwach.

»Schlaues Kind, sie hat's kapiert.«

»Aber …«

»Nichts aber! Tu es. So will ich nicht weiterleben, ich liege in meiner eigenen Scheiße. Bring sie mir, so schnell du kannst. Wenn du meine Freundin bist, dann tu es. Für mich.« Deborah starrte sie an, unfähig, etwas zu sagen. Sie war wütend und traurig zugleich.

»Los, versprich es mir. Bitte …« Es lag etwas Neues, Wundes in Marlenes Stimme, das Deborah mitten ins Herz schnitt. Sie begriff, dass sie ihre einzige Freundin verlieren würde. Und nichts, was sie sagen oder tun konnte, würde etwas daran ändern oder Marlene von ihrem Vorhaben abbringen. Wenn Marlene sich nicht selbst tötete, dann würden es die Nazis tun. »Gut, ich verspreche es dir.«

»Dann verrate ich dir jetzt ein unwichtiges Detail über unsere Widerstandsgruppe. Damit sie dich morgen wieder zu mir lassen, behaupte einfach, dass ich angedeutet habe, dir morgen noch mehr Informationen zu geben.« Marlene flüsterte ihr einige fingierte Angaben zu, die sie für den Fall einer Ergreifung parat hatte. Die Nazis würden in der alten Fabrik zwar ein paar Dinge vorfinden, wie zum Beispiel einige erbeutete SS-Polizeiuniformen, aber sie waren extra dafür präpariert worden. »Was ist? Warum siehst du mich so an?« Deborah zögerte plötzlich, mit der Nachricht von Jakobs Verhaftung herauszurücken. Marlene wusste offenbar noch gar nichts davon. Marlene hatte Jakob zuerst geliebt, aber er war in ihren, Deborahs Armen verhaftet worden. Sie gab sich einen Ruck. »Jakob ist verhaftet worden«, flüsterte sie.

»Ich weiß, aber wir können nichts für ihn tun.« Marlenes Miene wirkte plötzlich wie versteinert.

»Aber du kennst doch sicher seine Kameraden. Vielleicht können die ihn befreien.«

»Sei nicht naiv. Die haben genug mit sich selbst zu tun.«

»Aber …«

»Nichts aber. Jakob kannte das Risiko. Nicht unser Leben zählt, sondern die Sache. Du musst jetzt seinen und meinen Platz einnehmen, Deborah. Genau das würde dir Jakob auch sagen, wäre er hier. Tu es für ihn. So, und jetzt geh und sieh zu, dass du dir das Protokoll schnappst. Wir zählen auf dich. Vergiss nicht, du hast es versprochen. Beides. Bis morgen, Freundin.«

Nachdem Deborah gegangen war, fiel die entschlossene Maske von Marlene ab und wich purer Verzweiflung. Greiff hatte gesiegt. Nichts war ihr geblieben, nicht einmal ihr Stolz. Sie konnte nur darauf bauen, dass Deborah ihr Versprechen halten und ihr das Zyankali geben würde – wenn sie sie überhaupt nochmals zu ihr lassen würden. Marlene sehnte sich nach dem Tod. Sie hatte alles gewagt und alles verloren: Sie hatte Jakob verraten, in der wahnwitzigen Hoffnung, ihn retten zu können, ihn vor weiterer Folter zu bewahren. Greiff hatte sie dabei zusehen lassen – Marlene war dazu mit starken Stricken an einen hohen Stuhl gefesselt worden –, während er Jakob gequält hatte, Stunde um Stunde, die ganze Nacht.

Jakob hatte sofort begriffen, was sein Peiniger mit Marlenes Anwesenheit bezweckte. Er hatte ihr zugerufen, dass sie den Mund halten solle. Nicht er war wichtig, sondern die Sache. Es waren seine Worte gewesen, die sie gerade Deborah gegenüber wiederholt hatte. Irgendwann gegen frühen Morgen hatte Marlene es nicht mehr ausgehalten. Greiff hatte Jakob gerade ein Auge ausgestochen. Jakob stöhnte, aber er schrie nicht. Nicht ein Mal. Dafür schrie Marlene für ihn, bis ihre Stimme brach und sie so heiser war, dass sie kaum mehr ein Flüstern hervorbrachte. Und dann, als Jakob das erste Mal das Bewusstsein verlor, hatte sie gewispert: »Hören Sie auf, Greiff! Ich erzähle Ihnen, was ich weiß, aber erst, wenn ein Arzt sich um Jakob kümmert.«

Ein Wink von Greiff, und nur wenige Minuten später erschien ein Arzt. Greiff näherte sich Marlenes Gesicht und sagte: »Also, ich höre.« Da hatte Marlene ihm alles erzählt, was sie über die nächste geplante Aktion wusste.

Was hatte sie nur getan! Sie hatte alles verraten, sich, Jakob, ihre Sache, und hatte damit rein gar nichts erreicht. Am Ende sah Greiff sie prüfend an und sagte: »Ich danke dir, Anna, dass du mich nicht belogen hast, immerhin. Denn all das hat mir gestern Abend bereits ein anderer Informant berichtet. Es ist bedauerlich, aber da ich nichts Neues von dir erfahren habe, sehe ich mich daher nicht an unser Abkommen gebunden.« Er hatte sie dazu beinahe liebenswürdig angelächelt. Und dann hatte er den Arzt weggeschickt und sein schreckliches Werk fortgesetzt.

Die Tür zu ihrem Gefängnis ging erneut auf. Marlene ahnte, dass es wieder der Wächter war. Er hatte sie schon gestern belästigt. Sie konnte sich nicht gegen seine Hände wehren. Er war es. »Puh, du Schlampe stinkst wie ein ganzer Schweinestall.«

»Gleichfalls. Wenn ich gewusst hätte, dass du kommst, hätte ich vorher gebadet.«

»Halt's Maul.« Er schlug sie ins Gesicht. Marlene schmeckte Blut auf der Lippe. Der Schmerz freute sie, es tat gut, ihn zu fühlen. Sie musste an Deborah denken, die ihn sich selbst zufügte. Ihre Freundin hatte recht, Schmerz konnte Erleichterung bringen. Unvermittelt lachte Marlene laut auf.

»Was ist los? Warum lacht sie?« Ein zweiter Mann, gefolgt von einem dritten, hatte die Zelle betreten. Marlene konnte sie nicht sehen, sie standen außerhalb ihres Blickfelds.

»Keine Ahnung, wahrscheinlich ist sie irre geworden. Wäre nicht das erste Mal hier unten. Was wollen Sie hier?«, fragte Marlenes Wächter.

»Wir sollen sie zurück ins Krankenhaus bringen. Sturmbannführer Greiff will, dass sie so lange wie möglich am Leben bleibt.«

»Komisch«, meinte der Wärter. »Sonst ist es immer umgekehrt.«

Doch Marlene hatte begriffen. Es war sadistisch und perfide. Greiff wollte, dass sie weiterlebte, damit die Bilder von Jakobs Qualen sie weiter verfolgten. Das war ihre Folter. Und sie wünschte sich, dass, wenn sie schon nicht sterben konnte, sie tatsächlich verrückt wurde.

Aufgewühlt folgte Deborah dem Wärter nach draußen. Ihr war übel, weniger vom Gestank, der sie wie eine dichte Wolke umhüllte. Nein, es war die Schlechtigkeit der Welt, die ihr den Magen umdrehte. Sie hatte in die Fratze der Realität geblickt, das Gesicht der Welt da draußen, außerhalb des schönen Scheins, der sie zu lange geblendet hatte. Aber die wirkliche Welt hörte keine Arien und nippte nicht am Champagner, die wirkliche Welt litt Not, die Menschen starben – getötet im Krieg oder ermordet von jenen, die den Krieg angezettelt hatten.

Laut Jakob stand im Wannsee-Protokoll, dass die Nazis planten, alle Juden zu töten. Millionen von Juden. Weil sie nach der Definition der Herrenrasse Untermenschen waren, des Lebens nicht würdig. Marlene war Halbjüdin, ihr blieb also nichts als der Tod, um ihnen zu entkommen.

Sie würde Marlene rächen! Ihr Tod sollte nicht ohne Preis sein für jene, die ihn zu verantworten hatten! Sie würde Albrecht das Protokoll stehlen, damit die ganze Welt von den verabscheuungswürdigen Vernichtungsplänen der Nazis erfuhr. Hitler und seine Helfer waren das personifizierte Böse, sie waren die Apokalypse!

Deborah trat auf den Hof hinaus. Geblendet vom hellen Tageslicht blinzelte sie die Dunkelheit des Gefängnisses fort.

Da sah sie Greiff. Er stand mitten im Hof, umgeben von zweien seiner blonden Jünger. In seinem schwarzen Ledermantel kam er ihr vor wie der leibhaftige Teufel. Die Bösartigkeit seines Lächelns ließ Deborah trotz der warmen Sonne frösteln. Schweigend wies er mit dem Kopf zur Seite.

Deborah folgte seinem Blick zu einem Galgen in der Ecke des Hofes, und ihr Herzschlag setzte aus.

Der Leichnam eines großen Mannes hing daran. Er war auf entsetzliche Weise verstümmelt, doch trotz des entstellten Gesichts, dessen leere Augenhöhlen blicklos ins Nichts starrten, erkannte Deborah ihn in der Sekunde, in der sie ihn sah.

Jakob.

Etwas in ihr zerriss. Sie fiel auf die Knie und schrie und schrie und schrie.

Kapitel 51

Krakau, Krankenhaus, März 1943

Marlene kam zu sich. Es war kein richtiges Erwachen. Sie öffnete nur die Augen. Seit neun Monaten dämmerte sie vor sich hin. Für sie gab es weder Tag noch Nacht.

Es gab nur die Zeit, endlose Zeit, in der sie bewegungslos dalag, ihren Körper verfallen sah und nur ihre Gedanken wandern konnten. Weder war sie verrückt geworden noch gestorben. Ihr Geist und ihr Körper entzogen sich ihrem Willen. Es gab Tage, da resignierte sie einfach, fiel in eine schwere Depression und weinte, bis sie keine Tränen mehr hatte, endlos verfolgt von den Bildern des zu Tode gequälten Jakob. Dann konnte sie wieder den letzten Blick aus Jakobs verbliebenem Auge spüren, der ihr gegolten hatte, und sah erneut das stumme Flehen darin, Greiff nichts zu verraten.

An anderen Tagen überkamen sie Hass und hilflose Wut, ihre Gedanken tobten und drehten sich ausschließlich darum, wie sie Greiff töten würde. Alles umsonst, sie konnte nichts tun, noch nicht einmal sterben. Greiffs Sieg war vollkommen.

Sie lag allein, isoliert von den anderen Patienten. Ihr Zimmer war eine fensterlose Abstellkammer, kaum vier Quadratmeter groß. Marlene nannte es ihren Sarg. Ihr einziger Lichtblick war ein älterer Arzt, der sie, wann immer es seine Zeit erlaubte, besuchen kam. Er sprach dann in einem betont munteren Tonfall mit ihr, als wäre sie ein kleines Kind, oder las ihr vor. Angeblich, weil Marlene ihn an seine früh verstorbene Tochter erinnerte. In den ersten Wochen hatte Marlene nicht auf ihn reagiert, sie wollte einfach nur in Ruhe sterben. Aber er ließ nicht locker, ignorierte ihr Schweigen und ihre stummen Aufforderungen, sie in Frieden zu lassen. Er kümmerte sich darum, dass sie gut versorgt wurde und regelmäßig gewendet, damit sie sich nicht wund lag, dass sie ein zusätzliches Kissen bekam, sodass sie erhöht liegen konnte, und vor allem, dass sie ausreichend zu essen bekam. Manchmal fütterte er sie auch selbst.

In den ersten Tagen hatte Marlene die Nahrungsaufnahme verweigert, in der Hoffnung, auf diese Weise sterben zu können. Aber man hatte sie daraufhin zwangsernährt, und der Arzt hatte ihr zugeflüstert, dass »dieser Greiff von der Gestapo« regelmäßig Bericht über sie einhole und man der ganzen Station drakonische Strafen angedroht habe, sollte sie sterben. Irgendwann hatte sich Marlene gefügt. Unnötig, das Krankenhauspersonal dem Zorn von Greiff auszusetzen.

Heute Morgen erst hatte man sie gewendet, sie lag auf dem Rücken. Die Tür zu ihrem Zimmer stand immer offen. Auch das hatte ihr Wohltäter angeordnet, damit wenigstens ein bisschen Licht aus dem Flur in Marlenes Zimmer fiel. Denn auch Licht in ihrem Zimmer hatte Greiff verboten. Sie sollte im Dunkeln vegetieren.

Marlenes Augen suchten die Decke über ihr ab. Da war sie! Seit ein paar Wochen hing eine Spinne über ihrem Bett. Manchmal verschwand sie für Stunden oder sogar Tage, aber bisher war sie immer zurückgekehrt. Ab und zu seilte sie sich auch ab und spazierte über Marlenes Bett, gestern sogar erstmalig über ihr Gesicht. Es hatte gekitzelt. Es war ein gutes Gefühl gewesen, dass wenigstens ein Teil von ihr noch eine Berührung empfinden konnte.

Die Spinne war braun, mit dickem Leib und behaarten Beinen. Marlene fand sie wunderschön und hatte Freundschaft mit ihr geschlossen. Wenn Marlene auf dem Rücken lag und sie sehen konnte, unterhielt sie sich mit ihr. Momentan saß das Tier reglos in seinem Netz, neben einer erbeuteten Fliege. »Na, meine Dicke? Hast du wieder etwas gefangen?« Die Spinne rührte sich nicht. Marlene sprach weiter mit ihr, erzählte ihr von den Rollen, die sie im Schultheater gespielt hatte, und rezitierte aus *Romeo und Julia*. Sie konnte immer noch den gesamten Text. Wenn sie schon nicht verrückt werden konnte, dann wollte sie wenigstens nicht geistig verkümmern. Wären Hitler und der Nationalsozialismus nicht dazwischengekommen, wäre sie sicher Schauspielerin geworden. Sie hatte lange nicht mehr an ihre Zukunftspläne von früher gedacht. Sie entstammten einer anderen Zeit, einer Welt, die für sie für immer verloren war.

Tatsächlich aber waren ihre Lebensgeister in den letzten Tagen wieder etwas erwacht, das heißt, zum ersten Mal seit Langem drehten sich ihre Gedanken wieder um die Außenwelt. Marlene hörte langsam auf, sich in der Vergangenheit zu verlieren oder in unrealistischen Racheplänen zu schwelgen.

Das lag nicht an ihrer Freundin, der Spinne, sondern daran, dass ihr Arzt, Doktor Hondl, sich ein Herz gefasst und ihr trotz Greiffs Verbot einiges erzählt hatte. Marlenes Leben hatte sich bisher vollkommen abgeschottet abgespielt, nichts, was in der Welt draußen geschah, war bisher in ihr winziges Zimmer vorgedrungen.

Die Ereignisse lagen zwar schon einige Zeit zurück, nichtsdestotrotz hatte Marlene sich über sie gefreut. Mit dem Naziregime schien es erstmalig bergab zu gehen. Der jüdische Widerstand hatte in Prag auf Reinhard Heydrich, den dritten Mann im Staat und Hitlers Mann für die Endlösung, ein erfolgreiches Attentat verübt, denn Heydrich war wenige Tage danach doch seinen Verletzungen erlegen, und im November 1942 hatten die Amerikaner erstmals aktiv ins Kriegsgeschehen eingegriffen und sich in Nordafrika siegreich gegen Deutschland und seinen Verbündeten Italien durchgesetzt. Die Briten kämpften nicht mehr allein.

Anfang 1943 hatten die Deutschen dann in Stalingrad eine weitere empfindliche Niederlage gegen die Sowjetunion erlitten. Die Aussicht, dass das Deutsche Reich den Krieg, den es angezettelt hatte, verlieren könnte, war erstmals greifbar geworden. Marlene hatte festgestellt, dass sie doch noch nicht völlig abgestumpft war, sondern sich darüber hatte freuen können.

Sie fixierte jetzt die Wand gegenüber, an der ein kleiner Abreißkalender hing. Noch ein Luxus, über den sie seit Kurzem und ebenfalls nur dank Doktor Hondl verfügte. 19. April 1943. Der Beginn der jüdischen Festwoche Pessach. Und sie sah ihren großen Zeh, der unter der Decke hervorschaute. Er zielte wie eine Kimme genau auf den Kalender. Die Schwester hatte die Decke nicht ganz über ihren Fuß gezogen. Die Decke war sowieso überflüssig, sie konnte weder Wärme noch Kälte spüren. Aber sie verbarg ihren erschreckend mageren Körper mit seinen verkümmerten Muskeln.

Plötzlich hörte Marlene rasch näher kommende Schritte auf dem Flur. Stiefel. Schon marschierte ein SS-Polizist forsch herein und baute sich in ihrem Blickfeld, direkt vor dem Kalender auf. Marlene konnte nur an eines denken: *Hoffentlich sieht er ihn nicht und nimmt ihn mir weg!*

Der Soldat hielt einen Brief in der Hand. »Anna von Dürkheim?«

Ihr lag eine freche Bemerkung auf der Zunge, aber sie schloss nur die Augen und öffnete sie wieder als Zeichen der Zustimmung. Sie hatte gelernt, in ihrer Lage nicht zu provozieren. Schon einmal, im ersten Monat hier, hatte sie Besuch von einem SS-Polizisten erhalten und ihn verhöhnt, in der Hoffnung, er würde sie dann vielleicht erschießen. Stattdessen hatte er einen Nachttopf über ihrem Kopf ausgeleert, und die Schwester hatte dann das Nachsehen mit der Bescherung gehabt.

Der Mann wedelte mit dem Papier. »Nachricht aus Berlin. Dein Großvater ist im Gefängnis gestorben.«

»Mein Großvater ist im Gefängnis gestorben?«, wiederholte Marlene schockiert und mehr zu sich selbst. Sie weigerte sich, das zu glauben.

»Sagte ich doch gerade. Deine staatsfeindlichen Umtriebe hatten Konsequenzen. Dein Großvater wurde enteignet. Dabei hat er einen Beamten angegriffen.«

»Was ist mit meiner Großmutter?«, fragte Marlene.

»Was geht mich deine Großmutter an?«, blaffte er zurück. Er warf den Umschlag aufs Bett und ging. Die Tür zog er hinter sich zu. Marlene lag wieder im Dunkeln.

Viele Stunden vergingen, in denen Marlene mit den Dämonen ihres Geistes allein blieb. Der Brief lag irgendwo auf der Decke. Sie bildete sich ein, sein Gewicht tonnenschwer auf sich spüren zu können. Die Nachricht vom Tod ihres Großvaters hatte sie schwer getroffen. Was war mit ihrer Großmutter geschehen? Stammte der Brief von ihr? Wenn ihr Großvater enteignet worden war, dann hatte sie bestimmt ihr Stadthaus Unter den Linden verlassen müssen.

Es war dieses Nichtwissen, das Marlene wahnsinnig machte, dazu gesellten sich ihre Schuldgefühle. Greiff hatte das natürlich gewusst. Doch ein neuer Gedanke keimte in ihr auf: Wenn es gar nicht stimmte? Wenn Greiff sie damit nur treffen wollte? Sie mit einer erfundenen Todesnachricht noch mehr demoralisieren wollte? Vermutlich konnte er sich denken, dass sie von dem schwindenden Kriegsglück der Deutschen irgendwie erfahren hatte, und er wollte ihr damit jede Hoffnung nehmen, dass ihr Großvater ihr helfen würde. Eine solch perfide Vorgehensweise sähe Hubertus von Greiff ähnlich. Er beherrschte das Spiel, Menschen nicht nur physisch, sondern vor allem psychisch zugrunde zu richten, in Perfektion. Und seine teuflische Saat ging auf: Marlene marterte sich selbst mit ihren Grübeleien, drehte sich beständig und ergebnislos im Kreis, bis der Schmerz einer Migräne in ihrem Kopf hämmerte und sie das Gefühl hatte, er würde platzen.

Irgendwann spürte sie, dass sie etwas kitzelte. Sie brauchte eine Weile, bis sie verstand, dass es die Spinne sein musste. Noch länger brauchte sie, bis sie verstand, dass es nicht ihr Gesicht war, das kitzelte, sondern ihr Fuß. *Mein Fuß? Wie kann mein Fuß kitzeln?* Sie musste es sich einbilden, vermutlich träumte sie das nur. Oder sie verlor doch endlich den Verstand …

In diesem Moment öffnete sich die Tür, und mit dem Arzt kam Licht herein. Marlene sah ihren Fuß, die Spinne saß direkt auf ihrem Zeh und schien sie anzustarren.

Der Arzt kam näher. »Guten Abend, Marlene! Wie geht es dir? Ich habe gerade gehört, du hattest heute Besuch?«

»Endlich, Doktor Hondl. Schnell, da auf dem Bett liegt ein Brief. Bitte lesen Sie ihn mir vor.«

Er nahm ihn auf und erblickte gleichzeitig die Spinne auf Marlenes Fuß. »Puh, was für ein hässliches Ding!« Er wollte sie von ihrem Fuß wischen, aber Marlene rief: »Nein, lassen Sie sie, bitte. Ich mag sie. Sie leistet mir Gesellschaft.«

Doktor Hondl sah sie kurz an, dann lächelte er, sagte aber nichts dazu. Er zog den Hocker unter dem Bett hervor, den er dort für sich deponiert hatte, und setzte sich ans Fußende, damit Marlene ihn sehen konnte.

Dann zog er den Brief aus dem Umschlag. »Zeigen Sie mir zuerst die Schrift!«, bat Marlene. Der Arzt hob den Brief auf Höhe ihrer Augen. Marlene durchfuhr es siedend heiß, als sie die Handschrift ihrer Großmutter erkannte. »Bitte …«, sagte sie schwach.

Der Brief enthielt tatsächlich die Todesnachricht. *Es war also wahr, ihr Großvater war tot.* Und ihre Großmutter war inzwischen zu Verwandten gezogen. Kein Wort über den Verlust ihres Besitzes. Ihre Großmutter war eine noble Frau.

»Es tut mir sehr leid«, sagte der Arzt und strich ihr tröstend über die Wange. Zum ersten Mal seit Langem wieder weinte Marlene.

Doktor Hondl zögerte kurz, schien sich aber dann ein Herz zu fassen. »Wenn Sie möchten, wäre ich bereit, einen Brief für Sie zu schreiben.« Marlene hatte ihn früher mehrmals darum gebeten, aber er hatte sich bisher wegen Greiffs Drohung immer geweigert.

Marlene sah ihn an. Greiff hatte jeden getötet oder vernichtet, der ihr je etwas bedeutet hatte. Einzig ihre Großmutter war noch übrig, und sie war eine alte Frau. Wem konnte sie noch schreiben außer ihr?

Ihre Verwandten mütterlicherseits waren bereits im April 1940 aus Krakau deportiert worden. Nicht einmal über Jakobs gute Kontakte war zu erfahren gewesen, wohin man sie gebracht hatte. Sie waren spurlos verschwunden. Marlene vermutete, dass Greiff auch damals schon seine Finger im Spiel gehabt hatte. Dann fiel ihr Deborah ein. Sie hatte lange nicht mehr an das Mädchen gedacht. Was war aus ihr geworden? Hatten sie und dieser Osman es geschafft, Brunnmann das Protokoll zu stehlen und nach London zu schmuggeln? Plötzlich war ihr Interesse daran neu erwacht. Seit Jakobs Tod waren neun Monate vergangen. Brunnmanns Aufgaben führten ihn immer wieder ins Generalgouvernement, der Aufenthalt vor neun Monaten war nicht sein erster gewesen. Was wäre, wenn sie den Arzt bitten würde, im Grand Hotel nachzuforschen, ob der Obersturmbannführer sich dort aufhielt?

»Ich hätte tatsächlich eine Bitte. Erinnern Sie sich an meine junge Freundin, die hier nach dem Bombenanschlag gemeinsam mit mir eingeliefert wurde? Die Freundin des Obersturmbannführers Brunnmann?«

Der Arzt nickte kaum merklich.

»Ich würde gern erfahren, ob sie wieder in Krakau ist. Wenn, dann ist sie im Grand Hotel in der Slawkowska abgestiegen. Vielleicht könnten Sie sich dort einmal dezent nach ihr erkundigen?«

Sie sah, dass sie ihn mit ihrer Bitte überfordert hatte. Einen Brief zu schreiben und heimlich abzusenden war eine Sache. Sich in ein öffentliches Hotel zu begeben und nach der Freundin eines hochrangigen SS-Offiziers zu erkundigen, eine andere. Marlene überlegte, wie sie ihn überzeugen konnte, als ihr etwas einfiel. »Ich habe eine bessere Idee. Erkundigen Sie sich dort nach einem Osman. Das ist Brunnmanns Chauffeur. Sie können sich ja als Mechaniker ausgeben, das wäre unverfänglich. Nicht wundern, Osman ist stumm. Wenn Sie Osman sehen, sagen Sie ihm einfach, wo Deborah mich finden kann. Würden Sie das für mich tun?«

»Also gut, ich tue es. Aber es geht frühestens in ein paar Tagen.«

»Keine Sorge, ich habe viel Zeit und laufe Ihnen nicht weg.« Marlene lächelte den Älteren zaghaft an. »Und ein Brief an meine Großmutter wäre sehr schön.«

»Natürlich. Ich komme später mit Briefpapier zurück. Jetzt muss ich nach meinen anderen Patienten sehen.« Er drückte ihr die Hand und ging.

Merkwürdig, dachte Marlene. Sie hatte sich eingebildet, dass sie seine Hand hatte spüren können. Langsam wurde es ihr unheimlich. Litt sie an Wahrnehmungsstörungen? Sie wollte es jetzt wissen. Ihre Augen suchten die Spinne. Das Tier saß nach wie vor regungslos auf ihrem Zeh. »Komm, beweg dich, meine Dicke, kitzel mich ein bisschen.«

Tatsächlich stellte sich in den kommenden Tagen heraus, dass Marlene sich nicht geirrt hatte. Immer öfter verspürte sie jetzt an den verschiedensten Stellen ein Kribbeln. Sie war sich jetzt sicher, in ihren Körper kehrte das Gefühl zurück! Langsam, aber nicht mehr zu leugnen. Wie konnte das sein? Sie glaubte nicht an Wunder, doch nach wenigen Tagen konnte sie ihren rechten Zeigefinger bereits ganz leicht bewegen. Vermutlich hätte sie noch mehr zustande gebracht, aber sie hatte keine Muskeln und dadurch keine Kraft mehr.

Doktor Hondl brachte nach einigen Tagen eine weitere gute Nachricht. Er hatte sich beim Portier nach Osman erkundigt und dabei erfahren, dass der Chauffeur zwar derzeit nicht anwesend sei, aber da der Obersturmbannführer *dem Haus in wenigen Tagen erneut die Ehre gebe, sicher wie immer gemeinsam mit seinem*

Dienstherrn eintreffen werde. Über Deborah hatte der Arzt nichts erfahren, er hatte sich auch nicht getraut, sich nach ihr zu erkundigen. Aber er versprach Marlene, in einer Woche erneut für sie nachzufragen.

Marlene hatte inzwischen begonnen, ihre Muskeln zu trainieren. Sobald sie irgendwo ein Gefühl verspürte, spannte sie sie so lange an, bis ihr der Schweiß auf die Stirn trat. Sie übte verbissen, und ab der dritten Woche konnte sie schon ihre rechte Hand heben und einzelne Finger der linken Hand. Auch in den Füßen hatte sie schon einiges Gefühl, sie kribbelten fast unentwegt, und Marlene konnte etwas mit den Zehen wackeln. Mit entsprechender Unterstützung von Doktor Hondl, war sich Marlene sicher, würde sie schneller Fortschritte machen. Noch aber zögerte sie, sich dem Arzt anzuvertrauen.

Und dann tauchte Osman eines Mittags bei ihr im Krankenhaus auf. Doktor Hondl hatte Wort gehalten. Allerdings hatte Osman nicht viel Zeit, er hatte nur zwei Stunden frei und musste dann Brunnmann abholen. Von ihm erfuhr Marlene, dass Deborah, unmittelbar nach Jakobs Tod und noch auf dem Gefängnishof, Greiff mit einem Messer angegriffen hatte. Osman schrieb weiter in seinem etwas abgehackten Stil in das Notizbuch, das er immer bei sich trug: *Ich konnte verhindern, weil angekommen und Absicht von Deborah erkannt. Ich gehe zwischen. Allah sei Dank, niemand Messer gesehen, nur Osman. Greiff sehr amüsiert. Ich Deborah zum Wagen gebracht. Sie danach lange krank. B. befahl mir, sie nach München bringen.*

»Tapferes Mädchen! Sehr schade zwar, dass sie Greiff nicht erwischt hat, aber das wäre auch ihr Tod gewesen. Wie geht es ihr jetzt?«

Osmans Gesicht nahm einen grimmigen Ausdruck an. Er schrieb: *Nicht gut. Wird bewacht, darf nicht aus Haus und muss alles tun, was B. befiehlt, sonst er bringt kleinen Bruder in KZ.*

»Schwein bleibt Schwein«, sagte Marlene grimmig. »Das heißt, ihr habt gar nicht mehr versucht, das Protokoll zu stehlen?«

Osman schüttelte den Kopf. Er schrieb: *Wenn ich versuche und dabei erwischt, dann D. allein. Ich D. schützen. D. wie Tochter!* Osman unterstrich die letzten drei Worte energisch.

»Ich verstehe. Wie lange bleiben Brunnmann und du in Krakau?«

Sieben Tage, dann Warschau. Aufstand in Ghetto. B. sagt, Mitte Mai zurück München.

»Aufstand im Ghetto Warschau? Was weißt du noch?«

Schlimm. Deutsche werfen Bomben auf Ghetto. Aber Krieg für Deutsche viel schlecht.

»Weißt du noch mehr? Kannst du mir eine tschechische Zeitung bringen?« Marlene merkte jetzt erst, wie ausgehungert sie nach Informationen war.

Osman versucht. Kommt wieder. Morgen.

Doch er kam nicht mehr zurück. Noch einmal bat Marlene Doktor Hondl, beim Grand Hotel nachzufragen, doch diesmal war ihm das Risiko zu hoch.

Erneut blieb Marlene nichts als Ungewissheit. Dafür setzte sie ihr heimliches Training fort. Anfang August konnte sie bereits beide Arme heben und das linke Bein anwinkeln. Im September meinte die Schwester während des Umbettens zu ihr: »Komisch, Sie sehen irgendwie besser aus. Kräftiger.« Marlene blieb beinahe das Herz stehen. Und übte weiter.

Kapitel 52

Ende Oktober, frühmorgens um fünf, stand dann plötzlich Deborah vor ihr. Sie trug eine einfache Wollhose, Jacke und eine Schiebermütze.

Marlene glaubte nicht, was ihre Augen sahen. »Du?«, fragte sie ungläubig. Deborah warf sich sofort ungestüm mit dem ganzen Körper auf sie, schluchzte »Oh, Marlene!« und heulte die nächsten Minuten hemmungslos.

Marlene freute sich mehr, sie zu sehen, als sie gedacht hätte. Sie musste sich zwingen, nicht den Arm zu heben, um Deborah über den Rücken zu streichen. Sie hütete sich, ihre neu erworbenen Fähigkeiten zu zeigen. Aber sie bewegte kaum merklich den Kopf. Im Türrahmen stand Osman. Er sah nicht sehr froh aus.

Endlich beruhigte sich Deborah. Sie trocknete ihre Tränen an Marlenes Bettdecke und richtete sich auf. »Sieh dich an, du Arme.«

»Wie kommst du bloß hierher, Deborah?«

»Mit Osman, natürlich.« Deborah schälte sich aus ihrer Jacke und warf sie aufs Bett.

»Das sehe ich, aber Osman meinte beim letzten Mal, Brunnmann hätte dich in München im Haus eingesperrt?«

»Ich hatte genug vom Eingesperrtsein. Seit Osman mir berichtet hat, dass du lebst und hier in Krakau im Krankenhaus liegst, wusste ich, dass ich dich sehen musste. Also habe ich monatelang die Reumütige gespielt. Wozu habe ich Dramatik und Schauspiel studiert, wenn ich es dann im echten Leben nicht anwenden kann? Albrecht hat es geschluckt und mich diesmal wieder mitgenommen.«

»Irgendwie glaube ich das nicht. Dafür ist er zu klug. «

»Stimmt, eigentlich darf ich auch das Hotel nicht verlassen. Albrecht ist mit dem Gouverneur von Krakau, Otto-was-weiß-ich, unterwegs. Vor die Suite hat er so einen doofen Zinnsoldaten gestellt. Ich bin durchs Fenster ausgebüxt.« Deborah freute sich sichtlich über ihren Streich.

»Albrecht hat dich im Parterre untergebracht?«, fragte Marlene ungläubig.

»Nein, im zweiten Stock, aber ich habe mir die Fassade angesehen. Das ist eine alte Burg mit vielen Mauervorsprüngen. Ein Kinderspiel. Ich habe es extra zweimal vorher ausprobiert. Ich konnte auch ganz leicht wieder zurückklettern. Heute habe ich Osman eingeweiht, was ich vorhabe. Er hat mich unten erwartet und hergefahren. Jetzt erzähl, wie ist es dir ergangen?«

»Da gibt es nicht viel zu erzählen. Ich liege hier den ganzen Tag und wünsche mir vergebens, entweder zu sterben oder verrückt zu werden. Meine einzige Freundin ist eine Spinne gewesen, die sich aber schon seit einer Weile verkrümelt hat. Osman?«, wandte sie sich an diesen. »Könntest du bitte die Tür schließen und aufpassen, dass niemand kommt?«

Osman nickte. Sobald er die Tür geschlossen hatte, rief Marlene: »Schnell, Deborah. Hilf mir, ich will versuchen aufzustehen.«

»Was?« Deborah sah aus, als hätte sie sich verhört.

»Es ist im Frühjahr passiert, plötzlich habe ich ein Kitzeln am Zeh gespürt. Es war die Spinne! Sie ist über meinen Fuß gekrabbelt. So hat es angefangen. Inzwischen habe ich immer mehr Gefühl im Körper, aber noch zu wenig Muskeln. Trotzdem möchte ich endlich wieder Boden unter meinen Füßen spüren. Es ist so lange her. Los, komm!« Marlene schob mühsam und mit zusammengepressten Lippen ihre Beine über die Bettkante, sodass sie etwas über dem Boden baumelten.

»Aber das ist ja großartig! Vielleicht kannst du bald wieder laufen!«, freute sich Deborah. Sie legte einen Arm unter Marlenes Schulter und stützte sie. Vorsichtig ließ sich Marlene von der Kante gleiten. Zum ersten Mal seit über achtzehn Monaten berührten ihre Füße den Boden. Es war ein überwältigendes, nicht mehr erwartetes Gefühl. Jetzt verlagerte sie ihr gesamtes Gewicht auf die Beine, löste sich halb von Deborah. Aber ihre Beine waren zu schwach, sie zu tragen. Bevor sie einknickte, ließ sie sich wieder aufs Bett fallen. Es war ein Anfang. *Wenn sie nur jemanden hätte, mit dem sie üben könnte!*

»Du musst üben!«, sagte Deborah in diesem Moment.

»Ja, aber das geht nicht allein. Mir würden schon ein paar Krücken reichen.«

»Die besorge ich dir. Ist doch ein Krankenhaus hier, oder?«

»Und wie soll ich die hier drin verstecken, du Schlaumeier?«

»Ich besteche die Schwester, Geld und Schmuck habe ich genug.«

Marlene war nicht überzeugt. Sie dachte an den Arzt und ob sie sich ihm nicht vielleicht doch anvertrauen sollte. Ihr Verhältnis war inzwischen noch enger geworden. So, wie Deborah für Osman wie eine Tochter war, schien sie es für Doktor Hondl geworden zu sein. Er hatte bereits zwei Briefe an ihre Großmutter für sie geschrieben und versandt. Sie hatte sie an die Adresse in Brandenburg geschickt, die ihre Großmutter in ihrem Brief genannt hatte. Ob sie angekommen waren, wusste sie nicht. Sie hatte keine Antwort erhalten. Vermutlich hatte Greiff sie sowieso abgefangen. Wenn, dann wusste er entweder nicht, dass ihr Doktor Hondl beim Verfassen geholfen hatte, oder er erhoffte sich weitere Briefe, aus denen er etwas für ihn Verwertbares ziehen konnte.

»Wie steht es mit dem Krieg?«, fragte sie jetzt.

»Leopold sagt, es sei kein Endsieg in Sicht«, meinte Deborah achselzuckend. »Es gibt jetzt auch immer mehr Luftangriffe der Briten auf die Städte, und in München sind viele Flüchtlinge.

Leopold sagt, bald würden uns auch die Amerikaner bombardieren, und dann geht es erst richtig los.«

»Wer ist Leopold?«

»Albrechts älterer Bruder. Er besucht uns ab und zu. Aber die zwei sind sich nicht grün. Ich glaube, Leopold schmuggelt Juden. Es würde zu ihm passen. Albrecht macht immer die Dinge, die Leopold nicht gefallen, und umgekehrt ist das genauso. Aber Leopold erzählt natürlich nichts darüber. Ich vermute das nur, weil Albrecht ein paar komische Andeutungen gemacht hat.«

»Klingt interessant, dieser Bruder. Scheint, als hättest du dir den falschen Bruder ausgesucht.«

»Leopold ist Priester, da gibt es nichts auszusuchen. Aber ich mag ihn sehr.«

»Übrigens, das war ganz schön mutig von dir, dass du Greiff angreifen wolltest. Ich weiß es von Osman.«

Deborah wurde plötzlich ernst und ihre Augen sehr traurig. »Ich habe Jakob im Hof hängen sehen, total verstümmelt, und Greiff hat nur gelacht. *Gelacht!* Dieser Teufel! Er wollte, dass ich Jakob so sehe, und hat extra auf mich gewartet. Da ist es mit mir durchgegangen. Osman hat es verhindert. Ich war danach ganz schön fertig und wollte mich umbringen. Hier ...«, Deborah rollte die Ärmel ihres Pullovers hoch und zeigte Marlene die Narben an ihren Pulsadern. »Osman hat mich gerettet. Er hat mir einen Zettel in die Hand gedrückt, auf dem stand: *Du musst leben. Für Rache.* Er hat recht. Ich lebe für die Rache. Eines Tages werde ich Albrecht und Greiff töten. Das schwöre ich!«

»Nein«, sagte Marlene hart. »Greiff gehört mir!«

Eine winzige Pause entstand. Marlene sah, dass Deborah schon den Mund öffnete, um etwas zu erwidern, es sich dann aber anders überlegte. Aber ihr Schweigen war genauso beredt wie das, was Marlene in ihren Augen lesen konnte: *Wie willst du das schaffen? Du kannst ja noch nicht einmal alleine stehen!*

Deborah strich sich jetzt verlegen über die Unterarme. Marlenes Blick folgte ihren Bewegungen. Sie hatte sich erschrocken, als sie sie gesehen hatte. Weniger wegen der vernarbten Handgelenke, sondern aufgrund der vielen frischen Schnitte. Das grenzte ja fast schon an Selbstzerfleischung. Auch die Fingernägel des Mädchens waren bis auf das wunde Fleisch abgenagt. Für Marlene sah es fast so aus, als würde sich Deborah selbst zerstören wollen, weil sie ihr Leben nur so ertragen konnte. Marlene fand daher auch Deborahs Munterkeit reichlich aufgesetzt. Dass sie sich freute, Marlene zu sehen, nahm sie ihr ja noch ab, aber nicht den Rest. Deborah spielte immer noch eine Rolle. So, wie sie Brunnmann die Reumütige vorgaukelte, gab sie jetzt das normale junge Mädchen. Sie war wirklich eine gute Schauspielerin. Aber Marlene hatte den Abgrund in ihren Augen entdeckt. »Deine Arme sehen schrecklich aus«, sagte sie jetzt. »Musst du dir das wirklich antun?«

Deborah zog die Pulloverärmel mit einer energischen Bewegung wieder herunter. »Ja, es tut mir gut. So, wie andere sich offenbar betrinken müssen, muss ich mich schneiden. Außerdem heilt es ja immer wieder. Leopold wollte mich deswegen auch schon zum Arzt schicken, aber ich will nicht. Ich verstehe nicht, warum das alle so schlimm finden. Sogar mein Bruder schimpft mich und hat es Leopold erzählt. Die kleine Petze. Wem schadet es schon?«, sagte sie trotzig. *Warum hackten immer alle auf den paar Schnitten rum?*

»Es schadet *dir*, Deborah.«

»Mach dir keine Sorgen, mir geht es gut. Aber sag, wie kommt es, dass du überhaupt hier bist?«

Marlene lachte trocken auf. »Eigentlich willst du doch wissen, warum ich nicht genauso tot bin wie Jakob. Die Antwort ist einfach: Greiff will, dass ich in diesem Zustand weiterlebe. Er weiß, dass das die schlimmste Strafe für mich ist. Darum werde ich hier relativ gut versorgt. Glaub mir, ich habe mir schon hundertmal gewünscht, sterben zu können.«

»Es tut mir leid, dass ich es damals nicht geschafft habe, noch mal zu dir zurückzukehren«, sagte Deborah hastig. »Albrecht hat mich sofort von Osman nach München zurückschaffen lassen. Er hat sogar noch einen weiteren Mann zur Bewachung mitgeschickt.«

»Mach dir keine Gedanken, ich wollte …«

»Ich habe sie übrigens dabei, die Kapsel, die ich dir bringen sollte«, fiel Deborah ihr ins Wort. »Du wirst es nicht glauben, aber sie war noch immer unter dem Handtuchschrank im Hotel festgeklebt.« Deborah kramte in ihrer Hosentasche und hielt sie Marlene hin.

Marlene starrte verblüfft darauf. Da lag sie, die Lösung ihrer Leiden. So nah. Doch sie war nicht eine Sekunde lang versucht. Sie schüttelte den Kopf. »Nein, bewahr sie für mich auf.«

»Gut«, sagte Deborah und steckte die Kapsel zurück in ihre Tasche. »Dann sollten wir jetzt überlegen, wie wir dich hier rausschaffen können.«

Wieder schüttelte Marlene den Kopf. »Nein, bring dich nicht noch mehr in Schwierigkeiten, Deborah. Besser, du kehrst jetzt mit Osman ins Hotel zurück, bevor dich jemand bei mir sieht.«

»Aber ich will dir doch helfen! Und was ist mit den Krücken, die ich dir besorgen kann?«

»Lass es gut sein, Deborah. Es gibt hier einen Arzt, der mir schon öfter geholfen hat. Ich werde mich ihm anvertrauen. Das ist meine einzige Chance, wenn ich wieder laufen lernen möchte.«

Deborah wirkte nicht überzeugt, schlüpfte aber in ihre Jacke. »Ich komme morgen wieder. Albrecht ist noch mindestens zwei Tage unterwegs. Kann ich sonst irgendetwas für dich tun? Zum Beispiel jemandem eine Nachricht übermitteln?«

Diesmal hatte Marlene nicht die Kraft, sie abzuweisen. Sie lächelte sogar. »Ah, einmal Spionin, immer Spionin! Nein, keine Nachrichten mehr. Aber wenn du tatsächlich morgen kommst, bring mir eine Zeitung mit, bitte.«

Deborah kletterte durchs Fenster zurück in die Suite.

»Sieh einmal an. So habe ich mir das gedacht. Die Katze lässt das Mausen nicht. Ihr Frauen seid so leicht durchschaubar.« Albrecht saß mit übergeschlagenen Beinen in einem Sessel. Seine Miene war völlig ausdruckslos. Deborahs war es nicht. Fassungslos sah sie ihn an. Viel hätte nicht gefehlt, und ihre Beine hätten unter ihr nachgegeben. Mit staksigen Schritten ging sie auf ihn zu. »Albrecht, ich …«

»Schweig! Ich bin sehr enttäuscht von dir, Maria. Ich nehme dich mit, und du hintergehst mich bei der ersten Gelegenheit. Meine Zweifel waren berechtigt. Kaum bin ich weg, und schon rennst du zu der Kalten, einer jüdischen Spionin! Und das, obwohl ich es dir verboten hatte. Sag, was soll ich davon halten?«

Deborah warf sich vor ihm auf die Knie. »Aber Albrecht, sie ist doch meine Freundin. Ich glaube einfach nicht, dass sie eine Spionin ist.«

»Das hatten wir schon einmal. Die Beweise sind evident. Außerdem ist die Schuldfrage unerheblich. Für mich zählt nur, dass du dich mir widersetzt hast. Und du hast auch Osman mit hineingezogen. Seit bald fünfzig Jahren dient er meiner Familie, und nun muss ich ihn wegschicken. Deinetwegen! Ich bin dir diesmal ernstlich böse, Maria.«

Deborah erschrak. »Osman hat damit nichts zu tun, ich …«, setzte sie zu seiner Verteidigung an, doch Albrecht schnitt ihr das Wort ab.

»Schweig still, ich will nichts davon hören. Natürlich trägt er Schuld. Er hat sich mir nicht weniger widersetzt als du. Osman wusste genau, dass er dich nicht zum Krankenhaus hätte fahren dürfen, sondern dich schnurstracks zurück ins Hotel bringen müssen. Ich werde ihn an die Ostfront schicken. Dann kann er dem Führer dienen. Mir sind seine Dienste nicht mehr erwünscht.«

»Bitte, Albrecht, lass Osman nicht für etwas büßen, das ich getan habe. Er ist nur mitgekommen, um auf mich aufzupassen.«

»Ruhe jetzt. Es ist entschieden. Er ist bereits auf dem Weg. Zieh dich aus, und leg dich aufs Bett, Maria. Ich werde dich jetzt bestrafen.« Erst jetzt bemerkte Deborah, dass Albrechts Hände mit seiner Hundepeitsche spielten.

»Nein, Albrecht, ich will nicht!« Deborah wich vor ihm zurück ans Fenster.

»Denkst du, es interessiert mich, was du willst? Aber bitte, ich kann gern den Soldaten vor der Tür hereinbitten, damit er dich festhält.« Albrecht erhob sich und ging zur Tür. Deborah kletterte sofort auf den Fenstersims. Und entdeckte, dass unten ein weiterer SS-Mann Position bezogen hatte. Der Fluchtweg war versperrt.

Hinter sich hörte sie Albrecht lachen. Es war dieses Lachen, das sie beinahe dazu bewogen hätte, sich einfach fallen zu lassen, aber dann schoss ihr der Gedanke an ihren kleinen Bruder durch den Kopf. Er war erst zehn! Sie durfte Wolfgang nicht allein zurücklassen – sie hatte ihren Eltern versprochen, ihn zu beschützen!

Sie ließ sich vom Sims gleiten und drehte sich langsam um. Albrechts Hand lag auf der Klinke. Er sagte nichts, sah sie nur an. Deborah begann, sich zu entkleiden. Sie fürchtete sich nicht vor dem Schmerz, nur vor der Demütigung.

Kapitel 53

Berlin, Juli 1944

SS-Obergruppenführer Dr. Ernst Kaltenbrunner, Chef des Reichssicherheitshauptamts und Nachfolger Reinhard Heydrichs, sah ungehalten auf. Sein Adjutant Arthur Schitler hatte soeben ohne anzuklopfen sein Büro betreten. »Melde, Sturmbannführer Hubertus von Greiff ist tot. Er wurde heute Nacht in seiner Wohnung ermordet, zusammen mit einem … äh … seiner Männer«, stammelte er. Er musste gerannt sein, denn er war noch völlig außer Atem.

Kaltenbrunner sprang sofort auf. »Was ist das für eine verdammte Sauerei?«

Schitler nahm Haltung an. »Die Untersuchung ist bereits im vollen Gange, Obergruppenführer.«

Kaltenbrunner musterte Schitler. Er arbeitete noch nicht lange mit dem Mann zusammen. Arthur Schitler war bis zu Heydrichs Ermordung in Krakau dessen Adjutant gewesen. Er war noch jung, keine dreißig. Er hatte ihn übernommen, weil er über gute Kenntnisse der Strukturen des RSHA verfügte, die Heydrich geschaffen hatte.

Kaltenbrunner ließ sich die Nachricht durch den Kopf gehen. Er wusste, dass die ekelhaften Gerüchte über Greiffs sexuelle Vorlieben stimmten. Er hatte die entsprechenden Notizen seines Vorgängers bei der Büroübernahme vorgefunden. Dennoch hatte Heydrich Greiff stets als seinen besten Spürhund bezeichnet und sich vor ihn gestellt. Es stimmte, niemand konnte eine höhere Erfolgsquote vorweisen als dieser Greiff. Aber es war auch hinreichend bekannt, dass Greiffs Grausamkeiten das übliche Maß überschritten. Der Mann scheute nicht davor zurück, sich selbst die Finger schmutzig zu machen. Und nun war er tot. Ermordet wie sein früherer Chef Heydrich.

Kaltenbrunner unterdrückte einen Unmutslaut. Vermutlich würde die Liste der Verdächtigen genauso dick sein wie das Berliner Telefonbuch. Wirklich eine verdammte Sauerei. Der Führer, mit dem er eng befreundet war und den er als einer der wenigen in dessen Umfeld duzte, würde zu Recht wegen dieser infamen Geschichte toben. Als ob er nicht schon genug Sorgen am Hals hätte. Eben hatte er einen Bericht studiert, der sich diplomatisch um die Aussage herumdrückte, dass die Ressourcen für die Endlösung zur Neige gingen. Und sein Amt sollte es richten. Er sollte es richten …

»Was wissen Sie noch? Handelt es sich eventuell um …«, Kaltenbrunner räusperte sich, bevor er weitersprach, »um eine Beziehungstat?« Persönlich wäre ihm das am liebsten. Dann könnte der Fall vermutlich schnell abgeschlossen werden, bevor er ihm um die Ohren flog.

»Dazu wissen wir noch zu wenig. Die ersten Erkenntnisse sind schwer zu deuten.« Der Adjutant machte eine kurze Pause, schluckte und fuhr fort: »Nach Auskunft des Polizeiarztes wurde einem zweiten Ermordeten die Kehle sauber durchgeschnitten, während Sturmbannführer Greiff offenbar stundenlang gefoltert wurde.«

»Gefoltert, Greiff? Wie?« Kaltenbrunners Stirn hatte sich noch mehr umwölkt. *Der Henker war also selbst gehenkt worden.*

»Ihm wurde das verbliebene Auge ausgestochen, Hoden und Penis abgetrennt und in den Mund gestopft«, stieß Schitler hervor. »Der Arzt meinte überdies, dass Sturmbannführer Greiff vermutlich daran erstickt ist. Mehr nach der Untersuchung.«

Kaltenbrunner sank auf seinen Stuhl zurück. »Sorgen Sie dafür, Schitler, dass nichts über die Umstände der Ermordung des Sturmbannführers bekannt wird. Ich ordne absolute Geheimhaltung an.«

»Das ist bereits geschehen, Obergruppenführer.«

»Gut, halten Sie mich auf dem Laufenden. Ich erwarte heute Abend, noch vor meinem Essen mit dem Führer, einen ausführlichen Bericht auf meinem Schreibtisch.«

Damit war Schitler entlassen. Er nahm Haltung an, salutierte und verließ das Büro. Grußlos passierte er die Damen im Vorzimmer Kaltenbrunners, die ihm verwundert nachsahen. In seinem Büro angekommen, schnauzte er sein eigenes Vorzimmer an, dass er keine Störung wünsche, und verschanzte sich hinter seinem Schreibtisch.

Dort fasste er sich ans Herz. Es raste. Gleichzeitig konnte er in der Brusttasche den Umschlag fühlen, den ihm ein Laufbursche, kurz bevor er seinem Chef Kaltenbrunner Bericht erstattete, zugestellt hatte. Er stammte von seiner jungen Geliebten Greta und enthielt eine Fotografie. Greta trug darauf nichts weiter als seine, Schitlers, Uniformmütze, und salutierte vor ihm. Er selbst lag nackt im Bett und prostete ihr mit einem Glas Champagner zu. Er erinnerte sich vage daran, dass er zu diesem Zeitpunkt schon ziemlich betrunken gewesen war.

Auf der Rückseite war ihre Forderung zu lesen. Greta verlangte zwei Pässe, ausgestellt auf zwei Frauennamen, dazu Papiere für einen zehnjährigen Jungen. Natürlich Juden. Ebenso, wie Arthur Schitler die Forderung zu schaffen machte, beschäftigte ihn der Gedanke, wer die Fotografie gemacht haben könnte, und vor allem, dass es diesen Komplizen gab – einen Mitwisser! Dadurch waren ihm die Hände gebunden. Der Betreffende musste sich im Hotelzimmer versteckt gehalten haben, der Perspektive auf dem Foto nach im Schrank.

Am meisten ärgerte er sich über seine eigene Dummheit. Er musste verrückt gewesen sein, sich auf diese Frau einzulassen! Er hatte schon nachgedacht, ob er sich an jemanden in ihrem Umfeld erinnern konnte. Aber da war niemand. Greta hatte ihn von sich aus angesprochen, als er sich gerade in der Wilhelmstraße eine Zigarette anzündete, nicht weit von seinem

Arbeitsplatz im Prinz-Albrecht-Palais, in dem das Reichssicherheitshauptamt sein Hauptquartier hatte.

Sie war teuer gekleidet gewesen, sehr hübsch und überaus anziehend. Sie hatte ihn gefragt, ob er auch eine Zigarette für sie hätte. Er fand ihre Verwegenheit, einen hohen SS-Offizier um eine Zigarette zu bitten, obwohl das Rauchen von Frauen in der Öffentlichkeit nicht erwünscht war, ziemlich erregend. So hatte es begonnen. Im Nachhinein wurde ihm klar, dass Greta alles genau so geplant hatte. Er war blind in ihre Falle getappt. Dabei hatte sie überhaupt nichts Jüdisches an sich gehabt!

Sie erwartete ihn am Abend um sieben Uhr vor dem Haupteingang am Tiergarten zur Übergabe der Papiere. Schitler sah auf die Uhr. Noch sechs Stunden. Er holte tief Luft. Wenn er erwischt wurde oder die Frau ihn verriet, würde ihn das den Kopf kosten.

Ihm blieb nicht viel Zeit, seinen Hals aus der Schlinge zu ziehen. Besser, er begann zu überlegen, wie.

Kapitel 54

München, Juli 1944

Marlene beobachtete das Haus am Prinzregentenplatz schon eine ganze Weile. Niemand hatte es bisher betreten oder verlassen. Ihre Füße schmerzten, obwohl sie bequeme Halbschuhe trug. Auch wenn sie durch eiserne Disziplin und neun Monate hartes Training ihre frühere Konstitution zurückerlangt hatte, war langes Stehen noch immer anstrengend für sie. Sie wechselte zum x-ten Mal von einem Bein auf das andere. Noch immer erschien es ihr wie ein Wunder, dass sie wieder laufen konnte. Doktor Hondl hatte es sich auch nicht richtig zu erklären gewusst, bis auf die Vermutung, dass ihr Rückenmark eventuell nur gequetscht gewesen und die Schwellung mit der Zeit zurückgegangen war.

Nachdem sie mithilfe des mutigen Doktor Hondl aus dem Krankenhaus hatte fliehen können, hatte sie sich zu einem Kellerversteck durchgeschlagen, das sie damals vorsorglich für den Fall, kurzfristig untertauchen zu müssen, angelegt hatte. Es war tatsächlich noch unentdeckt geblieben. Darin hatte sie Papiere, Kleidung und vor allem Geld versteckt gehabt. Als Nächstes hatte sie Kontakt zu ihren früheren Kameraden bei der ŻOB aufgenommen. Mit deren Hilfe war es ihr gelungen, nach Deutschland zu gelangen. Der gute Doktor Hondl. Erst hatte er ihr bei ihren Übungen geholfen, damit sie wieder zu Kräften kam, und damit das Risiko von Greiffs Vergeltung auf sich genommen. Immerhin hatte er ihr verraten, dass die Nachfragen nach Marlene aus Greiffs Büro mit den Monaten weniger geworden waren. Im Gegensatz zu Marlene, die jeden Tag an Greiff dachte, schien er sie langsam zu vergessen.

Ein Priester, der sich nun von der anderen Seite dem Prinzregentenplatz näherte, erregte Marlenes Aufmerksamkeit. Er hatte seine Soutane geschürzt, um rascher ausschreiten zu können. Er war noch ungefähr fünfzig Meter von Marlene entfernt, trotzdem erschrak sie. Wenn sie es nicht besser gewusst hätte, würde sie glatt annehmen, dass es sich um Albrecht Brunnmann handelte. Aber warum sollte er sich als Priester verkleiden? Noch während sie sich dies fragte, wusste sie, wer der Mann war: Leopold, Albrechts älterer Bruder!

Dann ging alles sehr schnell. Der Priester war eben vor dem Haus 10 angekommen, als ein dunkler Wagen hinter ihm herangeschossen kam, mit quietschenden Reifen hielt und sofort zwei Männer heraussprangen.

Marlene fuhr der Schreck in alle Glieder. *Gestapo!* Der Priester hatte sich nur kurz umgesehen, die Gefahr erkannt und sofort die Beine in die Hand genommen. Er lief genau in Marlenes Richtung, gefolgt von den beiden Gestapomännern, die ihn laut anriefen, stehen zu bleiben. Beide hatten ihre Waffen gezogen. Marlene drückte sich mit klopfendem Herzen noch fester an die Häuserwand. Der Flüchtende hastete nur wenige Meter entfernt an ihr vorbei.

Dann fiel ein Schuss! Der Prinzregentenplatz war sehr belebt, und Marlene hörte nun mehrere Menschen angstvoll schreien, ein kleines Mädchen, an die Hand ihrer Mutter geklammert, fing laut zu weinen an. Der Priester stoppte abrupt, hob die Arme und ließ sich dann widerstandslos festnehmen und zum Wagen führen. Marlene sah zu, wie sich das Fahrzeug entfernte.

Während sich Marlene noch fragte, ob sie besser gehen und morgen wiederkommen sollte, öffnete sich die Tür der Nummer 10. Eine korpulente Frau um die fünfzig verließ das Haus. Sie trug einen Korb.

Marlene musterte sie. Ob das Ottilie war? Deborah hatte ihr von dem gutmütigen Hausmädchen erzählt, das seit über zwanzig Jahren in den Diensten der Familie Berchinger stand, und sie wusste daher, dass die Frau vertrauenswürdig war. Darum hatte sie beschlossen, sie in ihren Plan einzubeziehen. Anders wäre eine Kontaktaufnahme zu Deborah nicht möglich, jedenfalls nicht so schnell. Marlene wollte sich nicht länger als unbedingt nötig in München aufhalten.

Sie hatte lange überlegt, ob sie das Risiko, Deborah und ihren Bruder aus Brunnmanns Fängen zu retten, eingehen konnte und wollte. Und sich dafür entschieden. Irgendwie mochte sie das verrückte junge Mädchen.

Und sie hatten denselben Mann geliebt. Jakob.

Marlene folgte der Frau, die sie für Ottilie hielt. Es wurde ein längerer Fußmarsch bis zu einem Markt, auf dem nicht mehr viel angeboten wurde. Doch die Frau wusste anscheinend, wen sie ansprechen musste, und sie hatte Geld. Brunnmanns Geld. *Geld, das er Juden gestohlen hatte,* dachte Marlene grimmig. Es wurden verborgene Schätze hervorgeholt, und gute Ware wechselte den Besitzer.

Marlene schlenderte näher heran und tat so, als wolle sie die Ware am Stand begutachten. So konnte sie hören, wie der Gemüsehändler die Frau ansprach: »Na, Ottilie, was derf's denn heut sein?« *Ottilie!* Marlene atmete auf. Sie war es tatsächlich!

Als Ottilie ihre Einkäufe im Korb verstaut hatte und weiterging, holte Marlene sie ein und trat neben sie. »Verzeihen Sie. Sie sind Frau Ottilie?«

»Ja?« Die Frau trat misstrauisch einen Schritt zurück. Sie musterte Marlene in ihrem einfachen Sommerkleid von oben bis unten.

»Ich bin eine Freundin von Deborah und habe sie in Krakau kennengelernt.«

»Jessas, Sie san die Marlene, aber ja!« Zu Marlenes Verblüffung ließ Ottilie den Korb los, fiel ihr um den Hals und brach in Tränen aus.

Marlene stand stocksteif und konnte nur denken: *Verdammt,*

das Letzte, was ich gebrauchen kann, ist Aufsehen! »Kommen Sie, beruhigen Sie sich. Gehen wir ein Stück.« Marlene warf einen beunruhigten Blick über Ottilies Schulter. Der Gemüsehändler und einige andere beäugten sie neugierig. Marlene schob Ottilie von sich weg, packte deren Korb und zog die Frau energisch mit sich bis zu einem Hauseingang. »Herrgott, keine Namen!«, zischte sie.

»Entschuldigen S', bitte. Ich weiß ja, Sie sind eine Spionin. Aber ich hab mich halt so g'freut.«

Marlene rollte mit den Augen. Vielleicht war es doch keine so gute Idee gewesen, Ottilie anzusprechen. »Hören Sie. Keine Namen, und vor allem, ich bin *keine* Spionin. Oder wollen Sie, dass die Gestapo uns alle ins Gefängnis wirft?«

Die Erwähnung der Gestapo wirkte – wie immer. Ottilie wurde blass. »Mei, Sie ham ja recht. Die Freude war's. Die Deborah erzählt halt immer so nett von Ihnen. Ham Sie was vor?« Immerhin kam Ottilie gleich auf den Punkt.

»Vielleicht. Wie geht es Deborah?«

»Nicht so gut, eing'sperrt is sie, das arme Madel, aber sie hält durch wegen dem Wolferl. Dieser Herr Brunnmann ist schon ein schlimmer Mensch. Und zu was der die Deborah alles zwingt …« Ottilies Stimme erstickte.

Marlene fürchtete zu Recht einen weiteren Tränenausbruch. »Ist ja gut, Ottilie. Hör zu, ich habe hier einen Brief für Deborah. Bring mir morgen ihre Antwort. Ich warte hier, an dieser Stelle, um die gleiche Zeit auf dich. Einverstanden?«

Ottilie willigte sofort ein.

Ottilie verspätete sich um über eine Stunde. Marlene wurde langsam unruhig. Gerade als sie beschlossen hatte, zum Prinzregentenplatz zu laufen, kam Ottilie völlig außer Atem angelaufen. »Entschuldigen S'! Aber grad, als ich los bin, ist der Brunnmann angekommen. Dabei war der doch erst nächste Woche angekündigt! Und weil's schon so spät war, hot mi die Köchin, der Nazi-Besn, noch schnell zum Konditor g'schickt, bevor der nix mehr hot. Drum hab ich net viel Zeit, ich muss gleich zruck. Die Tortn fällt mir sonst zamm bei der Hitz, der elendigen.« Während sie noch sprach, zog sie ein Blatt Papier aus ihrer Schürze und überreichte Marlene feierlich Deborahs Antwort.

Liebste Freundin,

ich kann es kaum fassen, dass Du hier bist! Wolferl und ich sind in unseren Zimmern eingesperrt. Ich darf nie raus, aber vielleicht kannst Du meinen Bruder retten? Manchmal kann ich eine von Brunnmanns Hausangestellten bestechen, dass sie eine halbe Stunde mit ihm spazieren geht. Ich werde es morgen Nachmittag versuchen. Warte ab zwei Uhr vor unserem Haus. Danke! Und bitte sei mir nicht böse. Aber ich muss bleiben. Erinnere Dich, was ich Dir in K. geschworen habe! Irgendwann werde ich meine Chance bekommen. Aber das geht nur, wenn mein Bruder in Sicherheit ist.

Leb wohl, Deine Deborah

Marlene ließ das Blatt sinken. Sie dachte an den Tag im Krakauer Krankenhaus zurück, als Deborah bei ihr aufgetaucht war und geschworen hatte, Brunnmann und Greiff eines Tages zu töten. Und sie hatte darauf geantwortet: »Nein, Greiff gehört mir!«

Das Mädchen war wirklich ein wenig verrückt. Es war das eine, es sich vorzustellen, aber das andere, es zu tun.

Marlene überlegte jetzt, ob sie es sich wirklich zumuten sollte, Deborahs elfjährigen Bruder zu retten und mit ihm aus der Stadt zu flüchten. Wolfgang kannte sie nicht, und er würde seine Schwester vermutlich auch nicht verlassen wollen. Eine Passage aus dem Talmud kam ihr in den Sinn. Ihre Großmutter mütterlicherseits hatte ihr in Krakau oft daraus vorgelesen: »Wer nur einen Menschen rettet, rettet die ganze Welt.« Was sie wiederum sofort an Jakob erinnerte. Er hatte oft zu ihr gesagt:

»Bevor du die Welt retten kannst, Anna, solltest du erst lernen, wie.« Und dann hatte er ihr gezeigt, wie man einen Sprengsatz baut oder ein Funkradio bedient.

Sie dachte in letzter Zeit oft an Jakob und führte mit ihm Zwiegespräche. Dabei hatte sie mehr und mehr Frieden mit ihren inneren Dämonen geschlossen. Die Bilder des gefolterten Jakob wurden zunehmend durch die glücklichen Bilder ihrer beginnenden Liebe verdrängt, damals, im Frühjahr 1939, vor dem großen Krieg. Jakob war tot, aber ihr war in Krakau ein zweites Leben geschenkt worden. Sie würde das Beste daraus machen. Ja, sie würde Wolfgang retten und ihn nach Brandenburg bringen, wo ihre Großmutter bei Verwandten Unterschlupf gefunden hatte. Sie würden sich um den Jungen kümmern und ihn sicher bei sich verstecken.

Ihr eigener Weg würde nicht zurück nach Krakau führen, dort war ihr Gesicht zu bekannt, sondern nach Frankreich, wo sie sich dem dortigen Widerstand anschließen wollte. Diesen Entschluss verdankte sie Halina Szymańska, Widerstandskämpferin und Frau des letzten polnischen Militärattachés in Berlin.

Der Chef der deutschen Abwehr, Admiral Canaris, der schon länger gegen die nationalsozialistische Regierung arbeitete, hatte Halina bereits 1939 die Flucht in die Schweiz ermöglicht. Sie war die Verbindungsagentin zwischen Canaris und dem englischen Geheimdienst SIS und unterhielt auch gute Kontakte zum französischen Deuxième Bureau. Marlene kannte Halina von früher.

Neben sich spürte sie jetzt eine Bewegung. Ottilie wurde unruhig, der Frau wurde die Zeit lang.

Marlene lächelte ihr beruhigend zu. »Deborah bittet mich, zuerst ihren Bruder in Sicherheit zu bringen. Sie will morgen eine der Hausangestellten bestechen, dass sie mit ihm spazieren geht. Sag ihr, dass ich es tun werde. Sie soll Wolfgang entsprechend darauf vorbereiten, damit er keine Angst vor mir hat.«

»Mei, das liebe Kind. Immer denkt sie an ihren Bruder. Morgen ist der Dreizehnte. Hoffentlich ist des a gutes Zeichen«, sagte die abergläubische Ottilie.

»Gut, dann ist es beschlossen, ich werde …« Weiter kam Marlene nicht. Sirenen setzten ein.

»Jessas, Fliegeralarm! Scho wieder! Ich muss hoam.« Ottilie schnappte sich ihren Korb und stürmte davon.

Marlene suchte den nächsten Luftschutzbunker auf, indem sie einfach dem Strom der Menschen folgte. Ausgerechnet jetzt!

Es war der bisher schlimmste Angriff der Amerikaner. Sie bombardierten die Münchner Innenstadt tagelang fast ununterbrochen. Erst am 20. Juli beruhigte sich die Lage wieder etwas, und die Menschen wagten sich langsam aus ihren Löchern heraus, mit ihnen Marlene.

Erschüttert sah sie sich um. Die Innenstadt glich einer postapokalyptischen Vision. Ganze Straßenzüge waren verschwunden, die ausgebrannten Gerippe von Häusern ragten wie mahnende Finger in den Himmel. Auch das Haus der Witwe in der Innenstadt, bei der Marlene Quartier bezogen hatte, war dem Erdboden gleichgemacht worden. Marlene trug alle Wertsachen bei sich und hatte nur einen Koffer mit ein paar Kleidern verloren, aber unzählige Menschen waren im Bombenhagel umgekommen, und noch mehr hatten kein schützendes Dach mehr über dem Kopf.

Marlene kämpfte sich durch die verwüstete Stadt. Überall suchten und gruben verzweifelte Menschen in den Trümmern nach ihren Angehörigen. Am schlimmsten aber war der Geruch nach verbranntem Fleisch.

Schließlich stand Marlene vor den traurigen Überresten des Prinzregentenplatz 10. Das Haus musste direkt von einer Bombe getroffen worden sein. Es war nur noch ein Haufen rauchender Steine. Trotzdem sah sich Marlene nach dem Luftschutzwart des Viertels um. Sie fand ihn erst am nächsten Tag, nach langer Suche und Herumfragen. Sie war erschöpft, hungrig und durstig und kurz vor dem Aufgeben. Die vergangene Nacht hatte sie erneut in einem stickigen Luftschutzbunker verbracht, eingepfercht zwischen heimatlos Gewordenen.

»Tut mir leid, meine Dame«, antwortete der Mann auf ihre Frage. »Aber dort hat niemand überlebt.« Er musterte sie jetzt genauer. »Ich habe Sie hier noch nie gesehen.«

»Ich wollte Ottilie besuchen. Sie ist«, Marlene schluckte, »war meine Cousine«, erwiderte sie geistesgegenwärtig.

»Ja, die Ottilie. Das war eine nette Frau. Mit der konnte man gut erzählen. Mein Beileid.« Er wandte sich von ihr ab und dem nächsten Fragenden zu.

Ein letztes Mal kehrte Marlene zum Prinzregentenplatz 10 zurück. Nein, das konnte niemand überlebt haben. Sie hatte es versucht. Sie wandte sich ab und machte sich auf den Weg. Ihr Ziel war die französische Grenze.

Kapitel 55

Rom, Oktober 1945

Der unselige Krieg, der Europa erschüttert hatte, war seit vier Monaten zu Ende. An seinen Strand hatte es unsägliche Geschichten von Leid und Elend gespült: Männer, Frauen und Kinder, die neben den wenigen geretteten Habseligkeiten eine schwere Last mit sich trugen, Chroniken von Tod und Schrecken, für immer festgeschrieben in ihrer Erinnerung. Es war eine Schar Entwurzelter, ausgezehrte Gestalten, damit beschäftigt, die Trümmer ihres Lebens einzusammeln und neu zu ordnen. Trost und Gnade gab es nur im Vergessen, und so wandten sie sich ab von der Vergangenheit, folgten dem immerwährenden Pfad der Hoffnung und klammerten sich an die letzte Wahrheit des Lebens: die Zukunft.

Gleichwohl umgab diese Menschen bereits jetzt eine zaghafte Heiterkeit: Sie wussten um ihr Glück, die Apokalypse überlebt zu haben.

Die junge Frau aber, die sich auf der Straße dahinschleppte, fühlte nicht jene Zuversicht auf ein neues Leben, verspürte nicht den Drang nach einem neuen Anfang. Die Zukunft galt ihr nichts. Der Schuldschein des Krieges, Hoffnung genannt, würde von ihr niemals eingelöst werden. Sie war gefangen in ihrem eigenen Krieg. Sie trug ihn mit sich, und seine unheilvolle Saat wuchs in ihr.

Sie hatte jeden verloren, der ihr einmal etwas bedeutet hatte. Auch ihren Bruder hatte sie nicht retten können, obwohl sie alles für ihn gegeben hatte. Sie hatte versagt. Immer und immer wieder hatte sich das Schicksal auf Brunnmanns Seite geschlagen.

Am Tag bevor Marlene Wolfgang hätte retten sollen, war Albrecht plötzlich aufgetaucht und hatte sie sofort mitgenommen. Dann waren die Bomben gefallen und das Haus am Prinzregentenplatz vollständig zerstört worden. Dass Wolfgang dabei umgekommen war, hatte ihr Albrecht erst in den letzten Kriegstagen erzählt, um den Bruder weiter als Druckmittel gegen die Schwester einzusetzen. Und er hatte ihr dabei auch wie nebenbei verraten, dass er ihren Vater Gustav auf dem Gewissen hatte und Leopold, seinen eigenen Bruder, hatte verhaften lassen, weil seine Umtriebe begannen, ihm und seiner Karriere zu schaden. Er, Albrecht, sorgte für die Logistik der Endlösung, und sein Bruder versteckte und rettete Juden! Den Krieg hatten er und seinesgleichen zwar verloren, aber sein Triumph über Deborah war vollkommen. Dann hatte Albrecht sie eingesperrt und verlassen.

Irgendwann hatte Deborah bemerkt, dass ihr Bewacher sich davongemacht hatte. Sie hatte sich selbst befreit, und eine amerikanische Patrouille in Garmisch hatte sie einige Tage später halb verhungert aufgegriffen.

Zu ihrem Erstaunen erfuhr sie, dass Marlene sie suchte!

Ihre Freundin war wenige Tage nach Kriegsende im Tross eines amerikanischen Captains in München aufgetaucht. Marlene half den Amerikanern bei der Identifizierung von Naziverbrechern. Albrecht Brunnmann stand ganz oben auf der Liste. Marlene kam selbst nach Garmisch und holte Deborah ab. Von ihrer Freundin erfuhr Deborah auch, wie Leopold direkt vor ihrem Zuhause von der Gestapo verhaftet worden war.

Darüber hinaus hatte Marlene sie wissen lassen, dass die Spur von Obersturmbannführer Albrecht Brunnmann nach Italien führte. Mehr hatte sie ihr aber nicht verraten wollen. Im Gegenteil, sie hatte Deborah zu überzeugen versucht, von ihrem verrückten Racheplan abzusehen. Albrecht Brunnmann würde seine gerechte Strafe erhalten. Marlene hatte inzwischen ein Gerücht vernommen, nach dem die Amerikaner planten, ein Kriegsgericht in Nürnberg abzuhalten, bei dem alle Nazigrößen der Welt zur Schau gestellt werden sollten. Die Demütigung, als Verbrecher behandelt zu werden, würde für Brunnmann mehr Strafe sein als ein schneller Tod, argumentierte sie.

Umsonst. Deborah hatte sich nicht von ihrem Vorhaben abhalten lassen. Außerdem war sie davon überzeugt, dass Marlene Greiff getötet hatte. Albrecht hatte kurz nach dessen Tod diese Vermutung geäußert. Deborah konfrontierte ihre Freundin damit, aber Marlene hatte es nicht zugeben wollen, lediglich ein kaum wahrnehmbares Lächeln war über ihr Gesicht gehuscht. Es hatte Deborah wütend gemacht, dass Marlene ihre Rache bekommen haben sollte, sie aber daran hindern wollte, dass sich die ihre erfüllte. Die beiden Freundinnen hatten sich im Streit getrennt. Am nächsten Morgen war Deborah fort.

Der Strom der Menschen bewegte sich durch die Gassen von Trastevere, dem Teil Roms, dem der Fluss *Tevere*, der Tiber, seinen Namen gegeben hatte. Die junge Frau ließ sich mit ihm treiben. Manche der Gestalten hasteten geschäftig und drängelnd an ihr vorüber, froh, die Bürde des Krieges abgestreift zu haben. Andere wiederum schleppten sich dahin, Neuankömmlinge wie sie selbst, mager und mit bleichem Gesicht, gezeichnet von Entbehrung und Angst vor dem Ungewissen.

Die junge Frau kannte den Weg. Sie setzte einen Fuß vor den andern, wie sie es seit fast drei Monaten Tag für Tag, Stunde um Stunde getan hatte. Vielleicht nicht mehr so genau und sicher wie am Beginn ihrer Reise. Ihre Füße schmerzten, sie hatte einen ihrer Schuhe verloren, vielmehr war er ihr einfach vom Fuß gefallen, nachdem er sich nach und nach aufgelöst hatte.

Keine der abgehärmten Gestalten interessierte sich für sie, in diesen geschäftigen Tagen der Wiedergeburt hatte jedermann nur Platz für sich selbst – in seinen Zukunftsplänen und in seinem Herzen.

Wie viele andere auch hielt die junge Frau ihren Blick auf das Kopfsteinpflaster gesenkt, das einst von den Sklaven eines anderen, lange vergangenen Reiches gelegt worden war.

Der Krieg hatte, wie jeder Krieg, von vorangegangenen Zivilisationen in absurder Analogie ausgefochten, die Wünsche der Überlebenden auf die elementarsten Bedürfnisse menschlichen Seins reduziert: ein Dach über dem Kopf, die nächste warme Mahlzeit und Arbeit, um sich beides verdienen zu können.

Der eigene Horizont war auf sich selbst reduziert, die Aufmerksamkeit auf die eigene Achse gerichtet. Erst mit der Zeit, mit dem allmählichen Abstand von den traumatischen Ereignissen, würde das Gesichtsfeld der Menschen sich wieder erweitern.

Es würde eine Weile dauern, bis die alten Verhaltensmuster zu neuem Leben erwachen und bis hinter jedem erfüllten Wunsch ein noch größerer unerfüllter Wunsch warten würde.

Die junge Frau war am Ende ihrer Reise angelangt, in der Via della Conciliazione. Sie verschmolz mit der Schar derer, die sich mit dem näher kommenden Ziel vornehmlich in Pilger und Klerus aufgeteilt hatte.

Beide Gruppen repräsentierten den üblichen Kriegsnachlass und spiegelten auch ihr persönliches Schicksal: Von ausgemergelt und abgerissen bis hin zu wohlgenährt und gut gewandet war alles vertreten.

Mit fiebrig glänzenden Augen starrte die Frau auf die Piazza San Pietro vor ihr. Sie nahm die den Platz umgebende, beeindruckende Säulenallee nicht wahr, ebenso wenig wie den Petersdom, der sich im Licht der späten Nachmittagssonne mit seiner gewaltigen Kuppel dem fahlen Himmel entgegenwölbte.

All ihre Aufmerksamkeit galt den meterhohen Mauern des Vatikanstaats. Dort hatte *er* Unterschlupf gefunden, der Mann, der Anlass und Ziel ihrer Reise war, der Mann, der ihr alles genommen hatte: ihre Familie, ihre Liebe, ihre Würde.

Der Vater des Kindes, das sie unter dem Herzen trug. Wie sie dieses Kind hasste. Das Kind eines Massenmörders. Sein Kind. Nicht ihres.

Wie unzählige Male zuvor fuhr ihre schmale Hand unter den fadenscheinigen Mantel, ertasteten ihre mageren Finger die Stelle unter der Brust, an welcher sie ihren Schatz verwahrte. Erleichterung und Zuversicht durchfluteten sie, sobald sie die vertrauten Umrisse der Pistole erfühlte. Sie hatte sie, zusammen mit der Information über den Aufenthaltsort des Mannes, gegen ihren letzten noch verbliebenen Gegenstand von Wert eingetauscht: den Rubinring ihrer Mutter.

Das beruhigende Gewicht der Pistole hatte sie während ihrer beschwerlichen Reise wie ein Versprechen begleitet: das Versprechen, Rache zu nehmen. Rache für all die Leben, die er zerstört hatte. Rache für ihr Leben. Ihre Demütigung. Ihre Qualen.

Rache für das Leben, das in ihr heranwuchs.

Sie war hier, um ihn zu töten.

TEIL 5

Felicity und Martha

Gegenwart

Kapitel 56

Rom, Mai 2012

Erschüttert klappte Felicity ihren Laptop zu. Sie hatte den halben Tag und die ganze Nacht gelesen. Ihrer Mutter hatte sie irgendetwas über eine wissenschaftliche Arbeit erzählt.

Aber ihre Mutter war sowieso viel zu sehr damit beschäftigt gewesen, weiter Zeitungsschnipsel zu sortieren und zusammenzukleben, als dass sie auf Felicitys Tun geachtet hätte. Nach dem Frühstück teilte sie ihrer Mutter mit, dass sie kurz an die frische Luft gehe, und rief von der Lobby aus Pater Simone an. Sie erreichte ihn nicht sofort und sprach ihm auf die Mailbox. Dann trat sie auf die Via della Conciliazione hinaus. Der Lärm und der morgendliche Verkehr der Großstadt empfingen sie.

Felicity schlenderte die Straße entlang in Richtung Petersplatz. Sie war noch nicht weit gekommen, als ihr Mobiltelefon läutete. Pater Simone war dran. »*Buon giorno*, Signorina Felicity, da bin ich. Wie geht es Ihnen und Ihrer Mutter?«

»Es geht mir so weit gut, danke. Ich habe alles gelesen, und Sie hatten absolut recht, Pater. Diese Geschichte ist unglaublich, einfach unfassbar. Und ich bin sehr froh, dass meine Großmutter sie wie einen Roman verfasst hat. Ich weiß nicht, ob ich stark genug gewesen wäre, ihre Worte in Tagebuchform zu lesen. Zwischendurch musste ich mir mehrmals sagen, es ist ein Roman, um überhaupt weiterlesen zu können. Ich bin furchtbar durcheinander, tief betroffen, aber auch irgendwie wütend. Ein wenig fürchte ich mich auch davor, wie meine Mutter das alles aufnehmen wird. Wenn es *mich* schon so aufwühlt … Sie ist, wie soll ich sagen … meine Mutter ist nicht sehr stabil.« Felicity hielt inne, als hätte sie schon zu viel gesagt.

»Ich denke, ich verstehe, was Sie auszudrücken versuchen. Als Seelsorger sind mir verwundete Seelen nicht fremd. Mir ist aufgefallen, dass Ihre Mutter … nun, sie scheint nicht allzu gut darin zu sein, mütterliche Gefühle zu zeigen. Wir wissen jetzt, dass Ihre Mutter ohne Mutterliebe aufgewachsen ist, Signorina Felicity. Ein Kind spürt, wenn seine Mutter es nicht liebt. Darum fällt es Ihrer Mutter so schwer, Liebe anzunehmen oder sie weiterzugeben, weil sie selbst als Kind keine erfahren hat. Ihre Großmutter Deborah hatte sich allen Gefühlen verschlossen. Verständlich, sie hat unvorstellbares Leid erlebt und ist in den schlimmsten Abgrund des Bösen, dessen Menschen fähig sind, getaucht. Welche Seele würde hier keinen Schaden nehmen? Es ist die Physik des Bösen, die hier bis heute nachwirkt und nachfolgende Generationen beeinflusst, so wie Ihre Mutter und Sie. Ich glaube, Ihre Mutter hält sich bis heute selbst nicht für würdig, geliebt zu werden, und hat dieses unzulängliche Gefühl an Sie weitergegeben. Aber ich fange an zu ›priestern‹, wie mein Freund, Pater Lukas, sagen würde. Ich habe heute noch zu tun, aber ich komme am frühen Abend zu Ihnen. Wir sprechen dann gemeinsam mit Ihrer Mutter, Signorina Felicity. Machen Sie sich bis dahin nicht zu viele Gedanken. Sie werden sehen, das Schicksal meint es gut mit Ihnen. *Arrivederci!*«

Felicity kehrte zu ihrer Mutter ins Hotel zurück. »Pater Simone hat sich gerade bei mir gemeldet. Er kommt heute am frühen Abend vorbei.«

»Das heißt, er ist mit der Übersetzung fertig?«, fragte ihre Mutter aufgeregt.

»Ja, das heißt es. Aber …«

»Aber was?«

»Er hat mich vorgewarnt, dass es eine sehr traurige Geschichte ist. Er hat gesagt, wir sollen uns auf einiges gefasst machen.« Felicity überlegte, ob sie noch konkreter werden sollte, sah aber davon ab.

»Ehrlich, Felicity«, ihre Mutter riss ein weiteres Stück Klebeband ab, um zwei Papierstücke zusammenzufügen, »bei deiner Großmutter bin ich inzwischen auf alles gefasst. Ich glaube, ihr Leben war eine einzige Lüge. Inzwischen frage ich mich sogar, ob ich überhaupt ihre Tochter bin. Sie hat mir nie das Gefühl gegeben, dass ich es wäre. Sie war so rastlos und unbeständig und fast nie zu Hause. Und wenn, dann wollte sie immer sofort wieder los. Sie führte lieber dieses ungesunde Leben als Pianospielerin in Nachtclubs und Bars, als bei ihrer Familie zu sein.

Trotzdem habe ich sie geliebt, aber sie wollte meine Liebe nicht. Irgendwann habe ich es begriffen, aber seitdem war Liebe für mich mit Schmerz verbunden. In der Religion fand ich Trost und Halt. Deshalb wurde ich Nonne. Im Kloster hatte ich einen festen Platz im Leben, eine Gemeinschaft, zu der ich gehörte. Das habe ich mir immer gewünscht. Ich musste erst deinem Vater begegnen, um zu verstehen, dass Liebe einen nicht zwangsläufig leiden lässt. Er hat mir gezeigt, dass das Leben noch so viel mehr sein kann. Ich weiß nicht, ob du das verstehen kannst, Felicity, aber ich habe mich die meiste Zeit meines Lebens innerlich zerrissen gefühlt.«

Felicity hatte ihrer Mutter zunehmend überrascht zugehört. Es war das erste Mal überhaupt, dass ihre Mutter sich ihr gegenüber so sehr öffnete. Martha, plötzlich verlegen, hatte in ihrer Tätigkeit innegehalten. Ihre Blicke begegneten sich, und beide sahen das Staunen in den Augen der jeweils anderen. Doch es lag noch mehr darin. Es war ein Moment des gegenseitigen Erkennens, eine tiefere Ebene des Verstehens. Die brüchige Annäherung, die sich bereits vor einigen Tagen abgezeichnet hatte, festigte sich und überwand Schritt für Schritt die lebenslange Distanz, die Mutter und Tochter voneinander getrennt hatte.

Felicity musste an Pater Simones Worte am Telefon denken – was er über die Liebe gesagt hatte und die Physik des Bösen. Er hatte den Nagel auf den Kopf getroffen und sich ähnlich ausgedrückt wie ihre Mutter. War das, was ihre Mutter ihr gerade so unvermittelt offenbart hatte, die Erklärung, nach der sie unbewusst ihr ganzes Leben gesucht hatte? Warum auch sie selbst, Felicity, immer das Gefühl gehabt hatte, dass ihre Mutter eine gewisse Distanz zu ihr wahrte? Als wäre Liebe zu zeigen für Martha Benedict ein Gefühl der Schwäche?

Zwar hatte sie alle ihre Mutterpflichten gewissenhaft erfüllt, hatte dafür gesorgt, dass sie genug aß und anständig gekleidet war, hatte ihre Hausaufgaben beaufsichtigt und sie ermahnt, ihr Zimmer aufzuräumen. Bis zu Felicitys Teenagerrebellion hatte sie ihre Tochter mehrmals wöchentlich in die Kirche geschleppt und mindestens einmal im Monat zur Beichte, bis es sogar Pater Pescatore zu viel geworden war. Aber sosehr sich Felicity auch bemühte, sie konnte sich nicht daran erinnern, dass ihre Mutter sie ein einziges Mal in ihrem Leben in den Arm genommen hätte.

Als sie fünfzehn wurde, hatte sich Felicity schließlich strikt geweigert, ihre Mutter weiter in die Kirche zu begleiten – bestärkt durch die Unterstützung ihres Vaters. Für diese Unterstützung war sie ihm unendlich dankbar.

Wenn auch ihre Mutter mehr oder weniger ohne sichtbare Emotionen oder echte Wärme ihre Pflichten der Tochter gegenüber erfüllte, so hatte Felicity den besten Vater der Welt.

Ihre Mutter aber war von ihrer Großmutter allein gelassen worden. Zum ersten Mal fühlte Felicity Verständnis für sie und verspürte den Wunsch, ihre Mutter in den Arm zu nehmen. Dabei war sie ehrlich genug, sich einzugestehen, selbst auch Fehler begangen zu haben. Sie war zu unreflektiert gewesen, schlimmer, zu bequem, hatte das Verhältnis zu ihrer Mutter als Status quo hingenommen, hatte sich in ihrer Lethargie eingerichtet und das Schweigen dem Gespräch vorgezogen. Ja, sie trug eine Mitschuld, sie hatte sich viel zu lange verschlossen und damit auch Richard wissentlich verletzt. Niemals hatte sie sich selbst klarer gesehen. Sie machte eine Bewegung auf ihre Mutter zu, doch diese hatte sich wieder in ihre eigene Welt geflüchtet, suchte geschäftig nach der anderen Hälfte eines Fotos. Der Moment der Nähe war vorbei.

Kapitel 57

München

»Herr Professor?« Grete steckte zaghaft den Kopf ins Arbeits-zimmer. Sie wusste, der Professor wurde vormittags ungern bei der Arbeit gestört. Das hatte ihre Mutter ihr eingebläut, deren Nachfolgerin sie erst seit wenigen Wochen war. Sie war Haus-hälterin in dritter Generation, schon ihre Großmutter hatte in den Diensten des Professors gestanden.

»Was ist denn, Grete?«

»Da möchte Sie ein Pater Simone sprechen.«

Der Professor runzelte die Stirn. Soweit er wusste, kannte er keinen Pater Simone. »Hat er gesagt, was er will?«

»Er meinte, es ginge um Ihre Schwester.«

»Meine … *Schwester*?« Der Professor sah sie entgeistert an und strich sich schließlich verwirrt durch das dichte weiße Haar. Es sah immer ein wenig aus, als hätte er gerade Beethoven diri-giert. »Aber …« Er unterbrach sich und erhob sich aus seinem Stuhl. »Gut, bitten Sie ihn herein, Grete.«

»Entschuldigen Sie, Herr Professor. Ich hätte Ihnen wohl gleich sagen sollen, dass er am Telefon ist.« Grete kam nun ganz herein und hielt ihm unsicher den Apparat entgegen.

Der Professor unterdrückte ein Kopfschütteln, stellte fest, dass es wohl noch ein wenig dauern würde, bis Grete in die Fußstapfen ihrer Großmutter und Mutter passte, und griff nach dem schnurlosen Telefon. »Berchinger«, meldete er sich vor-sichtig.

»Spreche ich mit Professor Wolfgang Berchinger, dem Bru-der von Deborah Berchinger?«

»Ja?« Der Professor spürte, wie sich sein Herzschlag unwillkürlich beschleunigte. Das war gar nicht gut. Er litt unter Bluthochdruck, jede Aufregung brachte ihn dem Schlaganfall einen Schritt näher. Jahrzehntelang hatte er versucht, etwas über das Schicksal seiner Schwester herauszufinden, aber sie war nach dem Krieg wie vom Erdboden verschluckt gewesen. Inzwischen hatte er die Hoffnung aufgegeben. Und nun dieser Anruf …

»Mein Name ist Pater Simone Olivieri. Ich rufe aus Rom an …« Weiter kam er nicht, weil der Professor ihn sofort unterbrach. »Meine Schwester ist in Rom?«, rief er aufgeregt in den Apparat.

»Äh, nein.« *Oje*, dachte Pater Simone, *jetzt habe ich den Salat. Er weiß es nicht – er weiß gar nichts!* Nun war es an Pater Simone, sich zu räuspern. »Leider muss ich Ihnen die traurige Mitteilung machen, dass Ihre Schwester Deborah kürzlich verschieden ist. Mein tief empfundenes Beileid.«

»Wie, in Rom?«

»Nein, in Seattle.«

»Amerika? Meine Schwester hat in Amerika gelebt?« Der Professor, der bisher mit dem Apparat am Ohr in seinem Arbeitszimmer umhergelaufen war, sank nun auf seinen Bürosessel zurück. Plötzlich fühlte er die Last seiner Jahre.

Deborah hatte also die ganze Zeit über gelebt?

»Wie sind Sie auf mich gekommen?«, fragte er matt.

»Durch Ihre Nichte Martha Benedict und deren Tochter Felicity. Soweit ich das verstanden habe, Professor Berchinger, sind Sie der einzige noch lebende Verwandte Ihrer Nichte.«

Und dann erklärte ihm Pater Simone den Grund seines Anrufs.

Kapitel 58

Rom

Gegen halb acht Uhr abends klopfte es an ihrer Tür.

»Das wird Pater Simone sein.« Martha öffnete.

Pater Simone lächelte sie breit an. »*Buona sera*, Signora Benedict. Da sind wir.«

»Kommen Sie herein, Pater.« Martha wunderte sich etwas über das »wir«.

Simone trat ein und sagte: »Ich habe Ihnen jemanden mitgebracht.« Er wandte sich halb zur Tür.

Wegen Pater Simones körperlicher Fülle hatte Martha den kleinen, älteren Herrn hinter ihm zunächst nicht gesehen. Er trat nun auf sie zu, wobei ihr auffiel, dass er etwas zu hinken schien. Er lächelte sie zaghaft an. »Darf ich vorstellen?«, übernahm wieder Pater Simone. »Das ist Professor Berchinger.« Er legte eine Kunstpause ein und ergänzte dann: »Ihr Onkel Wolfgang.«

»Onkel? Ich habe einen Onkel? Aber Mutter hat mir nie erzählt, dass sie einen Bruder hat!« Verblüfft blickte Martha den weißhaarigen Herrn an. Ihre Unterlippe zitterte.

Felicity trat neben sie und streckte dem Professor die Hand entgegen. »Guten Abend, ich bin Felicity Benedict. Verzeihen Sie meiner Mutter. Sie ist etwas durcheinander. Wenn Sie Mutters Onkel sind, dann bin ich Ihre Großnichte.«

»Freut mich außerordentlich, Sie beide kennenzulernen.« Er schüttelte Felicity die Hand und mochte sie gar nicht mehr loslassen. Der Professor musterte Felicity auf eine Weise, als traue er seinen Augen nicht. Alte Erinnerungen stiegen in ihm auf, vergraben in längst vergangenen Zeiten, und für einen Moment schien es ihm, als stünde sie noch einmal vor ihm, keinen Tag älter als an jenem Nachmittag, an dem sie ihn für immer verlassen hatte.

Deborah, seine große, seine verlorene Schwester.

Felicity sah ihr zum Verwechseln ähnlich, ein bisschen älter als Deborah zu jener Zeit und weniger fragil, aber sie hätten beinahe Zwillinge sein können. Seine Augen wurden feucht. Seit dem Anruf von Pater Simone war er gefangen gewesen zwischen Freude und Furcht: Freude, die Nachkommen seiner Schwester zu finden und endlich etwas über ihr Schicksal zu erfahren, und Furcht, eine Enttäuschung zu erleben, von der er nicht absehen konnte, wie er sie verkraften würde. Immer wieder hatte ihn eine plötzliche Angst überkommen, Pater Simone könnte sich geirrt haben. Nach dessen Anruf hatte er das erste Flugzeug nach Rom genommen. Und was er nicht mehr zu hoffen gewagt hatte, hier war sie.

Seine Familie.

Felicity rührte es, wie bewegt der Professor war. Und natürlich war es auch für sie ein bedeutsamer Augenblick, ihrem Großonkel Wolfgang zu begegnen, von dessen Existenz sie bis gestern noch nichts gewusst hatte. Und doch hatte sie durch die Lektüre von Deborahs Aufzeichnungen fast das Gefühl, ihn schon lange zu kennen.

Da es im Hotelzimmer für vier Personen keine Sitzgelegenheit gab, schlug Pater Simone vor, in die Trattoria da Gino zu gehen. Er habe schon mit dem Wirt gesprochen. Gino stelle ihnen ein Nebenzimmer zur Verfügung, wo sie auch gleich »einen Happen« essen könnten.

Gesagt, getan. Bis spät in die Nacht saß die neu vereinte Familie zusammen. Pater Simone überreichte Felicitys Mutter die Übersetzung der Aufzeichnungen und umriss für sie kurz den Inhalt. Er hatte inzwischen auch weitere Nachforschungen über Raffael Valeriani angestellt, den Mann, der für kurze Zeit ihr Stiefvater gewesen und gestorben war, als sie gerade erst vierzehn Jahre alt gewesen war.

»Ihr Stiefvater war ein junger Priester, der Ihrer Mutter Deborah nach dem Krieg in Rom begegnet ist. Ihre Mutter hat Furchtbares erlebt, Signora Benedict. Ihr ganzes Leben war von Albrecht Brunnmann zerstört worden. Als Elisabeth Malpran-Berchinger starb, hat dieser Brunnmann ihre siebzehnjährige Tochter Deborah verführt. Das können Sie alles in den Aufzeichnungen nachlesen«, sagte er zu Martha. »Ihre Mutter kam damals im Oktober 1945 nach Rom, weil sie erfahren hatte, dass Albrecht Brunnmann in den letzten Kriegstagen die Flucht hierher gelungen war. Es gab in Rom einen Bischof, Alois Hudal, der es mithilfe einer Organisation Nazigrößen ermöglichte, nach Argentinien zu fliehen. Die Route wurde später als ›Rattenlinie‹ bekannt. Wahr ist, dass Ihre Mutter mit der festen Absicht hierherkam, Albrecht Brunnmann zu töten. Es ist ihr nicht gelungen, aber sie hat Brunnmann schwer verwundet.

Ich habe nachgeforscht und bin auf die alten Protokolle gestoßen. Darin steht, dass Deborah Berchinger im Oktober 1945 wegen versuchten Mordes verhaftet wurde. Sie war in die Vatikanischen Gärten eingedrungen und hatte versucht, Albrecht Brunnmann, der sich dort mit Bischof Hudal aufhielt, zu erschießen. Sie schoss mehrmals, traf ihn aber nur einmal an der Schulter, dann wurde sie zurückgerissen und von der Schweizer Garde verhaftet. Weil sie hochschwanger war, wurde sie an die italienische Justiz weitergereicht. Raffael Valeriani arbeitete damals als Seelsorger im Gefängnis. Das Schicksal Ihrer Mutter muss ihn sehr erschüttert haben.

Sie, liebe Martha, wurden noch in Rom geboren. Er hat für sich, Ihre Mutter und das Kind neue Papiere beschafft und ihre gemeinsame Flucht nach Amerika geplant. Und er hat Ihre Mutter, wie wir inzwischen wissen, in dem Glauben gelassen, Albrecht Brunnmann getötet zu haben. Eine fromme Lüge, aber nötig, da sie sonst vermutlich nie mit ihm nach Amerika gegangen wäre.

Darum sind auch die Nachforschungen des Professors stets im Sande verlaufen. Eine Deborah Berchinger gab es von da an nicht mehr. Sie sehen, Signora Benedict, es gibt nichts, wofür sich Ihre Mutter hätte schämen müssen, oder Sie! Im Gegenteil, Ihre Mutter war sehr tapfer. Sie war, wie so viele andere, ein Opfer des Naziterrors. Albrecht Brunnmann wurde übrigens 1960 von israelischen Agenten aus Argentinien entführt und nach Israel gebracht. Er wurde dort zum Tode verurteilt und 1962 hingerichtet. Ich habe inzwischen auch herausgefunden, dass Ihre Mutter bei dem Prozess anwesend war und gegen ihn ausgesagt hat.«

Den Rest der Geschichte ergänzte Wolfgang »Wolferl« Berchinger. So erfuhren sie von ihm, dass seine Schwester bis zum Ende des Krieges von Albrecht Brunnmann wie eine Gefangene gehalten wurde und ihm »zu Diensten« sein musste. »Sie hat es für mich getan. Brunnmann hatte ihr gedroht, dass er mich sonst als Jude nicht länger schützen und in ein Konzentrationslager schaffen lassen würde. Nach dem Krieg habe ich versucht, Deborah zu finden, aber sie war spurlos verschwunden. Wie mein Vater Gustav, der seit dem Jahr 1938 verschollen ist.

Unser Hausmädchen Ottilie hat mich damals gerettet. An dem Tag, als ich Deborah das letzte Mal sah, hat es einen verheerenden Luftangriff gegeben. Brunnmann hatte meine Schwester kurz zuvor mitgenommen. Als die Sirenen einsetzten, waren die beiden Angestellten Brunnmanns unaufmerksam. Ich bin ihnen entwischt und auf die Straße gelaufen. Da kam mir Ottilie entgegen. Sie hat mich geschnappt, und wir sind in den Luftschutzbunker nebenan und nicht in unseren Keller wie sonst immer. So haben wir überlebt. Ottilie hat mich mit zu sich auf den Bauernhof ihrer Familie in Straßlach genommen. Rechtschaffene Leute. Ich hatte es gut bei ihnen.

Ich möchte dir etwas zeigen, liebe Martha, mein Vater hat es mir hinterlassen. Er hat es mir an dem Abend gegeben, als ich ihn das letzte Mal sah. Es ist ein Gedicht.« Er holte einen vergilbten Zettel aus seiner Brieftasche und wollte ihn eben Martha reichen, als er sich an die Stirn schlug. »Verzeih, ich habe gar nicht gefragt. Kannst du denn Deutsch?« Als Felicity und ihre Mutter verneinten, trug er den Text auf Englisch für sie vor:

> *Ob Mensch, ob Tier,*
> *ob Zweibein oder vier,*
> *ob Stock und Stein,*
> *ob Korn und Sein,*
> *es findet alles seinen Platz,*
> *in Gottes großem Schatz.*
> *Doch das größte Geschenk ist die Liebe!*
> *Findet sie dich, so halt sie fest und nimm sie an,*
> *LIEBE ist das Einzige, das diese Welt heilen kann.*

Pater Simone seufzte vernehmlich: »Ach, was könnte die Welt für ein friedlicher Ort sein, wenn sich alle an diese einfachen Weisheiten hielten. Mehr hat unser Herr Jesus auch nicht gewollt. Aber der Mensch ist nicht für das Einfache geschaffen, er muss immer alles verkomplizieren. Er ist sich selbst eine Bürde.«

Eine Weile war es völlig still am Tisch. Ein jeder hielt die Zeilen des Gedichts noch eine Weile in seinen Gedanken fest und ließ ihre einfache Wahrheit nachwirken.

Irgendwann hob Martha den Kopf und sah ihre Tochter lange an, in ihren Augen standen Tränen.

Ganz zaghaft sagte sie dann zu ihr: »Mea culpa.« Dabei lächelte sie Felicity an, wie sie sie noch nie angelächelt hatte. Es war ein Lächeln, das in ihrem Herzen begann und in ihren Augen endete.

Felicity nahm es wahr, und ein vorsichtiges Staunen zeichnete sich auf ihrem Gesicht ab, eine Hoffnung auf das Versprechen der Zukunft. Martha hob nun ihre Hand und strich ihrer

Tochter unendlich zart über die Wange, eine Geste voller Liebe und Erkenntnis, eine Geste, die lange ersehnt und scheinbar mühelos eine Distanz, die es niemals hätte geben dürfen, überwand.

»Was hältst du davon, Felicity, wenn wir noch einige Tage hierbleiben und uns gemeinsam Rom ansehen? Jetzt, wo wir schon einmal da sind.«

»Ich finde, dass das eine sehr gute Idee ist, Mom!« Felicity gab ihr das Lächeln aus vollem Herzen zurück.

Und dann nahm Martha ihre Tochter in die Arme und hielt sie fest, als wolle sie sie nie mehr wieder loslassen.

Epilog

Ich, Felicity

Eingangs erwähnte ich, dass die Wahrheit stets ihrer eigenen Physik folgt. Irgendwann holt sie uns ein und klagt uns an. Doch das ist nur eine Facette der Wahrheit, denn sie macht uns auch frei. Sie kann Wunden heilen und Frieden bringen.

Wir, Pater Simone, Onkel Wolfgang, meine Mutter und ich, erfuhren in dieser Nacht bei Gino noch sehr viel über unsere Familie und ihr Schicksal. Ich stellte mir dabei meine Urgroßeltern vor, das Glück ihrer Liebe, und deren Unglück es war, in die falsche Zeit hineingeboren worden zu sein. Sie waren die Opfer einer pervertierten Ideologie, die ein ganzes Volk mitgerissen hatte und ein weiteres fast für immer vernichtet hätte. Warum? Es ist eine Frage, die erst beantwortet werden kann, wenn der Mensch endlich gelernt hat, Frieden zu halten.

Einer Eingebung folgend fragte ich meinen Onkel noch, ob er wisse, was aus Großmutters Freundin Marlene geworden sei. Sie war mir beim Lesen der Lebensgeschichte meiner Großmutter richtig ans Herz gewachsen. Was für eine starke und mutige Frau! Da lächelte er mich verschmitzt an und fragte, ob mir Greta Jakob ein Begriff sei. Natürlich bejahte ich, denn wer kannte Greta Jakob nicht, sie war eine der berühmtesten Schauspielerinnen ihrer Zeit.

So erfuhr ich, dass Marlene Kalten ihren Jugendtraum wahr gemacht hatte und Schauspielerin geworden war. Mein Großonkel kannte sie gut, die beiden waren seit Ende des Krieges befreundet und hatten viele Jahre gemeinsam nach meiner Großmutter gefahndet. »Meine Schwester wollte wohl nicht gefunden werden, vermutlich war ihr die Vergangenheit eine Last«, sagte er betrübt. »Denn sie hätte jederzeit die Möglichkeit gehabt, mit Marlene Kontakt aufzunehmen. Greta hat sogar in mehreren Interviews erwähnt, dass sie ihre Freundin Deborah suche, aber … « Er ließ den Satz unvollendet, und ich konnte seinen Schmerz spüren.

Greta Jakob alias Marlene Kalten sei jetzt weit über neunzig, erzählte er mir weiter, aber sie erfreue sich in Anbetracht ihres Alters einer annehmbaren Gesundheit und eines flinken Geistes. Vor knapp zwanzig Jahren habe sie sich von der Bühne zurückgezogen und lebe heute wieder in Krakau.

Am Ende schenkte mir Onkel Wolfgang das Gedicht meines Urgroßvaters mit den Worten: »Dieses Gedicht ist das Einzige, was mir von meinem Vater geblieben ist, es ist mein wertvollster Besitz. Ich möchte, dass du es bekommst, Felicity, in Erinnerung an diese beiden wunderbaren Menschen, die meine Eltern waren. Mein Vater hatte nicht nur heilende Hände, er konnte auch mit Worten heilen. Er hat mich vieles gelehrt. Aber besonders oft muss ich an den einen Satz von ihm denken, dass Liebe das Einzige ist, was diese Welt heilen kann.« Dabei sah mich mein wiedergefundener Großonkel mit seinen klugen Augen an, als wisse er, dass es in meinem Leben noch eine große Frage ohne Antwort gab.

Noch dieses Jahr werden Mutter und ich Onkel Wolfgang in München besuchen. Das Haus am Prinzregentenplatz 10 wurde im Krieg zerstört, aber er wird uns die Grabstelle meiner Urgroßeltern zeigen. Das Grab meines Urgroßvaters ist leer. Sein Schicksal wird, wie so viele andere auch, für immer ungeklärt bleiben. Und wir werden gemeinsam nach Krakau reisen und Marlene besuchen. Mutter und ich möchten sie unbedingt kennenlernen. Onkel Wolfgang hat schon mit ihr gesprochen und uns erzählt, dass sie sich auf uns freue.

Nachdem wir uns im Morgengrauen von Pater Simone verabschiedet hatten, las ich das Gedicht noch einmal. Und noch einmal. Onkel Wolfgang hatte mir die Übersetzung aufgeschrieben. Und dann hörte ich wieder Onkel Wolfgangs Stimme, die sagte:

»Liebe ist das Einzige, was diese Welt heilen kann.«

Ich dachte an die Frauen meiner Familie, an meine Urgroßmutter Elisabeth, meine Großmutter Deborah und an meine eigene Mutter. Die Glieder der Kette meiner Vorfahren. Sie alle hatten verschiedene Formen der Liebe erlebt, sie hatte ihr Schicksal bestimmt. Für sie war Liebe sehnsüchtig und herzzerreißend, exzessiv und verzehrend, aber auch so zerstörerisch gewesen, dass das eigene Herz daran verbrannte und nichts zurückblieb als kalte Asche. Dann ist Liebe Schmerz. Doch Liebe ist vor allem unvergänglich, sie überdauert alles und kann die Herzen selbst Jahrzehnte später noch berühren und heilen. So, wie sie mein Herz berührt hat.

Plötzlich gab es kein Zögern mehr. Ich griff zum Telefon.

Richard nahm sofort ab, als hätte er auf meinen Anruf gewartet. »Felicity, wie schön! Bist du schon aufgestanden? Es muss noch sehr früh in Rom sein. Dein Vater hat mir bereits erzählt, dass du deine Mutter gefunden hast. Wie geht es dir, mein Lieb…?« Ich stellte mir vor, wie sich Richard gerade auf die Zunge biss, um das Kosewort zu unterdrücken. Vermutlich dachte er gerade, dass er sich erst daran gewöhnen müsse, dass ich nicht mehr seine Verlobte war …

»Mir geht es ausgezeichnet«, antwortete ich ihm. »Mutter und ich haben beschlossen, noch bis Sonntag in Rom zu bleiben. Dann kommen wir nach Hause. Es gibt viel zu erzählen. Vater hat mir übrigens gesagt, dass du schon zweimal nach ihm gesehen hast. Ich danke dir sehr dafür, Richard.«

»Du musst mir nicht danken. Du weißt, wie sehr ich deinen Vater schätze.«

Eine kurze Pause entstand, dann fragte ich fast zaghaft: »Gilt dein Angebot noch?«

»Welches meinst du? Als Ärztin im Children's Hospital zu arbeiten oder mich zu heiraten?« Selbst durchs Telefon glaubte ich spüren zu können, wie sich Richards Herzschlag beschleunigte.

Wieder zögerte ich, bevor ich antwortete: »Sagen wir, dass ich mir beides überlege?«

»Was ist mit Kabul und *Doctors for the World?*« Ich hörte die Atemlosigkeit in seiner Stimme.

»Ich werde die Stelle nicht antreten. Soll vorerst jemand anders die Welt retten. Mein Platz ist zu Hause. Bei dir.« Dieses Mal klang meine Stimme fest. Es gab kein Zögern mehr und keine Zaghaftigkeit.

Wieder entstand eine Pause. Sie dauerte nur wenige Sekunden, doch für mich war sie so groß und weit wie der Ozean, der zwischen uns lag. Jäh schlich sich Angst in mein Herz, dass Richard mich nicht mehr wollte, jetzt, da ich ihn wollte. Und dann erlöste er mich.

»Oh, mein Liebling, ich kann es kaum erwarten, dass du nach Hause kommst. Ich liebe dich.«

»Und ich liebe dich.«

Wir sprachen noch eine ganze Weile, konnten uns kaum voneinander lösen. Wir schmiedeten Zukunftspläne, und ich erzählte ihm auch von meiner fernen Familie und meinen Wurzeln in Deutschland. Endlich verabschiedeten wir uns. Ich legte auf und fühlte mich plötzlich frei, als wäre eine Last von mir abgefallen. Was für ein wunderbarer Mann Richard doch war.

Zum ersten Mal fühlte ich, was Glück ist.

Es ist das, was mein Name bedeutet. Felicity, Glück.

Nachbemerkung

Albrecht Brunnmann ist eine fiktive Gestalt. Sein historisches Vorbild, Adolf Eichmann, war es nicht. Dessen engster Mitarbeiter hieß Alois Brunner. Der Name »Brunnmann« ist ein Kompositum aus beiden Namen. Gleiches gilt für Kaltenbrunners Adjutant. Sein eigentlicher Name lautete Arthur Scheidler. Daraus habe ich »Schitler« gemacht – die Steilvorlage war einfach zu gut, ich konnte und wollte ihr nicht ausweichen.

Eichmann gilt heute als Architekt des Holocaust, er war der Logistikchef, der die Zahlen der zu Deportierenden berechnete und die Auslastung der Eisenbahnwaggons kalkulierte. Er war auch der Protokollant der Wannsee-Konferenz, auf der der europaweite Massenmord an sechs Millionen Juden beschlossen wurde.

Eichmann und seine Helfer scheuten sich nicht, es mit dem Wahnsinn dieser Logistik aufzunehmen. Eiskalt und perfide stellten sie sich die Frage: Wie bringt man sechs Millionen Menschen um? Welche Tötungsart ist am ökonomischsten? Gute Munition war schließlich teuer! Und wie löst man das Problem mit der Entsorgung der Leichen? Wer soll sie begraben? Kann man mögliche »Reste« verwerten? Die Haare dienten bekanntlich als Füllung für Matratzen. Mehr muss ich dazu nicht anführen, jeder weiß, wie es geendet hat.

Adolf Eichmann ist darüber hinaus der einzige Naziverbrecher, dem je vor einem ordentlichen Gericht in Israel der Prozess gemacht wurde, und der einzige, an dem die israelische

Justiz je das Todesurteil vollstreckte. 1960 von Mossad-Agenten aus Argentinien entführt, wurde er 1962 hingerichtet.

Auch Fritz Gerlich ist eine historische Figur. Er steht stellvertretend für all jene mutigen Journalisten, die sich täglich dem diktatorischen Wahnsinn in der Welt entgegenstellen, der die Stimme der Wahrheit zum Schweigen bringen will – denn Diktatoren fürchten nichts mehr als die Wahrheit. Fritz Gerlich war Redakteur bei den *Neuesten Münchner Nachrichten*, aus denen später die *Süddeutsche Zeitung* hervorging. Gerlich selbst gründete die Zeitung *Der gerade Weg* am 03. Januar 1932.

Fritz Gerlich ist seinen geraden Weg gegangen, unerschütterlich und aufrecht bis in den Tod. Er wurde sechzehn lange Monate wegen seiner Überzeugung misshandelt und gefoltert und blieb standhaft. Er starb für die Wahrheit.

Ebenso gab es Hitlers Patenkind, Egon Hanfstaengl, *Egon Putzinger* im Buch. Sein Vater, Ernst »Putzi« Sedgwick Hanfstaengl, fungierte bis 1937 als Pressechef Adolf Hitlers. Spöttisch wurde er damals auch »Hitlers Klavierspieler« oder »seine Vorzimmerdame« genannt.

Ernst »Putzi« Hanfstaengl hat tatsächlich in Harvard studiert und seinerzeit im exklusiven Harvard Club den jungen Senator Franklin D. Roosevelt kennengelernt – woran sich Putzi dann zwanzig Jahre später erinnerte und diesen Umstand geschickt für sich zu nutzen wusste. Denn nach seiner Flucht aus Deutschland über die Schweiz nach London wurde Putzi Hanfstaengl 1939 zu Kriegsbeginn von den Briten als feindlicher Ausländer interniert, dann jedoch im Auftrag von Franklin D. Roosevelt, mittlerweile Präsident der Vereinigten Staaten von Amerika, nach Washington ausgeflogen.

Fortan fungierte Putzi als Berater Roosevelts im Krieg gegen Nazideutschland. Eine erstaunliche Karriere, vom Berater Hitlers zum Berater Roosevelts! Kurios und bezeichnend nannte Hanfstaengl seine Memoiren dann auch: *Zwischen Weißem und Braunem Haus.*

Im Buch wurde aus Putzi »Bubi«. Einige Örtlichkeiten im Umfeld der Putzingers/Hanfstaengls habe ich ebenfalls leicht verändert.

Ich möchte noch auf ein geschichtliches Detail hinweisen. Ich habe mir erlaubt, aus dramaturgischen Gründen die Fertigstellung der Neuen Reichskanzlei anzupassen. Elisabeth Malpran betritt sie im Juni 1938, offiziell eingeweiht wurde sie jedoch erst am 09.01.1939.

Mitte der Neunzigerjahre habe ich Putzis Sohn, Egon Hanfstaengl, in der Villa Tiefland in München kennengelernt. Erst später wurde mir bewusst, dass es sich um dieselbe Villa handelte, in der Adolf Hitler 1924 nach seiner Entlassung aus dem Gefängnis Landsberg mit der Familie Hanfstaengl Weihnachten feierte.

Eine Freundin meiner Tante, Irene, stellte damals den Kontakt zu Egon Hanfstaengl her. Irene kam Mitte der Neunziger aus Seattle nach München, um mit Egon zu leben. Sie war seine Jugendliebe gewesen. Egon und Irene hatten inzwischen ihre Partner verloren, sich wiedergefunden und wollten nach vierzig Jahren einen Neustart wagen. Aber das ist eine andere Geschichte ...

Als ich die Villa gemeinsam mit Irene betrat, wusste ich nicht, was mich erwartete. Sicherlich rechnete ich nicht damit, jemanden anzutreffen, dessen Vater ein enger Weggefährte Adolf Hitlers war und der als dessen Patenkind mit Süßigkeiten verwöhnt auf seinen Knien geschaukelt hatte.

Wir trafen Egon inmitten seines Erbes an, das ihm sein Vater Putzi hinterlassen hatte: jede Menge Briefe, Redemanuskripte mit handschriftlichen Notizen und Zeichnungen von Hitler. Egon studierte und sortierte sie, weil er seinerzeit ein Buch über Adolf Hitler plante. Er ließ mich dann sogar auch einige der Hitler-Handschriften lesen.

Mehrere Stunden verbrachte ich an diesem Nachmittag im Gespräch mit Egon. Er war ein komischer Kauz, aber ein bedeutender Zeitzeuge und faszinierender Erzähler. Er fand in mir eine interessierte Zuhörerin. Irene erzählte mir später auch, dass Egons Mutter, Helene Hanfstaengl, im Roman *Helga Putzinger*, 1959 zu ihr, der Verlobten ihres Sohnes Egon, gesagt hatte: »Mein größter Fehler war es, dass ich Hitler damals den Revolver weggenommen habe. Hätte ich ihn sich nur umbringen lassen!« Hitler suchte nach dem Putschversuch 1923 in München bekanntlich im Bauernhaus der Hanfstaengls Zuflucht, wo er dann ja auch verhaftet wurde.

An jenem Tag in der Villa Tiefland reifte erstmalig die Idee zu *Honigtot* in mir heran.

Wie ich eigentlich auf den Romantitel »Honigtot« gekommen sei, wurde ich gefragt.

Ich wählte ihn, weil aus Honig der Trank der Götter bereitet wird: *Met*. *Met(h)* ist das hebräische Wort für »tot«. Auch ist das Schicksal der Bienen eng mit dem des Menschen verknüpft. »Wenn die Biene stirbt, hat der Mensch noch vier Jahre zu leben.« Der Satz stammt von einem sehr weisen Menschen: Albert Einstein.

In eigener Sache –

auch bekannt als Danksagung

Dieses Buch ist dem kleinen Simon gewidmet. Sein Lächeln und seine Fröhlichkeit sind unvergessen. Er liebte das Leben und die Menschen. Die Geschichte der ersten Ameise Moriah habe ich für ihn geschrieben, traurigerweise konnte ich sie ihm nicht mehr vorlesen. Simon musste diese Welt bereits im Alter von sechs Monaten wieder verlassen, doch er wurde in eine liebende Familie geboren. Hätte unsere Familie ihn behalten dürfen, so hätte er seine Chance im Leben gehabt.

Leider gibt es zu viele Kinder, denen diese Chance von Geburt an verwehrt bleibt. Sie werden Opfer von Armut, Krankheit und Krieg, verursacht durch menschenverachtende Ideologien und Religionen. Für unsere Kinder sollten wir alles daransetzen, die Erde zu einem friedlicheren Ort zu machen. Bisher haben wir versagt.

Natürlich muss ich meinen engelsgeduldigen Mann erwähnen. Als Dank für seine Unterstützung schicke ich ihn durch meine private Hölle: die Buchhaltung.

Danke, mein Schatz, dass du mir so den Rücken freihältst. Was wäre ich ohne deine Liebe. Kuss!

Mein Dank gilt auch meinen bewährten Kampfleserinnen und -lesern: meine Mami, Christine, Ro, Ramona, Caroline, Eva, Ludwig, Schneeflöckchen, Juliane, Laura und Daphne. Eure Unterstützung, Kritik und Motivation bedeuten mir alles.

Und dann sind da noch Myriam und Heike. Myriam trieb mich durch das Rechtschreiblabyrinth und verwies mich in die

Grenzen dichterischer Freiheit, und Heike war meine ganz persönliche Text-Domina. Heikes Randbemerkungen verdienten eigentlich ein eigenes Buch.

Auch mein Freund Johannes Zum Winkel stand mir treu zur Seite. Danke, Johannes! Du bist und bleibst einer der grundanständigsten Menschen, die mir begegnet sind.

Mein Dank gilt auch meiner wunderbaren Agentin Lianne Kolf, deren großes Herz und Kümmergen auch nicht vor meinem Mann halt macht.

Und dann gibt es noch die bezaubernde Julia Eisele von Piper, der ich leider viel zu spät begegnet bin, aber die mein Leben seitdem umso mehr bereichert. Julia, ich danke Dir, dass Du mich entdeckt hast und ich von Dir lernen darf. Mein Dank gilt an dieser Stelle auch dem gesamten tollen Piper-Team.

Und natürlich DANKE ich ganz besonders all meinen Lesern, die mein Buch gelesen haben. Bitte schreibt mir sehr gern an: mail@hannimünzer.de, was Euch an diesem Buch gefallen oder nicht gefallen hat. Ich bin Euch für jede Kritik, Unterstützung oder Anregung dankbar – denn ohne Euch, meine Leser, bin ich nichts, aber Ihr seid alles für mich. Ich schreibe für Euch!

Eure Hanni M., im Januar 2015

Wie viel Mut braucht man für die Liebe?

Hier reinlesen!

Gisa Klönne

Die Wahrscheinlich-keit des Glücks

Roman

Pendo, 480 Seiten
€ 19,99 [D], € 20,60 [A], sFr 28,90*
ISBN 978-3-86612-374-8

Die Astrophysikerin Frieda Telling glaubt nicht an Schicksal, sie verlässt sich lieber auf ihre Berechnungen. Sie ist solide verheiratet, Mutter einer erwachsenen Tochter und mit neunundvierzig Jahren auf dem Höhepunkt ihrer Karriere. Doch ein Unfall ihrer Tochter hebt ihr geordnetes Leben aus den Angeln. Um Aline zu retten, muss Frieda über all ihre Schatten springen. Und sich dem Thema Liebe noch einmal ganz neu stellen.

Pendo

Leseproben, E-Books und mehr unter www.pendo.de

»Ein Page-Turner.«

*Cover- und Preisänderungen vorbehalten

Gisa Klönne

Das Lied der Stare nach dem Frost

Roman

Piper Taschenbuch, 496 Seiten
€ 9,99 [D], € 10,30 [A], sFr 14,90*
ISBN 978-3-492-30476-4

Ein Pfarrhaus, in dem sich ein dunkles Familiengeheimnis verbirgt. Eine große, verbotene Liebe, die 1945 tragisch endete. Eine durch die deutsch-deutsche Grenze getrennte Familie. Und die Suche einer Musikerin nach ihren Wurzeln und ihrer ganz eigenen Stimme.

PIPER

»Ein unwiderstehliches Buch.«

Hier reinlesen!

Anne Gesthuysen

Wir sind doch Schwestern

Roman

Piper Taschenbuch, 416 Seiten
€ 9,99 [D], € 10,30 [A], sFr 14,90*
ISBN 978-3-492-30431-3

Drei Schwestern, drei Leben – und das Porträt eines ganzen Jahrhunderts. Gertrud wird 100. Das Geheimnis ihres langen Lebens: »Starker Kaffee ohne alles und jeden Tag um elf Uhr einen Schnaps.« Mit ihren Schwestern Katty und Paula lädt sie zum großen Fest. So unterschiedlich die drei sind, haben sie doch vieles gemeinsam: Eigensinn, Humor und Temperament, das in diesen Tagen auch mal mit den alten Damen durchgeht; schließlich lauert hier auf dem Tellemannshof in jedem Winkel die Erinnerung …

PIPER

Leseproben, E-Books und mehr unter **www.piper.de**